Nikolaus Timpe
Das kanonistische Kirchenbild vom Codex Iuris Canonici
bis zum Beginn des Vaticanum Secundum

ERFURTER THEOLOGISCHE STUDIEN

IM AUFTRAG
DES PHILOSOPHISCH-THEOLOGISCHEN STUDIUMS ERFURT
HERAUSGEGEBEN VON
WILHELM ERNST UND KONRAD FEIEREIS

BAND 36

DAS KANONISTISCHE KIRCHENBILD

VOM CODEX IURIS CANONICI

BIS ZUM BEGINN

DES VATICANUM SECUNDUM

DAS KANONISTISCHE KIRCHENBILD VOM CODEX IURIS CANONICI BIS ZUM BEGINN DES VATICANUM SECUNDUM

EINE HISTORISCH-SYSTEMATISCHE UNTERSUCHUNG

VON

NIKOLAUS TIMPE

1978

ST. BENNO-VERLAG GMBH LEIPZIG

Kirchliche Druckerlaubnis:

Bautzen, den 6. Januar 1975, Dr. Bulang, Generalvikar

VORWORT

Auf den ersten Blick sieht es so aus, als ob man auf die Frage nach dem kanonistischen Kirchenbild wenig Antwort erhalten würde. Wer sich jedoch nur ein wenig intensiver mit der Literatur befaßt, ist überrascht, wie deutlich Struktur und Geheimnis der Kirche vielen Kanonisten vor Augen stehen. Die vorliegende Arbeit, die Weihnachten 1973 abgeschlossen wurde, behandelt den Zeitraum von 1917 bis 1962, der für uns schon Geschichte ist. Die Rechtslage hat sich seitdem in vielfacher Hinsicht geändert: die Anpassung des kanonischen Rechts an die konziliare Erneuerung der Kirche und ihrer Theologie ist noch nicht zum Abschluß gekommen.

In der Kirche habe ich vielfältige Hilfe erhalten. So danke ich zunächst meinem Bischof, Herrn Kardinal Dr. Alfred Bengsch, und meinen Berliner Mitbrüdern für die reichlich gegebenen Möglichkeiten, wissenschaftlich zu arbeiten. Dem Herrn Kardinal danke ich auch für den Hinweis auf die ekklesiologische Grundlagenproblematik. Viele weitere Anregungen kamen mir von Herrn Prof. Dr. Dr. Bernhard Panzram, dessen Aufsatz zum Kirchenbegriff des kanonischen Rechts (vgl. Anm. 288) in mancher Hinsicht einen Ausgangspunkt bildete. Herr Prof. Dr. B. Löbmann hat mit viel Interesse und Zeitaufwand die Arbeit durch die Jahre begleitet. Ich möchte noch besonders die Schreibhilfe von Frau E. Kilian, Frau C. Jermis und Frau M. Clemens sowie die sorgfältige Korrekturarbeit von Frl. C. Grunz und Herrn cand. theol. N. Gorzny erwähnen. Den Herausgebern der Erfurter Theologischen Studien, die die Arbeit in ihre Reihe aufgenommen haben, allen meinen Lehrern am Phil.-Theol. Studium in Erfurt und dem St. Benno-Verlag möchte ich ebenfalls danken. Die Kirche steht in der Welt, mit der menschlichen Gesellschaft durch mannigfache Beziehungen verbunden, und ist zugleich Teil dieser Gesellschaft. So sei nicht zuletzt den vielen Angestellten der Bibliotheken, besonders der wissenschaftlichen Bibliothek der Stadt Erfurt, der Deutschen Bücherei und der Staatsbibliothek, an dieser Stelle für ihre Unterstützung herzlicher Dank gesagt.

Alles in allem danke ich dem Urgrund der Kirche, dem dreifaltigen Gott, und wünsche dem, der daran geht, diese Zeilen zu lesen, daß sie ihm zu einer größeren Erkenntnis der Kirche und Liebe zu ihr verhelfen.

Nikolaus Timpe

INHALT

HAUPTTEIL III   BLICK AUF DAS KONZIL

VIII

ABKÜRZUNGEN UND SCHRIFTTUM

I. *Abkürzungen*

Vor allem wird auf das Abkürzungsverzeichnis im Lexikon für Theologie und Kirche, Bde. I, II, VI, Freiburg/Br. ²1957, ²1958 und ²1961 verwiesen.

c. (ohne weitere Bestimmung)	=	canon des CIC
cc.	=	canones des CIC
Conc	=	Concilium
DS	=	siehe unter Denzinger, H. – Schönmetzer, A.
ES	=	siehe unter Paul VI., Ecclesiam Suam
EThSt	=	Erfurter Theologische Studien
Herder	=	Der große Herder, 5., neubearbeitete Auflage von Herders Konversationslexikon, Freiburg/Br. 1953–1962
IPE	=	Ius Publicum (Ecclesiasticum)
LThK	=	Lexikon für Theologie und Kirche, Freiburg–Basel–Wien ²1957–1965 bzw. 1967 (hrsg. von J. Höfer und K. Rahner)
LThK Vat I	=	1. Ergänzungsband zum LThK, Das zweite Vatikanische Konzil I, Freiburg–Basel–Wien 1966
LThK Vat II	=	2. Ergänzungsband zum LThK, Das zweite Vatikanische Konzil II, Freiburg–Basel–Wien 1967
LThK Vat III	=	3. Ergänzungsband zum LThK, Das zweite Vatikanische Konzil III, Freiburg–Basel–Wien 1968
Mystici Corporis	=	siehe unter Pius XII.
Quas Primas	=	siehe unter Pius XI.
REDC	=	Revista Española de Derecho Canónico, Salamanca 1966ss
Rohrbasser	=	siehe unter Heilslehre der Kirche
ThJb	=	Theologisches Jahrbuch
TrDC	=	Traité de Droit Canonique

II. *Literatur*

Zitationsregel:
Im Folgenden werden die Werke des Ius Publicum Ecclesiasticum außer bei Cappello und die Kommentare zum CIC nur mit dem Verfassernamen, das übrige Schrifttum mit Verfassernamen und erstem Hauptwort zitiert, falls nicht im folgenden Verzeichnis etwas anderes vermerkt ist. Im dritten Abschnitt des 2. Teils findet man außerdem am Anfang des Paragraphen bzw. Kapitels eine Zusammenstellung der betreffenden Literatur.

1. *Primärliteratur*
Hierunter verzeichnen wir kanonistisches Schrifttum aus der Zeit von 1917 bis 1962. Die Werke der einzelnen Verfasser sind in der Regel nicht alphabetisch, sondern chronologisch oder sachlich geordnet.

Acta Congressus Internationalis Iuris Canonici (hrsg. EIC), Romae 1953.

Ayrinhac, H. A., General legislation on the new Code of Canon Law, London ²1930.

Ders., Constitution of the Church in the new Code of Canon Law, New York–Toronto 1929.

Ders., Legislation on the sacraments . . ., New York–London 1928.

Ders., Administrative legislation . . ., London 1930.

Ders., Marriage legislation . . ., überarbeitet und erweitert von P. J. Lydon, New York ²1932.

Ders., Penal legislation . . ., überarbeitet und erweitert von P. J. Lydon, New York ²1936.

Bender, L., Ius Publicum Ecclesiasticum, Bussum 1948.

Ders., Persona in Ecclesia – membrum Ecclesiae: Apollinaris 32 (1959) 105–119.

Bernhard, J., Des Membres de l'Église: REDC 11 (1961) 215–226.

Bertola, A., La Costituzione della Chiesa, Torino ³1958.

Bertrams, W., Die Eigennatur des Kirchenrechts: Gr 27 (1946) 527–566.

Ders., De origine Ecclesiae: PerRMCL 35 (1946) 241–255.

Ders., Vom Sinn des Kirchenrechts: StdZ 143 (1948/49) 100–119.

Ders., De principio subsidiaritatis in Iure Canonico: PerRMCL 46 (1957) 3–65 (zit. Subsidiaritas).

Ders., Die personale Struktur des Kirchenrechts: StdZ 164 (1958/59) 121–136.

Ders., De personalitatis moralis in Iure Canonico natura metaphysica: PerRMCL 48 (1959) 213–228.

Ders., De influxu Ecclesiae in iura baptizatorum: PerRMCL 49 (1960) 417–457.

Ders., De relatione inter officium episcopale et primatiale: PerRMCL 51 (1962) 3–29.

Beste, U., Introductio in Codicem, Neapoli ⁴1956.

Beyer, J., Die Weltgemeinschaften nach dem Kirchenrecht, in: Als Laie Gott geweiht. Theologisches und Kirchenrechtliches zu den Weltgemeinschaften (Der Neue Weg, Schriftenreihe für Weltgemeinschaften [instituta saecularia] 3), Einsiedeln 1964 (vgl. Anm. 389), 9–56.

Ders., Die kirchenrechtlich anerkannten Formen des Vollkommenheitslebens: GuL 33 (1960) 290–299 (= ThJb Leipzig 1963, 459–469 und in: Zeitgemäße Erneuerung des Ordensstandes [Pastoral-Katechetische Hefte 40], Leipzig 1969, 174–186).

Bidagor, R., El espiritu del Derecho Canónico: REDC 13 (1958) 5–30.

Blat, A., Commentarium textus CIC, Romae I 1921; II ²1921; III ³1938; IV ²1934; V 1927; VI 1924.

Brys, J., Iuris Canonici Compendium, 2 t., Brugis ¹⁰1947–1949 (post Codicem 2.).

Cappello, F. M., Summa Iuris Canonici, 3 t., Romae ³1938–1940 (zit. Cappello).

Ders., Summa Iuris Publici Ecclesiastici, Romae ⁵1943 (zit. Cappello, Summa).

Ciprotti, P., Il fine della Chiesa e il diritto: Archivio di Diritto Ecclesiastico 4 (1942) 36–40.

Ders., Lezioni di diritto canonico, I (parte generale), Padova 1943.

Cocchi, G., Commentarium in CIC, Taurini, I ⁶1947; II ⁵1948; III ⁴1940; IV ⁴1946; V ⁴1952; VI ⁴1932; VII ³1940; VIII ⁴1938.

Conte a Coronata, M., Ius Publicum Ecclesiasticum, Romae ³1947.

Ders., Institutiones Iuris Canonici, 4 t., Taurini–Romae I ⁴1950; II ⁵1962; III ⁵1962; IV ⁵1961.

Creusen, J., Adnotationes in librum Vᵘᵐ de delictis et poenis ad explicandam vel complendam epitomen iuris canonici (pro manuscripto), Romae sine anno (zit. Creusen, Adnotationes in V.).

Dictionnaire de Droit Canonique (hrsg. von *R. Naz*), 7 t., Paris 1935–1965.

Ebers, G. J., Grundriß des katholischen Kirchenrechts, Wien 1950.

Eichmann, E., Kirchenrecht, 2 Bde., München ³1929.

Ders. und *Mörsdorf, K.,* Lehrbuch des Kirchenrechts auf Grund des Codex Iuris Canonici, 3 Bde. (begründet von E. Eichmann, neu bearbeitet von K. Mörsdorf), 6. Auflage Bd. I Paderborn 1951 (verbesserter Nachdruck, zit. Mörsdorf ⁶I), Bd. II und III Paderborn 1950; 9. Auflage (neu bearbeitet und herausgegeben von K. Mörsdorf) München–Paderborn–Wien Bd. I 1959, Bd. II 1958, Bd. III 1960 (zit. Mörsdorf I, II und III ohne Indexziffer; nach dieser Auflage wird das Lehrbuch hier gewöhnlich zitiert, da die 10. Auflage gegenüber der neunten unver-

X

ändert ist); 11. Auflage (fortgeführt von K. Mörsdorf) München–Paderborn–Wien Bd. I 1964,
Bd. II 1967.

Estudios de Deusto 9 (1961)

Fedele, P., Discorso generale sull'ordinamento canonico, Padova 1941.

Ders., Il mio „Discorso sull'ordinamento canonico" di fronte alla critica: Archivio di Diritto
Canonico 5 (1943) 47–63; 189–199; 267–270; 381–384.

Ders., Lo spirito del Diritto Canonico, Padova 1962.

Fogliasso, E., La tesi fondamentale del Ius Publicum Ecclesiasticum: Salesianum 6 (1946) 67
bis 136.

Ders., Istituzioni di Diritto Canonico, 2 t., Milano ³1936.

Forchielli, G., Caratteri comuni e differenziali nel Diritto Canonico in: Investigación 77–97.

Gasparri, P., Catechismus Catholicus, Romae ⁸1932.

Gommenginger, A., Bedeutet die Exkommunikation Verlust der Kirchengliedschaft?: ZKTh 73
(1951) 1–71.

Hagen, A., Die kirchliche Mitgliedschaft, Rottenburg 1938.

Ders., Prinzipien des katholischen Kirchenrechts, Würzburg 1949.

Haring, J., Grundzüge des katholischen Kirchenrechts, 3. nach dem CIC umgearbeitete Auflage,
Graz 1924.

Heimerl, H., Laien im Dienst der Verkündigung, Wien 1958.

Ders., Kirche, Klerus und Laien. Unterscheidungen und Beziehungen, Wien 1961.

Hervada Xiberta, J., Fin y caracteristicas del ordenamiento canónico: Ius canonicum 2 (1962)
5–110.

Ders., Rezension zu: Nolasco, Iglesia: Ius canonicum 2 (1962) 768–773.

Hilling, N., Die Bedeutung des Codex Iuris Canonici für das kirchliche Verfassungsrecht, Mainz
1920.

Ders., Das Personenrecht des Codex Iuris Canonici, Paderborn 1924.

Ders., Der Codex Iuris Canonici als legislatio libertatis: AkathKR 123 (1948/49) 261–267.

Ders., Die kirchliche Mitgliedschaft nach der Enzyklika Mystici Corporis und nach dem Codex
Iuris Canonici: AkathKR 125 (1951/52) 122–129.

Hofmann, L., Die Rechte der Laien in der Kirche: TThZ 64 (1955) 341–362.

Holböck, C., Handbuch des Kirchenrechtes, 2 Bde., Innsbruck–Wien 1951.

Hove, A. v., Leges quae ordini publico consulunt: EThL 1 (1924) 153–167.

Ders., Prolegomena ad Codicem iuris canonici, Lb. I, Normae generales (Commentarium Lovaniense in Codicem iuris canonici Vol. I, t. I–V). Mechlinii–Romae I ²1945, II–V 1930 bis
1938.

Investigación y Elaboración del Derecho canónico (hrsg. von der Universität Salamanca), Barcelona 1956 (zit. Investigación).

Jannacone, C., La personalità giuridica della Chiesa, in: Studi in onore di V. Del Giudice, Milano 1953, t. I, 461–534.

Jiménez-Fernández, M., Instituciones jurídicas en la Iglesia católica, 2 t., Madrid 1940–1942.

Jiménez-Urresti, T. I., Son miembros de la Iglesia los protestantes?: REDC 15 (1960) 153–166.

Ders., La potestad jurídica de la Iglesia: REDC 15 (1960) 685–705.

Ders., El binomio Primado-Episcopado, Bilbao 1962.

Jombart, E., Manuel de Droit Canon, Paris 1949.

Jone, H., Gesetzbuch der lateinischen Kirche, 3 Bde., Paderborn ²1950–1953.

Kaiser, M., Die Einheit der Kirchengewalt nach dem Zeugnis des Neuen Testamentes und der
Apostolischen Väter (MthSt, kan. Abt. 7), München 1956.

Kienitz, E. R. v., Die Gestalt der Kirche, Frankfurt/M. 1937.

Ders., Die Katholische Kirche als Weltreich, Oberursel 1948.

Koeniger, A. M., Katholisches Kirchenrecht, Freiburg/Br. 1926.

Koeniger, A. M. – Giese, F., Grundzüge des katholischen Kirchenrechts und des Staatskirchenrechts, Augsburg–Göggingen ³1949.

Lesage, G., La Nature du Droit Canonique, Ottawa 1960.

Löbmann, B., Die zwei Wege der kirchlichen Strafdisziplin, in: Miscellanea Erfordiana (EThSt 12), Leipzig 1962, 203–224.

Mathis, B., Das katholische Kirchenrecht für den Laien, Paderborn 1940.

May, G., Die kirchliche Ehre als Vorbedingung der Teilnahme am eucharistischen Mahle (EThSt 8), Leipzig 1960.

Ders., Das geistliche Wesen des kanonischen Rechts, in: Miscellanea Erfordiana (EThSt 12), Leipzig 1962, 174–202.

Ders., Der Begriff der kanonischen Auctoritas im Hinblick auf Gesetz, Gewohnheit, Sitte, in: Max-Planck-Institut für ausländisches und inländisches Privatrecht, Deutsche Landesreferate zum VI. Internationalen Kongreß für Rechtsvergleichung in Hamburg 1962 (hrsg. v. H. Dölle), Berlin–Tübingen 1962, 39–53 (zit. Auctoritas).

Melichar, E., Über die rechtliche Stellung der Laien in der Kirche: ÖAKR 5 (1954) 62–78.

Michiels, G., Normae generales iuris canonici, 2 t., Paris ²1949 (zit. Michiels I, 1 und I, 2).

Ders., Principia generalia de personis in Ecclesia, Paris ²1955 (zit. Michiels II, 1).

Ders., De delictis et poenis. I², II–III, Paris 1961 (zit. Michiels V, 1; V, 2 und V, 3).

Montero y Gutierrez, E., Derecho canónico comparado, 2 t., Madrid 1934 (zit. Montero, Derecho comparado).

Mörsdorf, K., Lehrbuch des Kirchenrechts siehe unter *Eichmann, E.* und *Mörsdorf, K.,* Lehrbuch ...

Ders., Die Rechtssprache des Codex Iuris Canonici (Veröffentlichungen der Görresgesellschaft, Sektion für Rechts- und Staatswissenschaften H. 74), Paderborn 1937.

Ders., Die Kirchengliedschaft im Lichte der kirchlichen Rechtsordnung: Theologie und Seelsorge 1944, 115–131.

Ders., Weihegewalt und Hirtengewalt in Abgrenzung und Bezug: MCom 16 (1951) 95–110.

Ders., Die Entwicklung der Zweigliedrigkeit der kirchlichen Hierarchie: MThZ 3 (1952) 1–16.

Ders., Zur Grundlegung des Rechtes der Kirche: MThZ 3 (1952) 329–348.

Ders., Altkanonisches „Sakramentsrecht"? Eine Auseinandersetzung mit den Anschauungen Rudolph Sohms über die inneren Grundlagen des Decretum Gratiani, in: StG I, 485–502.

Ders., Art. Bischof, kirchenrechtlich, in: LThK 2, 497–505.

Ders., Der Träger der eucharistischen Feier, in: Pro mundi vita (Festschr. zum Eucharistischen Weltkongreß 1960), München–Paderborn–Wien 1960, 223–237.

Ders., Art. Laie, kirchenrechtlich, in: LThK 6, 740 f.

Ders., Persona in Ecclesia Christi: AkathKR 131 (1962) 345–393.

Mosiek, U., Die probati auctores in den Ehenichtigkeitsprozessen der S. R. Rota seit Inkrafttreten des CIC, Freiburg 1959.

Ders., Die Zugehörigkeit zur Kirche im Rahmen der Kanonistik: ThGl 49 (1959) 256–268.

Nolasco, R. L., La Iglesia visible misterio de Christo. Miembros y excluidos, Buenos Aires 1961.

Noubel, J.-F., L'Église diocésaine – sa construction juridique actuelle: L'année canonique 1 (1952) 141–162.

Onclin, W., Considerationes de jurium subjectivorum in Ecclesia fundamento ac natura: EIC 8 (1952) 9–23.

Ottaviani, A., Institutiones Iuris Publici Ecclesiastici, 2 t., Ed. quarta emendata et aucta adiuvante prof. Iosepho Damizia, Romae 1958.

Panzram, B., Der Kirchenbegriff des kanonischen Rechts. Versuch einer methodologischen Begründung: MThZ 4 (1953) 187–211.

Ders., Die Spannungsfelder des Laienapostolates im Gesichtswinkel des Kanonisten: Oberrheinisches Pastoralblatt 58 (1957) 31–38.

Ders., Die Teilhabe der Laien am Priesteramt, Lehramt und Hirtenamt im Rahmen des geltenden Kirchenrechts: Oberrheinisches Pastoralblatt 62 (1961) 65–72.

Pejška, J., Cirkevní Právo (Kirchenrecht), 3 t., Obořište 1932–1937.

XII

La Potestad de la Iglesia (Análisis de su aspecto jurídico. Trabajos de la VII. Semana de Derecho Canónico. Hrsg. vom Consejo Superior de Investigaciones cientificas), Barcelona–Valencia–Lisboa 1960 (zit. Potestad).

Questioni attuali di diritto canonico. Relazioni lette nella Sezione di Diritto Canonico del Congresso Internazionale per il IV. Centenaio della Pontificia Università Gregoriana, 13.–17. ott. 1953. Roma 1955 (zit. Questioni).

Regatillo, E. F., Institutiones Iuris Canonici, Santander [6]1961.

Robleda, O., Fin del Derecho en la Iglesia – a proposito de un libro (P. Fedele – Discorso): REDC 2 (1947) 283–292.

Rösser, E., Die Stellung der Laien in der Kirche nach dem kanonischen Recht (Würzburger Universitätsreden 9), Würzburg 1949 (zit. Laien).

Sägmüller, J. B., Lehrbuch des katholischen Kirchenrechts I, 1, Freiburg/Br. [4]1925.

Salazar Abrisquieta, J. de, Lo Jurídico y lo Moral en la técnica legislativa, in: Incestigación 99–146.

Schauf, H., Zur Frage der Kirchengliedschaft: ThRv 58 (1962) 217–224.

Scheuermann, A., Erwägungen zur kirchlichen Strafrechtsreform: AkathKR 131 (1962) 393–415.

Schmitz, P., Das katholische Laienrecht nach dem Codex Iuris Canonici (Münsterische Beiträge zur Theologie, H. 12), Münster i. W. 1927.

Sipos, S., Enchiridion iuris canonici, Pecs 1926; 7. Auflage L. Galos, Romae–Friburgi/Br.–Barcinone 1960 (hier wird die 7. Auflage zitiert).

Sotillo, L. R., Compendium Iuris Publici Ecclesiastici, Santander 1947.

Stickler, A. M., Das Mysterium der Kirche im Kirchenrecht, in: Mysterium Kirche II (vollständiger Titel siehe unter Mysterium Kirche), 571–647.

Szentirmai, A., Jurisdiktion für Laien?: ThQ 140 (1960) 410–426.

Traité de Droit Canonique (ed. R. Naz), 4 t., Paris [2]1954.

Useros Carretero, M., Aspectos eclesiológicos–canónicos del problema del laicado christiano: REDC 10 (1955) 609–645.

Ders., Rez. O. Semmelroth, Die Kirche als Ursakrament: REDC 16 ([2]1961) 714–717.

Ders., „Statuta Ecclesia“ y „Sacramenta Ecclesiae“: REDC 16 (1961) 5–68 (zit. Useros, Statuta).

Ders., „Statuta Ecclesia“ y „Sacramenta Ecclesiae“ en la Eclesiología de St. Tomás (AnGr 119), Romae 1962 (zit. Useros, Statuta AnGr).

Vermeersch, A. – Creusen, J., Epitomé Iuris Canonici, 3 t., Mechlinii–Romae [7]1949.

Wernz, F. X., – Vidal, P., Ius Canonicum, 7 t., Romae I [2]1952; II [3]1943; III 1933; IV, 1 1934; IV, 2 1936; V [3]1946; VI [2]1949; VII [2]1951.

2. Weitere Literatur

Baraúna, De Ecclesia siehe De Ecclesia.

Beumer, J., Die kirchliche Gliedschaft in der Lehre des hl. Robert Bellarmin: ThGl 37/38 (1947/48) 243–258.

Brugger, W., Philosophisches Wörterbuch, Freiburg/Br.–Basel–Wien [13]1967.

Cavagnis, F. Card., Institutiones Iuris Publici Ecclesiastici, 3 t., Romae [4]1906.

Congar, Y. M.-J., Chrétiens désunis (Unam sanctam 1), Paris 1937.

Ders., Jalons pour une théologie du laicat, Paris 1952 ([2]1954).

Ders., Der Laie. Entwurf einer Theologie des Laientums, Stuttgart [3]1964.

Ders., Die Kirche als Volk Gottes: Conc 1 (1965) 1–16 (zit. Congar, Volk Gottes).

De Ecclesia. Beiträge zur Konstitution über die Kirche des zweiten Vatikanischen Konzils (hrsg. von G. Baraúna), 2 Bde., Freiburg/Br.–Basel–Wien–Frankfurt/M. 1966 (zit. Baraúna, De Ecclesia I und II).

Dombois, H., Der Kampf um das Kirchenrecht, in H. Asmussen – W. Stählin (Hrsg.), Die Katholizität der Kirche, Stuttgart 1957, 285–307.

Ecclesia et Ius (Festschr. für A. Scheuermann), München–Paderborn–Wien 1968.

Guardini, R., Der Gegensatz. Versuche zu einer Philosophie des lebendig Konkreten, Mainz ²1955 (¹1925).

Ders., Vom Sinn der Kirche, Mainz ⁴1956 (¹1933).

Heilslehre der Kirche (Deutsche Ausgabe des französischen Originals von P. Cattin O. P. und H. Th. Conus O. P., besorgt von A. Rohrbasser) Freiburg/Schweiz 1953.

Hera, A. de la – Munier, Ch., Le Droit public ecclésiastique à travers ses définitions: RDC 14 (1964) 32–63.

Hollweck, J., Die kirchlichen Strafgesetze, Mainz 1899.

Iglesia y Derecho. Trabajos de la X. Semaña de Derecho Canónico (Hrsg.: Consejo Superior de Investigaciones Cientificas – Instituto S. Raimundo de Peñafort), Salamanca 1965.

Ius sacrum (Festschr. für K. Mörsdorf), München–Paderborn–Wien 1969.

Kemmeren, C., Ecclesia et Ius. Analysis critica operum Iosephi Klein, Romae 1963.

Lexikon für Theologie und Kirche (hrsg. von J. Höfer und K. Rahner), Freiburg/Br. ²1957–1965 (bzw. 1967).

Mayer-Pfannholz, A., Der Wandel des Kirchenbildes in der Geschichte: ThGl 33 (1941) 22–34.

Ménard, E., L'Ecclésiologie hier et aujourd'hui, Bruges–Paris 1966.

Ders., Kirche gestern und morgen, Frankfurt/M. 1968 (Übersetzung des vorigen Buches).

Mörsdorf, K., De sacra potestate, in: Quinquagesimo volvente anniversario a Codice IC promulgato. Miscellanea in honorem D. Staffa et P. Felici SRE Cardinalium I, Apollinaris 40 (1967, 1–4) 41–57.

Monzel, N., Katholische Soziallehre, 2 Bde., Köln I 1965, II 1967.

Munier, Ch., Eglise et Droit canonique du XVIᶜ siècle à Vatican I: REDC 19 (1964) 589–617.

Mysterium Kirche in der Sicht der theologischen Disziplinen, 2 Bde. (hrsg. von F. Holböck und Th. Sartory), Salzburg 1962 (zit. Mysterium Kirche).

Paul VI., Ecclesiam Suam. Rundschreiben vom 6. 8. 1964: AAS 56 (1964) 609–659 (zit. nach der Ausgabe des St. Benno-Verlages, Leipzig 1964).

Pius XI., Quas Primas. Rundschreiben vom 11. 12. 1925: AAS 17 (1925) 593–610; Rohrbasser Nrn. 61–103.

Pius XII., Mystici Corporis. Rundschreiben vom 29. 6. 1943: AAS 35 (1943) 193–248.

Rademacher, A., Die Kirche als Gemeinschaft und Gesellschaft, Augsburg 1931.

Rahner, K., Die Gliedschaft in der Kirche nach der Lehre der Enzyklika Pius' XII. „Mystici Corporis", in: Schriften II, 7–94.

Schmaus, M., Katholische Dogmatik, Bd. III, 1: Die Lehre von der Kirche, München ³⁻⁵1958 (zit. Schmaus III, 1).

Semmelroth, O., Die Kirche als Ursakrament, Freiburg/Br. ³1963 (1. Auflage 1953).

Ders., Um die Einheit des Kirchenbegriffs, in : Fragen der Theologie heute (hrsg. von J. Feiner und F. Böckle), Einsiedeln–Zürich–Köln 1957, 319–335.

Sohm, R., Kirchenrecht, Bd. I: Die geschichtlichen Grundlagen, München–Leipzig 1892; Bd. II: Katholisches Kirchenrecht, München–Leipzig 1923.

Ders., Das altkatholische Kirchenrecht und das Dekret Gratians, Leipzig 1918.

Ders., Weltliches und geistliches Recht (Festgabe der Leipziger Juristenfakultät f. K. Binding), München–Leipzig 1914.

Smulders, P., Sacramenten en Kerk. Kerkelijk Recht, Kultus, Pneuma: Bijdragen 17 (1956) 391–418.

Ders., Sacramenta et Ecclesia. Ius Canonicum, Cultus, Pneuma: PerRMCL 48 (1959) 3–53.

Tarquini, C., Iuris Ecclesiastici Publici Institutiones, Romae ¹³1890.

Valeske, U., Votum Ecclesiae, München 1962 (zit. Valeske, Votum; der Literaturteil wird als Valeske II zitiert).

Who's who in the Catholic World, Vol. I (Europe): Düsseldorf ¹1967/68.

Wolf, Erik, Ordnung der Kirche. Lehr- und Handbuch des Kirchenrechts auf ökumenischer Basis, Frankfurt/M. 1961.

XIV

EINLEITUNG

Wir stehen in einem raschen Wandel der Welt. Da auch die Kirche davon betroffen ist, drängt die Aufgabe einer Revision bzw. einer Neuschaffung der kirchlichen Gesetzgebung. Der Kanonist steht gewissermaßen zwischen zwei Feuern: Einerseits muß er von der Seelsorge her die Situation der Gläubigen stets neu bedenken und von daher dem Gesetzgeber seine Vorschläge zur Reform der Gesetze machen, andererseits muß er von der dogmatischen Theologie her immer neu das Leitbild der Kirche vor Augen bekommen, wie es uns aus der Offenbarung gegeben ist. Gerade im Wandel der Gesetze, soweit eben menschliches, auch kirchliches Recht wandelbar ist, erweist sich das zugrunde liegende Kirchenbild als sehr wichtig. Schon vor dem Konzil finden wir einen großen Wandel im Kirchenbild der katholischen Theologie und darüber hinaus;[1] es liegt die Frage nach dem kanonistischen Kirchenbild nahe. Sind die neuen Einsichten von den Kanonisten aufgegriffen worden? Welche Strömungen haben Einfluß gewonnen? Sind die Zeichen der Zeit erkannt worden? Ein Rückblick auf die Wiederentdeckung der biblischen und patristischen Theologie in der Kanonistik und die Konsequenzen der neuen (alten) Einsichten verspricht eine interessante Orientierung. Umgekehrt könnte es sein, daß die älteren Kanonisten manche Aspekte betont haben, die vielleicht zu ihrer Zeit Einseitigkeiten bedeuteten, uns heute aber vor Blickverengung in entgegengesetzte Einseitigkeiten bewahren können. In dieser Untersuchung soll weniger der erste obengenannte Aspekt berücksichtigt werden, also die empirische oder auch soziologische Seite, sondern mehr die ekklesiologische oder dogmatische Seite der Wandlungen im Kirchenbild.

1. Kirchenbild und Kirchenbegriff
Erkennbarkeit und Definierbarkeit der Kirche

a) Kirchenbild und Kirchenbegriff

Das Objekt dieser Untersuchung ist also das kanonistische Kirchenbild. Könnte man genausogut sagen: Der kanonistische Kirchenbegriff? Was ist da für ein Unterschied?

---

[1] Vgl. dazu *Valeske*, Votum (Zu den Literaturangaben vgl. die Zitationsregel auf S. IX).

Bei den meisten älteren Kanonisten finden wir Definitionen der Kirche ohne Reflexion darüber, wie weit die Kirche damit wirklich erfaßt werden kann. Ähnlich wie in der dogmatischen Theologie finden wir bei den Kanonisten eine Entwicklung vom fraglosen Definieren der Kirche zu der Feststellung: „Da die Kirche ein Geheimnis des Glaubens ist, kann sie nicht streng logisch definiert werden. Um ihr Wesen zu erfassen, sind wir daher wie bei jeder theologischen Aussage über ein Glaubensgeheimnis auf Analogien angewiesen."[2]

F. Card. Cavagnis z. B. definiert ohne weiteres die Kirche als „die Gesellschaft, die von Christus dem Herrn eingesetzt ist, damit in ihr und nur durch sie die Menschen das ewige Heil erlangen"[3]. Die andere gängige Definition ist die nach R. Bellarmin geformte: „Zusammenschluß der Menschen im Pilgerstand, die den gleichen christlichen Glauben bekennen, die geeint sind durch die Gemeinschaft der gleichen Sakramente unter der Leitung der rechtmäßigen Hirten und besonders des römischen Papstes."[4]

F. Cavagnis handelt[5] über die juridische Natur der Kirche, ohne ein Problem dabei zu finden, ob man sie überhaupt definieren könne. Dies ist eine Tatsache, die auch in der gesamten Entwicklung der dogmatischen Theologie festzustellen ist. In der Vertiefung des überkommenen Kirchenbegriffes hat man die Kirche wieder als „Mysterium" verstehen gelernt.[6] In der Konsequenz ergab sich die Frage, „ob man eines solchen ‚Mysteriums‘ überhaupt begrifflich habhaft werden ... könne"[7], ob also eine Definition im alten Sinne möglich sei. Da in der neueren Theologie, die schließlich vom Vatikanum II bestätigt worden ist,[8] die Bilder der Schrift viel stärker zur Erhellung dieses Mysteriums herangezogen worden sind, ist es wohl angebracht, auch in dieser Arbeit vornehmlich vom Kirchenbild zu sprechen. Wir meinen aber damit nicht nur eine Wesensschau, sondern mehr den Gesamteindruck, den die Auffassung von der Kirche bei den Kanonisten macht.

So könnten wir also sagen: „Unter ‚Kirchenbild‘ verstehen wir jenen großen allgemeinen Gesamteindruck, den jeweils eine Epoche der Geschichte ... von

---

[2] *Mörsdorf* I, 22 f.

[3] *Cavagnis*, Institutiones I, 109 n. 199: Ecclesia est *„societas a Christo Domino instituta ut in ea et per eam exclusive homines salutem aeternam consequantur"*.

[4] *Ottaviani* I, 157 n. 88: „Coetus hominum viatorum, eiusdem fidei christianae professione et eorundem sacramentorum communione adunatus sub regimine legitimorum pastorum, ac praecipue Romani Pontificis". R. *Bellarmin*, Controvers. lib. III de eccl., C. II (*A. Ottaviani* hat das Wort viatorum ergänzt, um damit das Ziel der irdischen Kirche anzugeben.)

[5] Cf. Institutiones I, 114–121 nn. 206–217.

[6] Vgl. *Stickler*, Mysterium und das ganze Sammelwerk, in dem dieser Aufsatz erschienen ist.

[7] *Valeske*, Votum 26.

[8] Vgl. LG Cap. 1, Das Mysterium der Kirche.

der Kirche empfing, unter den sie sich beugte . . ."[9]. „Epoche der Geschichte"
wäre hier zu ersetzen durch „die Kanonistik von 1917 bis 1962". In diesem
Zeitraum finden wir zwei klar voneinander abgehobene Kirchenbilder. Die
weitaus überwiegende Anzahl der Kanonisten sieht die Kirche als von Jesus
Christus gestiftete übernatürliche societas perfecta (§ 6–16). Eine beachtliche
Minderheit besonders von spanischen und deutschen Kanonisten entdeckt die
sakramentale Eigenart der Kirche neu (§ 17–27).[10]
Der Termin 1917 ist nahegelegt durch das Erscheinen des CIC, hätte aber genausogut etwas früher oder später gewählt werden können. Als Endpunkt ist 1962
genommen, weil mit dem Konzil deutlich ein neues Stadium erreicht wird. Eine
Weiterführung wäre interessant, würde aber wegen der Fülle des Stoffes den
Umfang der Arbeit zu sehr erweitern. Als Material sind die Veröffentlichungen
der Kanonisten herangezogen worden, soweit sie systematischen Charakter tragen. Die rechtshistorischen Abhandlungen sind also kaum ausgewertet worden,
genausowenig wie die Werke über das Verhältnis von Staat und Kirche. Beides
wäre je eine eigene Arbeit. Die Fülle des Stoffes war schon so nur durch eine
Beschränkung auf wesentliche Grundzüge zu bewältigen.

b) Die Kirche ist eine Wirklichkeit

Ist es schon schwierig, „das Wesen der Kirche mit juristischen Begriffen bestimmen zu wollen", weil die Kirche eine Gemeinschaft eigener Art ist,[11] müssen wir
das noch mehr sagen bezüglich ihrer konkreten Erscheinung, ihrer Wirklichkeit.
Fr. Pilgram hat auf diese Unterscheidung vielleicht zuerst wieder ausdrücklich
aufmerksam gemacht.[12] Die europäische Geistesgeschichte ist geprägt von der
Frage nach dem Wesen, dabei hat man fast die Wirklichkeit vergessen. Die
Kirche ist zunächst aber eine Wirklichkeit. Sie ist eine Wirklichkeit wie Pius X.

---

[9] *Mayer-Pfannholz,* Wandel 23.

[10] Wesentliche Einsichten eröffnen sich in der bisherigen Literatur bei *M. Useros Carretero,*
„Statuta Ecclesiae" y „Sacramenta Ecclesiae" en la Eclesiología de St. Tomas (AnGr 119),
Romae 1962. Einige Bemerkungen zum (ur)sakramentalen Kirchenbild finden sich bei
H. Heimerl, Das Kirchenrecht im neuen Kirchenbild, in: Ecclesia et Ius (Festschr. für
A. Scheuermann), Paderborn 1968, 1–24. Für einen wichtigen früheren Zeitabschnitt gibt
es eine sehr instruktive Arbeit: *Ch. Munier,* Église et Droit Canonique du XVIᶜ siècle à
Vatican I: REDC 19 (1964) 589–617.

[11] *Mörsdorf* I, 27.

[12] *B. Casper* weist darauf hin (Die Einheit aller Wirklichkeit. Fr. Pilgram und seine theologische Philosophie, Freiburg–Basel–Wien 1961, 89), daß für Fr. Pilgram der Begriff der
Wirklichkeit die Mitte seines Denkens sei. Nach *W. Zehender* (Nach 40 Jahren. Religion –
philosophischer Briefwechsel zweier Jugendfreunde in spätester Lebenszeit, Leipzig 1895,
77 [zit. bei *B. Casper* a. a. O.]) sagt *Fr. Pilgram:* Wirklichkeit ist „im eigentlichen Sinne
keine Seite, sondern sie ist eben das Ding selbst in seinem prinzipiellen Sein".

oder der Franziskanerorden. Man darf keinesfalls die Ekklesiologie betreiben, als ob man von einem Allgemeinbegriff spräche, wie vom Wesen des Fixsterns oder der Fußballmannschaft.

c) Die Kirche ist etwas lebendig Konkretes

Es ist schwer, eine individuelle Wirklichkeit mit Begriffen einzufangen. Darum versucht die Phänomenologie in einer anderen Weise Erkenntnisse auszudrükken. R. Guardini hat in einem fast übersehenen Werk[13] über die Erkenntnislehre nachgedacht; er versucht die besonderen Gesetze aufzuweisen, die uns bei der Erkenntnis des lebendig Konkreten vorgegeben sind. Er findet den Weg in der Respektierung der Gegensätze.[14] Jedes Lebendige ist gegensätzlich gewachsen, es lebt in Gegensätzen. Wir denken dabei etwa an den Gegensatz zwischen Akt und Bau.[15] Wir möchten das an einem Beispiel erläutern, am Beispiel eines bestimmten lebendigen Baumes.

Ein Baum ist Bau und Akt. Er ist Bau, ganz Bau, statisches Leben. Denn er hat eine bestimmte Form, er steht da so und nicht anders, er ist so und nicht anders gefügt. Es gibt da feste Verhältnisse zwischen den einzelnen Stämmen und Ästen und Zweigen und Blättern. Man kann ihn malen, so steht er da. Und doch ist er nicht so statisch, so Bau, daß er völlig unveränderlich wäre, dann wäre er ja tot, und das ist nur eine Grenzsituation.

Gleichzeitig ist er nämlich auch Akt[16], Vorgang, Dynamik. Rein physikalisch zunächst ist alles Bewegung. Die Molekularteilchen usw. sind in Bewegung, aber das gilt auch biologisch.

Der Baum wächst, wenn auch langsam. Er arbeitet, die Säfte steigen, die Blätter bringen Chlorophyll hervor, er formt immer weitere Zweige aus, die Blätter welken, Knospen treten an ihre Stelle. So kann man auch sagen: Der Baum ist ganz Bewegung, ganz Akt – sicher eine anscheinend langsame Bewegung, aber doch eben Bewegung. Und zwar der ganze Baum, den wir eben als Bau betrachtet haben, ist gleichzeitig in seinem ganzen Sein auch Akt. Doch ist er auch wieder nicht so radikal Akt, daß die Bewegung sich ins Fließende, Haltlose auflöste, daß man keine Gestalt mehr feststellen könnte. Er ist eben doch der so und so gestaltete Baum, der sich bewegt und in sich Bewegung hat.

---

[13] *R. Guardini*, Der Gegensatz. Versuche zu einer Philosophie des lebendig Konkreten, Mainz ²1955 (¹1925).

[14] Ihm steht *E. Przywara* nahe, der von der Polarität spricht, vgl. Religionsphilosophie katholischer Theologie, München–Berlin 1926. Er wirkt fort z. B. bei *J. G. Ziegler*, Vom Gesetz zum Gewissen (Quaestiones disputatae 39), Freiburg/Br.–Basel–Wien 1968, Vorwort.

[15] Vgl. *Guardini*, Gegensatz 37–46.

[16] Akt ist hier nicht im scholastischen bzw. aristotelischen Sinn im Gegensatz zu Potenz gebraucht.

4

Das gleiche kann man nun auch in noch größerem Maße vom geistigen Leben etwa eines Menschen sagen. Sein Charakter ist so und so gebaut, er hat ein bestimmtes Temperament, eine geistige Gestalt, ein Profil, er ist Bau, er ist unverwechselbar er selber. Und doch ist der Mensch auch Akt. Er vollzieht ständig sein Leben in Handlungen, er ist geistiges Wesen gerade im Tun, im Denken, im Sprechen. Er ist ständig in Wandlung begriffen, er nimmt ständig Einflüsse von außen auf, er verarbeitet sie und prägt sie wieder aus, er wechselt seine Meinungen, die Inhalte seines Gedächtnisses, leider, Stehenbleiben wäre wieder Tod. Und er ist beides zugleich, und er ist als ganzer zugleich Bau und Akt. Man kann nicht zwei Schichten in ihm finden, deren eine Akt und deren andere Bau wäre. Noch mehr gilt das dann vom Leben einer Gemeinschaft. Auch dort kann man diese und noch andere Gegensätze feststellen.

Ja, wir können sogar sagen, daß sich in allem Geschöpflichen das Wesen des dreifaltigen Gottes widerspiegelt. Auch ihn versuchen wir zu begreifen als absolutes Sein, also als Bau, wenn wir einmal so sagen dürfen, bleibend, ewig, mit einem Wesen, das gleich bleibt. Aber wir erfassen ihn auch als Liebe, als Leben, und damit verbindet sich mehr die Vorstellung einer Bewegung, eines Vorganges. Damit meinen wir natürlich keine Widersprüchlichkeit in Gott selber, doch wird in unserem begrenzten Denken das unendlich einfache Wesen, das aber auch unendlich göttlich ist, nicht anders begreifbar.[17] Wenn dies sogar für die Erkenntnis des lebendigen dreifaltigen Gottes selber gilt, wie auch für alle geschöpfliche lebendige Wirklichkeit, dann gilt auch für die Erkenntnis der Kirche und ihre Beschreibung, daß eine wirklichkeitsgetreue Erfassung nur möglich ist in einer gegensätzlichen Redeweise. J. Ratzinger hat dazu Einleuchtendes geschrieben. Er spricht vom Gesetz der „Komplementarität"[18]. „Was . . . im physikalischen Bereich als Folge der Begrenzung unseres Sehvermögens zutrifft, gilt in noch ungleich höherem Maße von den geistigen Wirklichkeiten und von Gott. Auch hier können wir immer nur von *einer* Seite her hinschauen und so je einen bestimmten Aspekt erfassen, der dem anderen zu widersprechen scheint und der doch nur zusammengehalten mit ihm ein Verweis auf das Ganze

---

[17] Vgl. *Guardini*, Gegensatz 24, Anm. 10 und 84, Anm. 24.

[18] *J. Ratzinger* verweist auf *H. Dombois*, den evangelischen Kirchenrechtler, der seinerseits darauf aufmerksam macht, daß *N. Bohr* diesen Begriff der Komplementarität in die Physik eingeführt hat. Dabei weist der Atomphysiker auf die Theologie hin, nämlich auf die Komplementarität von Gottes Barmherzigkeit und Gerechtigkeit: *N. Bohr*, Atomtheorie und Naturbeschreibung, Berlin 1931 (*Dombois*, Kampf 297 f.). *J. Ratzinger* verweist dazu noch auf *N. Bohr*, Atomphysik und menschliche Erkenntnis (Die Wissenschaft, Band 112), Braunschweig 1958 (wohl S. 82, d. Vf.) und *C. F. von Weizsäckers* Art. Komplementarität, in: RGG III, 1744 f. (*J. Ratzinger*, Einführung in das Christentum, München ²1968, 134 f., Anm. 26 f.).

ist, das wir nicht zu sagen und zu umgreifen vermögen."[19] Die wirkliche, lebensnahe Erkenntnis vollzieht sich dann in einem Akt der ‚Intuition‘[20], die beides zusammenschaut, wie hier z. B. die Seite des Aktes und jene des Baues. Wir werden weiter unten sehr konkret sehen, wie das im einzelnen gemeint ist. Warum weisen wir an dieser Stelle darauf hin? Ist das nicht eine Erkenntnis, die erst später fruchtbar geworden ist? Ja, das muß man allerdings sagen. Trotzdem möchten wir aus einem praktischen Grund zuvor darauf hinweisen. Vieles, was die älteren Kanonisten sagen, scheint einigen auf den ersten Blick überholt, unmodern, einseitig, juridisch etc. Wenn der Leser, der heute vielfach in anderen Begriffen denkt, nun von vornherein damit rechnet, daß die Kirche wie alles lebendig Konkrete in Gegensätzen gebaut ist, wird er vieles als die andere Seite eines Gegensatzes erkennen, die ebenfalls zum Ganzen gehört, eines Gegensatzes, der an der Wirklichkeit Kirche gesehen werden muß.

d) Die Kirche ist ein Glaubensgeheimnis

Was bisher gesagt wurde, gilt von jeder lebendigen Wirklichkeit. Nun ist aber die Kirche mehr als das. Was Christentum ist und genauso was Kirche ist, läßt sich nicht mit weltlichen Kategorien erfassen. Man kann sie nicht von welthaften Voraussetzungen herleiten und auch nicht mit abstrakten Definitionen darstellen. Man muß das Christliche selbst befragen, dann erst, wenn man die Antwort von ihm entgegennimmt, zeichnet sich sein Wesen ab: als etwas Eigenes, das alles natürliche Denken und Sprechen sprengt. „Wenn das Denken also die Erfahrung macht, daß es das Christliche bei aller Gemeinsamkeit des Existenzstoffes und der natürlichen Daseinsgefüge im Letzten nicht auflösen und in ‚Welt‘ überführen kann – dann erst ist der wesentliche Sachverhalt deutlich geworden."[21] Das Christliche in der Form von menschlichem Miteinander ist die Kirche. So bedeutet das Gesagte, daß wir bei allem Fragen nach der Kirche von dieser konkreten Kirche selbst ausgehen müssen, so wie sie tatsächlich durch Jesus Christus gegründet ist.

Weil die Kirche eine lebendige, konkrete Wirklichkeit ist, kann man sie im letzten nur im Akt der „Intuition" erfassen, und weil sie eine die Welt übersteigende Wirklichkeit ist, darum muß die lebendige Erfahrung der Kirche vom Glauben erleuchtet sein. Die wichtigste Tatsache in dieser gläubigen Erfahrung ist die Beziehung der Kirche, aller ihrer Glieder und Tätigkeiten zu ihrem Herrn Jesus Christus. „Eine sehr bekannte Tatsache, aber eine grund-

---

[19] *Ratzinger,* Einführung 135.
[20] Vgl. *Guardini,* Gegensatz 15–24.
[21] *R. Guardini,* Vom Wesen des Christentums, Würzburg 1938, 5.

6

legende, unerläßliche, nie genug gekannte, bedachte und betonte Tatsache . . .
‚Wir müssen uns gewöhnen, in der Kirche Christus selbst zu sehen. Christus ist
es nämlich, der in seiner Kirche lebt, der durch sie lehrt, leitet und heiligt;
Christus ist es auch, der sich auf verschiedene Weise in seinen verschiedenen
sozialen Gliedern offenbart.‘ "[22]

So wird die gläubige Erfahrung der Kirche erst authentisch, wenn die Beziehung
aller Glieder zu Christus gläubig gesehen wird, umgekehrt aber wird uns Christus wiederum offenbar gerade in der Kirche. Er „steht nicht im Irgendwo, ‚absolut‘, sondern hat seinen Ort und ist auf eine Ordnung bezogen. Die Kirche
ist die geschichtlich fortgehende Wirklichkeit, auf welche Christus bezogen ist;
der richtig gebaute Raum, in welchem seine Gestalt wesensgemäß gesehen, und
sein Wort voll gehört werden kann. ‚Wer euch hört, der hört mich‘ (Lk 10, 16),
‚Wer die Kirche nicht hört, der sei euch wie ein Heide und Zöllner‘ (Mt 18,
17)“.[23] Die Berücksichtigung dieser Tatsache also, der Beziehung Christi zu
seiner Kirche, ist die Grundlage für den Sinn für die Kirche und damit für eine
tiefe Erkenntnis derselben. Diese Ansicht ist nicht unbestritten. In einer Kontroverse über den fruchtbarsten Weg des Studiums des kanonischen Rechtes
hat P. Fedele vor Jahren in einem lapidaren Satz das Gegenteil behauptet: „Wissenschaft treibt man mit dem Verstand, nicht mit dem Gefühl.“[24] Dagegen stellt
V. Del Giudice die These: „Das geistliche Verhältnis zur katholischen Wahrheit – klassisch das ‚Sentire cum Ecclesia‘ – ist Bedingung für die tiefe Kennt-
nis des kanonischen Rechtes“, wie ganz allgemein eine bestimmte geistige Disposition oder eine Einstellung notwendig sind, um ein Phänomen zu verste-

---

[22] ES 35; AAS 56 (1964) 622s: „Agitur sane de re novissima, sed tamen summi momenti ac
prorsus necessaria, quae numquam satis intelligi, considerari, praedicari potest. Quid non
dicamus de hac veritate, quae totius sacri patrimonii nostri veluti caput praecipuum est
habenda? Peropportune accidit, quod doctrinam huiusmodi vos probe nostis; quare in
praesens nihil aliud addere volumus, nisi ut eandem vobis enixe commendemus, ita ut ei
semper praecipuum tribuatis momentum, ab eaque normas ductumque sumatis cum in spi-
rituali vita cuiusque vestrum excolenda, tum in Dei verbo nuntiando. Ad hoc, magis / quam
adhortatio Nostra, valeant monitoria verba Decessoris Nostri Pii XII, qui in memoratis
Encyclicis Litteris Mystici Corporis haec declaravit: *Assuescamus necesse est in Ecclesia
ipsum Christum videre. Christus est enim, qui in Ecclesia sua vivit, qui per eam docet,
regit, sanctitatemque impertit; Christus quoque est, qui varie sese in variis suis socialibus
membris manifestat.*“

[23] *R. Guardini*, Vom Wesen des Christentums, Würzburg 1938, 32, Anm. 10.

[24] *P. Fedele*, Ancora sullo studio e sull'insegnamento del diritto canonico e del diritto ecclesiastico in Italia: Archivio di diritto ecclesiastico (1939), 390s; zit. nach *R. Baccari*, Il sentimento religioso nell' interpretazione del diritto canonico, in: Studi in onore di V. Del Giudice, Milano 1953, 3: „La scienza si fa con la ragione, non col sentimento.“

hen.[25] R. Baccari sieht den entscheidenden Grund dafür in dem Unterschied zwischen Natur- und Geisteswissenschaften. Der Jurist kann sich nicht wie der Naturwissenschaftler vom Objekt distanzieren, sonst könnte er nicht den menschlichen Gehalt und die Innerlichkeit der juridischen Phänomene bewerten. So verlangt also auch die Erkenntnis der Kirche eine besondere konnaturale Erfahrung;[26] einer gläubigen Erfahrung wird sich das Mysterium ein wenig erschließen, denn „es handelt sich hier ja nicht um ein theoretisches Kennen, sondern um die Erfahrung Gottes selbst in seiner Bundesbeziehung zu seinem Volk.“[27]

So ist es vielleicht erstaunlich, aber doch in den Realitäten verankert, was Papst Paul VI. versichert:[28] „Wenn wir diesen stärkenden Sinn der Kirche in Uns selbst und durch kluge und behutsame Anleitung auch in den Gläubigen zu wecken wissen, dann werden viele Gegensätze, die heute die Arbeit der Ekklesiologie erschweren, praktisch überwunden sein; zum Beispiel die Fragen, wie die Kirche zugleich sichtbar und geistig, zugleich frei und doch Gesetzen unterworfen, wie sie gemeinschaftsförmig und hierarchisch, wie sie bereits heilig und immer noch auf dem Wege zur Heiligung sein kann, wie sie kontemplativ und aktiv sein kann und so fort. Diese Fragen werden im Lichte der Glaubenslehre durch die Erfahrung der lebendigen Wirklichkeit der Kirche gelöst.“[29] Diese Erfahrung wird also bei unseren Gedankengängen vorausgesetzt und wird sie begleiten müssen.

---

[25] *V. Del Giudice,* Note conclusive circa le questione del metodo nello studio del diritto canonico: Archivio di diritto canonico 2 (1940) 3s; zit. bei *R. Baccari* (vgl. Anm. 24) 3: „L'aderenza spirituale alla verità cattolica – cioè classicamente il sentire cum Ecclesia – è condizione per la conoscenza profonda del diritto canonico.“
Dies ist ein spezieller Fall des umfassenden hermeneutischen bzw. des Verstehensproblems; vgl. dazu das schon fast klassische Werk von *H. G. Gadamer,* Wahrheit und Methode, Tübingen ²1965.

[26] Vgl. *O. González Hernández,* Das neue Selbstverständnis der Kirche und seine geschichtlichen und theologischen Voraussetzungen, in: *Baraúna,* De Ecclesia I, 163; darüber hinaus wird die Erkenntnis der Kirche ermöglicht durch Liebe und Treue des Gehorsams. „Überlegung, Tun und Leiden sind daher die drei verschiedenen Wege der Kirche, um in das Innere ihres eigenen Mysteriums zu gelangen.“

[27] *B. van Leeuwen,* Die allgemeine Teilnahme am Prophetenamt Christi, in: *Baraúna,* De Ecclesia I, 397. *F. Pilgram* stellte schon fest (Physiologie der Kirche, hrsg. v. *H. Getzeny* [nominell, tatsächlich aber von *W. Becker,* der als Theologiestudent zu der Zeit noch nichts veröffentlichen konnte], Mainz 1931, 400), daß „die Kirche streng wissenschaftlich nur in mystischer Weise, *sub specie aeterni,* erfaßt werden kann“.

[28] Das Folgende ist u. E. in der wissenschaftlichen Arbeit noch zu wenig beachtet worden.

[29] ES 38; AAS 56 (1964) 625: „Quodsi hunc *Ecclesiae sensum,* ad corroborandum aptum, in nobismetipsis commovere atque in christifidelium animis, nobili ac vigili educandi arte, excolere studebimus, plura quae difficilius componi videntur, et quae eruditorum hominum ingenia exercent circa doctrinam de Ecclesia – cuiusmodi sunt quaestiones curnam Ecclesia

2. Einige Bemerkungen zur Situation vor dem Erscheinen des Codex[30]

Wenn man mit kurzen Worten die Situation kennzeichnen soll, wie die Kanonisten vor dem Erscheinen des Codex die Kirche sehen, so kann man wohl etwas pauschal folgendes sagen: Beherrschend ist der Begriff der *societas perfecta*; es wird allgemein die Bellarminsche Definition vorausgesetzt, während das Bild vom mystischen Leibe Christi ein sehr kümmerliches Dasein fristet. Dazu kommt noch bei den deutschen Kanonisten die Auffassung der Kirche als Reich Gottes.[31]

a) Die Bellarminsche Definition, die wir schon oben zitiert haben, ist ziemlich allgemein rezipiert, bei Dogmatikern wie Kanonisten.[32] Darin sind die äußeren Elemente der Kirche in den Vordergrund gerückt, ihre juridische Seite, die Rolle der Hierarchie. Es sei hier gleich vermerkt, daß R. Bellarmin selbst auch die inneren Aspekte der Kirche kennt und nennt, er spricht sogar im Zusammenhang mit der Definition auch davon.

b) Die Kirche als mystischer Leib Christi
Dieses Bild spielt vor dem Erscheinen des CIC nur eine sehr geringe Rolle in der Kanonistik. Das hat einmal den Grund, daß es eben ein Bild und kein Begriff ist. So hatten schon die Väter des 1. Vatikanischen Konzils deswegen das 1. Kapitel des Kirchenschemas (Ecclesiam esse Corpus Christi mysticum) scharf kritisiert.[33] Dazu kommt die unglückliche Tatsache, daß der gemeinschaftliche Kirchenbegriff, der sich aus diesem Bild ergibt, oft mit einer häretischen Einseitigkeit verbunden war. Schon im Mittelalter fängt das bei den Katharern, Waldensern, Begarden und Fratizellen an, später bricht es bei den Gallikanern, Jansenisten und Febronianern wieder durch.[34] Es mußte sogar der paulinische

---

spectabilis et spiritualis simul habenda sit, libera et disciplinae simul obnoxia, communitatis indolem praeferat et secundum sacrae Hierarchiae ordines disponatur, iam sit sancta et nihilominus ad sanctitudinem semper contendat, contemplationi et simul activae vitae det operam, et id genus cetera – re ipsa clare patebunt, cum vita ipsa Ecclesiae cognita fuerit experimento, doctrinae lumine illustrato et confirmato." Vgl. das, was *B. Panzram* über die Spannungsfelder im Laienapostolat sagt (Spannungsfelder 37). Ihm geht es weniger um die Erkenntnis, sondern um das Leben, wo es gilt, daß die Spannungen *„immer und nur in Christus* zu lösen" sind.

[30] Cf. *Ch. Munier*, Église et Droit Canonique du XVIᵉ siècle à Vatican I: REDC 19 (1964) 589–617.
[31] Vgl. unten § 13.
[32] Vgl. unten § 7.
[33] Cf. *Mansi* 51, 539s.
[34] *Munier*, Église 611.

Ausdruck mystischer Leib verurteilt werden, weil die Synode von Pistoia ihm einen falschen Sinn gab, nämlich den einer Kirche, die nur die vollkommenen Anbeter Gottes umfaßte, ohne hierarchische Struktur göttlicher Einsetzung. Erst von J. M. Sailer, J. A. Möhler, M. J. Scheeben und der „römischen Schule" (G. Perrone, C. Passaglia, C. Schrader) wurde die reiche Schrift- und Väter-grundlage für diese Zusammenhänge neu erschlossen.

c) Die Kirche als societas perfecta

Seit dem zweiten Drittel des 18. Jh. durchdringt der gesellschaftliche Begriff der Kirche langsam alle Bereiche des kanonischen Rechtes und der Apologetik. Wegen der Bedeutung, die er im Berichtszeitraum einnimmt, möchten wir im ersten Paragraphen seiner Herkunft etwas ausführlicher nachgehen.

d) In Deutschland[35] hatte der Kulturkampf die Übernahme der diesbezüg-lichen Thesen von C. Tarquini etc. forciert. Hier lebt aber auch, wie gesagt, der gemeinschaftliche Begriff der Kirche fort. Schließlich sei noch der große Einfluß der Primatsdefinition von 1870 auf das gesamte Denken der Kanonisten er-wähnt.

3. Die Darstellung

Es ist ohne weiteres einsichtig, daß auch die Darstellung aus den genannten Gründen schwierig ist. Es standen zwei Methoden zur Wahl: Man konnte ent-weder stärker empirisch vorgehen, d. h. einzelne Kanonisten herausgreifen und ihr Profil deutlicher herausarbeiten. Beispielsweise konnte man A. Ottaviani, L. Bender und F. M. Cappello eingehender und differenzierter darstellen, ähn-lich wie K. Mörsdorf, G. May oder W. Bertrams. Das wäre die historische Methode gewesen. Die andere Möglichkeit war, zwei Typen des Kirchenbildes einander gegenüberzustellen, die großen Ideen auszuziehen und einen Durch-blick zu geben, mit anderen Worten die ideengeschichtliche Methode.
Beide Methoden haben ihren Vorteil und ihren Nachteil. Bei der historischen Methode kommen die Details, die einzelnen Meinungen und Ansichten zu Worte, aber man verliert leicht den Überblick und wird durch Einzelheiten und Wiederholungen verwirrt. Bei der ideengeschichtlichen Methode hat man einen großen Überblick, es ist leichter, ein Ergebnis zu fixieren und zu lesen,

---

[35] Für die Situation in Deutschland ist ein Artikel von *A. Rouco-Varela* aufschlußreich: Die kath. Reaktion auf das „Kirchenrecht I" Rudolph Sohms, in: Ius sacrum 15–52 (s. Anm. 57).

aber der Nachteil ist eine gewisse Schematisierung und Einebnung der lebendigen Wirklichkeit. Wir haben der ideengeschichtlichen Methode den Vorrang gegeben. Der Grund dafür liegt einmal im persönlichen Interesse des Verfassers an der „Sache", dem erneuerten Kirchenbild. Wir stehen noch mitten im Umbruch der Kirche. Die erneuerte Theologie ist wohl noch durchaus nicht in dem wünschenswerten Maße in die kanonistische Praxis eingegangen. Da dürfte eine deutliche Abhebung der beiden Kirchenbilder voneinander die Rezeption der wichtigen Anregungen erleichtern. Den Ausschlag gab das Bestreben, einen klaren Aufbau und eine gute Lesbarkeit zu erreichen. Um aber auch die Frage nach dem Profil der einzelnen Kanonisten möglichst deutlich zu beantworten, haben wir vor den systematischen Teil einen historischen Überblick gestellt.

Wir werden also unsere Untersuchung in drei Teile gliedern. Ein erster, historischer Teil zeigt die Verwurzelung der Ideen im Geschehen von Kirche und Welt und macht mit den Kanonisten bekannt. In der ersten, weitaus größeren Gruppe stellen wir jene zusammen, die die Kirche als übernatürliche, von Christus gestiftete vollkommene Gesellschaft sehen, in der zweiten eine Reihe von anderen als Wegbereiter und Vertreter des „sakramentalen" Kirchenbildes, wie wir es nennen möchten. Der zweite, systematische Teil gliedert sich in drei Abschnitte: Er beginnt mit der um der Klarheit willen etwas typisierten Gegenüberstellung des Kirchenbildes von der übernatürlichen Gesellschaft (Abschnitt 1) und der komplexen Sicht der neueren Kanonisten (Abschnitt 2). Bei dieser Sicht auf das Ganze läßt sich überall der Ort aufzeigen, an dem Einzelfragen nach weiterer Klärung drängen. Diese Einzelfragen, wie etwa die, wer zur Kirche gehört, sind in den beiden ersten Abschnitten jedoch nur aufgewiesen und werden dann im dritten Abschnitt in ihrer Bedeutung für das Kirchenbild gesondert dargestellt. In einem dritten Teil wollen wir einen Blick darauf werfen, wie das Konzil in seinem Wirken und in seinen Dekreten das Kirchenbild weiterprägt. Eine Zusammenfassung der Ergebnisse in sieben Thesen schließt die Arbeit ab. Auf diese Weise scheint es uns am ehesten möglich zu sein, den komplexen Stoff zu ordnen und sachgemäß darzustellen. Sicher steckt darin immer auch schon eine Wertung, eine Stellungnahme. Das läßt sich nicht vermeiden, solange nur jeweils klar ist, welche Positionen zu dieser Ordnung geführt haben. Es wird sich am gegebenen Platze zeigen, daß besonders die Philosophie von R. Guardini, die theologische Philosophie von F. Pilgram, die Theologie von O. Semmelroth ihren Einfluß ausgeübt haben und natürlich die eigene ganz konkrete Erfahrung der Kirche, die nicht einfach prädiziert werden kann.

HAUPTTEIL I

DIE KANONISTEN

Wir möchten nun die wichtigsten Kanonisten unseres Zeitraumes darstellen, wenigstens soweit sie als Systematiker etwas von ihrem Kirchenbild erkennen lassen. Die meisten Kanonisten, besonders die älteren, sind stark von dem gesellschaftlichen Begriff der Kirche geprägt; allerdings ist er immer spezifiziert und fundiert durch die kirchenstiftenden, „instituierenden" Handlungen Christi. Da zudem immer viel Wert auf deutliche Unterscheidungen gelegt ist, mehr Wert auf die Gliederung als auf den Zusammenhang, auf klare Formen als auf die lebendige Fülle[36], auf präzise Formulierung als auf die Vielfalt nicht aussagbarer Nuancen, könnte man zur weiteren Kennzeichnung das Stichwort formal einführen. Da die typische und deutlichste Ausprägung des gesellschaftlichen Kirchenbildes sich als übernatürliche vollkommene Gesellschaft zeigt, nennen wir es auch das Bild der Kirche als „von Christus gegründeter übernatürlicher vollkommener Gesellschaft"[37]. Innerhalb dieser großen Gruppe von Kanonisten, es sind weitaus die meisten, sind einige, die, zum Teil durch ihr literarisches Genus veranlaßt, stärker das gesellschaftliche Moment, die Analogie mit staatlichen Modellen betonen, und andere, die mehr Wert legen auf die institutionelle Seite, d. h. auf die eingestifteten Besonderheiten der Kirche, wie ihren speziellen Finis.

Demgegenüber lebt auch der gemeinschaftliche Begriff der Kirche fort und gewinnt an Boden. Es sind allerdings nur relativ wenige Kanonisten, die ihn vertreten, insbesondere in der letzten Zeit vor dem Konzil zunehmend. Er wird im Begriff des Ursakramentes[38] mit den Aspekten des gesellschaftlichen Kirchenbegriffes verbunden. Er ist vorbereitet durch die Auffassung der Kirche als geheimnisvoller Leib Christi und nimmt von daher Verständnishilfen. Im Gegensatz zum erstgenannten Kirchenbild ist hier die Kirche mehr als Gemein-

---

[36] Vgl. *Guardini*, Gegensatz 112–117; er weist darauf hin, daß die Gegensatzseiten untereinander Reihen bilden, da sie innerlich miteinander verwandt sind (Formreihe und Reihe der Fülle). Der Gegensatz Form–Fülle taucht in verschiedenen Abwandlungen immer wieder auf; z. B. spricht *M. Useros Carretero* (Aspectos eclesiológicos-canónicos del problema del laicado cristiano: REDC 10 [1955] 643) von Struktur und Leben (estructura-vida). Verwandt ist auch *J. Guittons* Unterscheidung von Reinheit und Fülle, die *Y. M.-J. Congar* übernimmt: Wie sich die heilige Kirche unaufhörlich erneuern soll, in: Heilige Kirche, Stuttgart 1966, 156, wo er in Anm. 37 *J. Guitton* zitiert: Difficultés de croire, Paris 1948, 230s; L'Église et l'Évangile, Paris 1959, 348s. Der evangelische Kirchenrechtler *H. Dombois* hat interessante Einsichten bezüglich der gegensätzlichen Sicht; siehe *Dombois*, Kampf.

[37] *P. Torquebiau*, art. Baptême, in: DDC II, 117: „société surnaturelle ... fondée par le Christ".

[38] *Mörsdorf* I, 27 f.

schaft gesehen, die Zusammenhänge, die Kontinuität, die Verwandtschaft innerhalb der Kirche treten stärker hervor. Die Beziehung zu Jesus Christus wird mehr als eine Beziehung der Gegenwart, des gegenwärtigen Wirkens gesehen. Als Bezeichnung möchten wir für diese Sicht der Kirche die des sakramentalen Kirchenbildes wählen. Dieser Begriff scheint uns treffender als „theologisches Kirchenbild", da sich auch das ältere als solches herausstellen wird. Der Begriff „sakramental" ist weit gefaßt und wird im Laufe der Untersuchung einsichtig werden.[38a] So haben wir also zwei Bewegungsrichtungen bei der Veränderung des Kirchenbildes: Erstens verlagert sich die Sicht auf Gott bzw. Jesus Christus von der Stiftung in der Vergangenheit auf das gegenwärtige Wirken; im ganzen tritt überhaupt diese Beziehung stärker in das Bewußtsein der Kanonisten.

Zweitens verschiebt sich der Akzent innerhalb gewisser Spannungsgegensätze bzw. Polaritäten. Diese Verschiebung verläuft etwa von der Analogie Kirche – Monarchie hin zu der Analogie Kirche – Demokratie, um es einmal überspitzt zu sagen, von der Frage nach dem Zweck zur Frage nach dem Sinn, von der Betonung der Gliederung in verschiedene Stände oder auch Gewalten hin zur Betonung der Einheit, des mystischen Leibes Christi oder der Kirchengewalt. Beide Bewegungsrichtungen sind eng miteinander verflochten und bedingen einander.

Es sei noch einmal darauf hingewiesen, daß wir zwar die beiden Typen des Kirchenbildes deutlich voneinander abheben, daß sich aber bei den Kanonisten häufig eine gegenseitige Durchdringung findet, wobei manchmal mehr die Sicht der societas perfecta, manchmal mehr das sakramentale Bild vorherrscht. Darum werden auch einige Kanonisten für beide Kirchenbilder zitiert.

Bevor wir auf die einzelnen Kanonisten zu sprechen kommen, sei auf einige geschichtliche Tatsachen aufmerksam gemacht, die nach unserer Meinung wesentlich zur Entwicklung der societas-perfecta-Lehre bzw. zur Ausbildung des sakramentalen Kirchenbildes beigetragen haben, sowie auf einige theologische Werke, die entscheidenden Einfluß auf die Ideengeschichte gewonnen haben.

[38a] Siehe § 4 I. 2; Abschnitt 2, Beginn; § 17.

EINORDNUNG IN DIE GESAMTGESCHICHTE

§ 1 *Die Entwicklung der societas-perfecta-Lehre*

1. Geschichtliche Lage

1. *Die Naturrechtslehre der protestantischen Legisten*

Während die protestantischen Legisten (J. H. Böhmer, B. Carpzov, Ch. M. Pfaff, G. Voet, C. Ziegler etc.) dem Staat Gesetzgebungsgewalt circa sacra zugestanden, griffen katholische Bahnbrecher des öffentlichen Rechtes der Kirche auf den aristotelischen Begriff der vollkommenen Gesellschaft zurück (koinonia teleios),[39] um die Autonomie des kanonischen Rechts zu rechtfertigen. Dieser Begriff war durch die Naturrechtsschule H. Grotius' und seiner Schüler ausgearbeitet worden. J. B. Fragosi nennt die Kirche neben dem Staat als vollkommene Gesellschaft: „Die vollkommene Politeia, also die Vielzahl von Menschen, die durch ausdrücklichen Willensakt oder durch allgemeine Übereinstimmung zu einem mystischen und moralisch geeinten Leibe verbunden ist, gibt es in zweifacher Gestalt: kirchlich und staatlich."[40]

2. *Die positivistische Rechtswissenschaft und ihre kirchenpolitischen Konsequenzen*

Noch einmal verschärft trat der Angriff auf die Autonomie der kirchlichen Gesetzgebung durch die positivistische Rechtswissenschaft im vergangenen Jahrhundert auf. Diese entwickelte die genossenschaftliche Rechtstheorie und läßt als Recht nur gelten, was innerhalb einer souveränen Gesellschaft als gültige Norm produziert wird.[41] Auch hier erscheint der Staat als einzige souveräne Gesellschaft.

---

[39] Siehe unten § 10.

[40] *J. B. Fragosi*, Regimen Reipublicae christianae, Coloniae Allobrogum 1737, t. I, p. 7: „politeia perfecta, quae est multitudo hominum speciali voluntate seu communi consensu in unum corpus mysticum et moraliter unum coniugata est duplex, ecclesiastica et civilis." Nebenbei bemerkt *Ch. Munier* (Église 612ss), dem wir in diesen Angaben folgen, daß hier der Ausdruck mystischer Leib in einem ganz allgemeinen Sinn genommen wird, einfach philosophisch als Gesellschaft.

[41] Vgl. *Panzram*, Kirchenbegriff 190.

„Aus solchen Gedankengängen heraus wurden der Kirche in immer stärkerem Maße nicht nur die Souveränität, sondern auch die Fähigkeit, eigenes Recht zu haben oder zu schaffen, abgesprochen."[42] Diese Gedanken wurden in die Tat umgesetzt. Als typisches Beispiel können die Ereignisse in Italien gelten. Dort waren bereits seit 1848 in Piemont eine Reihe von Gesetzen erlassen worden, die das kirchliche Leben erheblich beeinträchtigten. Dadurch wurden die geistliche Gerichtsbarkeit und die Privilegien der Geistlichen aufgehoben, die Orden unterdrückt und Kirchen und Klöster als Nationaleigentum eingezogen. All dies stand unter dem mißbrauchten Schlagwort: Trennung von Staat und Kirche. Nach der Eroberung des Kirchenstaates wurden die erwähnten Gesetze auf ganz Italien ausgedehnt. Weitere Maßnahmen, wie die Einführung der Zivilehe, die Beseitigung des Religionsunterrichtes aus den staatlichen Schulen, folgten.

II. Kirchliche Antwort

1. Die Päpste

Schon Gregor XVI. hat auf diese Gefahren hingewiesen.[43] „Aber es war klar, daß eine umfassende Stellungnahme des kirchlichen Lehramtes erfolgen mußte. Das geschah unter Pius IX. Dieser um die kirchliche Souveränität besorgte Papst verteidigte die kirchliche Freiheit und Selbständigkeit zum Beispiel in dem Weltrundschreiben Quanta cura vom 8. 12. 1864."[44] Im „Syllabus errorum" von 1864 bezeichnete er auch die Kirche als „wahre und vollkommene Gesellschaft, die völlig frei ist".[45]
Leo XIII. stellte schließlich in einem ausführlichen Lehrschreiben die Kirche dem Staat gegenüber und legte dar, wie beide in ihrem Bereich vollkommene oder souveräne Gesellschaften sind.[46] Auch Benedikt XV.[47], Pius XI.[48] und

---

[42] *Panzram,* Kirchenbegriff 210.
[43] Er sagt in der Enzyklika Mirari vos (15. 8. 1832) § 5: „Divina Ecclesiae auctoritas oppugnatur ipsiusque iuribus convulsis, substernitur ipsa terrenis rationibus...", CICfontes II (1924) 745.
[44] DS 2893–2896; D 1696–1699; *Panzram,* Kirchenbegriff 210.
[45] DS 2919; D 1719: „vera perfectaque societas plane libera". Dies ist nach *E. Fogliasso* (Tesi 84) die erste offizielle Anwendung auf die Kirche.
[46] Immortale Dei (1. 11. 1885), CICfontes III (1933) 234–250; DS 3167.
[47] Konstitution Providentissima v. 27. 5. 1917 (dem CIC beigedruckt).
[48] Enzyklika Ubi arcano v. 23. 12. 1922, AAS 14 (1922) 690.

Pius XII.[49] betonen diese Souveränität der Kirche. Diese Bezeichnung ist übrigens auch den Scholastikern wegen ihrer Verbindung zu Aristoteles[50] nicht unbekannt.[51] Wir werden unten genauer darauf zurückkommen.

2. *Die Kanonisten*

Soviel wird zunächst schon klar, daß die Kanonisten eine wesentliche Aufgabe darin sehen mußten, die Ansprüche der staatlichen Autorität, wo sie ungerecht waren, abzuweisen. Das ist das Hauptthema der Darstellung des „Öffentlichen Rechtes"[52].

Die Bezeichnung der Kirche als souveräne Gesellschaft geht darum sogar in die Definition des Ius Publicum ein. Schon C. Tarquini hat seinen Traktat ganz um diesen Begriff zentriert, während F. Cavagnis dann die ausdrückliche Formulierung bringt: „Ius Publicum ist das Recht, das der Kirche als einer vollkommenen Gesellschaft zukommt."[53] A. Card. Ottaviani bringt diese Definition etwas ausführlicher, indem er noch speziell den Finis (vgl. unten § 8 II) erwähnt: „Ius Publicum ist das System der Gesetze bezüglich der Konstitution und der Rechte der Kirche als einer vollkommenen Gesellschaft, die auf einen übernatürlichen Finis hin ausgerichtet ist."[54] Den Kanonisten liegt also daran, die Rechte der Kirche zu sichern und die Irrtümer über ihre wahre Natur zu widerlegen. Dabei bedienen sie sich verschiedener Reihen von Argumenten, die alle in dem Begriff der societas supernaturalis iuridice perfecta konvergieren. Ganz bewußt wollen sie vor allem aus der Sicht der Offenbarung argu-

---

[49] Enzyklika Summi Pontificatus v. 20. 10. 1939, AAS 31 (1939) 445s; Mystici Corporis 222–224 (*Rohrbasser* 805.807).

[50] Vgl. unten § 10 I. 1.

[51] *Thomas v. Aquin*, S. th. 1 II q. 90 a. 3 ad 3; er wendet communitas perfecta hier auf die Christen an.

[52] Vgl. hierzu *A. de la Hera–Ch. Munier*, Le Droit public ecclésiastique à travers ses définitions: RDC 14 (1964) 32–63; *E. Fogliasso*, Il compito apologetico del IPE: Salesianum 7 (1945) 49–80; *ders.*, La tesi fondamentale del IPE: Salesianum 8 (1946) 67–136; *P. Huizing*, Kirche und Staat im öffentlichen Recht der Kirche: Conc 6 (1970) 586–588. In den letzten Jahren ist die Bezeichnung „Ius Constitutionale" dafür aufgekommen. Damit lehnt man sich an das Zivile Recht an; cf. *J. Ferrante*, Summa Iuris Constitutionalis Ecclesiae, Romae 1964, 5. Gelegentlich taucht auch der Ausdruck „Fundamentales Recht" auf; cf. *S. Romani*, Elementa iuris ecclesiastici fundamentalis, Romae 1953. Weil es um die wesentlichen Strukturen und Elemente geht, welche die Kirche konstituieren, spricht man auch von der Konstitution; cf. *A. Bertola*, La Costituzione della Chiesa; *Ottaviani* I, 8 n. 7: „ius … constituens, vel constitutivum, vel constitutionis".

[53] *Cavagnis* I, 8 n. 19: „*Ius competens Ecclesiae ut societati* perfectae."

[54] *Cavagnis* I, 7 n. 6: „Itaque *definitur ius publicum ecclesiasticum:* ‚Systema legum de constitutione, iuribus et mediis Ecclesiae tamquam societatis perfectae in finem supernaturalem ordinatae'."

18

mentieren, weil diese Irrtümer auch innerhalb der Kirche Einfluß gewonnen haben, so wie eine ungesunde Luft in der Umgebung auch einen gesunden Ort in Mitleidenschaft zieht.[55]

§ 2 Anstöße zur Ausbildung des sakramentalen Kirchenbildes

I. Theologiegeschichte: Das Zeugnis der frühen Kirche

Es besteht eine ständige Wechselwirkung sowohl zwischen dem kirchlichen (und außerkirchlichen) Leben und dem Kirchenrecht als auch zwischen diesem und der dogmatischen Theologie, wobei wir unter Kirchenrecht hier einmal das positive Recht der Kirche und zugleich die geistige Haltung der Kanonisten verstehen möchten. Wegen dieser doppelten Wechselwirkung ist es angebracht, zunächst in die Theologie der Zeit einen Blick zu werfen. Wir könnten das auch jeweils bei den kanonistischen Bezugspunkten tun, doch wollen wir es um der Übersichtlichkeit willen vorwegnehmen. Wir können bemerken, daß sich eine Neuformung des Kirchenbildes vollzieht. „Es geht in diesem Ringen um die Wiedergewinnung der Kirche als einer Gemeinschaft, die in, mit und durch Christus lebt."[56]

Zunächst ist

1. die These R. Sohms zu erwähnen.

   Dann möchten wir auf drei theologische Ströme hinweisen, die die Kanonistik dieser Epoche befruchtet haben, ohne daß sie immer völlig voneinander geschieden sind,

2. die Leib-Christi-Theologie,
3. die Volk-Gottes-Theologie und
4. die Auffassung der Kirche als Ursakrament.

In allen diesen Impulsen kommt das Zeugnis der frühen Kirche neu zu Wort; in der Ursakraments-Auffassung wird die scholastische Sakramentsterminologie fruchtbar gemacht.

1. Die These R. Sohms[57]

G. May hat darauf aufmerksam gemacht, daß kaum jemand der kanonistischen Wissenschaft so fruchtbare Anregungen vermittelt hat wie R. Sohm, da seine

---

[55] Cf. *Cavagnis* I, XXVI n. XX.

[56] Vgl. *K. Mörsdorf*, Der hoheitliche Charakter der sakramentalen Lossprechung: TThZ 57 (1948) 335.

[57] *Sohm*, Kirchenrecht I und II; *ders.*, Das altkatholische Kirchenrecht und das Dekret Gra-

Thesen zum Überdenken und Neugestalten der katholischen Auffassung führten.[58] R. Sohm preist die geistliche Welt des Urchristentums. „Aber diese Welt des Geistlichen kann nicht mit juristischen Begriffen erschaut werden. Noch mehr, ihr Wesen steht zu dem Wesen des Rechtes in Gegensatz. Das geistliche Wesen der Kirche schließt jegliche kirchliche Rechtsordnung aus. In Widerspruch mit dem Wesen der Kirche ist es zur Ausbildung von Kirchenrecht gekommen. Diese Tatsache beherrscht die Geschichte des Kirchenrechts von der ersten Zeit bis heute."[58a] Die Ekklesia ist der rechtlichen Organisation unfähig. Die Ekklesia ist die gesamte Christenheit, der Leib Christi, die Braut des Herrn, eine geistliche Größe, den Normen des Irdischen, auch dem Recht entrückt. Nicht als ob die Ekklesia eine unsichtbar und unwirksam, schweigend im dunklen Hintergrund verharrende, rein begriffliche Macht bedeutet. Im Gegenteil, die Ekklesia ist sichtbar und wirksam in all den Versammlungen innerhalb der Christenheit. Ja, sie ist ebenso sichtbar und wirksam in den Gnadengaben, welche den einzelnen Christen geschenkt sind, um sie zum Dienst der Christenheit zu berufen. Sie hat ihre Organe, aber es ist unmöglich, daß ihre Organisation rechtlicher Natur sei. Das Haupt der Ekklesia (der Christenheit) ist Christus (Gott).[58b] Wie kam es nun nach R. Sohm zur Bildung des Kirchenrechts? „Sobald der Kleinglaube die Oberhand gewann, mußte eine solche Gestaltung als geschichtliche Notwendigkeit sich ergeben. Aus der Macht der Sünde, welche auch in der Christenheit Raum gewann, ist das Bedürfnis nach Kirchenrecht, und mit ihm der Katholizismus, hervorgegangen."[58c]

Auch im Gefühl des Alltagslebens kommt leicht die Neigung, „von jeder Rechtsordnung und vom Zwang des Rechtes zu fürchten, daß sie das frische Leben hemmen, seine sprudelnden Quellen zum Versiegen bringen, ja vielleicht gar das Leben selbst ertöten. Und erst gar ein Recht in der Kirche! Wie kann man es wagen, jene heiligsten persönlichen Beziehungen zwischen Gott und dem Menschen rechtlichen Formen zu unterwerfen! Wie kann man dem Geist, der doch weht, wo er will, vorschreiben, er müsse sich in bestimmten, klar umschriebenen Bahnen bewegen! Wozu überhaupt eine streng rechtliche Verpflichtung

tians, Leipzig 1918; *ders.*, Weltliches und geistliches Recht (Festgabe f. K. Binding), München–Leipzig 1914. Vgl. *A. M. Rouco-Varela*, Die katholische Reaktion auf das „Kirchenrecht I" Rudolph Sohms. Ein Beitrag zur Geschichte der katholischen theologischen Grundlegung des Kirchenrechts, in: Ius sacrum (Festschr. für K. Mörsdorf), München–Paderborn–Wien 1969, 15–52.

[58] *May*, Wesen 174; er verweist auf *Sohm*, Kirchenrecht I und II.
[58a] *Sohm*, Kirchenrecht I, X.
[58b] Ebd. 22. In Anm. 1 verweist der zitierte Autor auf Eph 5, 23; Kol 1, 18 und 1 Kor 11, 3.
[58c] Ebd. 163.

in der religiösen Lebenssphäre, in der doch ihrem eigentlichen Wesen nach Freiheit und Liebe herrschen sollen, ohne die religiöses Leben keinen sittlichen Wert hat!"[59] Es gibt kaum ein kanonistisches Werk der letzten Jahre, das irgendwie zum Kirchenbild beiträgt, das nicht von dieser Fragestellung bewegt wäre.[60] Sie drückt sich auch in der Entgegensetzung von Rechts- und Liebeskirche bzw. sichtbarer und unsichtbarer oder auch juridischer und charismatischer Kirche aus.[61] Die dadurch provozierte Arbeit der Dogmatiker und Kanonisten hat reiche Früchte getragen, wie wir im systematischen Teil sehen werden.

2. Leib-Christi-Theologie und die Enzyklika Mystici Corporis

An zweiter Stelle mag der gewaltige Einfluß genannt sein, den das ekklesiologische Denken, das um den Ausdruck Corpus Christi mysticum kreist, gehabt hat. (Eine gute Orientierung über die diesbezügliche ekklesiologische Literatur gibt U. Valeske.[62]) „Er hat als Ausdruck der Realität der Kirche für die 50 ersten Jahre dieses Jahrhunderts ungefähr den zusammenfassenden Ausdruck der vorherrschenden Konzeptionen und Bestrebungen der Ekklesiologie dargestellt."[63] In die Kanonistik ist dieses Denken in der genuinen biblischen und patristischen Form erst sehr langsam wieder eingedrungen. Hinter dem Zögern mag stehen, was schon die Väter des 1. Vatikanischen Konzils bewog, diesen Ausdruck nicht als zentralen in das Schema über die Kirche hineinzunehmen.[64] Besonders hemmend wirkte die Tatsache, daß es sich um ein Bild handelt, während die Kanonistik Sachbezeichnungen vorzieht.[65] Natürlich ist es den älteren Kanonisten nicht unbekannt, doch prägt es nicht das System.[66] Wir begegnen diesem Denken zuerst stärker bei A. Hagen[67], V. Del Giudice und K. Mörsdorf[68]. Der letzte verbindet damit die Sachbezeichnung „neues Gottesvolk"[69].

---

[59] *Bertrams*, Sinn 100 f.
[60] *Stickler*, Mysterium 571. Sehr instruktiv ist *Useros*, Statuta AnGr 151–165, wo die Auseinandersetzung um *R. Sohm* im Abriß dargestellt ist. Cf. et. *Kemmeren*, Ecclesia 3.
[61] Cf. *Kemmeren*, Ecclesia 4.
[62] *Valeske*, Votum 196–236; cf. *Ménard*, Ecclésiologie 57–59; vgl. *Ménard*, Kirche 72–75; wir schließen uns allerdings *U. Valeske* keineswegs in allen Wertungen an.
[63] *Ménard*, Ecclésiologie 57: „Elle a constitué pour les cinquante premières années de ce siècle, environ, l'expression synthétique des conceptions et des aspirations ecclésiologiques dominantes"; *Ménard*, Kirche 72 f.
[64] Vgl. *Valeske*, Votum 19.
[65] Vgl. *Mörsdorf* I, 22 f.
[66] Vgl. unten § 11.
[67] Vgl. Mitgliedschaft; Prinzipien.
[68] Vgl. Kirchengliedschaft; Lehrbuch [6]1949–1950.
[69] Lehrbuch I, 23.

Auch B. Panzram ist hiervon stark geprägt.[70] Er greift auf Thomas zurück[71] und betrachtet die Bezeichnung Leib Christi als authentische theologische Wesensbeschreibung.[72] Weiter sind hier dem Neuen G. May[73], G. Lesage[74] und A. M. Stickler[75] aufgeschlossen. G. Lesage baut ganz betont auf der Kirchenenzyklika Pius' XII. auf. Er verwendet fast ausschließlich „mystischer Leib" als Bezeichnung für die Kirche. Bei A. M. Stickler und B. Panzram spürt man ebenfalls deutlich den direkten Einfluß von Mystici Corporis. A. M. Stickler übernimmt auch Pius' XII. Hochschätzung dieser Bezeichnung: „Ohne Zweifel ist keine andere als diese vom Heiligen Geist selbst inspirierte Schau so gut geeignet, uns einen *vollständigen* Kirchenbegriff zu vermitteln . . ."[76]

A. Hagen gibt als Quellen H. Dieckmann, A. Wikenhauser und C. Feckes an.[77] Auch W. Bertrams, der stark auf Mystici Corporis aufbaut, zitiert H. Dieckmann.[78] V. Del Giudice greift über Pius XII. hinaus, von dem er mehrere Veröffentlichungen anführt und zitiert, auf Augustinus und Gregor den Großen zurück.[79]

Wenn wir noch weiter fragen, über welche anderen Kanäle diese theologische Sicht in die kanonische Literatur eingeflossen ist, stoßen wir auf Namen wie K. Adam, F. Jürgensmeier, L. Kösters, aber auch J. A. Möhler und H. Schell.[80] G. Lesage ist naturgemäß stark von den französischen Theologen beeinflußt. Y. M.-J. Congar, Ch. Card. Journet und H. de Lubac mögen genannt sein. Bei G. May begegnen wir ebenfalls diesen großen Drei, besonders häufig H. de Lubac.[81] Ihm folgend erhellt er die Beziehung vom mystischen Leib zum eucha-

---

[70] Vgl. Spannungsfelder 31 f. 37; Kirchenbegriff 202 f. 208.
[71] S. th. III q. 8 a. 3; vgl. Kirchenbegriff 208.
[72] Vgl. Kirchenbegriff 203.
[73] Vgl. bes. Ehre.
[74] Cf. Nature.
[75] Vgl. Mysterium.
[76] *Stickler*, Mysterium 609.
[77] *H. Dieckmann*, Die Verfassung der Urkirche, Berlin 1923; *A. Wikenhauser*, Die Christusmystik des hl. Paulus (BZfr 12. Folge, H. 8/10), Münster 1928, und *ders.*, Die Kirche als der mystische Leib Christi nach dem Apostel Paulus, Münster 1937; *C. Feckes*, Das Mysterium der heiligen Kirche, Paderborn ²1935.
[78] *H. Dieckmann*, Corpus Christi mysticum: ZAM 1 (1926) 125 bei *Bertrams*, Eigennatur 539.
[79] Vgl. unten 52.
[80] Vgl. bei *Hagen*, Prinzipien 53, Anm. 8, und Mitgliedschaft 54, Anm. 12: *J. A. Möhler*, Die Einheit der Kirche, Mainz 1925; *K. Adam*, Das Wesen des Katholizismus, Düsseldorf ⁶1931; S. 18, Anm. 50: *J. A. Möhler*, Symbolik, Mainz ⁵1838; S. 4, Anm. 6: *L. Kösters*, Die Kirche unseres Glaubens, Freiburg/Br. 1935; *F. Jürgensmeier*, Der mystische Leib Christi, Paderborn ⁴1934; S. 6, Anm. 14: *H. Schell*, Kath. Dogmatik, 3 Bde., Paderborn 1889–1893.
[81] Er verwendet auch *F. Holböck*, Der eucharistische und der mystische Leib Christi in ihren Beziehungen zueinander nach der Lehre der Frühscholastik, Rom 1941, vgl. S. 11, Anm. 8.

ristischen Leibe Christi.[82] Im übrigen ist es erstaunlich, wie seine Ausführungen sich auf die Quellen (Heilige Schrift und Väter, passim) stützen. H. Heimerl, der auch schon neuere Werke wie die von St. Jaki[83] und K. Rahner zitiert, bezieht sich verschiedentlich auf E. Mersch[84], abgesehen von Mystici Corporis.

3. Volk-Gottes-Theologie[85]

Diese Bezeichnung für die Kirche wurde von der protestantischen Theologie schon früh herausgestellt.[86] Auf katholischer Seite waren es der Dominikaner M. D. Koster[87], der belgische Exeget L. Cerfaux[88] und etwas später J. Eger[89], der eine patristische Studie zur Volkstheologie des hl. Ambrosius veröffentlichte. Der Dominikaner wies energisch auf die Einseitigkeiten der Corpus-Christi-Theologie hin und rückte mit Entschiedenheit den Begriff des Volkes Gottes in den Mittelpunkt einer zukünftigen Ekklesiologie. Er bemängelte, daß die Ekklesiologie bis dahin zu verschwommen und vortheologisch gewesen sei. Die Sicht der Kirche als Corpus Christi mysticum sei nur eine Teilsicht, die im größeren Rahmen einer umfassenderen Sicht als Volk Gottes ihren Platz finden müsse. Diese sei auch deshalb vorzuziehen, weil sie vom Bild zur Sache vor-

---

[82] Vgl. Ehre 11–13. Am meisten scheint er von *H. de Lubac* beeinflußt zu sein, vgl. die häufigen Zitationen: S. 11, Anm. 7; S. 12, Anm. 11; S. 15, Anm. 1; jeweils: Betrachtung über die Kirche, Graz-Wien-Köln 1954 und zweimal Corpus Mysticum. L'Eucharistie et l'Église au moyen âge, Paris ²1949. S. 88, Anm. 44 und 45 und S. 120, Anm. 17 zitiert *A. Hagen H. de Lubacs* Catholicisme, Les aspects sociaux du dogme, Paris ⁴1947.

[83] *St. Jaki*, Les tendences nouvelles d'Ecclésiologie, Rome 1957.

[84] *E. Mersch*, Theologie du Corps mystique, 2 t., Paris ²1946 (Kirche 58, Anm. 39) 59–64 (*E. Mersch* ist seinerseits von *M. J. Scheeben* geprägt); ders., La fonction de l'autorité: NRTh 53 (1926) 81–95 (Kirche 58).

[85] Cf. *Ménard*, Ecclésiologie 98; vgl. *Ménard*, Kirche 124–129; vgl. *Valeske*, Votum 201–207 u. 238–252; *Congar*, Volk Gottes; *R. Schnackenburg–J. Dupont*, Die Kirche als Volk Gottes: Conc 1 (1965) 47–51.

[86] Vgl. *K. L. Schmidt*, Die Kirche des Urchristentums. Eine lexikografische und biblisch-theologische Studie, in: Festgabe für A. Deißmann, Tübingen 1927, 258 ff. bes. 263 ff. (²1932); ders., ThW III, 502 ff.; *F. Kattenbusch*, Der Quellort der Kirchenidee, in: Festgabe für A. v. Harnack, Tübingen 1921, 143 ff.; *G. Gloege*, Reich Gottes und Kirche im Neuen Testament, Gütersloh 1929; *H. D. Wendland*, Geschichtsanschauung und Geschichtsbewußtsein im Neuen Testament, Göttingen 1938; *O. Linton*, Nya Testamentet och kyrkan, in: Norsk theologisk kvartalskrift 10 (1941) 115 ff.; *F.-J. Leonhardt*, Études sur l'Église dans le Nouveau Testament, Génève 1940; *W. A. Visser't Hooft*, Misère et grandeur de l'Église, Génève 1943; *O. Dibelius*, Das Jahrhundert der Kirche, Berlin 1926; *H. F. Hamilton*, The People of God, 2 t., Oxford 1912; *E. Käsemann*, Das wandernde Gottesvolk, Göttingen 1938; *O. Scheel*, Volk Gottes und Kirche, in: Evangelium, Kirche und Volk bei Luther, Leipzig 1934, 14 ff. Vgl. zu dieser Thematik *Valeske*, Votum 202, Anm. 62. *Y. M.-J. Congar* (Volk Gottes 11) meint dazu: „Wir haben den Eindruck, daß das protestantische Denken am Neuen und Endgültigen vorbeisieht, das die Menschwerdung des Gottessohnes gebracht hat."

dringe. Bei Paulus, bei den Vätern und in der Liturgie spiele diese Auffassung die zentrale Rolle. Volk Gottes bilde die Voraussetzung, die Ansatzstelle, die Basis, den Rahmen, die Norm für das Verständnis der anderen Kirchenbezeichnungen.[90] Als erster hat K. Mörsdorf diese neue Sicht in seinem Gliedschaftsartikel und in seinem Lehrbuch übernommen.[91] 1949 finden wir M. D. Koster bei A. Hagen zitiert.[92] G. May, der ebenfalls diesen Gedanken verwendet, bezieht sich sowohl auf O. Semmelroth[93] wie auf die protestantischen Exegeten R. Bultmann und E. Käsemann.[94] Innerhalb der Dogmatik ist der Volk-Gottes-Gedanke nach dem 2. Weltkrieg immer stärker berücksichtigt worden. Man darf vielleicht Y. M.-J. Congars Arbeiten[95] und die Dogmatik von M. Schmaus als herausragende Punkte nennen.[96]

4. Auffassung der Kirche als Ursakrament

Einen neuen Ausdruck fanden die Bemühungen, das Geheimnis der Kirche zugleich mit ihrer gesellschaftlichen Struktur zu erfassen, in dem Begriff Ursakrament.

In unserem Jahrhundert war es hauptsächlich O. Semmelroth, der diesen Begriff angewandt und spekulativ durchdacht hat.[97] Er konnte auf Arbeiten von von J. A. Möhler[98] und M. J. Scheeben[99] sowie auf Ansätze von K. Adam[100] und W. Bertrams[101] zurückgreifen. Wichtig waren weiter Arbeiten von H. de

---

[87] Ekklesiologie im Werden, Paderborn 1940.

[88] Théologie de l'Église suivant saint Paul, Paris 1942.

[89] Salus gentium. Eine patristische Studie der Volkstheologie des Ambrosius von Mailand, Diss. München 1947. Dazu *Valeske*, Votum 241.

[90] Vgl. *Valeske*, Votum 199–204.

[91] Nach *O. Semmelroth*, Die Kirche, das neue Gottesvolk (in: *Baraúna*, De Ecclesia I, 369) ist *K. Mörsdorf* überhaupt der erste Theologe im deutschen Raum, der diese Bezeichnung übernommen hat.

[92] Prinzipien 10 f.

[93] Kirchenbegriff.

[94] *E. Käsemann*, Das wandernde Gottesvolk, Göttingen 1939; *R. Bultmann*, Theologie des Neuen Testamentes, Tübingen ²1954; z. B. *May*, Ehre 29.

[95] Vgl. *Y. M.-J. Congar*, Priester und Laie in der Kirche – um eine „Laikologie": Dokumente 3 (1947) 390–402. 509–519 (frz. in: Masses Ouvrières und La Vie Intellectuelle, Dez. 1946); *ders.*, Heiligkeit und Sünde in der Kirche: Dokumente 4 (1948) 531–544 (frz. in: La Vie Intellectuelle, Nov. 47).

[96] Vgl. *Valeske*, Votum 239–250.

[97] Kirche. Vgl. zur Information *M. Bernards*, Zur Lehre von der Kirche als Sakrament. Beobachtungen aus der Theologie des 19. und 20. Jh.: MThZ 20 (1969) 29–54.

[98] Einheit; Symbolik.

[99] Dogmatik.

[100] Wesen des Katholizismus, Düsseldorf 1934.

[101] Sinn; Eigennatur.

Lubac[102], J. Gribomont[103], Y. M.-J. Congar[104], K. Rahner[105] und Th. Sartory[106]. Das Wesentliche an diesem Begriff ist die Analogie zwischen den traditionell verstandenen einzelnen Sakramenten und der Kirche als „Sakrament" im ganzen. Die drei Stücke – äußeres Zeichen, innere Gnade und Einsetzung durch Jesus Christus – lassen sich auch von der Kirche in einem guten Sinn aussagen. Auch sie bietet sich als äußere Wirklichkeit, gesellschaftlich verfaßt, rechtlich geordnet, greifbar, sichtbar, hörbar dar. Dieses Äußere ist jedoch ebenso wie bei den Einzelsakramenten Zeichen und Werkzeug für eine innere Gnade, also für die Selbstmitteilung Gottes. Daß die Kirche von Jesus Christus gestiftet ist, wird aus der früheren Theologie selbstverständlich mit Leichtigkeit eingebracht. Unter den Dogmatikern hat dann nach O. Semmelroth P. Smulders wesentlich weitergearbeitet, indem er die Kategorien sacramentum tantum, res et sacramentum, res tantum auf die Kirche übertrug: Er findet sie in Recht, Kult und Pneuma.[107] Später hat O. Semmelroth weiter darüber nachgedacht und einen Vorschlag gemacht, der die Einheit des Kirchenbegriffes in den Diskussionen um den Wert der Leib-Christi- und der Volk-Gottes-Bezeichnung aufweisen könnte: Ließe sich nicht das Bild vom Leibe Christi besonders der inneren Gnade, die Bezeichnung Volk Gottes besonders dem äußeren Zeichen zuordnen? Dann könnte man schließlich auch die Disposition im Bild von der Braut typisiert finden. Im Rahmen des Begriffes Ursakrament also sowohl Leib wie Braut Christi, aber auch Volk Gottes![108] E. H. Schillebeeckx schließlich hat besonders die personale Begegnung im Vollzug des Sakramentes bzw. des Ursakramentes betont.[109]

All dies handelte davon, daß mit Ursakrament eine Wirklichkeit gemeint ist, in der ganz, wenn auch analog, „erfüllt ist, was der Begriff Sakrament ausdrückt". Daneben ist aber noch ein zweiter Aspekt wichtig, daß nämlich „anderseits zu den sieben Sakramenten ein bestimmtes Verhältnis besteht, das mit

---

102 Catholicisme. Les aspects sociaux du dogme, Paris 1938, ⁴1947; dt.: Katholizismus als Gemeinschaft, Einsiedeln 1943; Meditation sur l'Église, Paris 1953; dt.: Betrachtung über die Kirche, Graz 1954.
103 Du sacrament de l'Église et de ses réalisations imparfaites: Irenikon 22 (1949) 345–367. Auf *J. Gribomont* beruft sich u. a. auch *A. Gommenginger*, dem wir im § 30 begegnen (Bedeutet die Exkommunikation Verlust der Mitgliedschaft?: ZKTh 73 [1951] 7 ff.).
104 Esquisses sur le mystère de l'Église, Paris 1941, ²1953.
105 *K. Rahner*, Kirche und Sakramente, Freiburg 1960; vorher unter dem Titel: Persönliche und sakramentale Frömmigkeit, in: GuL 15 (1952) 412–429.
106 Die ökumenische Bewegung und die Einheit der Kirche, Meitingen 1955.
107 Sacramenten.
108 Vgl. *O. Semmelroth*, Art. Ursakrament, in: LThK 10, 568 f.
109 Christus, sacrament van de godsontmoeting, Bilthoven 1958; dt.: Christus, Sakrament der Gottbegegnung, Mainz 1960; De sacramentele heilseconomie, Bilthoven 1952.

dem Wortteil ‚Ur-‘ bezeichnet wird“. Damit will gesagt sein, daß „die sakramentalen Einzelhandlungen als Lebensfunktionen des Ursakramentes die sakramentale Wirklichkeit der Kirche“ aktualisieren.[110] Das Konzil hat den Begriff des Ursakramentes aufgegriffen, wenn auch das Wort selbst nicht vorkommt.[111]

II. Kirchengeschichte: Bewegungen in der Kirche

Da die Theologie ja nicht im luftleeren Raum betrieben wird, sondern in der Kirche von Christen einer bestimmten Zeit, ist es angebracht, auf einige Fakten kurz hinzuweisen. Damit soll in keiner Weise theologisches Denken aus gesellschaftlichen Bedingungen erklärt werden, vielmehr wollen wir auf einige Bewegungen in der Kirche hinweisen, in denen sicher der Geist Gottes gewirkt hat. Von daher kommen Anstöße für die Kanonistik, sei es direkt, sei es indirekt über die schon genannten theologischen Strömungen.

1. *Katholische Aktion*

Der Ausdruck einer veränderten Lage (vgl. unten III) und der dadurch notwendig gewordenen Anpassung der kirchlichen Aktivität ist die Einführung der Katholischen Aktion. Dadurch kommt ganz konkret ein wichtiger Anstoß zur Neuentdeckung der Laien und ihrer Bedeutung. Schon Leo XIII. legte großen Wert auf die „Aktion der Katholiken“ unter der Leitung der Hierarchie. „Pius X. gab in der Enzyklika *Il fermo proposito* vom 11. 6. 1905 eine ausführliche Beschreibung der Katholischen Aktion im Zusammenhang mit dem Problem der Beziehungen zwischen Kapital und Arbeit, aber auch im Hinblick auf eine Wiederherstellung der christlichen Kultur.“[112] Als fester Begriff auf eine bestimmte Organisation angewandt wurde dieser Ausdruck jedoch erst von Pius XI., in dessen Pontifikat die Schaffung der Katholischen Aktion einen Schwerpunkt bedeutete. „Manche Ansätze seit Beginn des 20. Jahrhunderts gingen in die Richtung, wegen der ungenügenden Zahl an Priestern den Laien bestimmte Aufgaben zu stellen. Pius XI. betonte jedoch immer klarer das Spezifische der apostolischen Aktion der Laien, deren Träger, eben die Organisationen der Katholischen Aktion, die offizielle Autorisation der Hierarchie erhalten sollten. In der Ansprache an die deutsche Jugend vom 27. 10. 1933 defi-

---

[110] Vgl. unten § 37 B.
[111] *Ménard*, Ecclésiologie 60ss.
[112] *J. Verscheure*, Art. Katholische Aktion, in: LThK 6, 74.

nierte Pius XI. die Katholische Aktion als ‚die Mitarbeit und Teilhabe der Laien am hierarchischen Apostolat der Kirche‘."[113] Da die Katholische Aktion also einen Platz in der Seelsorge erhielt, der auch juridisch bestimmt werden mußte,[114] rückte sie in den Blickpunkt der Kanonisten. Man fragte nach den Fundamenten dieser Beteiligung und wurde auf die Taufe und die Firmung verwiesen. So kam ein sakramentales Denken zum Zuge, das stärker die seinsmäßige Erhebung des Christen und sein allgemeines Priestertum und die gemeinsame Berufung des ganzen Gottesvolkes zum Apostolat herausstellte.

2. Liturgische Bewegung[115] und Jugendbewegung[116]

Wir wollen hier keine eingehende Analyse der Einflüsse dieser beiden Bewegungen anstellen. Nur soll darauf hingewiesen werden.

Die liturgische Bewegung muß zusammengesehen werden mit all den anderen Erneuerungsbewegungen in und außerhalb der Kirche: mit der Bibelbewegung, mit der neuen Befruchtung der Schultheologie, mit der eucharistischen Bewegung, mit dem Verlangen nach ökumenischer Einheit. „So verstanden, ist sie Ausdruck einer allumfassenden Erneuerung, die durch das Wort R. Guardinis gekennzeichnet ist: Die Kirche erwacht in den Seelen."[117] Das Grundprinzip der liturgischen Bewegung wird von Pius X. in seinem Motu proprio über die Kirchenmusik Tra le sollecitudini (22. 11. 1905) formuliert: die „tätige Teilnahme" (actuosa communicatio) der Gläubigen an der Feier der „hochheiligen Mysterien und am öffentlichen und amtlichen (solemnis) Gebet der Kirche" ist die „erste und unerläßliche Quelle" „des wahrhaft christlichen Geistes".[118]

Als die liturgische Bewegung der Jugendbewegung begegnete, erhielt sie einen starken Impuls und eine erhebliche Breitenwirkung durch den jungen Klerus, der sich von ihr mitnehmen ließ (z. B. E. R. v. Kienitz).[119] Als in der nationalsozialistischen Zeit die äußere Organisation zerschlagen wurde, erwies sich die Betonung des Altares als Mittelpunkt der Seelsorge als rettend und fruchtbar. Es konnte nicht ausbleiben, daß infolgedessen gerade im deutschen theolo-

---

[113] Ebd.

[114] Cf. M. *Cabreros de Anta*, La adaptación del libro primo del Codigo: Estudios de Deusto 9 (1961) 363–384, spez. 371.

[115] Vgl. J. *Wagner*, Art. Liturgische Bewegung, in: LThK 6, 1097–1100.

[116] Vgl. O. *Köhler*, Art. Jugendbewegung, in: LThK 5, 1181 f.

[117] J. *Wagner*, Liturgische Bewegung, in: LThK 6, 1099.

[118] CICfontes III, p. 609, n. 654: „ante omnia sacrarum Aedium sanctitati dignitatique provideamus oportet, ubi scilicet fideles congregantur ad eundem spiritum ex primo eoque necessario fonte hauriendum, hoc est ex actuosa cum sacrosanctis Mysteriis, publicis solemnibusque Ecclesiae precibus communicatione".

[119] Repräsentativ sei E. R. v. *Kienitz* hier genannt, der in der Pfadfinderbewegung stand.

gischen Denken das Sakrament, Taufe und Ordo wieder die Prävalenz erhielten gegenüber den Rechtsbindungen, die daraus erwachsen. Der Boden für ein neues Verständnis der altkirchlichen Communio und der Kirche als Netz von Kommuniongemeinschaften wird bereitet. Die Vorliebe für die Gemeinschaft im Gegensatz zur Gesellschaft wird geweckt.[120]

3. Die Säkularinstitute[121]

Nach über 150 Jahren faktischen Bestehens wurden 1947 die Säkularinstitute kirchenrechtlich anerkannt,[122] nachdem ältere Ansätze immer wieder in alten Formen geprägt worden waren (Ursulinen, Englische Fräulein, Salesianer). Hier sind neue Realitäten in der Kirche, die nicht in das traditionelle Schema Priester, Laien, Ordensleute passen. Damit wurde eine theologische und kanonistische Besinnung notwendig.[123] Es erhob sich auch von hier aus die Frage: Was ist der Laie? Welche kanonische Form findet dieser Zweig des Lebens der Vollkommenheit in der Kirche?[124] Vor allem aber erweist sich von neuem, daß das Recht dem Leben folgen muß, letzten Endes dem Wirken des Heiligen Geistes.[125]

III. Profangeschichte: „Demokratisierung"

Die Kirche erkennt auch in den Zeichen der Zeit den Anruf Gottes. Die Kanonisten sind in mannigfacher Weise, wenn auch zum Teil sehr mittelbar, von diesen Gegebenheiten beeinflußt. Ein umfassender historischer Prozeß spielt eine wichtige Rolle: Die Umwandlung der politischen Machtstrukturen von Monarchien in Demokratien. Es vollzieht sich, kurz gesagt, eine „Demokratisierung"[126] (Wir sehen jetzt einmal von allen Zwischenformen ab). Das steht im Zusammenhang mit einer Änderung der Mentalität im sozialen Leben überhaupt. Die Folge waren, wie wir sehen, Übergriffe im Namen demokratischer Ziele vom politischen auf das kirchliche Gebiet. Die Änderung des Denkens, das dem einzelnen in der Gesellschaft ganz allgemein eine immer größere Bedeutung zumißt, ist aber legitim mehr als eine politische Sache. Die politische

---

120 Vgl. unten § 22.
121 Vgl. *H. A. Timmermann*, Art. Säkularinstitute, in: LThK 9, 246 ff.
122 Vgl. die Apostolische Konstitution *Pius' XII.* „Provida Mater" vom 2. 2. 1947: AAS 39 (1947) 114–124 *(Rohrbasser 1521–1545)*.
123 Vgl. die reichhaltige Bibliographie von *J. Beyer:* Periodica 52 (1963) 239–259.
124 Vgl. unten § 36 C.
125 Vgl. *Beyer*, Weltgemeinschaften 55.
126 Cf. *Ménard*, Ecclésiologie 60.

Veränderung ist der Ausdruck einer Neuentdeckung der Würde der Person, der Bedeutung des einzelnen.[127] Einen typischen Zielpunkt dieser Entwicklung stellt die Charta der Menschenrechte dar, die in „Pacem in terris" ausdrücklich genannt und positiv gewürdigt wird. Dieses neue Bewußtsein drückt sich also in den neuen Spielformen des politischen Lebens aus. Wir denken dabei an die Parteien, an die sozialen Interstrukturen, an die Gruppen und Verbände. Besonders durch die Öffnung im Jahre 1848 ist auch der Kirche in Deutschland die Möglichkeit gegeben, sich in diesem Kräftespiel der Gruppen zu beteiligen, also in einer neuen Form den Einfluß Christi wirksam zu machen. Es ist nicht mehr üblich, im politischen Leben in der alten Weise zu denken: Alle Macht geht vom König aus – oder „L'état c'est moi" – sondern: Alle Macht geht vom Volke aus. Unter anderen Momenten gibt auch diese veränderte Denkweise Anlaß dazu, die Rolle des einzelnen in der Kirche neu zu durchdenken. Dabei soll nicht verkannt werden, daß genauso natürlich die umgekehrte Kausalität gilt: Das christliche Bewußtsein von der Würde der Person drängte in mancherlei Formen, auch den säkularisierten, immer mehr zu einer Berücksichtigung in den konkreten Ausdrucksformen des politischen Lebens. Die Impulse des Humanismus, der französischen Revolution, sind in ihren besten Intentionen sicher ausgelöst durch echt evangelische Realitäten. Der Mensch – und zwar jeder einzelne – ist er nicht der Bruder Christi, der Unersetzliche, den Christus durch seinen Tod frei gemacht hat? Und muß das nicht seine Rolle in der Gesellschaft entscheidend prägen? Sind nicht als Kinder des einen Vaters alle im letzten gleich?[127a]

In diesen Zusammenhang, für den obige Andeutungen genügen mögen, möchten wir auch die ganze Ekklesiologie stellen. Denn diese Impulse kommen zum Zuge einerseits in der Frage nach dem Verhältnis von Kirche und Staat, es verlagert sich nämlich das Gewicht beiderseits von den „Regierungen" bzw. „Fürsten" auf die Vielzahl der Glieder der jeweiligen Gesellschaft. Andererseits möchten wir diesen Trend wiederfinden in der Bereitschaft, über die Kirche als Körperschaft zu sprechen. Sicher ist der Bellarminsche Kirchenbegriff lange Zeit immer wieder als Definition angeführt worden, doch kommen in der praktischen Behandlung innerhalb des Ius Publicum das Volk, die Menschen nicht mehr entscheidend zum Zuge. Da dominiert dann wieder die Verfassungsfrage und damit die alte scharfe Trennung von Klerus und Laien, also die anstaltliche Seite. Jedoch tritt dann dieses Element bei A. Hagen stärker hervor,[127b] und zwar auch deswegen, weil der Staat die Kirche als Körperschaft

---

[127] Cf. *Bertrams*, Subsidiaritas 15.
[127a] Vgl. unten § 36 A.
[127b] Siehe unten Anstalt und Körperschaft, §§ 9 und 23.

des öffentlichen Rechtes auffaßt. Als die Auswirkung dieser Verschiebung finden wir natürlich immer stärker die Wertung des Laien, seiner Rechtstellung etc., z. B. bei K. Mörsdorf im Gegensatz zu E. Eichmann.[128] In dem Begriff vom Volke Gottes werden heute eben auch stärker die einzelnen Glieder mitgedacht als früher in dem Begriff der societas.

Kapitel 2

DIE KANONISTEN MIT IHREN KIRCHENBILDERN

§ 3 *Die Vertreter des Bildes der Kirche als der von Christus gestifteten übernatürlichen societas perfecta*[129]

I. Verfasser, die ausschließlich dieses Kirchenbild haben

Es folgen nun Gruppen von Autoren, die nach Kriterien ihres Fach- bzw. ihres Publikationsgebietes geordnet sind. Man würde vielleicht erwarten, hier schon eine Einteilung nach theologischen oder juridischen Kriterien zu finden. Doch ist das sehr schwierig, weil die Differenzierung sehr gering ist, anders als nachher beim sakramentalen Kirchenbild, wo sich tatsächlich eine theologische Rezeption in mehreren Stufen vollzieht. Hier wird nur innerhalb der einzelnen Gruppen auf Akzente hingewiesen, je nachdem sie mehr die societas-perfecta-Lehre hervorheben oder die Kirche als Institution des Heils qualifizieren.

1. A. Ottaviani und die Ius-Publicum-Autoren

Der Begriff der societas perfecta ist mit dem Ius Publicum Ecclesiasticum[130] sehr eng verbunden, so daß er sogar in seine Definition eingeht: „Ius Publicum ist das System der Gesetze bezüglich der Verfassung, der Rechte und der Mittel der Kirche als einer vollkommenen Gesellschaft, die auf einen übernatürlichen Finis hin ausgerichtet ist.“[131] Der Grundriß aller Darstellungen des Ius Publicum

---

[128] Vgl. § 35 C und § 36 C.
[129] Die Formulierung wörtlich bei *P. Torquebiau*, DDC II, 117: „société surnaturelle parfaite fondée par le Christ".
[130] Vgl. oben § 1 II.
[131] *Ottaviani* I, 7 n. 6: „... *definitur ius publicum ecclesiasticum: ‚Systema legum de constitutione, iuribus et mediis Ecclesiae tamquam societatis perfectae in finem supernaturalem ordinatae' "*.

Ecclesiasticum stammt von C. Tarquini[132]. Nach ihm kann man vollkommen (souverän) eine solche Gesellschaft nennen, „die in sich vollständig ist und überhaupt die Mittel besitzt, die zur Erreichung ihres Finis genügen".[133] Daran schließt sich die Darstellung der Gewalt einer solchen Gesellschaft an, gesetzgeberische, richterliche, ausführende (Zwangsgewalt) etc. Nachdem bewiesen ist, daß Christus seine Kirche als eine solche vollkommene Gesellschaft gestiftet hat, wird entsprechend die ihr eigene Gewalt behandelt, in Analogie zu der Gewalt der anderen vollkommenen Gesellschaft, des Staates. Es folgen dann noch Ausführungen über die Konkordate und über das Subjekt der kirchlichen Gewalt.[134] An dieser Stelle möge noch F. Cavagnis genannt werden, der Altmeister dieser Disziplin, der in seinem klassischen dreibändigen Werk alle damals aktuellen Fragen behandelt und für alle späteren Autoren die Grundlage geliefert hat. Er macht schon darauf aufmerksam: Die Kirche ist eine übernatürliche Gesellschaft. Darum kann man zwar die Normen des Ius Publicum Naturale heranziehen, aber nicht immer übertragen, da sie manchmal falsch oder zeitbedingt sind. Die beiden societates perfectae muß man gut voneinander abheben.[135] Die beiden Großen, die die fünfzig Jahre bis zum Konzil geprägt haben, sind dann F. M. Cappello, den wir in die nächste Gruppe einordnen müssen, und A. Ottaviani[136]. Dieser ist während des Konzils als Sekretär des Hl. Offiziums und Vorsitzender der theologischen Kommission bekannt geworden. Sein Ringen mit A. Kardinal Bea wurde sehr fruchtbar. Bei A. Ottaviani finden wir die sozialphilosophische Terminologie ganz ausgeprägt. Er behandelt in seinem ersten Teil die allgemeinen Prinzipien: societas, societas iuridica, societas perfecta, auctoritas, delictum, poena, ordo socialis, bonum commune etc.[137] Diese Begriffe werden dann mit der Begründung auf die Kirche

---

132 Kardinal *C. Tarquini* starb 1874; seine IPE Institutiones erlebten 1898 die 17. Auflage (Romae).

133 *Tarquini* 3s n. 6: „... societas ... perfecta ... ea dici debet, quae est in se completa, adeoque media ad suum finem obtinendum sufficientia in semetipsa habet."

134 *A. de la Hera* und *Ch. Munier* (Hera, Droit 54) rühmen „la simplicité du plan suivi, la rigueur logique de la démonstration, la cohérence de la méthode adoptée".

135 Cf. I, p. IX n. I; et. I, 203s n. 312: „Pluries innuimus differentiam inter utramque; finis enim civilis consistit in felicitate praesenti; de se est externus ...; finis Ecclesiae e contra est salus aeterna ... Etenim duabus societatibus perfectis non competunt eadem iura materialiter et specifice inspecta, sed tantum formaliter et generice, id est plenitudo iuris in suo ordine pro mediis necessariis ad finem; sed ex diversitate finis, oritur diversitas mediorum; hinc et iurium in specie."

136 *A. Ottaviani* ist 1890 geboren und hat im zivilen und kanonischen Recht promoviert. Lange Zeit war er Professor für Ius Publicum an der Lateran-Universität. 1953 wurde er Kardinal (Who's who in the Catholic World 476). 1926 erschien die erste Auflage seiner Institutiones IPE in Rom.

137 Cf. pp. 29–112 nn. 15–68. Zu den Einzelheiten vgl. den systematischen Teil unten §§ 6–10.

übertragen, daß ja die Offenbarung die Natur nicht zerstört und man die natürlichen Hilfsmittel nicht verachten dürfe, die uns die göttliche Vorsehung großzügig schenkt.[138] Die Eigenart der Kirche, etwa die Bedeutung des Seelenheils als bonum privatum läßt sich dann jedoch in diesen Begriffen schwer fassen. Er hat auch die Begrifflichkeit des corpus sociale stark entfaltet.[139] Wie S. B. Fragosi[140] spricht er vom corpus mysticum Ecclesiae[141], aber eben im sozialphilosophischen Sinn. Den Aposteln und infolgedessen der Kirche ist nach ihm alle Gewalt gegeben.[142] Beim Begriff der juridisch vollkommenen Gesellschaft präzisiert A. Ottaviani „in suo ordine"[143]. Es gibt ja unter den tatsächlichen Bedingungen der Menschheit keine absolut vollkommene Gesellschaft, sondern „„Gott hat die Sorge für die Menschheit auf zwei Autoritäten verteilt, die kirchliche und staatliche, die eine über die göttlichen, die andere über die menschlichen Angelegenheiten""[144]. Übrigens kommt hier ein besonderes Kennzeichen A. Ottavianis zum Vorschein, seine enge Verbundenheit mit der Lehre der Päpste Leo XIII., Pius' XI. und Pius' XII.[145] Man kann A. Ottaviani im übrigen als typischen Vertreter dieser Gattung ansehen; infolgedessen zitieren wir ihn häufig in repräsentativer Weise. Viele Autoren schließen sich eng an ihn an.

M. *Conte a Coronatas* Werk[146] stammt auch aus den zwanziger Jahren; es ist knapp gehalten und weist wenig Charakteristisches auf. 1948 erschien dann *L. Benders*[147] zwar schmales, aber ungemein klar durchdachtes und eigenständiges IPE. L. Bender zieht immer wieder strenge Parallelen zwischen Staat und Kirche. Dabei zeigt er oft die ähnliche Struktur auf, die allerdings bei der Kirche eine ganz andere Zielsetzung bekommt. In einer längeren Passage betont er, daß im übrigen staatliche und kirchliche Gesellschaft eng miteinander verbunden sind, bzw. sein sollen, da das Heil der Menschen nur eines ist, ein ungeteil-

---

[138] Cf. I, 15 n. 11.
[139] Vgl. unten § 11: Das Bild vom Leibe.
[140] Cf. *J. B. Fragosi*, Regimen Reipublicae christianae, Coloniae Allobrogum 1737, t. I, 7 (zit. bei *Munier*, Église 612); vgl. auch *F. Frodl*, Gesellschaftslehre, Wien 1936, 143.
[141] Cf. *Ottaviani* I, 337 n. 204.
[142] Vgl. Mt 28, 18; *Ottaviani* I, 193 n. 123: „cum ipsis *omnis potestas* data sit".
[143] I, 49 n. 26.
[144] Immortale Dei § 6 (nicht 24), zit. bei *Ottaviani* I, 49 n. 26 (ASS 18 [1885/86] 166).
[145] Vgl. seine programmatische Bemerkung I, 15 n. 11.
[146] Ius Publicum Ecclesiasticum, Romae 1924, ed. 2. Taurini-Romae 1934, ed. 3. 1948 Taurini.
[147] 1894 geboren, wurde *L. Bender* 1919 zum Priester geweiht. Er ist Dominikaner, Dr. iur. can. und Mag. theol. Von 1924 bis 1933 war er in den Niederlanden Prof. des kanonischen Rechtes und der Moraltheologie, von 1933 bis 1965 Prof. für Rechtsphilosophie am Angelicum. Er schrieb eine Rechtsphilosophie (1955) und neben anderem zwei wichtige eherechtliche Werke (1950, 1958). Dazu Who's who in the Catholic World 64.

tes Ganzes.[148] Es sei noch einmal daran erinnert, daß die Werke über das Verhältnis der Kirche zum Staat hier nicht eigens berücksichtigt wurden. Neben den Monographien des IPE bieten uns eine Reihe von Kommentaren oder anderen Werken Abschnitte, in denen die Thesen bezüglich der Kirche als vollkommener Gesellschaft dargestellt werden. So ist z. B. *C. Holböck*[149] im Eingangsteil seines Kommentars zum CIC deutlich von A. Ottaviani abhängig.[150] Wir könnten weiter hinweisen auf das Dictionnaire de Droit Canonique[151], in welchem R. Naz mit E. Fogliasso den Artikel Kirche zeichnet,[152] A. Hagen[153] und andere, die wir im nächsten Abschnitt anführen.

2. Die Kommentatoren des CIC

a) Skizzenhaftes Kirchenbild des CIC

Der Codex ist nach dem Modell der modernen Gesetzbücher aufgebaut. Er bringt also das positive Recht ohne historischen Kontext und ohne Motivation, anders also als etwa das Dekret Gratians. Nur an wenigen Stellen ist eine innere Begründung des positiven Rechts ersichtlich. Er setzt natürlich den katholischen Glauben voraus, dessen professio stets beigedruckt ist. So muß man sagen, daß das Kirchenbild im Codex nicht ausgeführt ist bzw. fast nur juridische Aspekte zeigt. Das Wort Ecclesia (groß geschrieben) meint entweder die Kirche als Ganzes, d. h. die Gesamtheit aller gültig Getauften (c. 87), oder bloß die Rechtgläubigen unter ihnen (z. B. c. 2319 § 2; Ecclesia Dei: c. 1322 § 2) oder bloß die Rechtgläubigen desselben (lateinischen oder orientalischen) Ritus (z. B. c. 1; catholica: c. 1070 § 1; latina: c. 253 § 1; c. 1064,2; 1513 § 2 etc.). Es kommt aber auch in der Bedeutung der Einzelkirche vor (c. 329 § 1: peculiaris; c. 257 § 2: Ecclesia latina im Plural; Professio fidei: omnium Ecclesiarum) oder im Sinne der Kirche als Anstalt (c. 99). Häufig bedeutet es (klein

---

148 IPE, Bussum 1948, 170–175. Der Vollständigkeit halber seien hier noch die anderen seit 1930 erschienenen Ius-Publicum-Lehrbücher angeführt: *R. S. de Lamadrid*, El Derecho público de la Iglesia católica, Granada 1943; *Eloy Montero y Gutierrez*, Derecho público ecclesiástico y normas generales, Madrid 1952; *N. Jung*, Le droit public de l'Église, Paris 1948; *Fr. M. Marchesi*, Summula IPE, Neapoli 1948; *S. Romani*, Elementa iuris ecclesiastici fundamentalis, Romae 1953; *L. R. Sotillo*, Compendium IPE, Santander 1951; *Cabreros de Anta*. Derecho Canónico Fundamental, Madrid 1960 (vorher noch *F. Solieri*, Institutiones Iuris Ecclesiastici, t. I: IPE Romae 1921).

149 Handbuch des Kirchenrechts, Wien–Innsbruck 1951.

150 Er übernimmt dann allerdings auch von *K. Mörsdorf* den Abschnitt über das neue Gottesvolk und anderes (Hdb. I, 46; die Rechte des Getauften nach *K. Tilmann* vgl. I, 495 etc.).

151 Paris 1935–1965 (hrsg. von *R. Naz*).

152 DDC V, 171.

153 Prinzipien des katholischen Kirchenrechts, Würzburg 1949, 19 f.

geschrieben) auch das Kirchengebäude. Soweit die Getauften gemeint sind, ist bei weitem der Sinn Gesamtheit der Gläubigen der römisch-katholischen Konfession häufiger.[154] Der Ausdruck societas perfecta findet sich im Codex nicht,[155] wohl aber in der Apostolischen Konstitution Providentissima Mater, mit der der Codex promulgiert wurde. Ganz typisch heißt es dort: „Providentissima Mater Ecclesia, ita a Conditore Christo constituta, ut omnibus instructa esset notis quae cuilibet perfectae societati congruunt . . ." (Man erkennt wieder die von Christus gegründete Gesellschaft). Andere Bilder und Begriffe für die Kirche sind nicht verwendet, nur das eben mitzitierte der Mutter (vgl. auch Professio Fidei: „Sancta Mater Ecclesia" „omnium Ecclesiarum matrem et magistram agnosco"). Was die Strukturen angeht, so ist im Codex klar und betont die Zweiteilung der Kirche in Klerus und Laien herausgestellt (c. 107) und als Unterscheidungsmerkmale einmal die Tonsur angegeben (c. 108), zum anderen der Besitz von Kirchengewalt (c. 948). Die Gliederung verläuft noch in einer anderen Weise: Sowohl Kleriker wie auch Laien können Religiosen sein (c. 107). Das Unterscheidungsmerkmal sind die evangelischen Räte. Im Verhältnis zwischen Papst und Bischöfen ist im Vergleich zur heutigen Rechtslage der Akzent wesentlich stärker auf das Papsttum gelegt, z. B. wird das Recht zu missionieren (c. 1350 § 2) und das Recht, den Kult zu ordnen (c. 1257) ausschließlich dem Apostolischen Stuhl vorbehalten. Die potestas findet sich entweder als potestas ordinis (c. 948) oder als potestas iurisdictionis (c. 196). Iurisdictio ist normalerweise für die Leitungs- und Gerichtsgewalt des Rechts- und Gewissensbereiches verwendet,[156] aber auch in weiterem Sinn für die Gewalt des Pfarrers (c. 1230 §§ 3. 4). Die Laien sind also diejenigen, welche keine potestas in der Kirche innehaben. Eine positive Bestimmung wird kaum gegeben; allerdings kann man neben den ausdrücklich aufgeführten Rechten des c. 682, der gewissermaßen ein Generalkanon ist, die einzelnen Rechte der Laien aus den Pflichten des Klerus erschließen (vgl. auch c. 87).
Die theologischen Bezüge sind selten erwähnt. An einigen Stellen wird die stiftende Tat Christi herangezogen: in den canones über die Ehe und über den Ordo. Dort heißt es: „Ordo ex Christi institutione clericos a laicis in Ecclesia distinguit . . ." (c. 948) und „Christus Dominus ad sacramenti dignitatem evexit . . ." (c. 1012). Ganz allgemein werden in c. 2256 n. 1 Funktionen der

---

[154] Vgl. *R. Köstler*, Wörterbuch zum CIC, München 1927, 133 f.; *K. Mörsdorf*, Die Rechtssprache des Codex Iuris Canonici 232. Dazu kommt der besondere Sinn lt. c. 1498: jede moralische Person.

[155] Societas ist der technische Name für die Gesellschaft ohne Gelübde (cc. 673–681) und wird allgemein für Gesellschaft in verschiedener Begriffsweite gebraucht (*Mörsdorf*, Rechtssprache 143 mit Berufung auf *Köstler*, Wörterbuch 331 [s. Anm. 154]).

[156] Vgl. *R. Köstler*, Wörterbuch zum CIC, München 1927, 203 f.

Weihegewalt erwähnt, die „de instituto Christi vel Ecclesiae" auf den Gottesdienst hingeordnet sind. Weiterhin finden wir das Wort Gottes erwähnt (c. 467 § 2; 1323; 1344 § 1 u. ö.). Die Kirche wird Ecclesia Christi genannt (c. 87), die Prediger sollen Christum crucifixum verkünden (c. 1347 § 2), in der Eucharistie wird der Leib Christi verehrt und empfangen (c. 852), und der Hl. Geist assistiert bei der Bewahrung des von Christus anvertrauten Glaubensgutes (c. 1322), womit noch einmal ein Stiftungsmoment sichtbar wird; diese Fides Christi ist auch Gegenstand des offenen Bekenntnisses. Dessen Unterlassung kann Unrecht gegen Gott bedeuten (c. 1325 § 1). Den Priestern wird die Verehrung Mariens als der Mutter Gottes nahegelegt (c. 125, 2). In den canones 1999–2135 geht es um die Seligsprechung der Diener Gottes, wozu vor allem Glaube, Hoffnung und Liebe gegen Gott und den Nächsten, also „virtutes theologales" vorausgesetzt werden (c. 2104). Zur Mitgliedschaft in der Kirche sagt nur c. 87 etwas aus, genau genommen über den Erwerb bzw. die Verleihung der Rechtspersönlichkeit durch die Taufe[157]. Über Sinn und Zweck der Kirche läßt sich aus dem Codex nur sehr wenig entnehmen; natürlich könnte eine genaue Untersuchung viele Bezüge zum cultus divinus und zur cura animarum feststellen.[158] Die synodalen Organe der Kirche nehmen im Codex immerhin einen beträchtlichen Raum ein. Dem Ökumenischen Konzil sind acht canones gewidmet, im Vergleich zu den vier canones über den Papst, während allerdings dann noch 23 lange über die Römische Kurie folgen. Zwölf canones regeln die Plenar- und Provinzialkonzilien, sieben die Diözesansynoden.[159] Wohlgemerkt geht es hier nicht um die tatsächliche Lage, die bekanntlich nur dürftige Ansätze zu synodalem Leben aufwies,[160] sondern um das Bild, das der Codex davon entwirft; er schreibt die Diözesansynoden alle zehn Jahre vor (c. 356 § 1).

b) M. Conte a Coronata und die exegetische Schule

Dementsprechend ist die Situation bei den meisten älteren Kommentatoren des CIC. Sie erklären alle die positiv-rechtlichen Bestimmungen, ohne viele dogmatische Begründungen heranzuziehen. An einigen Punkten wird auf die Begründung des Rechtes der Kirche in ihrem Charakter als societas perfecta

---

157 Vgl. dazu unten §§ 30 u. 31.
158 Vgl. dazu § 28.
159 Natürlich ist solche Arithmetik nur sehr bedingt aussagekräftig. Man könnte auch sagen: Der Papst hat die Vollgewalt, und darum sind keine langen Abgrenzungen und Präzisierungen notwendig.
160 Vgl. die Tabelle bezüglich der Diözesansynoden in der Gesamtkirche, die *E. Corecco* bringt in seinem Bericht: Die synodale Aktivität im Aufbau der Katholischen Kirche der Vereinigten Staaten von Amerika: AkathKR 137 (1968) 90–94; s. auch dort 44 ff.

hingewiesen. Bei *M. Conte a Coronata*[161] finden wir diese z. B. im 2. Band für die Seminare (c. 1352: 286 n. 935), für die Bücherzensur (c. 1384: 322 n. 951) und für die materiellen Güter (c. 1495: 449 n. 1035).

Ähnlich ist die Begründung bei *A. Blat*[162] für die Schulhoheit der Kirche (c. 1375: t. III, 360 n. 267), für die „Steuerhoheit" (c. 1496: t. III, 551 n. 414) und für die Strafgewalt (c. 2214 § 1: t. VI, 44 n. 29), sowie bei H. Jone für die Gerichtsbarkeit (c. 1553 § 1: Bd. 3,15). Mehrfach wird auf die dogmatische Theologie oder auf die Fundamentaltheologie verwiesen, wo nähere Begründungen zu finden seien (z. B. für die Existenz der Jurisdiktionsgewalt verweist M. Conte a Coronata auf sein IPE; für die Präzisierung des Primates auf die fundamentaltheologischen Ausführungen von H. Hurter und H. Felder. In dieser Art sind die Kommentare vieler Autoren geschrieben, z. B. außer den schon genannten die von F. M. Cappello, G. Michiels, E. F. Regatillo, R. Naz mit den anderen Mitarbeitern am Traité de Droit Canonique (F. Claeys-Bouuaert, C. de Clercq, der im übrigen mehr Rechtshistoriker ist, E. Jombart, C. Lefebvre, P. Torquebiau).

Diese alle, die wir unten noch kurz vorstellen werden, haben auch keine Einleitung mit Grundfragen, weil sie diese ins IPE verweisen und voraussetzen. Es liegt also eine Arbeitsteilung der Disziplinen vor, bei der der eine nicht wiederholt, was der andere sagt. Das gleiche gilt natürlich in verstärktem Maße von den Manualia, die in ihrer Kürze noch weniger Möglichkeiten haben, theologische Daten anzuführen. *H. Jone*[163] sei nur kurz erwähnt. F. M. Cappello möchten wir unter II einreihen. *G. Michiels* ist einer der großen Kanonisten.[164] Bei ihm fällt besonders die formale Akribie auf. Er geht z. B. eine Meinungsverschiedenheit der Autoren an, die nach seiner eigenen Aussage sachlich un-

---

[161] Institutiones Iuris Canonici, 3.–4. Aufl. um 1950. *M. Conte a Coronata* OFMCap, geb. 1889 in Genua, trat bereits mit 15 Jahren in den Kapuzinerorden ein. Er studierte in Rom. 1921 bis 1948 lehrte er kanonisches Recht im Konvent St. Bernhardin in Genua. Außerdem war er seit 1930 in der kirchlichen Gerichtsbarkeit der Erzdiözese Genua tätig. Seine Institutiones erreichten drei, der erste Band vier Auflagen. Drei Auflagen erreichte auch sein IPE. Wichtig ist dann noch sein dreibändiges Werk De Sacramentis, Taurini–Romae II1943 bis 1946 (vgl. *Mosiek*, Auctores 75).

[162] *A. Blat*, Commentarium textus CIC. Er hat einen eigenen Stil in der Kommentierung. Er erweitert jeweils den Canontext mit eigenen erklärenden Worten. Daran anschließend zitiert er sehr häufig Texte aus Konzilsakten oder päpstliche Verlautbarungen, also die Quellen. Er war 1938 Kirchenrechts-Professor am Angelicum.

[163] Gesetzbuch der lateinischen Kirche, 3 Bde., Paderborn ²1950–1953.

[164] *Z. Varalta OFMCap* (Apollinaris 41 [1968] 71–88): „un primato nella canonistica classica del primo cinquantennio del Codice". Er lehrte zwischen den Kriegen in Lublin, fing dann in Löwen neu an und kommentierte Allgemeine Normen, Personenrecht, Strafrecht und Jurisdiktionsgewalt.

erheblich ist,[165] und bringt mit scharfen Distinktionen Klarheit. Es handelt sich um die Fragestellung bezüglich des Finis.[166] Es zeigt sich uns, wie in diesem Kirchenbild das Modell der societas perfecta die Führung behält, wobei man aber versucht, der übernatürlichen Eigenart der Kirche gleichzeitig gerecht zu werden. Der Kernpunkt seiner Lösung ist die Aufteilung (im Gegensatz etwa zu L. Bender) in Gemeinwohl und Einzelwohl: Insofern die Kirche societas perfecta ist, verfolgt sie mit dem Gesetz das bonum commune, entsprechend ihrem übernatürlichen Charakter verfolgt sie damit direkt das Einzelwohl.[167] Sehr deutlich tritt die gesellschaftliche Sicht auch in den termini der Zugehörigkeit zur Kirche hervor: subjectio, subesse, subditus.[168] *R. Naz*[169], langjähriger Professor an der katholischen Fakultät in Lille, hat das Verdienst, zwei großangelegte Gemeinschaftswerke herausgegeben zu haben, das Lexikon und das Lehrbuch des kanonischen Rechts[170]. Seine Eigenart ist die gediegene kanonistische Behandlung des Stoffes. Das Bild der societas perfecta wirkt sich häufig aus; die Kirche sieht er durchaus in der Parallele zum Staat.[171] Doch verfällt er nie einer Engführung dieses Aspektes. So taucht etwa bei der Behandlung der Ehescheidung der Gedanke an die Vereinigung Christi mit der Menschheit bzw. mit der Kirche auf, die für die Ehe wegweisend ist. Er betont die immense Würde des Menschen als Kind Gottes, bevor er die gesellschaftlichen Aspekte darlegt. Die Assoziationen der Laien bringt er mit der Kraft, die aus der Einigung hervorgeht, und der Fruchtbarkeit der geistlichen Bruderschaft in Zusammenhang.[172] Es folgen nun vier Mitverfasser des Traité de Droit Canonique, die auch viele Artikel des Dictionnaire verfaßt haben. In ihren Schriften kommt gleichfalls fast nur der rein rechtliche Aspekt zur Sprache. Dem fünften, E. Jombart, werden wir in der Gruppe der Kanonisten begegnen, die schon von der Theologie des mystischen Leibes Christi berührt sind (II). *C. de Clercq*[173]

---

[165] V, 2 27.

[166] Sowohl beim Gesetz (I, 1 174s) wie bei der Strafe (V, 2 27–34).

[167] Vgl. dazu ausführlicher §§ 28 u. 29.

[168] I, 1 346ss. Vgl. den Hinweis, daß der spirituelle Aspekt der Kirche (corpus Christi mysticum Spiritu Sancto informatum) methodisch ausgeklammert wird (II, 1, 21, adn. 2; dort Verweis auf Mystici Corporis).

[169] Dr. theol., iur. und iur. can., Offizial von Chambéry.

[170] Dictionnaire de Droit Canonique; Traité de Droit Canonique, 4 Bde., Paris ¹1947 f., ²1954. Daneben hat er eherechtliche und kleinere historische Abhandlungen verfaßt; eine Liste seiner Werke in ²TrDC III, 227s.

[171] Cf. DDC IV, 498; ²TrDC I, 14; ²TrDC III, 227s.

[172] Cf. ²TrDC I, 737.

[173] Dr. iur. can., Dr. sc. hist. und Dr. in kirchlicher Orientalistik, Mitglied der Kommission für die Redaktion des orientalischen Codex; 1946 war er noch Professor an der kanonistischen Fakultät der Université Laval in Quebec (vgl. vor p. 1 in ²TrDC II, ¹TrDC I, 2).

ist wie gesagt vor allem Rechtshistoriker. *C. Lefebvre*[174] hat eine Reihe von Artikeln über psychologische Fragen und über die Kollektionen verfaßt.[175] Als Prinzip der Evolution in der Kirche nennt er Equité, wodurch noch einmal der Einfluß der Moral zur Geltung kommt.[176] *F. Claeys-Bouuaert*[177] hat häufig aufschlußreiche historische Bemerkungen. Er betont die ordentliche Jurisdiktion des Ortsbischofs und gegen F. X. Wernz – P. Vidal die Möglichkeit der opinio (ohne sie anzunehmen), daß die Bischöfe ihre Jurisdiktion unmittelbar von Gott erhalten.[178] *P. Torquebiau*[179] behandelt im Traité Teile des Prozeßrechtes und im DDC besonders den Artikel über die Taufe. „Die Kirche muß als vollkommene Gesellschaft die Gerichtsgewalt besitzen."[180] „Die Kirche ist eine durch Christus gegründete übernatürliche vollkommene Gesellschaft; man gehört zu ihr nur, wenn man sich der Bedingung unterwirft, die Christus selbst festgelegt hat: der Wassertaufe."[181] *E. F. Regatillo*[182] hat ein schon zum sechsten Male aufgelegtes Kommentarwerk in zwei Bänden[183] herausgebracht, in dem er häufig auf den Begriff der societas perfecta zurückgreift, so zum Beispiel bei der Begründung des Rechtes der Kirche (Gesamt- wie Teilkirchen), Eigentum zu besitzen.[184] *A. v. Hove*, der große Löwener Kanonist,[185] legt besonderen Nachdruck auf die Eigenart der Kirche. Sie wird von ihrem speziellen Finis, dem ewigen Heil, durch und durch geprägt, so z. B. in ihrer Strafpraxis. Es kommt wesent-

---

[174] 1904 geboren, Dr. iur. can., Dr. iur. und Dr. theol., Prof. zunächst an der katholischen Fakultät in Lille, später auch in Paris (vgl. vor p. 1 in ²TrDC II; ¹TrDC I, 2).

[175] Im TrDC stammt von ihm nur der Abschnitt über die Privilegien (t. I).

[176] Cf. art. équité, in: DDC V, 409.

[177] Dr. iur. can., 1954 als Generalvikar der Diözese Gent genannt (vgl. vor p. 1 in ²TrDC II).

[178] Cf. DDC V, 573.

[179] *P. Torquebiau* PSS, Dr. iur. can., war Prof. an der katholisch-theologischen Fakultät an der Universität Straßburg (vgl. vor p. 1 in ²TrDC II; ¹TrDC I, 2).

[180] ²TrDC IV, 9: „L'Église, société parfaite, doit posséder le pouvoir judiciaire."

[181] ²DDC II, 117.

[182] Er war wenigstens zwischen 1952 und 1966 Prof. für Kirchenrecht an der Universität Comillas (Minerva 1952, I, 186; 1966, I, 258).

[183] Institutiones Iuris Canonici, Santander ⁶1961.

[184] II, 200 n. 278: *„ex natura ipsius*, quae est societas perfecta et his bonis eget".

[185] Geboren ist er 1872, gestorben 1947. Studierte kanonisches Recht in Löwen unter Moulart und de Becker. Er war von 1900 bis 1939 an der Universität Löwen und lehrte belgisches Staatskirchenrecht und IPE. „Storico di valore, l'Hove fu sopratutto un giurista-canonista nel senso classico e più completo." (Z. *di San Mauro* in der ECatt VI, 1488). Vgl. auch *Mosiek*, Auctores 84. Hauptwerk: die fünf Bände im Commentarium Lovaniense (s. Literaturverzeichnis). Verzeichnis seiner Veröffentl.: EThL 24 (1948) 17–22; in memoriam ebd. 5–16 (*W. Onclin*).

[186] Leges, quae ordini publico consulunt: EThL 1 (1924) 164s.

lich auf die Besserung des Schuldigen an.[186] Ganz ähnlich ist *H. A. Ayrinhacs*[187] Darstellung in seinem Kommentar[188], den er in den USA herausgebracht hat. Zwei weitere Gruppen von Kommentatoren stellen der Exegese der Canones einen Abschnitt voran, in welchem Grundfragen behandelt werden.

c) A. Vermeersch und Kommentatoren der historischen Schule

A. Vermeersch, E. Eichmann, N. Hilling und A. M. Koeniger kann man insofern hier zusammenstellen, als sie alle der historischen Methode verpflichtet sind und in besonders ausführlicher Weise über das Kirchenbild reflektieren. Es seien diesen Kirchenrechtslehrern noch zwei ihnen verwandte vorangestellt, deren eigentliche Zeit vor dem Codex war: F. X. Wernz und J. B. Sägmüller. *F. X. Wernz*[189] ist schon 1914 gestorben. Er übte aber weiter großen Einfluß aus, weil P. Vidal sein Ius Decretalium nach Erscheinen des Codex überarbeitet und als Ius Canonicum ad Codicis normam exactum in 7 Bänden 1923–37 neu herausgegeben hat.[190] Er hat relativ viel rechtshistorisches Material verarbeitet. Kirche als Reich Christi ist ein Leitbegriff bei ihm. So begründet er z. B. das unabhängige Recht der Kirche auf freie Verkündigung des Evangeliums wesentlich auf dem positiven göttlichen Recht; Christus hat ja der Kirche die Pflicht und Vollmacht gegeben, sein Reich überall in der Welt zu gründen und zu festigen (Mt 28, 19 f.).[191] *J. B. Sägmüllers*[192] Kirchenbild finden wir in seinem Lehrbuch des katholischen Kirchenrechts[193]. Er stellt die Kirche mit den deutschen Kanonisten des 19. Jh.

---

187 Der Sulpizianer *H. A. Ayrinhac* war Dr. iur. can., Prof. für Moraltheologie und Kirchenrecht am St. Patricks Seminary in Menlo Park, California (lt. Angabe im Kommentar).

188 5 Bände, 1928–1932, s. Literaturverzeichnis.

189 *F. X. Wernz* und *P. Vidal* sind Jesuiten. Wernz ist 1842 in Rottweil (Württ.) geboren, war Prof. für Kirchenrecht in Ditton-Hall und St. Buenos (1875–1882) und an der Gregoriana (1882–1906), dann Ordensgeneral. Konsequenter Gegner des Modernismus, Mitgründer der Japanmission SJ. (*F. Ehrle*, in: StdZ 90 [1916] 340–354; *C. Testore*, art. Wernz, in: ECatt XII, 1670).

190 t. I ed. 2. 1952; t. II ed. 3. 1946 (*Ph. Aguirre*); t. III ed. 1. 1933; t. IV ed. 1. 1934; t. V ed. 3. 1936 (*Aguirre*); t. VI ed. 2. 1949 (*Cappello*); t. VII ed. 2. 1951 (omnia Romae).

191 t. IV v. II p. 6 n. 616. Cf. et. t. I ed. 2. p. 11: „Jesus Christus ... *legislator* ... Ecclesiam instituit tamquam verum regnum suum spirituale." t. II ed. 3. p. 21: Die Taufe schafft „civem regni Jesu-Christi, quod est Ecclesia".

192 1860–1942. Schüler von J. E. v. Kuhn, F. X. v. Funk, P. v. Schanz, F. Q. v. Kober. 1888 Dr. phil., 1893 a. o. Prof. für Geschichte, 1896–1926 Prof. für Kirchenrecht in Tübingen. Mitherausgeber der Theologischen Quartalschrift (vgl. *Ph. Hofmeister*, Johannes Baptist Sägmüller †: AkathKR 122 [1947] 345–348).

193 2 Bände, Freiburg ³1914; 4. Aufl. des 1. Bandes 1925–1934. Interessant ist seine Antrittsrede (1896, vgl. *Hofmeister* 346 [s. Anm. 192]): Die Idee von der Kirche als imperium Romanum im kanonischen Recht. Später 1919: Der Apostolische Stuhl und der Wiederaufbau des Völkerrechts und des Völkerfriedens. 1924: Papst, Völkerrecht und Völkerfrieden.

als Religionsgesellschaft dar, die von Christus zur Pflege der vollkommensten Religion aller Zeiten und Völker gegründet worden ist. Die Gründungstatsachen betont er gegen den Modernismus: Die Kirche ist nicht etwa nur eine Emanation des kollektivistischen Bewußtseins der Gläubigen und die Autorität in ihr nicht nur ein vitales Produkt der so entstandenen Kirche.[194]

A. Vermeersch[195] war von 1918 bis 1934 Moralist an der Gregoriana. 1921–1923 kam die 1. Auflage seiner Epitome Iuris Canonici heraus, der fünf folgten, die er selber besorgte.[196] Als typisch möchten wir hier einen Satz herausgreifen, durch welchen A. Vermeersch den Ort der Kirche kennzeichnet: Gott wollte, daß der Mensch nach dem Fall in Adam und der Erneuerung in Christus „zu seinem Finis strebe und das Heil erreiche in einer religiösen Gesellschaft, die sichtbar, einmalig, universal und hierarchisch verfaßt sein sollte"[197]. Diese Kirche ist auf Grund dieser Finalität „eine in ihrer Gattung und dem Rechte nach vollkommene Gesellschaft (Leo XIII.)"[198].

A. M. Koenigers[199] Stärke liegt auf dem geschichtlichen Gebiet. Für das Kirchenbild sind nur erheblich die beiden Werke Grundzüge des katholischen Kirchenrechts und des Staatskirchenrechts[200] und Katholisches Kirchenrecht[201]. Man kann bei ihm beobachten, wie das sakramentale Bild der Kirche in gewissen Zügen für die Urkirche akzeptiert wird: „Noch flossen nachgiebige Liebe und strenges Gebot, ‚Geist' und ‚Recht' ineinander." Auch die Ämter werden als Gnadengaben erkannt.[202] Er spürt sehr ausführlich die rechtlichen Elemente, Apostolat, Primat, Gerichtswesen etc. auf und stellt für das Ende dieser ersten

---

[194] Mit der Enzyklika Pascendi *Pius' X.* vom 8. 9. 1907 (ASS 40 [1907] 613ss DS 3492; D 2091) (*Sägmüller* 6).

[195] 1858 geboren, 1936 gestorben, war *Arthur Vermeersch* schon Dr. iur., Dr. rer. pol. et soc., bevor er Jesuit wurde und den Dr. iur. can. und theol. an der Gregoriana machte. Seit 1892 lehrte er am Collegium Maximum in Löwen, 1918–1934 an der Gregoriana Moraltheologie und Soziologie. Er war seit 1904 an den Kodifikationsarbeiten besonders des Ordensrechtes beteiligt. Er wurde mit der Ehrendoktorwürde der Universitäten von Löwen, Mailand und Budapest ausgezeichnet. *J. Creusen* sagt von ihm: „Er war ein Mann des Gebetes und großer Strenge, und viele Schüler und Priester wählten ihn als geistlichen Vater" (*J. Creusen*, art. Vermeersch, in: ECatt XII, 128s; *Mosiek*, Auctores 66).

[196] Eine siebente gab *J. Creusen* 1949 heraus, eine achte *Ae. Bergh* und *I. Greco* 1963.

[197] I, 4 n. 2.

[198] I, 5 n. 3. Vgl. dazu die Ergänzungen von *Ae. Bergh – I. Greco* in der 8. Aufl. p. 1.

[199] 1904 Dr. theol., habilitierte er sich 1907 für Kirchengeschichte in München. 1911 Bamberg, 1918 Braunsberg und 1919 Bonn, das waren die Stationen seiner Lehrtätigkeit in Kirchengeschichte und Kirchenrecht. In Bonn gründete er das kirchenrechtliche Seminar (Biographische Angaben vgl. Nekrolog *N. Hillings* für K. im AkathKR 124 [1950] 482 f.).

[200] zusammen mit *F. Giese;* ¹1924; ²1932; ³1949.

[201] mit besonderer Berücksichtigung des deutschen Staatskirchenrechts, Freiburg/Br. 1926.

[202] Kirchenrecht 17 ff.

christlichen Periode fest: „Die persönlichen Charismen ... hörten ... ganz auf."[203]

N. *Hilling*[204], Kanonist in Freiburg/Br. vom Ende des 1. Weltkrieges bis 1937, hat fast fünfzig Jahre hindurch das Archiv für katholisches Kirchenrecht herausgegeben. Unter seinen außerordentlich zahlreichen Arbeiten sind für unser Thema nur wenige relevant. Seinen Kirchenbegriff finden wir im Personenrecht[205]. Unter Betonung des Anstaltscharakters verwendet er einen erweiterten Bellarminschen Kirchenbegriff. Schon in seiner Antrittsvorlesung[206] weist er auf die drei Verfassungsprinzipien hin, die unverändert auch im CIC erhalten geblieben seien: Das Grund-Prinzip der monarchischen Verfassungsform, des absoluten Regierungsprinzips und des hierarchischen Verfassungsgrundsatzes. Interessant ist, daß bei ihm schon das Stichwort Demokratisierung auftaucht, und zwar in einem positiven Sinn: Er sieht sie beim Klerus durch die zunächst unfreiwillige Armut, in die Säkularisierung und Revolution ihn gebracht haben, verwirklicht; dadurch hat er eine im Vergleich zum 18. Jahrhundert große Nähe zum Volke bekommen, die sich in einer engen Zusammenarbeit in den kirchlichen Vereinen und in der Herkunft der meisten Glieder des Klerus aus dem einfachen Volke auswirkt. Im ganzen akzeptiert er das Bild von der Pyramide, das Justus Möser für den Staat verwendet hatte. Insofern die Basis, die aus kirchlich interessierten und organisierten Laien besteht, wie vielleicht zu keiner Zeit entwickelt ist, kann man von der Pyramide „Kirche" sagen, sie sei schön und ruhe auf gutem Grunde.[207] Schließlich sind noch seine Aufsätze über die kirchliche Ständelehre[208] und über die kirchliche Mitgliedschaft[209] wichtig. Im ersten vertritt er eine Lehre von drei Ständen in der Kirche, die allerdings auf Grund eines doppelten Einteilungsprinzips gegliedert sind, hierarchische Gliederung und Heiligkeit.[210] Ein Jahr vor N. Hilling wurde *E. Eichmann* in der

---

203 Ebd. 21.
204 1871–1960. Er hatte große Lehrer: Heinrich Finke, U. Stutz, Fr. Heiner, P. Hinschius und O. Fr. v. Gierke (vgl. *K. Mörsdorf*, N. Hilling zum Gedächtnis: AkathKR 129 [1959/60] I–X).
205 Das Personenrecht des CIC, Freiburg/Br. 1924.
206 Die Bedeutung des Codex Iuris Canonici für das kirchliche Verfassungsrecht, Mainz 1920.
207 Vgl. *N. Hilling*, Die Bedeutung des Codex Iuris Canonici für das kirchliche Verfassungsrecht, Mainz 1920, 34.
208 Die kirchliche Ständelehre und die Apostolische Konstitution Provida Mater Ecclesia vom 2. 2. 1947: AkathKR 124 (1950) 96–101.
209 Die kirchliche Mitgliedschaft nach der Enzyklika Mystici Corporis Christi und nach dem CIC: AkathKR 125 (1951) 122–129.
210 Zur Mitgliedschaft vgl. unten §§ 30 u. 31.

Pfalz geboren.[211] Er führte in die deutsche Kanonistik die Trennung von Rechtsgeschichte und Rechtsdogmatik ein,[212] deren Folge ein gewisser Rechtspositi-
vismus sein mußte. Sein Kirchenbild läßt sich aus seinem Lehrbuch des Kirchenrechts entnehmen. Im Gefolge seines Lehrers R. v. Scherer nennt er die Kirche
„Reich Gottes"; im übrigen ist sie nach ihm Lehr-, Heils- und Rechtsanstalt zur
Verwirklichung des Reiches Gottes auf Erden.[213] Bemerkenswert ist der nach-
drückliche Hinweis, daß das Kirchenrecht nur das starke Gerüst ist, welches
den Bau der Kirche stützt und trägt; darum soll das Kirchenregiment *nicht in
weltlich-irdisch-herrischer Weise* ausgeübt werden (Mt 20, 28; Lk 22, 25;
1 Petr 5, 2 ff.); die Gewalt ist zur Erbauung da, nicht zur Zerstörung (2 Kor 13,
10).[214]

d) Sipos und andere Vermittler

Während die Kanonisten der vorhergehenden Gruppe auf Grund ihrer historischen Sicht eine besondere Farbigkeit in das Kirchenbild eingetragen haben,
soll nun eine Reihe weiterer Rechtslehrer folgen, die wieder mehr in der Art
von M. Conte a Coronata etc. schreiben; wenn wir sie Vermittler nennen, dann
kann man darin einen Hinweis sehen, daß sie alle durch die drucktechnische
Einheit Grundfragen und Codex-Exegese „vermitteln"; die meisten vermitteln
auch (zusammenfassend und/oder übersetzend) die Kommentierung in ihre
Länder: I. Grabowski, J. Pejška, St. Sipos; anders E. Montero. Doch mag man
hier die Einteilung nicht pressen. *St. Sipos*[215] ist auf Grund einer pastoraltheo-
logischen These promoviert und war von 1906 bis 1936 Professor für Kirchenrecht in Fünfkirchen (heute Pécs). Er hat die falschen Theorien von R. Sohm
und A. v. Harnack vor Augen, wenn er nachdrücklich betont, daß die Kirche
nicht anfänglich von Charismen geleitet wurde und später auf historischem
Wege eine juridische Organisation annahm. Das Recht ist auch nicht unter dem
Einfluß der Synagoge oder des Römischen Imperiums oder anderer rein äußerer
Umstände entstanden, beruht vielmehr auf dem Willen Christi.[216] Die Kirche

---

[211] 1870. Er war Schüler R. v. Scherers und wurde 1905 als Dr. theol. und Dr. iur. utr. aka-
demischer Lehrer in Prag, 1913 Nachfolger R. v. Scherers in Wien und lehrte von 1918 bis
1936 in München Kirchenrecht (vgl. *W. Kosch*, Das katholische Deutschland I, Augsburg
1933, 601 f.).

[212] Vgl. *Mörsdorf* [6]I, 5.

[213] Vgl. *Eichmann* I, 5 f.

[214] Vgl. *Eichmann* I, 7.

[215] 1875 in Mohács (Ungarn) geboren und 1949 gestorben. 10 Jahre Spiritual, 12 Jahre Rektor
(nach dem Gedenkwort des Herausgebers der 7. Auflage des Enchiridion Iuris Canonici,
Romae 1960, *L. Gálos*, in diesem p. VII—VIII). Er verfaßte eine Schrift zur Begründung
des Zölibates und eine Darstellung des Eherechtes (ebd. VII).

[216] Cf. *Sipos* 5.

ist eine societas perfecta,[217] und zwar eine mit ungleichen Gliedern.[218] Die ganze Verfassung ruht auf den beiden Säulen des Primats und Episkopats, die göttlichen Ursprungs sind.[219]

Wie für viele andere Kanonisten, so ist auch für *U. Beste*[220] in seiner einbändigen Introductio in Codicem[221] Ausgangspunkt die Definition R. Bellarmins: „Die Kirche ist die Versammlung der Pilger, die durch das Bekenntnis des gleichen christlichen Glaubens und die Teilhabe an den gleichen Sakramenten geeint ist, unter der Leitung der rechtmäßigen Hirten und vor allem des römischen Papstes."[222] Unter den besonderen Eigenschaften der Kirche nennt er u. a. die „Internationalität" (sonst meist „Universalität") und ihre Souveränität bzw. Vollkommenheit, auf die er häufig zurückkommt. Vielleicht benediktinisch geprägtes Eigengut U. Bestes ist die Auffassung, daß die soziale Liebe es ist, auf Grund derer die Glieder der Kirche ihre Zugehörigkeit ausdrücken und vollenden, wenn sie am öffentlichen Gottesdienst und an der Gemeinschaft der Sakramente, besonders des wahren Leibes und Blutes Christi, teilnehmen.[223] Nur kurz erwähnt seien *G. Cocchi* CM mit dem Commentarium in CIC und *J. Brys* mit seinem Iuris canonici compendium[224]. Für den polnischen Sprachraum möge der dreibändige Kommentar von *F. Baczkowicz,* neu herausgegeben von *F. Baron* bzw. *W. Stawinoga,* stehen.[225] Dazu sei noch das Kompendium[226] von *I. Grabowski* erwähnt. Wie immer finden wir auch dort: „die Kirche ist . . . vollkommene Gesellschaft."[227] Für die Tschechoslowakei nennen wir den Redemptoristen *J. Pejška,* der mit seinen Ausführungen weithin A. Ottaviani folgt, insbesondere, was die Passagen des Ius Publicum angeht.[228] In Band I dieses dreibändigen Werkes beschreibt er die Kirche als vollkommene Gesellschaft auf den Seiten 130 ff.

E. Montero y Gutierrez, Professor für kanonisches Recht an der Universität Madrid, steht nicht in der Reihe der Kommentatoren, sondern hat einen ver-

---

[217] Vgl. auch das Recht der Kirche, Seminare zu leiten (c. 1352), das auf ihrer rechtlichen Vollkommenheit gründet (p. 618).

[218] *Sipos* 84.

[219] Cf. *Sipos* 146.

[220] Wenigstens von 1938 bis 1966 Professor am Anselmianum in Rom (Benediktiner). Er war oberster Konsultor im Hl. Officium.

[221] Neapoli ⁴1956.

[222] Vgl. dazu unten § 6.

[223] Cf. Introductio 135s.

[224] Brugis ¹⁰1947 (2. Aufl. nach Erscheinen des Codex).

[225] Prawo kanoniczne, t. 1–3, Opole ³1956–1958.

[226] Prawo kanoniczne według nowego kodeksu (Kanonisches Recht nach dem neuen Codex) Lwów (Lemberg) 1921 (²1927).

[227] P. 1s: „Kosciół jest . . . społeczność doskonała."

[228] Cirkevní Právo (Kirchenrecht), Obořište 1932–1937.

gleichenden Überblick über das Kirchenrecht der verschiedenen Konfessionen[229] gegeben, allerdings außerdem ein IPE verfaßt (s. oben). In dem ersten Werk bringt er auf 28 Seiten etwa das, was auch die Dogmatiker der damaligen Zeit haben, in eigenständiger Darstellung: 1. Konstitution, Ziel, Gründer usw. der Kirche, 2. Regierung der Kirche, 3. Eigentümlichkeiten und Gaben der Kirche.[230]

3. P. Fedele und die italienischen Laienkanonisten

Bei dem Studium der Grundfragen des Kirchenrechts begegnet uns immer wieder eine weitere Gruppe: die italienischen Laienkanonisten. An den juristischen Fakultäten Italiens (wie übrigens auch in Spanien) hat das kanonische Recht einen wesentlichen Platz. Es wird von Juristen gelehrt, die gleichzeitig Fachleute des kanonischen Rechtes sind bzw. umgekehrt. Ihre besondere Stellung im engen Kontakt mit der profanen Rechtswissenschaft brachte es mit sich, daß sie sehr stark zur Reflexion über die Juridizität und die Eigenart des Kirchenrechts und damit über die Kirche als spezifischer Gesellschaft angeregt wurden.[231] Als hervorragende Vertreter möchten wir *P. Fedele*[232], *P. Ciprotti*[233], *G. Forchielli*[234], *O. Giacchi*[235], *P. d'Avack*[236], *A. Bertola*[237] und *V. Del Giudice*[238] nennen. Die Kennzeichen, die angeführt werden, um die kanonische Rechtsordnung als eigentliche zu erweisen (imperatività, intersubbiettività, coercibilità und statualità[239]) können in unserem Zusammenhang einmal mehr zeigen, wie sehr die Kirche als wahre, souveräne Gesellschaft aufgefaßt wird. Die Eigenart des „ordinamento canonico" gegenüber der staatlichen Rechtsordnung

---

[229] Derecho canónico comparado, 2 t., Madrid 1934.

[230] Seiten 2–29.

[231] *A. M. Rouco-Varela*, Allgemeine Rechtslehre oder Theologie des Kirchenrechts? AkathKR 138 (1969) 95–113; bes. 102 ff.

[232] *P. Fedele*, geboren 1911 in Ceccano, Prof. an der Universität Perugia und Advokat der Rota Rom, schrieb als Hauptwerk den Discorso generale sull'ordinamento canonico, Padova 1941. Später: Lo spirito del Diritto Canonico, Padova 1962. Zur gleichen Problematik: La teoria generale del diritto canonico. Nella letteratura dell' ultimo decennio: EIC 19 (1963) 9–86 (s. Panorama 601 [s. Anm. 241]).

[233] Siehe unten Anm. 241.

[234] Siehe unten Anm. 245.

[235] Professor für Kirchenrecht und Staatskirchenrecht an der katholischen Universität Mailand wenigstens von 1940 bis 1967 (Cf. *V. Del Giudice*, Vortrag in Radio Vatikan, in: Acta Congressus internationalis iuris canonici, Romae 1953 [Hrsg. EIC], 18; Chi è? *F. Scarano* [Hrsg.], ⁵1948 Romae, 439).

[236] Professor für Staatskirchenrecht an der Universität Rom (Programm des Internationalen Kanonisten-Kongresses, Rom 1970).

[237] Geboren 1889 in Sostegno, Professor für Staatskirchenrecht an der juristischen Fakultät der Universität Turin (Panorama 155 [s. Anm. 241]).

[238] Siehe unten § 4 I.2.

[239] E. g. *Ciprotti*, Lezioni 37s.

sieht man dann im Finis begründet: Die Kirche und ihr Recht tendieren auf das Seelenheil.[240]

P. Ciprotti[241] erwähnt neben der Bellarminschen und der Heilsinstitutionsdefinition auch die biblische Sicht des corpus Christi mysticum, meint aber, es sei für den Kanonisten unnützlich, sich dabei aufzuhalten.[242] Im Bedenken der Rechtlichkeit des Kirchenrechtes betont er die gesellschaftliche Valenz der Kirche, die er mit einer absoluten Monarchie vergleicht.[243] Er zeigt, daß das Recht, wenn auch meist indirekt, sehr wohl zur Erreichung des Kirchenfinis (Seelenheil) beitragen kann. Er erfaßt reflex die Tatsache, daß in Sachen Religion eine soziale Verflechtung besteht, die sich als gegenseitige Förderung oder auch Behinderung auswirkt.[244] *G. Forchielli*[245] betont den Welt-Aspekt der Kirche; sie muß zugleich „Tempel" und „Stadt" sein. Damit wendet er sich gegen eine übertriebene Spiritualisierung. Die Kirche muß Recht produzieren, weil sie auch „vor die Türen ihres Tempels gehen soll, um auf den Plätzen zum Volke zu reden und das alltägliche Leben mitzuleben"[246]. Die Eigentümlichkeit im Vergleich zum Staat sieht auch er hauptsächlich im Finis der Kirche begründet. Dabei betont er aber noch einmal, daß diese übernatürliche Finalität in ihrem sozialen Aspekt und ihrer sozialen äußeren Verwirklichung verstanden werden muß.[247]

---

240 Bezüglich der genaueren Art und Weise gab es die Kontroverse zwischen *P. Fedele* und den übrigen, besonders *P. d'Avack* (vgl. unten § 28).

241 *P. Ciprotti* (geboren in Rom 1914) studierte an der Universität von Rom und an der päpstlichen Lateranuniversität, ist Dr. iur. utr. und Dr. iur. can. Er lehrte vergleichendes Privatrecht und Staatskirchenrecht an der päpstlichen Lateranuniversität (Minerva 1952), jetzt auch an der Universität Camerino. Er ist Mitglied der Kommission für die Revision des CIC (*P. Huizing*, Reform des Kirchenrechts, in: ThJb, Leipzig 1967, 292 Anm. 7) und Gerichtspräsident des Vatikanstaates. Er veröffentlichte Lezioni di Diritto Canonico (Padova 1943) und Diritto Ecclesiastico (Padova ²1964). Zum Ganzen s. Conc 6 (1970) 560; Panorama biographico degli italiani d'oggi (hrsg. v. *G. Vaccaro*), Romae 1956, 388.

242 Lezioni 17.

243 Lezioni 19.

244 Fine 37ss (vgl. auch § 10 II.2.a und Anm. 451).

245 *G. Forchielli* ist 1885 geboren, Professor für kanonisches Recht an der juristischen Fakultät der Universität Bologna, Herausgeber der Studia Gratiana. Er verfaßte einen Beitrag zur Methodendiskussion: Il metodo per lo studio del Diritto costituzionale della Chiesa: Archivio di Diritto ecclesiastico 1 (1939) 349ss; ein Vortrag auf der 5. Spanischen Kanonistischen Woche in Salamanca (1956): Caratteri comuni e differenziali nel Diritto canonico, in: Investigación 77–97 (Cf. Chi è? [hrsg. v. *F. Scarano*], Romae ⁵1948, 393).

246 Caratteri 77.86ss.

247 Cf. Caratteri 95.

II. F. M. Cappello und andere von der Leib-Christi-Theologie
berührte Kanonisten

Unter all den vielen Kanonisten, welche das Bild der Kirche als einer von Christus gestifteten übernatürlichen societas haben, sind einige, bei denen häufiger Anklänge an die Theologie des mystischen Leibes Christi zu finden sind, ohne daß sie jedoch strukturbildend wirken. Bei ihnen treten auch die Aspekte der Heilsinstitution etwas mehr hervor.

F. M. Cappello (1879–1962) hat eine gewisse pastorale Ausrichtung.[248] Er verwendet verhältnismäßig viel die Hl. Schrift. Er zitiert z. B. 1 Kor 12, 12–27: „Wie nämlich der Leib einer ist ... so auch Christus. Ihr aber seid der Leib Christi."[249] Im Vordergrund steht dabei der Vergleich der Einheit des natürlichen Leibes mit der im mystischen Leibe. Und er verweist nicht etwa nur auf die rechtlichen Bindungen, die unter den Christen bestehen, sondern auch auf die anderen, die der Kirche geschenkt und aufgegeben sind, nämlich die der gegenseitigen Barmherzigkeit und Liebe; diese seien vom Herrn selbst als Erkennungszeichen für seine Jünger gedacht.[250]

An zweiter Stelle ist hier der Hauptredaktor des Codex Iuris Canonici, *C. Gasparri* (1852–1934)[251], zu nennen. Er stellt den Bellarminschen Kirchenbegriff in den Mittelpunkt der Darstellung, vergißt aber nicht zu betonen, daß Jesus Christus selbst das wahre Haupt der Kirche ist, der Seiner Kirche unsichtbar einwohnt, sie leitet und ihre Glieder in sich vereinigt.[252] Er weist auch auf die Verbindung des neunten mit dem achten Glaubensartikel hin, insofern der Hei-

---

[248] Er ist darin stark von Pius X. beeinflußt. In seiner Traditionsgebundenheit sucht er doch immer den Geist der Gesetze. Er war Jesuit (Dr. theol., phil. et iur. utr.) und lehrte an der Gregoriana, war gleichzeitig maßgeblich an der Arbeit verschiedener Kongregationen beteiligt: Kongregation für die orientalische Kirche, Konzilskongregation, Codexkommission. Seine Summa IPE erschien zuerst 1923 und erlebte 1954 die 6. Auflage (vgl. *P. Huizing*, In Memoriam F. M. Cappello: PerRMCL 51 [1962] 410ss). Wichtig ist weiter seine Summa Iuris Canonici, ein Kommentar in 3 Bänden, Romae 1928–30, t. I ed. 6.1961; t. II ed. 6.1962; t. III ed. 4.1955.

[249] *Cappello*, Summa 82 n. 86.

[250] Cf. *Cappello*, Summa 79s n. 84; dort zitiert er Mt 25, 35 ff. und Joh 13, 36 f.

[251] Seinen großen Namen verdankt er außerdem dem während seiner Pariser Lehrtätigkeit (1880–88) verfaßten Eherecht und seinem Katechismus (Catechismus Catholicus, Romae ⁸1932, auch deutsch Regensburg 1932), sowie seiner Stellung als Kardinalsstaatssekretär; als solcher war er maßgeblich am Zustandekommen der Lateranverträge beteiligt (cf. *P. Palazzini*, art. Gasparri, in: ECatt V, 1953–55; *R. Bäumer*, Art. Gasparri, in: LThK 4, 524).

[252] Catechismus 126 q. 128: „Verum Ecclesiae caput est ipsemet Jesus Christus, qui eam invisibiliter inhabitat et regit eiusque membra in se coadunat." (adn. 2: „Mt 28, 18ss; Joh. 1, 33; 1 Cor. 4, 1; Eph. 1, 22; Col. 1, 18; Cat. ad par. p. I, c. X, n. 13").

lige Geist Quelle und Spender aller Heiligkeit der heiligen Kirche ist.[253] Doch ist er für ihn nicht einfach die Seele der Kirche, sondern diese ist umfassender; er folgt auch darin R. Bellarmin.

J. Creusen, der zuerst in Löwen Moralist und Kanonist war, kam später ebenfalls an die Gregoriana und steht F. M. Cappello nahe. Er spricht von zwei Kirchenbegriffen, dem juridischen und dem anderen, mehr theologischen, demzufolge die Kirche eine „Einheit in Christus"[254] ist.

Hier ist ein Schüler F. M. Cappellos und J. Creusens zu nennen: *B. Löbmann*[255]. Auch er hebt die Eigenart der konkreten Kirche hervor. Zwei Elemente lassen sich unterscheiden: Die Kirche „ist eine Heilsanstalt und eine Gemeinschaft der Gläubigen"[256]. Das Element der Heilsanstalt hat dabei die Führung, da es die Gemeinschaft der Gläubigen begründet und bewahrt.

Ch. Augustine Bachofen ist der Verfasser des ersten Codex-Kommentars für Amerika[257]. Er sagt ausdrücklich, daß die Autorität der Kirche unsichtbar ist, weil Jesus Christus das unsichtbare Haupt ist, daß jedoch diese Autorität durch die sichtbaren Organe spricht.[258]

G. J. Ebers[259] nimmt die Hauptesstellung Christi in seine Kirchendefinition auf, wie auch den Beistand des Hl. Geistes.[260]

---

253 Catechismus 124s. q. 124: „qui licet Ecclesia Jesum Christum institutorem in ipsa continuo manentem habeat, sanctitate tamen donata est a Spiritu Sancto, qui omnis sanctitatis fons est et largitor". (adn. 1: „Cat. ad par. p. I, c. X, n. 1").

254 „unio in Christo": *Creusen,* Adnot, in V. 87. Er hat 1949 die 7. Auflage der Vermeersch-schen Epitome herausgebracht.

255 *B. Löbmann,* geboren 1914, hat an der Gregoriana studiert und ist als Dr. iur. can. promoviert; er lehrt seit 1953 am Philosophisch-Theologischen Studium in Erfurt Kirchenrecht.

256 Er folgt hier *B. Bartmann,* Lehrbuch der Dogmatik II, 146 f., Freiburg/Br. ⁸1952, zit. in: Die zwei Wege der kirchlichen Strafdisziplin, in: Miscellanea Erfordiana 203–224, Zitat 218 f. Wir können leider die Wandlungen im Kirchenbild *B. Löbmanns* während der nachkonziliaren Zeit hier nicht berücksichtigen. Er hat wichtige Beiträge zur theologischen Neubesinnung im Kirchenrecht geliefert: Die Bedeutung des II. Vatikanischen Konzils für die Reform des Kirchenrechtes, in: Ius sacrum 83–98; Die Reform der Struktur des kirchlichen Strafrechts, in: Ecclesia et Ius 707–725; Die Exkommunikation im Neuen Testament, in: ThJb, Leipzig 1965, 446–458.

257 *Ch. Augustine Bachofen,* A Commentary on the new Code of canon law, St. Louis-London (Canada) 1919–21, ed. 5. ib. 1925–28. Ch. A. Bachofen war Benediktiner.

258 P. 191. Dabei bezieht er sich auf *O. A. Brownsons* Works, IV, p. 568ss (Detroit 1904).

259 *Godehard Josef Ebers,* 1880 als Sohn des Dombaumeisters von Breslau geboren, der eine große Liebe zur Kirche wie zur Kunst hatte, war als Dr. iur. utr. 1908 Privatdozent in Breslau, 1910 a. o. Professor in Münster, 1919–1935 o. Professor in Köln. 1936–1938 und nach 1945 finden wir ihn als Ordinarius in Innsbruck. Er starb 1958. Er ist Mitbegründer des Görresringes, einer Vereinigung von jungen Akademikern zwecks politischer Bildung; vgl. *W. Kosch,* Das katholische Deutschland I, Augsburg 1933, 551 f. und Festschr. für E. Eichmann, Paderborn 1940, VI; *Kürschners* Deutscher Gelehrtenkalender (hrsg. v. *F. Bertkau* und *G. Oestreich*), Berlin ⁷1950, 381 f.; ⁹1961 (hrsg. v. *W. Schuder*) 2368.

260 Kirchenrecht 2.

E. Jombart[261] hat sich speziell mit dem Ordens- und dem Strafrecht befaßt. Es fällt auf, daß er die übernatürliche Eigenart der Kirche gelegentlich deutlich hervorhebt; so stellt er den Besserungszweck der Strafen sehr heraus[262] und erkennt in Entwicklung der Säkularinstitute die Bewegung des Heiligen Geistes in der Kirche[263]. Die gesellschaftlichen Konturen sind gleichzeitig klar gezeichnet. Übrigens drückt sich E. Jombart folgendermaßen aus: „Das Bischofskollegium läßt das Apostelkollegium fortdauern."[264] Das klingt nach Vaticanum II und ist in dieser Zeit recht selten.

L. de Echeverria (geb. 1918), bekannt als Präsident des Redaktionskomitees der Revista Española de Derecho Canónico (Salamanca 1946 ff.) und als Organisator der spanischen Wochen für kanonisches Recht, wirkt seit 1955 als Professor an der kirchlichen Universität Salamanca.[265] Er betont gerne die moralische Sensibilität des Volkes, das dazu berufen ist, den mystischen Leib Christi zu bilden.[266]

§ 4 *Die Wegbereiter und Vertreter des sakramentalen Kirchenbildes*

I. Kanonisten, die die Leib-Christi-Theologie einbeziehen

Wir können hier zwei Arten des Verständnisses der Leib-Christi-Theologie unterscheiden. Das eine möchten wir mit J. Ratzinger organologisch-mystisches Verständnis[267] nennen, das in der Romantik für das katholische Denken neu entdeckt und besonders durch J. A. Möhler verbreitet worden ist. Hier steht Leib Christi hauptsächlich für die innere, geheimnisvolle Wirklichkeit der

---

[261] Dr. theol. und iur. can., zuerst an der Ordenshochschule der Jesuiten in Belgien als Professor für kanonisches Recht, dann zunächst am Institut Catholique, später an der katholisch-theologischen Fakultät in Toulouse; zwischendurch in Montreal (vgl. p. 1 in ²TrDC II; ¹TrDC I, 2; PerRMCL 16 [1927] 195).
Von ihm stammt ein praktisches, kurzgefaßtes Manuel de Droit Canon (Paris 1949).

[262] ²TrDC IV, 599s.

[263] Cf. Un état de perfection au milieu du monde: RDC 2 (1952) 57–77, oben erwähnter Gedanke p. 60; cf. et. Manuel 164.

[264] Manuel 127: „Le corps des évêques perpétue le corps des apôtres."

[265] Angaben nach Conc 3 (1967) 607. Er publiziert vorwiegend eherechtliche und pastorale Arbeiten. Sein Dissertationsthema: El Derecho Canónico ante la moderna técnica jurídica secular, Salamanca 1946; später: Exposición de conjunto de la actual bibliografía canónica: Scriptorium Victoriense 2 (1955) 160–196; El Concilio y la opinión publica, Madrid 1961; Aspectos sociológicos de la adaptación del Codigo: Estudios de Deusto 9 (1961) 258–273.

[266] Características generales del Ordenamiento canónico, in: Investigación 60.

[267] Vgl. *J. Ratzinger*, Der Kirchenbegriff und die Frage nach der Gliedschaft der Kirche, in: Das neue Volk Gottes, Düsseldorf ²1970, 99.

Kirche; sie wird gewissermaßen neben der juridischen Wirklichkeit gesehen. Später werden beide Seiten der Kirche stärker integriert gesehen unter dem einen Bildbegriff mystischer Leib Christi, wobei man offenbleibt für andere Verständnishilfen. Dieses Verständnis von Leib Christi nennen wir mit dem gleichen Dogmatiker das sakramental-ekklesiologische.

1. *A. Hagen, E. R. v. Kienitz, E. Rösser, B. Panzram, B. Mathis: Organologisch-mystisches Verständnis*

A. Hagen ist ein außerordentlich vielseitiger Kanonist. Als Dr. theol. und Dr. rer. pol. habilitierte er sich für Kirchenrecht in Tübingen.[268] Dazu ist er mit der Praxis durch seine Tätigkeit als Generalvikar in Rottenburg ungemein gut vertraut. So stellen wir immer wieder fest, daß er niemals etwas von der Wirklichkeit wegschneidet, sondern unter Verzicht auf glatte oder systematische Lösungen die Spannungen bestehen läßt. Das zeigt sich zuerst in dem Werk über die kirchliche Mitgliedschaft (1938). Hier finden wir schon ziemlich früh die Andeutung eines paulinischen Kirchenbegriffes: Die Kirche ist als Leib Christi „die Gemeinschaft der Christen untereinander und mit Christus".[269] Diese Einheit der Christen hat ihr Vorbild in der Einheit zwischen Vater und Sohn in der Heiligsten Dreifaltigkeit: „Denn alle Christen sollen eine Gottesfamilie sein, in welcher derselbe Geist und der nämliche Glaube das einigende Band sind. Diese Einheit hat ihr Vorbild und ihr Ziel im Vater und Sohn (Joh 17, 20 f.). Sie ist eine Frucht des Geistes."[270] Er steht auf dem Standpunkt, dieses corpus Christi mysticum lasse sich allerdings nicht rechtlich erfassen. Wenn der Kanonist diesen paulinischen Kirchenbegriff auch nicht ignorieren dürfe, müsse er sich doch wesentlich an den Begriff der Kirche als Rechtsinstitut halten.[271] Später folgten die „Prinzipien des katholischen Kirchenrechts"[272], unter denen der Kirchenbegriff eine wichtige Rolle spielt. Hier finden wir nochmals die Aufrechterhaltung der Spannungen und die Komplexität der Darstellung. Bemerkenswert ist der Rahmen, in den die gesamte soziale Tätigkeit der Kirche gestellt wird: „Gott wollte in Christus alles im Himmel und auf Erden zusammenfassen (Eph 1, 10)."[273]
Auf dem Wege einer Verbindung von mystischem Leibe und Rechtsinstitut geht

---

[268] Vgl. AkathKR 110 (1930) 677.
[269] Mitgliedschaft 2.
[270] Mitgliedschaft 124. *A. Hagen* folgt hierin Satis cognitum (*Rohrbasser* 616).
[271] Vgl. Mitgliedschaft 3.
[272] Würzburg 1949. Erwähnenswert ist weiter: Pfarrei und Pfarrer nach dem CIC, Rottenburg 1935.
[273] Prinzipien 232.

E. R. v. Kienitz[274] noch einen Schritt weiter. Er faßt Leib Christi einerseits als Bezeichnung des inneren Seins der Kirche auf, leitet aber auch aus dem Stichwort Leib ab, daß es sich hier um einen geordneten Organismus handelt, der Strukturen haben muß.[275] In den ersten Kapiteln seines Hauptwerkes „Die Gestalt der Kirche" kommt eine große Begeisterung für die Kirche zum Ausdruck.[276] Er legt dar, daß der Heilige Geist das Sein und Handeln der Glieder auf Christus hinordnet, „denn vom Haupte Christus nimmt der in den Gläubigen wirksame Heilige Geist dieses neue übernatürliche Sein und das Handeln nach den sittlichen Forderungen dieses neuen übernatürlichen Seins. Es entsteht also gleichsam ein Stromkreis von Christus, dem Haupt, zu den Gliedern des mystischen Leibes und zurück zum Haupt, ein Stromkreis, dessen Träger der Heilige Geist ist."[277] So wird auch klar, wie die Wirksamkeit Christi in seiner Kirche zu denken ist: „als ein Wirken ,in der Liebe Gottes, die in unseren Herzen ausgegossen ist durch den Heiligen Geist, der uns verliehen wurde' (Rö 5, 5)[278]. Damit verschließt er sich keineswegs der Tatsache und dem Geheimnis des Bösen in der Kirche, ja er sieht es vielleicht noch deutlicher in diesem überhellen Lichte der Heiligkeit der Kirche.[279] Ja, die Kirche ist auf der Pilgerschaft, sie ist staub- und schmutzbedeckt. Doch gerade dem sündigen Glied gibt sie Erkenntnis und Kraft und „macht den Menschen stark und fähig, in der Gnade den königlichen Weg zur wahren Freiheit zu gehen."[280] Er knüpft an die Vätertheologie an, wenn er jeden Bischof als ein sichtbares Bild Christi ansieht.[281]

Interessant ist bei *E. Rösser*[282], daß er in seiner Würzburger Antrittsvorle-

---

[274] *E. R. v. Kienitz,* der schon 1930 in München zum Dr. theol., 1931 in Freiburg/Br. zum Dr. iur. utr. promoviert wurde und sich 1933 in München für Kirchenrecht habilitierte, war bis nach dem Kriege daran gehindert, einen Lehrauftrag anzunehmen; erst 1946 konnte er einen solchen für Staatskirchenrecht in München ausführen (Nekrolog von *K. Mörsdorf:* AkathKR 124 [1950] 123 ff.).

[275] *E. R. v. Kienitz,* Die Gestalt der Kirche, Frankfurt/M. 1937, 22.24. *W. Becker* (Zur Wesenserkenntnis der lebendigen Kirche: Die Schildgenossen 17 [1938] 135 f.) wertet das in diesem Buch gezeichnete Kirchenbild sehr positiv, bedauert dann aber die Titelwahl: „Gestalt" der Kirche werde den von außen Kommenden in der vorgefaßten Meinung von der „hoffnungslosen Verrechtlichung" der Kirche bestärken.

[276] Die man noch besser versteht, wenn man weiß, daß er ca. 1923/24 als Unterprimaner konvertierte. Er stand aktiv in der Jugendbewegung als Pfadfinder und war denn auch noch nach dem Krieg Landeskurat der St.-Georgs-Pfadfinder.

[277] Gestalt 23 f.

[278] Gestalt 24.

[279] Vgl. Gestalt 6.

[280] Gestalt 15 f.; darum nennt er die Kirche auch Kirche der Freiheit.

[281] Übrigens hatte *E. R. v. Kienitz* nach einer persönlichen Mitteilung von *Dr. Schimke* in seiner Münchener Wohnung 1934/35 ein Augustinus-Gemälde hängen, das, ins Genialische gesteigert, sein Konterfei war.

50

sung[283] freimütig zugibt: „Wir haben ... gelernt, seit Jahren von neuem gelernt, die Kirche ... auch von einer anderen, tieferen, wesentlicheren Seite her zu betrachten."[284] Darum sieht er die Laien nun auch als „lebendige Glieder des ‚corpus Christi mysticum'"[285], während tatsächlich in seiner ersten Veröffentlichung von diesem Aspekt der Kirche nichts zu spüren war.[286]

Ähnlich liegen die Dinge bei *B. Panzram*[287], dem Freiburger Ordinarius. In seiner grundlegenden methodologischen Untersuchung trägt er die verschiedenen Elemente zusammen, die zu einer synthetischen Realdefinition beitragen können. Er betont dabei den Anstaltscharakter der Kirche mit den Stiftungselementen, berücksichtigt aber außerdem das Kirchenvolk. Für diesen zweiten Teil verwendet er das Bild vom Leibe Christi.[288] Ohne daß diese Gedanken systematisch ausgeführt werden, treten sie doch in den beiden Artikeln über die Laien klar hervor: Wegen der Gliedschaft im Leibe Christi sind die Laien untereinander zur gegenseitigen Hilfe angehalten, die sich auch im Gehorsam ausdrückt. Auftretende Spannungen sind immer und nur in Christus zu lösen.[289]

Der Kapuziner *B. Mathis* hat ein kurzes Kompendium des Kirchenrechts für die Hand des Laien geschrieben. Darin führt er diejenigen Passagen etwas länger aus, die die Laien besonders interessieren. In seiner Definition der Kirche nennt er sie den „in der menschlichen Gebrechlichkeit durch die Kraft des Heiligen Geistes fortlebende(n) Christus auf Erden"[290], weil sie eine ge-

---

[282] Dr. theol. und iur. can., ein Schüler *F. Gillmanns*, Ordinarius in Würzburg für Kirchenrecht und praktische Theologie seit 1947 (*Kürschners* Deutscher Gelehrtenkalender [hrsg. v. *W. Schuder J.* Berlin ⁹1961]).

[283] Die Stellung der Laien in der Kirche nach dem kanonischen Recht (Würzburger Universitätsreden H. 9), Würzburg 1949.

[284] *Rösser*, Laien 7.

[285] Laien 8.

[286] Vgl. Göttliches und menschliches, unveränderliches und veränderliches Kirchenrecht von der Entstehung der Kirche bis zur Mitte des 9. Jahrhunderts (Veröffentl. der Sektion für Rechts- und Staatswissenschaften der Görresgesellschaft 63), Paderborn 1934 (vgl. *N. Hilling*, Nachruf Gillmann: AkathKR 122 [1942–1947] 95).

[287] *B. Panzram*, 1902 in Eberswalde geboren, Dr. iur. utr. und theol. habil., war zuerst Dozent in Breslau (1939), dann in Prag (1941) und München (1947). Schließlich als Professor in Regensburg (1948) und Freiburg/Br. (1954) (Vgl. *Kürschners* Deutscher Gelehrtenkalender [hrsg. v. *W. Schuder*], Berlin ¹⁰1966, 1800; Schematismus für das Bistum Berlin [hrsg. vom Bischöflichen Ordinariat Berlin], Berlin 1970, 146.181).

[288] Der Kirchenbegriff des kanonischen Rechts: MThZ 4 (1953) 187–211, bes. 211; im übrigen betont er darin den Anstaltscharakter der Kirche. Vgl. auch unten § 18 II. 1.

[289] Die Spannungsfelder des Laienapostolates im Gesichtswinkel des Kanonisten: Oberrheinisches Pastoralblatt 58 (1957) 31–38, passim; Die Teilhabe der Laien am Priesteramt, Lehramt und Hirtenamt im Rahmen des geltenden Kirchenrechts: Oberrheinisches Pastoralblatt 62 (1961) 71.

[290] *B. Mathis*, Das katholische Kirchenrecht für den Laien, Paderborn 1940, 15.

heimnisvolle (mystische) Lebenseinheit ihrer Glieder mit Christus selbst herstellt. Die Nebeneinanderstellung kommt dann deutlich zum Ausdruck, wenn er meint, als sichtbare, organisierte Gemeinschaft sei die Kirche Rechtskirche, als mystischer Leib Christi sei sie Liebeskirche.[291] Er hebt den Bezug der Sakramente zur Kirche hervor, insbesondere bei der Firmung als Sakrament des Apostolates der Laien, wodurch sie zum Tempel Gottes, Soldaten Christi, nichtbeamteten Priester im Vollsinn werden und ihre Einverleibung in den Organismus der Kirche vollendet wird.[292] Diese Sicht der Kirche als Leib Christi wird im Verlauf der Darlegungen immer wieder deutlich.[293]

2. V. Del Giudice, W. Bertrams, H. Heimerl, G. Lesage, A. M. Stickler: Sakramental-ekklesiologisches Verständnis

V. Del Giudice[294] bringt als Definition der Kirche: Fortsetzung oder Vervollständigung Christi, der in den Jahrhunderten lebende Christus, „Fülle Christi", totaler Christus.[295] Mit einer klaren Folgerichtigkeit legt er den Weg zu Gott dar: „Wie in Gott der Vater und der Sohn eine Sache sind, so sind der Sohn und seine Kirche eine Sache. Und wie in Christus die Quelle des göttlichen Lebens ist, ist dieses göttliche Leben als ganzes in der Kirche, die, beseelt vom Heiligen Geist, die Sendung hat, es den Seelen mitzuteilen. Zu Gott gelangt man also mittels Christus, zu Christus aber gelangt man mittels seiner Kirche."[296] Damit ist in einer typisch neuen Weise ein Ineinander der theologischen und der juridischen Elemente vorbereitet, demzufolge er die Einheit der Kirche denn auch als die Einheit eines Sozialkörpers, eben des mystischen Leibes Christi, sieht.[297]

---

291 Vgl. Kirchenrecht 20.
292 Vgl. Kirchenrecht 308 ff.
293 Vgl. Kirchenrecht 16. 20. 89. 125. 234. 238. 259. 309. 310.
294 Er war als Ziviljurist wenigstens seit 1927 Professor für kan. Recht an der Mailänder Universität. 1952 finden wir ihn an der Universität Rom. Er veröffentlichte 1932 Istituzioni di Diritto Canonico in zwei Bänden (t. I [La Natura della Chiesa Cattolica, Milano ³1936] ist im Folgenden aufgegangen), 1941 Nozioni di Diritto Canonico, Milano ed. 10. 1953.
295 V. Del Giudice, Nozioni 38: „La continuazione o il complemento di Cristo, ... Cristo totale"; als Quellen nennt er in Anm. 4 Eph 1, 22 f.; Kol 1, 17–20; 2, 9 f.; Augustinus, De unitate Ecclesiae 4; PL 43, 395; Gregor d. Große, Moralia 14, 23; PL 75, 1068; Conc. Vatic. I, Const. Pastor Aet. prol. (DS 3050ss; D 1821); Gasparri, Catechismus (Cf. Anm. 251) q. 123s. Augustinus sagt: „Totus Christus caput et corpus est ... sponsus et sponsa, duo in carne una."
296 Nozioni 38s: „Come, in Dio, il Padre e il Figlio sono una cosa, così sono una cosa il Figlio e la sua Chiesa; e come è in Cristo la sorgente della vita divina, questa vita divina è tutta nella Chiesa, che, animata dallo Spirito ha la missione di communicarla alle anime. A Dio si va dunque per mezzo di Cristo; ma a Cristo si va per mezzo della sua Chiesa."
297 Nozioni 40: „un sol corpo sociale, cioè il ‚corpo mistico di Gesù Cristo'".

Mit ähnlicher Deutlichkeit stellt *M. Jiménez-Fernández*[298] einige Seiten des Geheimnisses des mystischen Leibes Christi ans Licht. Die Kirche ist nicht nur eine sichtbare und wahrnehmbare Wirklichkeit, sondern auch ein Glaubensobjekt. „Zwar handeln die Menschen, die sichtbar in ihr die Autorität ausüben, als eigentliche Ursachen und als solche, die folglich den menschlichen Irrtümern unterworfen sind (ausgenommen die Fälle, in denen die Unfehlbarkeit sich auswirkt); nichtsdestoweniger handeln sie als Ursachen, die der Leitung durch Jesus Christus, das unsichtbare Haupt des ganzen Leibes, untergeordnet sind."[299] „Das Herz der katholischen Gläubigen weiß, daß im mystischen Leibe Christi auch das, was Schwächen in der menschlichen Natur hat, ebenfalls der überaus heiligen göttlichen Aktion dient, die niemals aufhört, ihre irdischen Ziele als Vorbereitung des Ewigen zu erreichen."[300]

Nun müssen wir uns etwas ausführlicher *W. Bertrams*[301] und der „Schule von Rom" (R. Bidagor, H. Heimerl, O. Robleda, M. Useros) an der Gregoriana zuwenden. Der deutsche Jesuit hat an maßgeblicher Stelle die Arbeiten des Konzils beeinflußt. Seine Veröffentlichungen befassen sich besonders mit Grundlagen- und Strukturfragen des kirchlichen Rechts.[302] In letzter Zeit ist er hauptsächlich bemüht, das Verhältnis zwischen dem Primat und dem Episkopat zu klären.[303] Er hat ein ganz typisches Kirchenbild.[304] Der theologische Kirchenbegriff umschließt nach ihm den juridischen bzw. soziologischen. In mehr aus-

---

[298] Der Spanier Manuel Jiménez-Fernández, geboren 1896, war Jurist an der Universität Sevilla, 1934/35 Landwirtschaftsminister (The International Who's who 1938, London 1938, 561).

[299] *Jiménez-Fernández*, Instituciones I, 51: „Si los hombres, que en ella ejercen la autoridad visiblemente, operan como causas propias y como consiquientemente exquestos a los errores humanos (salvo los casos donde actúa la infalibilidad), sin embargo siempre operan como causas subordinadas al gobierno de Jesucristo, cabeza invisible de todo el Cuerpo."

[300] *Jiménez-Fernández*, Instituciones I, 51: „El corazón des los fideles católicos sabe que en el cuerpo místico de Cristo, aun lo que hay de flaquezas en la naturaleza humana, sirve también a la santisima acción divina, que jamás deja de lograr sus fines temporales como preparación del eterno..."

[301] Geboren in Essen (1907), seit 1941 zuerst Professor der Rechtsphilosophie, dann auch Kanonist an der Gregoriana. Er hat den Dr. jur. can., phil. und den Lic. theol. (nach *Kürschners* Deutscher Gelehrtenkalender [hrsg. v. *W. Schuder*], Berlin ⁹1961, 126 und den Verfasserangaben der PerRMCL).

[302] Das Privatrecht der Kirche. Ein Beitrag zu der Frage nach der Natur des Kirchenrechtes: Gregorianum 25 (1944) 283–320; Die Eigennatur des Kirchenrechts: Gregorianum 27 (1946) 527–566; Vom Sinn des Kirchenrechts: StdZ 143 (1948/49) 100–112; De principio subsidiaritatis in iure canonico: PerRMCL 46 (1957) 3–65; Das Subsidiaritätsprinzip in der Kirche: StdZ 160 (1956/57) 252–267.

[303] De relatione inter officium episcopale et primatiale: PerRMCL 51 (1962) 3–29; Papst und Bischofskollegium als Träger der kirchlichen Hirtengewalt, München–Paderborn–Wien 1965 u. a.

[304] Vgl. Privatrecht 304.

geführter Form und in Auseinandersetzung mit R. Sohm und O. v. Gierke stellt er 1946 die Eigennatur des Kirchenrechts dar und sagt: „Die Kirche als religiös-geistliche Gemeinschaft schließt die Kirche als Rechtsgemeinschaft ein. *Leib Christi* wird die Kirche genannt, um die in der Natur der Sache gegebene Verbindung von innerem Leben – *Christi* Leben – und äußerer Form – *Leib* Christi – zum Ausdruck zu bringen."[305] Das heißt also: Zunächst ist die Kirche Rechtsgemeinschaft, soziologisches Gebilde mit all den Eigenschaften anderer soziologischer Gebilde.[306] Sie hat Organisation, Autorität, Organe, Gewalten und Vollmachten, es gibt Privatrecht und öffentliches Recht auch in der Kirche (später wird er sagen, das Subsidiaritätsprinzip sei anwendbar). Darin aber, in dieser äußeren sichtbaren Gesellschaft, ist Christi Leben verborgen, er selbst ist ihr unsichtbares Haupt. Er greift dann auf die Analogie zur Inkarnation zurück. „Das ist das Geheimnis Christi: göttliches Leben in Menschengestalt. Nur von hier aus ist auch das Geheimnis der Kirche in etwa zu verstehen; nur wenn wir die Kirche als Fortsetzung der Menschwerdung des Sohnes Gottes sehen, werden wir ihr gerecht."[307] „Das ist das Geheimnis der Kirche: Göttliches Leben, Christi Leben in der Gestalt einer wahren, menschlichen, rechtlich organisierten Gemeinschaft. Die Rechtsgemeinschaft ist Hülle und Offenbarung des inneren Lebens der Kirche, des Lebens Christi."[308] Insofern ist die Kirche leicht als Sakrament zu verstehen: „ein heiliges Zeichen, das göttliches Leben versinnbildet und bewirkt"[309]. Interessant ist weiter bei W. Bertrams seine Auffassung von der inneren und äußeren Struktur der Kirche.[310] Er geht aus vom Primat der Einzelperson (in Anlehnung an eine Reihe von Äußerungen Pius' XII.) und stellt fest: „Der Mensch als Person ist Mittelpunkt des

---

[305] Eigennatur 539.

[306] An dieser Stelle sei auf die geistige Herkunft *W. Bertrams'* hingewiesen. Er kommt aus der Gundlachschule. Er zitiert *G. Gundlach* an wichtigen Stellen. So zitiert er z. B. das Werk Zur Soziologie der katholischen Ideenwelt und des Jesuitenordens (Freiburg/Br. 1927, 28 f. und 27 f.) in seinem Artikel Eigennatur (536 f. und 537 f.); auf den Art. Gesellschaft (im Staatslexikon Bd. 3, Freiburg ⁶1959, 842) verweist er in: De personalitatis moralis in iure canonico natura metaphysica: PerRMCL 48 (1959) 221s, adn. 6. Verschiedentlich zitiert er auch *H. Keller*, z. B. dessen Artikel Wandlungen und Mängel kirchlicher Gesetze, in: AnGr, vol. VIII, Rom 1935, 24 gibt *W. Bertrams* als Quelle an in: Eigennatur 543. Man kann vermuten, daß über *H. Keller* Beziehungen zu *F. Pilgrams* Physiologie der Kirche bestehen, die *H. Keller* voller Lob besprach: Zur Soziologie der Kirche: Scholastik 8 (1933) 243–249. Neuherausgabe von *H. Getzeny* bzw. *W. Becker* (vgl. Anm. 27), Mainz 1931. Es geht immer wieder um die Wahrung der ganzen Wirklichkeit der sozialen Struktur der Kirche in der Einheit von Gott und Menschen.

[307] Sinn 106.

[308] Sinn 106.

[309] Sinn 106.

[310] Cf. De influxu Ecclesiae in iura baptizatorum: PerRMCL 49 (1960) 417–457.

sozialen Lebens."[311] Nun wird die Struktur der Gesellschaftlichkeit doppelt gebildet: zunächst innerlich, durch die gemeinsam erstrebten Werte; dann auch äußerlich, durch eine Koordination durch den Staat bzw. die Kirche, je nach der Gesellschaft, um die es geht. In der Kirche wird durch den Empfang der Taufe bzw. der Bischofsweihe zunächst (in ordine rationis antecedenter) eine innere Struktur hergestellt. Der Getaufte erhält die fundamentalen Rechte der Person in der Kirche. Der Geweihte erhält das ius regendi. Dann wird durch die Kirche dieses Recht des Getauften anerkannt und geordnet bzw. durch die missio canonica seitens des Papstes die Zuweisung der Einzeldiözese vorgenommen und so das Recht des Geweihten konkretisiert und mit dem Recht der andern Bischöfe abgestimmt. Hier ist also die Sicht genau umgekehrt wie bei V. Del Giudice; dort hieß es: Durch die Einheit mit der Kirche hat man die Einheit mit Christus, durch die Einheit mit Christus die Einheit mit dem Vater. Hier heißt es: Durch die Einheit mit Christus hat man die Einheit mit der Kirche: „Wer Christus durch den sakramentalen Charakter geeint wird, wird der Kirche übereignet."[312] „Wie die fundamentalen Rechte des Getauften also begrifflich der Kirche als menschlicher Gesellschaft vorausliegen, so liegt dieses Leitungsrecht begrifflich der Kirche als menschlicher Gesellschaft voraus (wenn es natürlich auch auf die Kirche ausgerichtet ist), die Sakramente sind ja Handlungen in Stellvertretung Christi."[313] Damit sind die Sakramente den Verwaltungsakten als Handlungen der Kirche in eigener Vollmacht gegenübergestellt. Zu den Konsequenzen aus der Priorität der Einzelperson vor der Gesellschaft wird die Auffassung W. Bertrams' vom Episkopat interessante Aufschlüsse geben.[314] Sehr verwandt mit W. Bertrams sind seine Kollegen R. *Bidagor*[315] und O. *Robleda*[316] und seine Schüler H. Heimerl und M. Useros Carretero (s. u.). Bei beiden finden wir die gleiche Sicht der Kirche als mystischen Leib,

---

[311] Influxus p. 418: „Homo qua persona est centrum vitae socialis."

[312] Influxus 429: „Qui Christo per characterem baptismalem unitur, ... Ecclesiae devincitur."

[313] Relatio 15: „Sicuti iura fundamentalia baptizatorum ideoque habentur in signo rationis antecedenter ad Ecclesiam societatem humanam, ita tale ius regendi habetur in signo rationis antecedenter ad Ecclesiam societatem humanam (etsi utique ad Ecclesiam est ordinatum); sacramenta enim sunt actiones vicariae Christi."

[314] Vgl. unten § 36 B III.

[315] *Ramón Bidagor*, geboren 1894, war schon 1931 Professor an der Gregoriana und lehrte hauptsächlich Einleitung in das Römische Recht. Er ist Konsultor der Sakramenten-, Konzils-, Religiosen- und der Zeremonienkongregation und Mitglied in der Kommission für die Revision des CIC. Er hielt auf dem Kirchenrechts-Kongreß in Rom 1968 einen Vortrag über Theologie und Kirchenrecht im Anschluß an die Konzilsdekrete, in: Acta congressus intern. iur. can., Romae 1968 (Brief von *E. Psiuk*, Rom, Anima an den Verf.).

[316] *Olis Robleda* SJ kam vor 1946 an die Gregoriana (PerRMCL 35 [1946] 413). Er lehrt seit wenigstens 1962 an der päpstlichen Universität Comillas Kirchenrecht (Der Sitz der Fakultät ist seit 1960 Madrid). U. a.: Persona y Sociedad, Santander 1959.

der ein inneres und ein äußeres Leben hat. Das innere Leben ist das Leben Christi, das äußere Leben hat juridische Formen wie das Leben jeder anderen Gesellschaft.[317]

Wenn wir einen Moment innehalten dürfen, um über die Gedanken V. Del Giudices und W. Bertrams' zu reflektieren, können wir zu folgendem Ergebnis kommen: Wo man auch die Priorität findet, in der Einzelperson oder in der Gesellschaft, zeigt sich doch immer, daß die Kategorien der Relation, angewandt auf das Verhältnis der Menschen zu Gott in der Kirche wieder stärker fruchtbar gemacht werden. Hier liegen wesentliche Unterschiede zwischen dem neueren und dem älteren Kirchenbild, die eine Zusammenfassung der Kanonisten zu zwei großen Gruppen rechtfertigen. Wir begegnen besonders den Kategorien des Mitseins und der Einheit, der Gegenwart und der Instrumentalität. Etwas vorausgreifend beziehen wir hier schon G. May und K. Mörsdorf in unsere Betrachtung ein. Das Mitsein finden wir, wenn man mit B. Poschmann[318] sagt: Der Sünder erhält durch die Pax cum Ecclesia die Pax cum Deo.[319] Die Kategorie der Gegenwart findet sich u. a. in Wendungen mit „in", z. B. wenn W. Bertrams sagt: „Christus lebt weiter in der Kirche."[320] Die Kategorie der Einheit ist mit den beiden genannten eng verwandt; so spricht G. May in sehr aufschlußreichen Abschnitten von der „seinshaften Einheit mit Christus"[321] und von der Vereinigung[322], Gemeinschaft[323] und Verbundenheit[324] mit Ihm. Die Kirche und ihre Organe als Instrumente, durch die Gott wirkt,[325] das wird dann gerade einer der wesentlichen Aspekte der Auffassung vom Ursakrament sein, die hier schon vorbereitet ist. Der andere, daß durch Wort und Sache eine geheimnisvolle Wirklichkeit bezeichnet wird, findet sich auch als Repräsentation (Kategorie der Gegenwart). Die Bestimmung der Kirche als Leib Christi kommt diesem Denken sehr zu Hilfe.

H. Heimerl[326] kommt als Kanonist aus der Schule W. Bertams.[327] Seine beiden

---

[317] Vgl. R. *Bidagor,* El Espiritu del Derecho Canónico: REDC 13 (1958) 7s; O. *Robleda,* Fin del Derecho en la Iglesia: REDC 2 (1947) 284s.

[318] Paenitentia secunda, Bonn 1940, 37. 132 ff., zit. nach *May,* Ehre 120, Anm. 17.

[319] So *Mörsdorf* II, 69.

[320] *Bertrams,* Sinn 105.

[321] Ehre 13; vgl. auch bei V. *Del Giudice:* „eine Sache" (oben § 4 I. 2).

[322] Ehre 8. 12; *Bertrams,* Influxus 429: „qui Christo ... unitur".

[323] *May,* Ehre 8.

[324] *May,* Ehre 12 f.

[325] Vgl. oben M. *Jiménez-Fernández* (§ 4 I. 2); *Lesage,* Nature 49: „instrumentalité du Christ".

[326] *Hans Heimerl* hat neben dem Dr. theol. von der Grazer Fakultät auch den Dr. iur. can. von der Gregoriana (1958). Nach seiner Habilitation (1961) wurde er 1962 Professor für Kirchenrecht in Graz (vgl. Conc. 2 [1966] 224). Später hat er sich laisieren lassen.

[327] Vgl. etwa Kirche, Klerus und Laien, Unterscheidungen und Beziehungen, Wien 1961, 55, Anm. 25.

ersten Werke[328] befaßten sich mit der Thematik um die Laien; dabei spürt man auf Schritt und Tritt den umfassenden theologischen Blick. Bestimmt von der Leib-Christi-Theologie, hat er doch auch schon wichtige Aspekte des Begriffes Volk Gottes aufgenommen, so die Auserwählung und die Fremdheit der Ekklesia in der Welt, wodurch der Begriff des Laien positiv gefüllt wird. Sehr bedeutsam sind seine Ausführungen über die heilsanstaltliche und heilsgemeinschaftliche Seite der Kirche; er stellt deutlich heraus, wie die gesetzgebende Wirksamkeit Christi keine Fremdbestimmung der Glaubenden ist, weil er auch in ihnen die Gehorsamsbereitschaft weckt.[329] Er hat im Zusammenhang damit besonders den Begriff der Jurisdiktion als Stellvertretung entwickelt.[330]

Ganz ähnlich wie W. Bertrams versteht auch *G. Lesage* die Kirche. Der führende Begriff ist bei ihm Leib Christi. Durchgängig systematisiert er seine Darstellung auf die drei Ämter hin. Seine Darstellung ist dogmatisch und kanonistisch umfassend, wie er ja auch den fünffachen Dr. hat: phil., theol., litt., iur. can. und sc. soc.[332] So spricht er von der spezifischen Natur des mystischen Leibes, der gleichzeitig „Quelle der Gnade, der Moralität und der Organisation ist . . .“[333] (Priester-, Lehr- und Hirtenamt). „Fortsetzerin Jesu Christi, des Priesters, Lehrers und Königs; Erbin dazu der apostolischen Gewalten, ist die Kirche die Mutter, die Familie und die Stadt der Kinder Gottes. Unter dem Antrieb des Heiligen Geistes und unter der Leitung des verherrlichten Erlösers organisiert sie kultisch, lehrmäßig und juristisch die getauften Gläubigen, im Hinblick auf ihr ewiges Heil.“[334] Bezugnehmend auf P. Smulders bezeichnet er die Kirche, den mystischen Leib, schon als eine Art von universalem Sakrament des göttlichen Lebens – res tantum, res et sacramentum, sacramentum tantum –:

---

[328] Laien im Dienst der Verkündigung, Wien 1958; Kirche. Es sollte folgen: Theolog. Fundamente des kanonischen Rechtes (lt. Conc. 2 [1966] 224); vgl. auch: Das Kirchenrecht im neuen Kirchenbild, in: Ecclesia et Ius 1–24.

[329] Vgl. Kirche 64 f.

[330] Vgl. Kirche 57–68.

[331] *Germain Lesage*, Oblatenpater, 1915 bei Quebec geboren, lehrt in Ottawa an der den Patres seines Ordens anvertrauten katholischen Universität.

[332] Cf. Canadian Almanac and Directory 1965 (hrsg. von *Ann Gardner*, 118th Ed.), Vancouver, Toronto, Montreal 1965; vgl. auch Brief des „Registraire“ *Morrisey* der kanonistischen Fakultät an den Vf. vom 9. 2. 1970. *G. Lesage* ist gleichzeitig Spiritual am Seminar der Universität.

[333] Nature 172: „est . . . source de grâce, de moralité et d'organisation“.

[334] Nature 20: „Continuatrice de Jésus-Christ, prêtre, docteur et roi; héritière aussi des pouvoirs apostoliques, l'Église est la mère, la famille et la cité des enfants de Dieu. Sous l'impulsion de l'Esprit-Saint et sous la gouverne du Sauveur glorifié, elle organise cultuellement, doctrinalement et juridiquement les fidèles baptisés, en vue de leur salut éternel.“

Er ist gleichzeitig juridische Gemeinschaft, Werkzeuglichkeit Christi und seiner Stellvertreter genauso wie göttlicher Einfluß.[335]

J.-F. Noubel[336] sieht die Gesamtkirche, insofern sie in Ortskirchen besteht, in Analogie zur Heiligsten Dreifaltigkeit.[337] Eine Teilkirche lebt das Leben aller anderen in Einheit mit. Er spricht von christlichem „Gliedbewußtsein", in welchem der jedem mitgeteilte Heilige Geist zum Wirken kommt.[338]

A. M. Stickler[339] hat ein eigenes Verständnis der Kirche als des mystischen Leibes.[340] Die Beziehung zu Christus ist für ihn weniger die einer Instrumentalität als vielmehr einer Exemplarität.[341] Der Gottmensch ist das Modell der Kirche. So wie in ihm die göttliche Natur und eine menschliche Natur vereint sind, so ist in der Kirche Göttliches und Menschliches vereint, ungetrennt und unvermischt. Das Verhältnis zwischen diesen beiden Realitäten versucht A. M. Stickler in mannigfacher Weise darzustellen, wobei er besonders die Geschichte heranzieht. Sie zeigt, daß gerade in Zeiten geistlicher Kraftfülle auch das äußere Element der Kirche stark entwickelt wurde, daß sich also beides im Grunde nicht beeinträchtigen muß, sondern eher stützen kann.[342] „Alle Achtung also vor dem Leibe; ohne ihn würde der Geist zum Gespenst."[343]

---

[335] *P. Smulders,* Sacramenten en Kerk. Kerkelijk Recht–Kultus–Pneuma: Bijdragen 17 (1956) 393s. 416; zit. b. *Lesage,* Nature 49.

[336] *Jean-Felix Noubel,* geboren 1893 in Toulouse, Dr. jur., Professor an der kanonistischen Fakultät der Universität Toulouse (1950) und Honorarprofessor für Ius Publicum am Institut Catholique in Toulouse (1958), gestorben ca. 1968 (Who's who in France? [ed. Jacques Lafitte] Paris ⁵1961, 2190; RDC 8 [1958] 376).

[337] L'Église diocésaine – sa construction juridique actuelle: L'année canonique 1 (1952) 141 bis 162, speziell 144.

[338] „civisme chrétien": Église 161; weitere Arbeiten: Résponsabilités des laïques dans l'Église d'après le Code de Droit Canonique: Prêtres diocésaines (1954) 362–367; Los laicos en la Iglesia católica: REDC 11 (1956) 7–43; Le laïcat, raison d'être de l'apostolat: Prêtres diocésains fév. et mars 1954; Que font les laïques dans l'Église: Bull. Litt. Eccl., Toulouse oct. 1954 (die letzten beiden Art. nach Los laicos 8).

[339] *Alfons Maria Stickler* SDB, Professor für Kirchenrecht und kirchliche Rechtsgeschichte, Leiter des Kirchenrechtshistorischen Instituts an der päpstlichen Universität der Salesianer, Konsultor der Kongregation für die katholische Erziehung, Mitglied der Kommission für die Reform des CIC (Ius sacrum XVI).

[340] Vgl. *A. M. Stickler,* Das Mysterium der Kirche im Kirchenrecht.

[341] Vgl. zu dieser doppelten Beziehung *J. Salaverri de la Torre,* El Derecho en el misterio de la Iglesia, in: Investigación 1–54, bes. 36.

[342] Vgl. *Stickler,* Mysterium 610.

[343] Vgl. *Stickler,* Mysterium 611.

II. K. Mörsdorf und andere Kanonisten, die „neues Volk Gottes" als Sachbezeichnung der Kirche einführen

Wir sind in unserem Überblick nun schon an einer wichtigen Marke vorbeigeeilt, die es gut zu beachten gilt. Schon 1944 hat K. Mörsdorf[344], der Nachfolger E. Eichmanns und Gründer des Kanonischen Instituts in München, einen Begriff in die Kanonistik eingeführt, der bis dahin nur sehr selten verwendet wurde: die Bezeichnung der Kirche als „neues Volk Gottes". Er verwendet sie nach dem Erscheinen der Studie von J. Eger über die patristische Auffassung dieses Begriffes[345] als Wesenserklärung und macht sie zum Hauptbegriff seines Werkes: „Die Kirche ist das in hierarchischer Ordnung lebende neue Gottesvolk zur Verwirklichung des Reiches Gottes auf Erden."[346] Dementsprechend sieht er sie mehr als Körperschaft denn als Anstalt.[347] 1944 veröffentlichte er seinen Artikel über die Kirchengliedschaft[348] und stellt die Taufe als Aufnahmeakt in das neue Gottesvolk dar. Damit kommt das Kostersche Anliegen zum Zuge.[349] In der Zeit nach dem 2. Weltkrieg hat man die Fruchtbarkeit und Bedeutung dieses Begriffes besser erkannt. Einige Aspekte der Kirche, die sonst weniger Beachtung fanden, kommen uns bei einer Sicht, die sie als Volk Gottes oder als neues Gottesvolk darstellt, besser zum Bewußtsein. Andere Aspekte, die zwar auch im Bilde vom Leibe angedeutet werden, sind nach K. Mörsdorf hier im Sachbegriff ausgesprochen. Bei ihm sind dies außer der positiven Sicht der Laien die heilsgeschichtliche Verbindung mit dem alten Gottesvolk Israel[350] und die dementsprechenden Parallelen wie die Er-

---

[344] *Klaus Mörsdorf*, geboren 1909 bei Trier (*Kürschners* Deutscher Gelehrtenkalender [hrsg. v. *G. Oestreich*] Berlin ⁸1954, 1587), geweiht zum Priester der Diözese Berlin, habilitierte sich in Münster für Theologie. Vorher hatte er schon den Dr. iur. utr. Er kam als Dozent 1940 nach München (vgl. AkathKR 120 [1940] 114), wo er ab 1946 den kanonistischen Lehrstuhl übernahm. Er begründete dort das Kanonistische Institut (s. auch die ausführliche Laudatio von *G. May* und *A. Scheuermann* in Ius sacrum V–IX). 1953 Mitglied der Bayerischen Akademie der Wissenschaften. Konzilsperitus.

[345] *J. Eger*, Salus gentium. Eine patristische Studie zur Volkstheologie des Ambrosius von Mailand. Diss. München 1947; dazu *Valeske*, Votum 241. *K. Mörsdorf* (I, 22) schickt allerdings voraus, die Kirche könne wegen der tiefgründigen Geheimnisse, die sie birgt, nicht streng logisch definiert werden. Dazu vgl. unten § 17.

[346] I, 35.

[347] Vgl. § 23.

[348] Die Kirchengliedschaft im Lichte der kirchlichen Rechtsordnung: Theologie und Seelsorge 1944, 115–131.

[349] *M. D. Koster*, Ekklesiologie im Werden, Paderborn 1940. Dieses Werk ist bei *Mörsdorf*, Kirchengliedschaft (115, Anm. 1) zitiert. Es kündigt sich übrigens hier auch schon eine neue Wertung des Laien an.

[350] Vgl. I, 23.

wählung[351], die Verbindung zur Gottesherrschaft, insofern die Kirche Werkzeug in der Hand Gottes ist,[352] und schließlich klingt der Gedanke der Pilgerschaft der ganzen Menschheit an, für die die Kirche Zeichen des Heiles ist.[353] Im Zusammenhang dieses Begriffsfeldes ist das typische Kennzeichen des sakramentalen Kirchenbildes, das Wirken Christi unter Zeichen, nicht gegeben; doch rechtfertigt die Gesamtkonzeption des Münchener Kanonisten seine Einordnung in diese Gruppe. Zudem ist die eben im Rahmen der Volk-Gottes-Bezeichnung genannte Funktion der Kirche, Werkzeug in der Hand Gottes zu sein, dem fraglichen Sachverhalt verwandt. Einige, besonders deutsche, Kanonisten folgen K. Mörsdorf. So *C. Holböck* und *U. Mosiek* in einigen Passagen.[354] Auch G. May verwendet den Begriff Volk Gottes, aber in etwas anderem Verständnis.[355] *L. de Naurois*[356] legt seinen Ausführungen zur Strafgewalt der Kirche ebenfalls den Begriff des Volkes Gottes zugrunde, allerdings ohne das Attribut „neu". Dieses Gottesvolk behauptet sich, wenn es Strafen auferlegt, in seiner vom Herrn verliehenen Würde.[357] Darüber hinaus sind es nur ganz wenige Kanonisten, die wie K. Mörsdorf diesen Begriff zentral oder an wichtiger Stelle verwenden. Hier wären H. Heimerl[358] und einige Schüler K. Mörsdorfs zu nennen. Die Bedeutung K. Mörsdorfs reicht natürlich wesentlich weiter, als mit der Neueinführung der Bezeichnung neues Gottesvolk angezeigt ist. Der Münchener Kanonist nennt in seiner u. a. in Auseinandersetzung mit J. Klein verfaßten Besinnung auf die Grundlegung des Rechtes der Kirche sie schon 1952 ausdrücklich Ursakrament, wie auch Christus Ursakrament ist.[359] Sie vermittelt als solches das Heil Christi in heiliger Einheit gemäß dem Prinzip der Einheit von Haupt und Leib, das er als oberstes Strukturprinzip der

---

[351] Vgl. I, 30.

[352] Vgl. I, 34.

[353] Vgl. I, 27.

[354] Vgl. *Clemens Holböck*, Handbuch des Kirchenrechts, Innsbruck–Wien 1951, 37–46; *Ulrich Mosiek*, Die Zugehörigkeit zur Kirche im Rahmen der Kanonistik: ThGl 49 (1959) 256 bis 268; bes. 268.

[355] Vgl. unten § 18 II. 5.

[356] *Louis de Naurois*, Professor an den katholischen Fakultäten von Toulouse (RDC 15 [1965] 368).

[357] *L. de Naurois – A. Scheuermann*, Der Christ und die kirchliche Strafgewalt, München 1964, 37 (von *Scheuermann* überarbeitete Übersetzung von *L. de Naurois*, Quand l'Église juge et condemne, Toulouse 1960).

[358] Vgl. oben S. 56.

[359] I, 27 f.; auch schon in der 6. Auflage Bd. I, 292: „das umfassende Ursakrament"; man vergleiche *J. Klein*, Kanonistische und moraltheologische Normierung in der katholischen Theologie, Tübingen 1949.

Kirche anführt.[360] Es wird greifbar in der Feier der Eucharistie.[361] Die Elemente der Heilsvermittlung, Wort und Sakrament, sieht er in enger Wechselbeziehung und in ihrer gemeinschafts- und rechtsstiftenden Eigenart.[362] Er hat, gleichfalls in seinem Gliedschaftsartikel, die Unterscheidung zwischen konstitutioneller und tätiger Gliedschaft eingeführt und sie in weiteren Arbeiten ausgebaut.[363] Er möchte ganz allgemein eine konstitutionelle und eine tätige Ordnung in der Kirche unterscheiden. Damit gewinnt, wenn wir das in das Schema des Sakramentsbegriffes einordnen wollen, die Disposition des Empfängers und darüber hinaus die freie Tätigkeit des Glaubenden Bedeutung. In engem Zusammenhang damit steht die Untersuchung der Stellung der Laien in der Kirche[364]. Daneben richtet er sein und seiner Schüler Augenmerk sehr stark auf die hierarchische Struktur der Kirche und auf die Gewaltenlehre. Gegenüber der weitverbreiteten Dreiteilung der Gewalten bei den Dogmatikern greift er entschieden auf die Zweiteilung in Weihe- und Hirtengewalt zurück und weist die Dreiteilung den Ämtern bzw. den Funktionen der Kirche zu. Darüber hinaus zeigt er die innere Zuordnung und wesentliche Verknüpfung der Weihe- und Hirtengewalt auf.[365] Er hat seinen Schüler M. Kaiser ein Thema über die Einheit der Kirchengewalt bearbeiten lassen.[366] Im Zusammenhang damit kann man einige Arbeiten zur Gewaltenteilung bezüglich der Hirtengewalt nennen, in denen er kräftig für die Scheidung von administrativer und richterlicher Gewalt plädiert.[367] Schließlich verfolgt K. Mörsdorf aufmerksam die Entwicklung der

360 Vgl. Art. Kirchenverfassung, in: LThK 6, 274–277.
361 Vgl. noch: Erwägungen zum Begriff und zur Rechtfertigung des Meßstipendiums, in: Theologie in Geschichte und Gegenwart (Festschr. für M. Schmaus), München 1957, I, 103–122; Der Träger der eucharistischen Feier, in: Pro mundi vita, (Festschr. zum Eucharistischen Weltkongreß 1960), München 1960, 223–237.
362 Vgl. I, 28 ff.
363 Die Stellung der Laien in der Kirche: Persona in Ecclesia Christi: AkathKR 131 (1962) 345–393.
364 RDC 10/11 (1960/61) 214–234; Art. Laie, in: LThK 6, 740 f.
365 Vgl. Die Entwicklung der Zweigliedrigkeit der kirchlichen Hierarchie: MThZ 3 (1952) 1–16; Weihegewalt und Hirtengewalt in Abgrenzung und Bezug: MCom 14 (1951) 95–110; Art. Kirchengewalt, in: LThK 6, 218–221; Der Rechtscharakter der iurisdictio foris interni: MThZ 8 (1957) 161–173. Später noch: Einheit in der Zweiheit. Der hierarchische Aufbau der Kirche: AkathKR 134 (1965) 80–88.
366 Die Einheit der Kirchengewalt nach dem Zeugnis des Neuen Testamentes und der Apostolischen Väter (MthSt, Kanonistische Abt. 7), München 1956 (s. § 33 II. 1).
367 De relationibus inter potestatem administrativam et iudicialem in iure canonico, in: Questioni attuali di diritto canonico (AnGr 69), Romae 1955, 399–418; Die Regierungsaufgabe des Bischofs im Lichte der kanonischen Gewaltenteilung, in: Episcopus (Festschr. für M. Kardinal v. Faulhaber), Regensburg ²1949, 257–277; Die kirchliche Verwaltungsgerichtsbarkeit, in: Festschr. für E. Eichmann, Paderborn 1940, 551–591; De sacra potestate, in: Quinquagesimo volvente anniversario a Codice IC promulgato, in: Miscellanea in honorem D. Staffa et P. Felici SRE Cardinalium, Vol. I, Apollinaris 40 (1967) 41–57.

Kodifizierung des ostkirchlichen Rechtes.[368] Neuestens wandte er seine Arbeit auf die weitere Erforschung des Verhältnisses von Primat und Episkopat sowie überhaupt auf das Bischofsamt.[369]

III. G. May und andere Kanonisten, die die Kirche als Ursakrament betrachten

K. Mörsdorf hat wohl 1952 als erster Kanonist den Ausdruck Ursakrament verwendet;[370] nach ihm kann man ihn auch auf die Kirche anwenden, weil sie der fortlebende Christus ist.[371] Dann möchten wir noch einmal *W. Bertrams* nennen, der zwar nicht im Worte, aber der Sache nach diese Konzeption vom Ursakrament entfaltet. Er nennt Jesus Christus das Ursakrament und die Kirche ein Sakrament, das in Analogie zum menschgewordenen Erlöser zu betrachten sei, „ein heiliges Zeichen, das göttliches Leben versinnbildet und bewirkt"[372]. Er folgt damit neben Mystici Corporis H. Dieckmann[373] und H. Keller[374]. Daß *G. Lesage* den Begriff Ursakrament auch schon kennt, erwähnten wir an anderer Stelle.[375]
Der Mainzer Kanonist *G. May*[376], dem man heute gern das Attribut „kon-

---

[368] Patriarch und Bischof im neuen ostkirchlichen Recht, in: Begegnung der Christen (Festschr. für O. Karrer), Stuttgart–Frankfurt/M. 1959, 463–478; Streiflichter zum neuen Verfassungsrecht der Ostkirche: MThZ 8 (1957) 235–254.

[369] Über die Zuordnung des Kollegialitätsprinzips zu dem Prinzip der Einheit von Haupt und Leib in der hierarchischen Struktur der Kirchenverfassung, in: Wahrheit und Verkündigung (Festschr. für M. Schmaus), München–Paderborn–Wien 1967, 1435–1445; Die Unmittelbarkeit der päpstlichen Primatialgewalt im Lichte des kanonischen Rechts, in: Einsicht und Glaube (Festschr. für G. Söhngen), Freiburg–Basel–Wien 1962, 464–478; Die hierarchische Struktur der Kirchenverfassung, in: Seminarium. Studi sui documenti conciliari 2 (1966) 403–416; Die hierarchische Verfassung der Kirche, insbesondere der Episkopat: AkathKR 134 (1965) 88–97; Primat und Kollegialität nach dem Konzil, in: Über das bischöfliche Amt (Veröff. der katholischen Akademie der Erzdiözese Freiburg 4), hrsg. v. *H. Lehring,* Karlsruhe 1966, 39–48.

[370] Zur Grundlegung des Rechtes der Kirche: MThZ 3 (1952) 329–348.

[371] *Mörsdorf* I, 27 f.

[372] Sinn 106.

[373] Cf. Corpus Christi mysticum: ZAM 1 (1926) 125: „sie (die Kirche, d. Vf.) ist Trägerin und Vermittlerin des Lebens Christi, als solche selbst belebt und lebenspendend". Zit. bei *Bertrams,* Eigennatur 539.

[374] Vgl. *H. Keller,* Wandlungen und Mängel kirchlicher Gesetze, in: AnGr 7, Romae 1935, 24: Die Kirche als Rechtsgemeinschaft ist „ganz und gar Funktion, Moment, *Ausdruck und Vermittlung* zugleich ihres ewigen tiefen inneren *übernatürlichen Lebens*". Zit. bei *Bertrams,* Eigennatur 543.

[375] Vgl. oben S. 58, Anm. 335: *G. Lesage* (Nature 49) spricht vom universalen Sakrament: „sacrement universel de la vie divine".

servativ" gibt, hat vor 1962 zwei für unser Thema sehr interessante Arbeiten veröffentlicht.[377] In der einen stellt er das eucharistische Mahl als Realisierung des Wesens der Kirche dar. Dabei greift er zur Bestimmung dieses Wesens auf Überlegungen O. Semmelroths zurück.[378] Er faßt die Kirche, wie schon gesagt, als großes Gnadenzeichen, als Ursakrament auf. Sie ist das Gottesvolk in hierarchischer Ordnung: das äußere Zeichen. Sie ist der mystische Leib Christi und vermittelt ihren Gliedern die Einheit mit Ihm: die innere Gnade. Die Gnade muß in gläubiger Liebe aufgenommen und in Heiligkeit bewahrt werden: die Disposition. Diese Konzeption O. Semmelroths wendet G. May nun speziell auf die Eucharistie an. Im eucharistischen Mahle stellt sich die Kirche eben als Volk Gottes in hierarchischer Gliederung, als Leib Christi und als unbefleckte Braut Christi dar.[379] Die andere Arbeit zeigt die Eigenart des kanonischen Rechtes gegenüber der Rechtsordnung im zivilen Bereich auf.[380]

In einer außerordentlich gründlichen Art hat *M. Useros Carretero*[381] die sakra-

---

[376] *Georg May* ist 1954 promoviert und hat sich 1957 mit der Arbeit Die Infamie im Strafmittelsystem des kanonischen Rechts, München 1957, habilitiert. Er hat seit 1960 den Lehrstuhl für Kirchenrecht in Mainz inne, nachdem er zuvor als Privatdozent in München (1958/59) und als a. o. Professor für Kirchenrecht an der Philosophisch-Theologischen Hochschule Freising (1959/60) tätig war (vgl. AkathKR 129 [1959/60] 324).

[377] Die kirchliche Ehre als Voraussetzung der Teilnahme an dem eucharistischen Mahle (EThSt 8), Leipzig 1960; Das geistliche Wesen des kanonischen Rechts, in: Miscellanea Erfordiana (EThSt 12), Leipzig 1962, 174–202.

[378] Um die Einheit des Kirchenbegriffs.

[379] Ehre 7.

[380] *G. May* hat später aus pastoraler Verantwortung besonders über die Mischehe gearbeitet. Eine zusammenfassende Arbeit ist 1966 erschienen: Das neue Mischehenrecht, Trier. Darin sind die vielen Äußerungen bis zu diesem Zeitpunkt angegeben: Seiten 66 ff. mit den zugehörigen Anmerkungen 179. 182 f. 186 f. 189. 191 f. 194. Er zeigt darin auf, daß die evangelischen Kirchen in Deutschland eine ähnlich exklusive Mischehengesetzgebung haben wie die katholische Kirche (bes. vor 1970), andererseits aber nach dem dogmatischen Kirchenverständnis der Evangelischen einer es eigentlich vor seinem Gewissen verantworten könne, seine Kinder katholisch zu erziehen.

[381] *Manuel Useros Carretero* ist ca. 1922 geboren, studierte in Salamanca Theologie und kanonisches Recht, machte an der Gregoriana den Dr. iur. can. und theol. 1961 begann er als Professor an der Universität Salamanca mit Vorlesungen über Einführung ins Privatrecht und kanonische Prozeßpraxis. 1963 zum Vizedirektor des Pastoralinstituts ernannt, wirkte er dort als Professor für „kanonische Prinzipien der pastoralen Praxis" und „Laienapostolat und kanonisches Recht". Chefredakteur der Zeitschrift für Priester „Incunable" und Vertreter der Universität Salamanca im Verband Propaganda Popular Católica (P. P. C.). Ebenfalls seit dieser Zeit Sekretär des Instituts S. Raimondo de Peñafort. Nach der Verlegung des Pastoralinstituts nach Madrid engagierte er sich ausschließlich dafür (ca. 1969/70). Arbeiten: Aspectos eclesiológicos-canónicos del problema del laicado cristiano: REDC 10 (1955) 606–646; Eclesiología y Estatuto Canónico del Apostolado seglar: Estudios Franciscanos 63 (1962) 195–240 (biogr. und bibliogr. Angaben über *M. Useros* verdanke ich einer Mitteilung von *P. José Maria Soto,* Salamanca).

mentale Struktur der Kirche untersucht, indem er die Reflexion des heiligen Thomas über Kirche und Recht in Parallele mit der modernen Problematik befragte.[382] Er ist der Auffassung, daß der Begriff des Ursakramentes eine gute Handhabe bietet, um die Verbindung der beiden Aspekte der Kirche sichtbar zu machen: Kirche als Organisation und als Organismus, Kirche als Mittel der Erlösung und als Gemeinschaft der Erlösung; zudem gibt er die Möglichkeit, ein vernünftiges Fundament anzuerkennen außer für ein göttliches Recht auch für ein menschliches Recht der Kirche.[383] Er stützt sich, abgesehen von Thomas, besonders auf P. Smulders.[384] Das Neue ist im Vergleich zu den früheren Arbeiten dies: Die Unterscheidung zwischen sacramentum tantum, res et sacramentum und res tantum wird auf die Kirche angewandt. Dabei erscheint als sacramentum das kirchliche Recht bzw. die Rechtsgestalt der Kirche, als res et sacramentum der Kult, als res die innere Gnade, die Gemeinschaft mit dem dreifaltigen Gott, das Pneuma (als Seele der Kirche). Er legt dabei sehr viel Wert darauf, daß im Unterschied zu R. Sohm die Verbindung der Kausalität zwischen Zeichen und sakramentaler Realität betont wird. Damit erst ist die Analogie zur Sakramententheologie gewahrt und die Gefahr einer Trennung zwischen der äußeren Struktur und der Gemeinschaft der Gnade vermieden.[385] M. Useros hat auch später die Grundfragenthematik weiter verfolgt.[386] Der Jesuit *J. Beyer*[387] ist ein Schüler W. Bertrams', ohne ihn zu kopieren. Er

---

[382] *M. Useros Carretero,* „Statuta Ecclesiae" y „Sacramenta Ecclesiae" en la Eclesiologia de St. Tomás (AnGr 119), Romae 1962. Ein Überblick mit den wichtigsten Ergebnissen erschien vorher als Artikel „Statuta Ecclesiae" y „Sacramenta Ecclesiae": REDC 16 (1961) 5–68.

[383] *M. Useros Carretero,* Rez. *Otto Semmelroth,* Die Kirche als Ursakrament (2. Auflage): REDC 16 (1961) 716.

[384] *P. Smulders,* Sacramenten en Kerk.

[385] Vgl. *Useros,* Rez. *Semmelroth* 717.

[386] Über die Pfarrei: La parroquia, tema de la Eclesiología y del Derecho Canónico: REDC 17 (1962) 191–208; Zur Einheit der Kirche: Un nuevo libro de Max Thurian, Teólogo Ecumenista (es handelt sich um L'unité visible des chrétiens et la tradition): REDC 17 (1962) 209–222. Nuevos diáconos? Información y reflexiones sobre el movimiento actual por la renovación del Diaconado, Barcelona 1962; Zur Einheit der Gewalt in der Kirche: Orden y Jurisdicción Episcopal. Tradición teológico-canónica y tradición litúrgica primitiva, in: Iglesia y Derecho 159–193 (auch: REDC 19 [1964] 689–720); vgl. auch Eclesiología del Episcopado a la hora del Concilio: Salmanticensis 9 (1962) 203–229. Über die Anpassung des Rechtes: De iure canonico in vita Ecclesiae eiusque adaptatione sub lumine Legis Novae annotationes: REDC 18 (1963) 659–667, Eine bemerkenswerte Studie zur Bedeutung des Wortes Gottes: La Iglesia, Comunidad de la Palabra a la luz del Vaticano II: Sinite 7 (1966) 3–30.

[387] *Jean Beyer* dozierte zunächst an der Ordenshochschule in Valkenburg. 1959 noch Kanonist in Löwen (Per RMCL 48 [1959] 229), finden wir ihn 1963 auch in Rom an der Gregoriana (PerRMCL 52 [1963] 541). Er hat im wesentlichen Arbeiten zum Themenkreis der weltlichen Institute veröffentlicht.

ist ein hervorragender Fachmann für Ordensrecht. Er hat sich besonders mit den neuen Weltgemeinschaften, den sogenannten Säkularinstituten, befaßt. Für das Kirchenbild, das im Rahmen der ursakramentalen Auffassung liegt,[388] ist vielleicht interessant, daß er den Primat des Lebens vor dem Recht betont[389] aus der Erfahrung dieser neuen Realitäten in der Kirche, in denen das Wirken des Geistes Gottes deutlich wird[390], und daß er eigenartig kräftig eine Neubetonung des Papstamtes voraussagte, wodurch kurioserweise die Arbeiten B. Bottes über die Kollegialität der Bischöfe ausgelöst wurden.[391] Zum Begriff des Laien und des „Weltlichen" trägt er einige Klärungen bei.[392]

Dazu nimmt auch der spätere Bischof von Gerona, *N. Jubany Arnaus,* Stellung. Sein Beitrag auf der VII. Spanischen Kanonisten-Woche behandelt die kanonische Sendung und das Apostolat der Laien.[392a] Er bedient sich ähnlich wie M. Useros Carretero der Begriffe Y. M. Congars von den zwei Aspekten der Kirche, der Kirche als Institution und der Kirche als Gemeinschaft. Wir müssen uns hier ein näheres Eingehen auf die speziellen Fragen wie die nach dem Mandat der Katholischen Aktion, dem Laientum der Mitglieder der weltlichen Institute und dem Apostolat der Laien versagen. N. Jubany, der früher Kanonist am Seminar und Weihbischof von Barcelona war, hat jedenfalls die moderne Theologie aufgegriffen und sieht ebenfalls die Laien als das „priesterliche Pleroma des Bischofs"[392b].

---

[388] Vgl. Die kirchenrechtlich anerkannten Formen des Vollkommenheitslebens: GuL 33 (1960) 291 f.

[389] Vgl. *J. Beyer,* Die Weltgemeinschaften nach dem Kirchenrecht, in: Als Laie Gott geweiht. Theologisches und Kirchenrechtliches zu den Weltgemeinschaften, übertragen und eingeleitet von *H. U. v. Balthasar* (Der Neue Weg, Schriftenreihe für Weltgemeinschaften [instituta saecularia] 3) Einsiedeln 1964, 55. Dieser Artikel stammt aus dem Jahre 1959 und ist der Text eines Vortrages, gehalten anläßlich der 4. Studiensitzung für Kanonisches Recht am 16. 4. 1958 in Paris, Institut Catholique. Er wurde zuerst veröffentlicht in: l'Année Canonique 6 (1959) 19–57.

[390] Vgl. Die kirchenrechtlich anerkannten Formen des Vollkommenheitslebens: GuL 33 (1960) 291 f. 299.

[391] Vgl. *Ch. Moeller,* Die Entstehung der Konstitution, ideengeschichtlich betrachtet, in: Baraúna, De Ecclesia I, 74, Anm. 7.

[392] Vgl. Weltgemeinschaften (s. oben Anm. 389) 10–17.

[392a] La misión canónica y el apostolado de los seglares, in: Potestad 459–526.

[392b] L. c. 470. Hier zitiert der Autor *Johannes Chrysostomos,* In ep. ad Phil., c. 1 hom. 3, 4 (PG 62, 204). Von *N. Jubany Arnau* noch El voto de castidad en la ordenación sagrada, Barcelona 1952; Las conferencias episcopales y el Concilio Vaticano II: Ius Canonicum 5 (1965) 343–365.

IV. T. I. Jiménez-Urresti: erneuter Akzent auf der äußeren Wirklichkeit

In einer ganz anderen Spielform tritt dieses Kirchenbild noch bei T. I. Jiménez-Urresti[393] auf. Wenn er auch später (1965) in dem Artikel Gemeinschaft und Kollegialität in der Kirche durchaus von einem sakramentalen Kirchenbild ausgeht – auf der Grundlage der Konzilskonstitution über die Kirche – so finden wir doch in dem 1962 erschienenen Buch El binomio Primado-Episcopado fast nur gesellschaftliche Aspekte. Er betont dort, daß die Kirche keine absolute Monarchie ist[394] und weist auf die universale Gewalt des Bischofskollegiums und die Bedeutung der Lokalkirche hin. Er vertritt die These, daß die Gewalt des Bischofs sich vom Bischofskollegium herleitet[395] und versucht als Prinzip zur Bestimmung der Gewalt des Papstes seine Funktion als Bewahrer der sichtbaren Einheit heranzuziehen.[396] Im Äußerlichen bleibt die Begründung für die Bedeutung der Einzelkirche: Sie liegt darin, daß sie das „Pleroma" in sich hat, welches in den sieben Sakramenten, der Verbindung mit der ganzen Hierarchie und der rechten Lehre besteht.[397] Damit bleibt er genauso im Äußeren wie R. Bellarmin, dessen Begriff hier deutlich nachklingt. So bildet I. Jiménez-Urresti den Typ eines Kirchenbildes, das zwar im äußeren Bereich neue Akzente setzt, dabei aber ein tieferes theologisches Bewußtsein vermissen läßt.

§ 5 Zusammenfassung

Wir möchten nun eine Zusammenfassung geben, in welcher wir noch einmal die Entwicklung überblicken und die Verbreitung der verschiedenen Kirchenbilder

---

[393] *Teodore I. Jiménez-Urresti* gehört schon einer anderen Generation an. 1924 geboren, 1949 zum Priester geweiht, machte er den Dr. iur. utr. am Lateran und den Lic. theol. an der Gregoriana. Er wurde dann Professor am Diözesanseminar in Bilbao (1956) und Vizegeneralvikar. Er hat das Diplom des „Studio" der Konzils- und der Religiosenkongregation. Er ist überdies vertraut mit den ökumenischen Strömungen unserer Zeit (vgl. Conc 4 [1968] 602; Umschlagzettel hinten in *T. I. Jiménez-Urresti*. El binomio Primado-Episcopado, Bilbao 1962). *T. I. Jiménez-Urresti* veröffentlichte als erstes größeres Werk Estado y Iglesia, Vitoria 1958. Er beschäftigte sich in der Folge mit Grundfragen des Kirchenrechts und speziell mit dem Verhältnis von Primat und Episkopat und mit der Kollegialität: Ciencia y teologia del Derecho Canónico o lógica jurídica y lógica teológica: Lumen (Vitoria) 8 (1959) 140–155; El poder de la Iglesia sobre la potestad del Orden y sobre los Sacramentos a la luz de la lógica canónica: RET 22 (1962) 121–152; La Colegialidad episcopal. Sintesis de exposición doctrinal: Scriptorium victoriense 10 (1963) 177–219; Del Colegio Apostólico al Colegio Episcopal: REDC 18 (1963) 5–43; Gemeinschaft und Kollegialität in der Kirche: Conc 1 (1965) 627–632.

[394] Cf. p. 48.
[395] Cf. p. 77.
[396] Cf. pp. 85. 136.
[397] Cf. pp. 72. 76.

bei den Kanonisten feststellen wollen. Es geht uns hier also nicht um eine Gegenüberstellung der Kirchenbilder selbst in ihrer jeweiligen Eigenart, noch weniger um eine Beurteilung und Wertung, sondern nur um eine kurze Übersicht.

Wir konnten feststellen, daß es im Berichtszeitraum im wesentlichen zwei gut voneinander unterscheidbare Kirchenbilder gibt. Das am weitesten verbreitete ist das Kirchenbild der übernatürlichen, von Christus gestifteten societas perfecta, also einer souveränen Gesellschaft, die in einer gewissen Analogie zur zivilen Gesellschaft eigenes Recht und eigene Autorität hat. Sie ist von Christus begründet worden und hat von ihm eine eigene Zielsetzung erhalten, nämlich, die Menschen zum ewigen Heil zu führen. Daneben gibt es ein zweites, in dem die Kirche mehr oder weniger explizit als Sakrament erscheint, also als Zeichen und Werkzeug einer unsichtbaren Gnade, nämlich einer Gegenwart Gottes und einer Wirksamkeit Christi, des Hauptes der Kirche.[398]

I. Die Verbreitung des societas-perfecta-Bildes

1. Dieses Bild ist das zeitlich frühere. Es war beim Erscheinen des Codex das fast allein verbreitete und blieb bis zum Ende dieser Periode stark vertreten.
2. Es ist besonders im Zentrum der Kirche von den Kanonisten C. Tarquini und F. Cavagnis für das Ius Publicum entwickelt worden. Sie sind in einem gewissen Sinn die Klassiker, von denen alle anderen Kanonisten dieses Kirchenbild übernommen haben.
3. Auf Grund der lateinischen Einheitssprache und infolge der starken Zentralisierung des Studienwesens ist dieses Kirchenbild geographisch gesehen universal verbreitet gewesen. Als fördernder Faktor darf seine große Brauchbarkeit nicht vergessen werden. Es ist sowohl in die verschiedensten lateinisch verfaßten, aber auch in die landessprachlichen Ius-Publicum-Lehrbücher rezipiert worden.

Genauso ist es in die großen und kleinen Kommentare eingegangen. Es wirkt auch in unzähligen Monographien nach.

---

398 *M. Useros Carretero* (Statuta AnGr 352s) hebt die Konzeption vom Ursakrament als Synthese von zwei älteren Strömungen ab, von einem soziologisch-kanonistischen Technizismus und einem kanonistischen Spiritualismus. Mit dem ersten sind mehr oder weniger die Vertreter der societas-perfecta-Lehre gemeint, mit dem zweiten die Evangelischen und jene Katholiken, die einseitig nur den individuellen Heilsfinis in den Vordergrund bringen. *L. de Echeverria* stellt ebenfalls societas perfecta und Ursakrament gegenüber, vgl. Die Theologie des Kirchenrechts: Conc 3 (1967) 603–605.

II. Die Verbreitung des sakramentalen Kirchenbildes

1. Es tauchte zeitlich später auf. Zunächst zeigte es sich in der Form des Leib-Christi-Bildes etwa seit den dreißiger Jahren. Frühe Vertreter sind V. Del Giudice, B. Mathis, A. Hagen, W. Bertrams. Ab etwa 1944 beginnt der Einfluß des Begriffes vom neuen Gottesvolk. Er ist mit dem Namen K. Mörsdorfs besonders verknüpft. In den fünfziger Jahren wird dann die Kirche als Ursakrament gesehen und dieser Begriff in die Kanonistik übernommen. Hieran sind wiederum K. Mörsdorf, aber auch G. May, G. Lesage und M. Useros beteiligt.

2. Von den genannten Kanonisten wirkten schulbildend besonders W. Bertrams und K. Mörsdorf. Als „Schule von Rom" dürfen wir in diesem Sinne W. Bertrams, H. Heimerl, R. Robleda, M. Useros und R. Bidagor nennen, den letzten allerdings als Kollegen, nicht als Schüler W. Bertrams'. Die Münchener Schule K. Mörsdorfs interessiert uns besonders mit dem frühen G. May und M. Kaiser. Es bleibt die Schule von Salamanca zu nennen; hier ist der Einfluß von L. de Echeverría sehr groß, während außer ihm T. García Barberena[399] und M. Useros erwähnt werden müssen. Das sakramentale Bild ist hier allerdings erst gerade um 1960 akzeptiert worden. Der Einfluß dieser drei Schulen wächst ständig.[400]

3. Damit ist auch geographisch ein gewisser Rahmen abgesteckt: Die Schüler K. Mörsdorfs sind nicht nur im deutschen Sprachgebiet verstreut. W. Bertrams wirkt außer durch seine Schüler in vielen Teilen der Welt auch besonders durch seine deutsch abgefaßten Schriften in unserem Raum. In Spanien ist neben dem schon genannten Einfluß der Salmantizenser die stetige Breitenwirkung der von L. de Echeverría veranstalteten Kanonistischen Wochen wichtig geworden, die eine Emanzipierung vom Vorbild der italienischen Laienkanonisten brach-

---

[399] Von *T. Garcia Barberena* ist wohl im Berichtszeitraum noch nichts Wesentliches zu unserem Thema erschienen. Später kam Folgendes: Kollegialität auf diözesaner Ebene: Conc 1 (1965) 632–638; Die Sakramente in der kirchl. Rechtsordnung: Conc 4 (1968) 564–568. *T. Garcia* ist 1911 geboren (nicht 1922, wie in Conc 1 [1965] 637 angegeben), studierte an der Universität Comillas, am Lateran und an der Universität Salamanca. 1947 Dr. iur. can. Zuerst Professor am Seminar in Pamplona, dann Professor für Kirchenrecht in Salamanca (vgl. Conc 1 [1965] 637 und Conc 4 [1968] 568).

[400] *H. Heimerl* (vgl. Das Kirchenrecht im neuen Kirchenbild, in: Ecclesia et Ius 21) spricht sogar von einem Konsens, der bei den Kanonisten wie Dogmatikern immer mehr dahin gehe, das Kirchenrecht in der inkarnatorischen Struktur der Kirche zu sehen. Das setzte ja eine allgemeine Akzeptation der dafür wichtigen Sehweisen voraus: mystischer Leib Christi und Ursakrament.

ten und einen wachsenden Einfluß der französischen und deutschen Dogmatik und Kanonistik.[401]

Dabei ist aber durchaus festzustellen, daß in dem jeweiligen Einflußgebiet durchaus die Vertreter des älteren Kirchenbildes da sind, ja oft die Mehrzahl bilden, und daß im übrigen auch längst nicht alle Schüler eines einflußreichen Lehrers sein Kirchenbild vertreten.

Wir sehen also alles in allem, daß man einerseits nicht sagen kann, das neue komplexe Kirchenbild sei bis 1962 schon von allen Kanonisten angenommen worden;[402] andererseits ist aber auch A. Rouco-Varelas Behauptung etwas eng, (sein Lehrer) K. Mörsdorf sei der einzige, dem der „Einbruch in diese hauptsächlich auf die Konzeption der Kirche als ‚societas perfecta‘ aufbauende Grundlegung des Kirchenrechts gelungen" ist.[403] Damit soll keineswegs das Verdienst K. Mörsdorfs geschmälert werden, doch zeigen Namen wie W. Bertrams und M. Useros, daß bei weitem mehr gearbeitet worden ist.[404] Besonders M. Useros' Arbeit über Thomas[405] verdient u. E. stärkste Aufmerksamkeit gerade wegen der ekklesiologischen Sicht des Kirchenrechts und der glücklichen Zentrierung um die Sakramente.

---

[401] Vgl. *A. Rouco-Varela*, Rezension von Iglesia y Derecho . . .: AkathKR 135 (1966) 639 bis 643; er erwähnt noch Ansätze zu neuen ekklesiologischen Einsichten auf der 10. Spanischen Kanonistenwoche in Pamplona 1964 bei *M. Useros, R. Castillo Lara* und *I. Garcia Barberena*.

[402] Vgl. Anm. 400.

[403] Allgemeine Rechtslehre oder Theologie des kanonischen Rechts?: AkathKR 138 (1969) 101.

[404] Vgl. auch *K. Hofmann*, Die Kirche der freien Gefolgschaft: ThQ 128 (1948) 111: „Das Recht ist in der Kirche gegeben mit dem Kult."

[405] Statuta AnGr.

HAUPTTEIL II

DAS KIRCHENBILD

Das Bild der Kirche als übernatürlicher societas perfecta

Überblick

Im gesellschaftlichen Kirchenbild ist die Auffassung der Kirche als societas perfecta beherrschend. Davon können wir die Definition R. Bellarmins und die Bestimmung der Kirche als Heilsanstalt abheben, auch wenn sich diese verschiedenen Sichten nicht auszuschließen brauchen. Wir möchten den folgenden Abschnitt wie folgt gliedern:

Zunächst stellen wir die grundlegende Kategorie der Gesellschaft dar (§ 6 I); die Kirche ist, vorläufig spezifiziert, eine juridische Gesellschaft (§ 6 II); auf dieser Grundlage lassen sich die kontroverstheologische Definition R. Bellarmins (§ 7) und die Definition der Kirche mittels Finalität und Kausalität als Heilsanstalt (§ 8) erfassen. Ein Vergleich dieser beiden Definitionen (§ 9) geht dem umfassenden und entscheidenden Begriff der vollkommenen oder souveränen Gesellschaft (§ 10) voraus. Die Verwendung einiger Bilder (Leib, Herde, Reich) kennzeichnet das gesellschaftliche Kirchenbild noch deutlicher (§§ 11 bis 13). Mit einer zusammenfassenden Einordnung (§§ 14–16) endet dieser Abschnitt.

Kapitel 1

DIE VERSCHIEDENEN DEFINITIONEN DER KIRCHE

§ 6 Die Kirche als societas

Wenn wir wissen wollen, wie etwa A. Ottaviani, F. M. Cappello o. a. die Kirche sehen, finden wir die ausführlichste und klarste Antwort im Ius Publicum. Dort handeln sie ex professo über den (juridischen) Begriff der Kirche. Darauf verweisen auch die anderen Autoren, wenn sie beiläufig fundamentale Fragen berühren.

Für diese ganze Gattung kanonistischen Schrifttums ist der Begriff der Kirche als übernatürlicher societas perfecta beherrschend. Der Traktat ist im 18. Jahrhundert entstanden.[406] Wir haben uns oben diesen Zweig der Kanonistik schon

---

[406] Das erste Werk dieser Art stammt von *Georges Christoph Neller* (1709–1783), einem Schüler von J. K. Barthel und J. A. v. Ickstatt: Principia IPE, Frankfurt und Leipzig 1746 (nach *Bender* 19).

näher angesehen.[407] Zur Thematik ist zu bemerken, daß die Autoren in Analogie zum Öffentlichen Recht der Staatslehre die Konstitution und die rechtliche Grundlage der Kirche darstellen wollen. Darum benutzen sie die Kategorien des natürlichen bzw. zivilen Rechts.

I. Die Merkmale der Kirche als societas

Das umfassende genus ist die societas[408]. Verschiedene Autoren machen übrigens, bevor sie diesen Begriff auf die Kirche anwenden, darauf aufmerksam, daß sie nur den „rechtlichen Begriff der Kirche"[409] darstellen wollen. In den Begriff der societas, der also zunächst aus dem rein natürlichen Gebiet genommen ist, werden dann die Daten der Offenbarung eingetragen. Eine societas ist „eine Vielzahl von Menschen, die sich aus dem Grunde zusammentun, daß sie sich mit vereinten Kräften Mittel schaffen, um einen bestimmten und gemeinsamen Finis zu erreichen"[410]. So zeigen sich vier Elemente jeder societas: eine Vielzahl von Menschen, ein Finis[411], der sie beseelt, die Mittel, die zur Erreichung des Finis angewendet werden[412] und das Band, das die Menschen vereint, wobei die Autorität eine große Rolle spielt.

Die Vereinigung von Menschen zu dem Ganzen der Kirche resultiert schon aus dem positiven Willen Christi.[413] Er hat aus denen, die ihm während seines irdischen Lebens folgten, zwölf Apostel ausgewählt (vgl. Lk 6, 13)[414] und diese Apostel in die Welt gesandt, wobei er seine Gegenwart bis zum Ende der Welt verheißen hat. Daraus ergibt sich seine Absicht, eben auch diese geeinte Menge von Gläubigen bis zum Ende der Welt zu einer societas zu machen (vgl. Mt 28,

---

[407] Siehe oben § 1 II. 2.

[408] Societas kann mit Gesellschaft und Gemeinschaft übersetzt werden. In der Verbindung mit juridischen Termini steht die Bedeutung Gesellschaft im Vordergrund.

[409] *Hagen*, Prinzipien 7. Dort Anm. 3: „Es dürfte nicht überflüssig sein, zu bemerken, daß hier nur von dem rechtlichen Begriff der Kirche die Rede sein soll." *A. Ottaviani* (I, 141 n. 88) gibt als Überschrift ebenfalls „notio iuridica Ecclesiae" und setzt die Ergebnisse der Fundamentaltheologen voraus (I, 146 n. 91; cf. et. I, 347 n. 208).

[410] *Tarquini* 3 n. 5, nach einer naturrechtlichen Abhandlung: *L. Taparelli d'Azeglio*, Saggio teoretico di diritto naturale, §§ 501 et seq. (Palermo 1841): „Multitudo hominum ea ratione coeuntium, ut collatis viribus sibi media comparent ad certum communemque finem assequendum."

[411] *Cavagnis* I, 25 n. 43: „Finis ... societatis est bonum ad quod consequendum societas formata est." Zum Lehnwort Finis vgl. Anm. 492.

[412] Cf. *Ottaviani* I, 29s n. 15.

[413] Daß die Kirche faktisch eine societas ist, liegt auf der Hand; hier geht es um die rechtliche Grundlage (cf. *Ottaviani* I, 142 n. 89).

[414] Cf. *Cappello*, Summa 77 n. 84; *Ottaviani* I, 144 n. 90.

18 ff.).[415] Für die Kirche als Vereinigung von Menschen zu einem gesellschaftlichen Ganzen werden dann weiter die Lehre und die Praxis der Apostel angeführt (1 Petr 5, 2; Apg 20, 28: Herde, der Hirten vorstehen),[416] sowie der Vergleich mit dem Leib herangezogen. Schließlich bringen auch die Väter ähnliche Vergleiche, wie den mit dem Heer[417], und ebenfalls die mit dem Leib und mit der Herde.[418]

Der Finis ist nach dieser Auffassung das hervorragende Element, weil er der einzelnen societas die wesentlich unterscheidende Prägung gibt. Er bestimmt die Natur der Gesellschaft, ob sie öffentlich oder privat, universal oder partikulär, geistlich oder zeitlich ist. Vom Finis hängt der juristische Status ab: einerseits die innere Organisation und Struktur, auch ihre eventuelle Veränderlichkeit, andererseits der Umfang der Vollmachten der sozialen Autorität. Schließlich bestimmt sich aus dem Finis einer Gesellschaft auch ihr rechtliches Verhältnis zu anderen Gesellschaften.[419] Je höher und umfassender, je vollständiger und vollkommener ihr Finis, desto vollkommener ist auch die Gesellschaft selbst. Der Finis hat eine beherrschende Stellung, weil die beiden ersten Elemente aller Gesellschaften wesentlich gleich sind. Denn es gibt überall eine Mehrzahl von Personen, überall auch das Band, das sie vereinigt, das in der gemeinsamen Erkenntnis des jeweiligen Finis und dem Willen besteht, ihn zu erreichen und gemeinsam zu verwirklichen.[420] Der Finis selbst aber unterscheidet und bestimmt nicht nur die anzuwendenden Mittel, sondern auch die gesamte Eigenart und Struktur der Gesellschaft.[421] Wenn wir uns das klarmachen, dann versteht man, daß mit der einfachen Nennung des Ursprunges und des Finis (ja sogar des Finis allein) im Rahmen dieser Begrifflichkeit alles Entscheidende gesagt ist; wie denn eine der zitierten Definitionen sich darauf beschränkt. Der Kirche ist der Finis gegeben, die Menschen zu heiligen und zum ewigen Leben zu führen.[422]

Als Mittel zur Verfolgung des Finis[423] sind hauptsächlich folgende genannt: Das Glaubensbekenntnis, auch nach außen hin (vgl. Mt 10, 32 f.; Röm 10,

---

[415] Cf. *Cappello*, Summa 78 n. 84; *Ottaviani* I, 144 n. 90.

[416] Cf. *Cappello*, Summa 81 n. 86.

[417] *Cappello*, Summa 82 n. 87. *F. M. Cappello* erwähnt hier *Clemens von Rom*, 1. Brief an die Korinther, Kap. 37 (PG I, 282 f.).

[418] Cf. *Cappello*, Summa 82s n. 87.

[419] Cf. *Ottaviani* I, 37s n. 21.

[420] Cf. *Ottaviani* I, 37 n. 21.

[421] Vgl. unten § 8 II.

[422] Cf. *Cappello*, Summa 78s n. 84; vgl. unten § 8 II.

[423] Einige Autoren sprechen von gemeinsamen Mitteln (*Cavagnis* I, 23 n. 38; *Cappello*, Summa 25 n. 30; p. 79 n. 84; *Sotillo* 21 n. 15s; *Ottaviani* I, 29 n. 15. *L. Bender* (24) macht darauf aufmerksam, daß das falsch ist. Je vollkommener eine Gesellschaft, desto weniger wird der

10),[424] der gemeinsame Gebrauch der Sakramente, die gleichzeitig als äußere Verbindungen und Zeichen der Vereinigung betrachtet werden (Mt 28, 19; 1 Kor 12, 12 f.; Mt 17, 17; 16, 19),[425] die äußeren Beziehungen unter den Christen, die geprägt sein sollen von Liebe und Erbarmen; das ist ja die Bedingung für den Eintritt ins Reich Gottes (Mt 25, 35 ff.)[426] und das Erkennungszeichen der Jünger Christi (Joh 13, 34 f.).[427] Das einigende Band[428] der Kirche ist nach Christi Anordnung hauptsächlich die Autorität, welche die effektive Anwendung dieser Mittel als solcher der societas gewährleistet (Mt 28, 18 ff.; Mt 18, 18; Lk 10, 16; Mt 10, 40; Mt 18, 17; Mk 16, 16).[429]

Für die Autorität stehen nach der Darstellung dieser Kanonisten ebenfalls die Lehre und die Praxis der Apostel: Sie leiten die christlichen Gemeinschaften mit Vorschriften (vgl. Apg 15, 28. 41; 16, 4; 1 Kor 14, 26–40),[430] sie legen Streitigkeiten kraft ihrer Autorität bei (vgl. Apg 15, 5 f.),[431] sie decken verschiedene Mißstände auf und stellen sie ab (vgl. 1 Kor 1–6),[432] diejenigen, „die im Glauben Schiffbruch erlitten haben" (1 Tim 1, 19 f.)[433] oder die sich größerer und öffentlicher Vergehen schuldig gemacht haben, schließen sie von der Gemeinschaft aus (vgl. 1 Kor 5, 1–5).[434] Als Kronzeuge der Väterauffassung wird von

---

gemeinsame Finis mit gemeinsamen Mitteln angestrebt. Ein Professor und ein Omnibusfahrer werden z. B. das Gemeinwohl mit sehr verschiedenen Mitteln verfolgen. Natürlich gibt es häufig eine Gemeinsamkeit der Mittel, doch folgt das noch nicht aus dem Wesen der Gesellschaft (hier ist ein Ansatzpunkt für eine Differenzierung in der Einheit, wie z. B. für eine verschiedenartige Formulierung des Glaubensbekenntnisses in dem einen Glauben an Jesus Christus). Welche Mittel anzuwenden sind, wird durch die Gesetze und Vorschriften der Gesellschaft angegeben. In einer gewissen Weise müssen sie gemeinsam sein, man kann auch sagen, sozial, insofern sie untereinander in einem bestimmten Zusammenhang stehen müssen, so daß sie sich gegenseitig ergänzen (cf. *Ottaviani* I, 34s n. 20; vgl. auch unten zum Bild vom Leibe, § 11).

424 Cf. *Cappello*, Summa 79 n. 84.
425 Cf. *Cappello*, Summa 79 n. 84.
426 Cf. *Cappello*, Summa 80 n. 84.
427 Dafür und für das folgende cf. *Cappello*, Summa 79s n. 84.
428 *F. M. Cappello* ordnet die Elemente etwas anders als *A. Ottaviani*: bei ihm steht unter vinculum unionis nur die Autorität, er bezeichnet aber, wie gesagt, die Sakramente auch als Verbindungen unter den Gläubigen; bei *Ottaviani* I, 144s n. 90 finden wir das dreifache Band der Bellarminschen Definition, Glaube, Sakramente, Leitung.
429 Cf. *Cappello*, Summa 80 n. 84. *L. Bender* (38) bringt dazu Mk 10, 42 ff., wo zwar die Art des Vorstehens im Dienen verankert, aber auch echte gesellschaftliche Autorität vorausgesetzt wird
430 Cf. *Cappello*, Summa 82 n. 86; er setzt hinzu: passim in den apostolischen Briefen.
431 Cf. *Cappello*, Summa 82 n. 86.
432 Cf. *Cappello*, ib.
433 Cf. *Cappello*, Summa 82 n. 86.
434 Cf. *Cappello*, ib. *Ottaviani* I, 157s n. 101 verweist auf seine ausführlichen Belege in den Spezialkapiteln über die richterliche (I, 232s n. 146) und die Zwangsgewalt (I, 264–266 n. 166) der Kirche.

F. M. Cappello Ignatios von Antiocheia zitiert[435]: „Folget alle dem Bischof, wie Jesus Christus dem Vater, und dem Presbyterium wie den Aposteln; vor den Diakonen aber habet Ehrfurcht wie vor Gottes Gebot. Niemand verrichte kirchliche Dinge ohne den Bischof … Wo der Bischof sich zeigt, da soll auch die Gemeinde sein, wie da, wo Christus Jesus ist, auch die allgemeine Kirche ist."[436]

Aus all diesen Tatsachen leitet man ab, daß die Kirche eine wahre, äußerlich sichtbare societas ist. Dies wird gegenüber den Protestanten betont, welchen vorgeworfen wird, sie verwärfen jede Sichtbarkeit der Kirche. Nach ihnen sei sie auf Grund der Stiftung Christi eine unsichtbare Gemeinschaft der Gläubigen, das heißt der Heiligen, die allein Gott kennt (M. Luther) oder der Prädestinierten (J. Calvin). Die Christen seien zwar zu gewissen societates vereinigt, doch seien diese nicht eigentlich Kirchen Christi.[437] Dagegen also wird immer wieder sehr stark betont: Nicht nur die Menschen der Kirche, sondern auch das ganze Leben der Kirche, – von seiten der Vorsteher das Predigen, Dienen, Leiten, von seiten der Untergebenen das Bekenntnis des Glaubens, der Empfang der Sakramente, der Gehorsam – ist sichtbar und tritt nach außen in Erscheinung. Darin liegen die gemeinsamen Mittel und die dreifache Verbindung untereinander begründet. Auch die Vergleiche mit der Herde, dem Körper, der Familie, dem Staat, dem Reich sprechen von dieser Sichtbarkeit, die letztlich schon darin wurzelt, daß die Kirche die sichtbare und greifbare Sendung Christi fortsetzt.[438]

II. Die Kirche als juridische Gesellschaft[439]

Eine juridische Gesellschaft ist „eine Gesellschaft, die aus Menschen besteht, die zur Erreichung des Finis der Gesellschaft durch das Leben in der Gesell-

---

[435] *Cappello*, Summa 83 n. 87. *Ottaviani* hat hier (cf. I, 158–161 n. 102) eine lange Reihe anderer Kirchenväter.

[436] Ep. ad Smyrn. VIII, 1s; Übersetzung nach *L. A. Winterswyl*, Die Briefe des Hl. Ignatius v. Antiochien, Freiburg i. Br. ³1942, 49.

[437] Cf. *Cappello*, Summa 118 n. 127; cf. *Cavagnis* I, XXII–XXVII nn. X–XXI.

[438] Cf. *Cappello*, Summa 79 n. 84; p. 83s n. 88.

[439] Nahezu die gleiche Bedeutung hat die häufig vorgebrachte und stark diskutierte These, daß die Normen und Canones der Kirche juridischen Charakter tragen. Im strikten Sinn ist das nur eine Aussage über die Rechtsordnung der Kirche; da wir aber der Auffassung sind, daß die Kirche sich nicht real von ihrer juridischen Ordnung unterscheidet, sondern daß diese schon als 1 zugleich mit der Kirche als Institution und religiös finalisiertem Sozialkörper gegeben ist, darum können wir hier abkürzend auch die Argumente für die Juridizität der kanonischen Ordnung als Argumente für die Juridizität der Kirche referieren (cf. *C. Jannaccone*, La personalità giuridica della Chiesa, in: Studi in onore di V. Del Giudice, Milano 1953, 469; vgl. *Stickler*, Mysterium 574. 627 f.; vgl. *Bertrams*, Eigennatur 544).

schaft bzw. durch rechte Anwendung der Mittel, die in den Regeln der Gesellschaft angegeben sind, durch juridische Verpflichtung gehalten sind"[440]. Unter einer juridischen Verpflichtung versteht man eine moralische Verpflichtung bei Handlungen, auf die andere einen Anspruch haben.[441] Nicht alle Normen, welche die gegenseitigen Beziehungen zwischen den Menschen regeln, sind juridische Normen; es gibt auch rein ethische oder moralische Normen, die als Objekt Akte anderer Tugenden als der Gerechtigkeit haben, wie die Freigebigkeit, die Güte oder die Freundesliebe.[442] So unterscheidet man juridische und freundschaftliche[443], nicht juridische[444] societates. In den ersten hat die Gesellschaft ein echtes Recht gegenüber den Gliedern und diese sind wirklich so gebunden, daß sie zum Gehorsam strikt verpflichtet sind.

Nach dem Gesagten könnte es schon selbstverständlich erscheinen, daß diese Voraussetzung bei der Kirche gegeben ist, doch wird das von verschiedenen Seiten bestritten. Hier werden zunächst noch einmal die schon genannten Gegner der Sichtbarkeit erwähnt.[445] Eine andere Gruppe von Protestanten meint, Christus habe zwar eine religiöse Gemeinschaft gegründet, ohne jedoch ihre Verfassung näher zu bestimmen.[446] Wieder andere erkennen eine gewisse göttlich gestiftete Hierarchie an.[447] Die juridische Struktur der Kirche wird auch von den liberalen Katholiken angegriffen. Auch sie fassen die Kirche als eine Art Gesellschaft auf, sie erkennen ihre Übernatürlichkeit, Notwendigkeit und Einzigkeit an, doch bestreiten sie ihr die echte Gewalt gegenüber den Untergebenen; sie könne nur mahnen, raten und die Untergebenen entsprechend

---

[440] *Bender* 39 (cf. *Ottaviani* I, 39 n. 22; p. 143 n. 90; *Cappello*, Summa 28 n. 32): Societas juridica est „societas, quae constat hominibus, qui ad finem societatis attingendum ipsa vita in societate seu recta applicatione mediorum quae in societatis regulis indicantur, tenentur *obligatione juridica*".

[441] *Bender* 41: „Notatur obligationem moralem in actibus aliis debitis esse obligationem iuridicam, quia ius sive iustum est id quod est *moraliter* bonum et obligatorium proprie ut debitum alteri (cfr. S. Th. II. II. q. 57, a. 1)."

[442] Cf. *Bender* 26. *M. Conte a Coronata* (p. 48 n. 40) spricht etwas mißverständlich von „iura mere ethica"; *R. Sotillo* (p. 25 n. 18) von „anderen ethischen Bindungen" („aliis vinculis ethicis").

[443] *Bender* 25.

[444] *Cappello*, Summa 28 n. 32; er meint, es könne außer dem juridischen oder freundschaftlichen Band auch noch etwa ein wissenschaftliches, literarisches o. ä. Band geben.

[445] Vgl. oben S. 76 (cf. *Ottaviani* I, 142s n. 89).

[446] *Ottaviani* I, 143 n. 89 verweist auf *E. D. Morris*, Ecclesiology 29s; *P. Schaff*, Creeds, New York and London 1905, 512.

[447] *Ottaviani* I, 143 n. 89 verweist auf die Puseisten und Ritualisten; cf. *Ph. E. Pusey*, The council of the Church, Oxford 1857.

ihrem freien Willen leiten, höchstens ihre Gewalt im Gewissensbereich ausüben.[448]

Gegen alle diese Auffassungen begründet diese Gruppe von Kanonisten die Juridizität der Kirche in mehrfacher Weise. Ein Argument stützt sich auf die Wichtigkeit des Finis der Kirche. Eine Gesellschaft, die als ihr ureigenes Ziel das absolut letzte der Menschen hat, kann nicht auf rein freundschaftlicher Basis begründet sein. L. Bender betont, daß ja in der Kirche ihr guter Zustand von der Lebensweise aller Glieder abhängt; darum kann bei ihrer Wichtigkeit die rechtliche Verpflichtung nicht fehlen. Wenn schon im Staate, der doch im Vergleich zur Kirche ein weniger wichtiges Ziel verfolgt, eine juridische Verpflichtung vorliegt, muß das bei der Kirche a fortiori so sein.[449] Ähnlich schließt die Argumentation aus der Notwendigkeit der Kirche. Wenn die Mitglieder den Zweck nur erreichen können, indem sie in die Gesellschaft eintreten, dann sind sie mit der gleichen Notwendigkeit wie an den Finis auch an die Gesellschaft selbst gebunden. Folglich ist sie eo ipso juridisch.[450] L. Bender gibt dieser Argumentation eine für ihn charakteristische Wendung. Er faßt die Gesamtheit der Mitglieder der Kirche ins Auge und greift auf die wesentlichen Kennzeichen des Rechtsbegriffes zurück. Er zieht aus der Tatsache, daß alle Menschen zum Streben nach dem Heile verpflichtet sind, die Folgerung, daß sie auch das Recht dazu haben. Dieses Recht bezieht sich sachlich auf die notwendigen Mittel. Diese sind praktisch in hinreichender Weise nur in der Kirche vorhanden, unter der Voraussetzung, daß in ihr das übernatürliche soziale Leben floriert. Das Recht richtet sich an alle anderen Glieder der Kirche, die dazu beitragen müssen, dieses soziale Leben aufrechtzuerhalten, und es nicht stören dürfen. Alle Glieder stehen also unter dem Rechtsanspruch aller anderen einzelnen auf die zum Streben nach dem Heile notwendigen Mittel, unter einem Rechtsanspruch, der vor allem durch die Träger der Autorität vermittelt, das heißt in sachgerechte Normen ausgeprägt wird.[451] Auch wenn man zum positiven Willen Christi

---

[448] Cf. *Ottaviani* I, 143 n. 89; vgl. *K. Hofmann*, Kirche der freien Gefolgschaft? ThQ 128 (1948) 110–117.

[449] Cf. *Bender* 42.

[450] Cf. *Cappello*, Summa 89 n. 92. *C. Jannaccone* (Personalità 475) führt für die Juridizität der kanonischen Ordnung ebenfalls die Notwendigkeit der Kirche an, legt jedoch den Akzent auf die subjektive Seite, weil Menschen überzeugt sind, daß für die Erreichung der geistlichen Vollkommenheit etc. – ein wesentliches Bedürfnis des Menschen – die Kirche notwendig ist, und weil ihnen klar ist, daß dazu wie bei jedem menschlichen Zusammenleben Regeln beobachtet werden müssen, darum bekommen für sie diese Normen verpflichtende Kraft; es ist ein moralischer Zwang, in welchem die Juridizität liegt.

[451] Cf. *Bender* 39ss. Ganz ähnlich argumentiert *P. Ciprotti* (Cf. *P. Ciprotti*, Il fine della chiesa e il diritto: Archivio di diritto ecclesiastico 4 [1962] 38s). Er stellt fest, daß die Menschen nicht nur in ihrer eigenen Neigung zum Bösen ein Hindernis für ihr Heilsstreben haben, sondern auch in den Handlungen des Mitmenschen, genauso wie aus dem eigenen Herzen

rekurriert, erkennt man aus der Heiligen Schrift, daß Christus den Aposteln und ihren Nachfolgern das Lehr-, Heiligungs- und Leitungsamt und eine sehr weitgesteckte Binde- und Lösegewalt, d. h. eine echte Jurisdiktion oder Herrschaft gegeben hat. Der Empfang der Taufe und die Unterwerfung unter die kirchliche Ordnung ist sogar bei ewiger Strafe geboten: „Wer glaubt und sich taufen läßt, wird gerettet werden; wer aber nicht glaubt, wird verdammt werden."[452]

Im Zusammenhang mit der nächsten These, daß die Kirche ihre Autorität nicht vom Staat verliehen erhält, werden viele Vätertexte, die Praxis der Apostel, die beständige Handlungsweise der Kirche, ihr Lehramt und die Äußerungen christlicher Kaiser zu dieser Frage angeführt. Als Kirchenvater mag hier stellvertretend Athanasios zu Worte kommen: „Wenn das also eine Entscheidung der Bischöfe ist, was geht das den Herrscher an? Wenn es Drohungen der Herrscher sind, wozu brauchen die Menschen die Bischöfe damit zu befassen? Wann hat man jemals in der Geschichte so etwas gehört? Wann hat je ein Dekret der Kirche vom Herrscher seine Autorität empfangen, oder wann hat jemals jenes als Dekret gegolten?"[453] Was die Praxis der Apostel angeht, steht fest, daß sie niemals die Erlaubnis der Synagoge zum Predigen eingeholt, vielmehr oft im Widerspruch zu ihr das Evangelium verkündet haben. Genauso war es gegenüber den Machthabern des ganzen Erdkreises. Die Praxis der Kirche weist auf den gleichen Sachverhalt. Es ist doch Tatsache, daß die Kirche durch drei Jahrhunderte hindurch verfolgt wurde, daß sie z. B. im Investiturstreit hart um ihre Selbständigkeit gerungen hat. Überhaupt haben die Apostel von Anfang an Jurisdiktion ausgeübt, Gesetze und Vorschriften gegeben, z. B. beim Jerusalemer Konzil (vgl. Apg 15, 28 f.),[454] sie haben Gericht gehalten und Schuldige in die Schranken gewiesen (vgl. 1 Kor 5 f.).[455] Schon allein auf Grund der Verjährung ist darum die Vollmacht der Bischöfe juridisch.[456] Eine ganze Reihe von kirchlichen Lehräußerungen bestätigt dieses Selbstverständnis der Kirche als

---

wie auch von den anderen Hilfe dazu kommen kann. Der Fremdeinfluß geht zwar nie so weit, daß er den Menschen festlegt, d. h. zwangsweise zum Guten oder Bösen bestimmt. Doch genügt die Einflußmöglichkeit, um die innere Begründung der potestas jurisdictionis in foro externo zu geben.

[452] Mk 16, 15; Mt 10, 14. 15. 40; 16, 16 ff.; 28, 19; Lk 10, 16; Joh 3, 5; 20, 21. Cf. *Cappello*, Summa 88s n. 91; cf. *Ottaviani* I, 145 n. 90.

[453] *Athanasios*, Hist. arian. ad monach. n. 52; PG 25, 755; siehe auch *Gregor der Große*, Or. 17 ad civ. Naz., c. 8; PG 35, 975; *Gelasius*, Ad Imp. Anast.; PL 59, 42; *Johannes von Damaskus*, Or. 2. de imag. n. 12; PG 94, 1295; *Ambrosius*, epist. 20 n. 19; PL 16, 999 (in den Angaben der Fundstellen bei *Cappello*, Summa 95s n. 99, dem wir die Vorweise entnommen haben, sind bei allen Mignestellen Fehler).

[454] Cf. *Sotillo* 76 n. 113.

[455] Cf. *Sotillo* ib.; cf. *Cappello*, Summa 160 n. 161.

[456] Cf. *Sotillo* 76 n. 113; cf. *Cappello* 37 n. 101.

einer juridischen Gesellschaft, angefangen von der Konstitution Johannes' XXII.
Licet vom 23. 10. 1327 gegen die Irrtümer des Marsilius von Padua bis zu den
wiederholten Aussagen des CIC.[457]

Zusammenfassend läßt sich sagen:

Nach der Auffassung dieser Kanonisten ist die Kirche aufgrund ihrer eingestifteten Eigenart, nicht aufgrund staatlicher Anerkennung oder gar Bevollmächtigung, eine juridische Gesellschaft.[457a] Wie schon die sozialen Beziehungen in ihr
allgemein rechtlich strukturiert sind, so ist insbesondere die Bindung an die
Träger der Autorität rechtlicher Art.

§ 7 *Die kontroverstheologische Definition R. Bellarmins*

R. Bellarmin bezeichnet die Kirche als „die Vereinigung der Menschen, die
durch das Bekenntnis des gleichen christlichen Glaubens und die Gemeinschaft
der gleichen Sakramente verbunden sind unter der Leitung der rechtmäßigen
Hirten und besonders des einen Stellvertreters Christi auf Erden, des römischen
Papstes".[458] Diese Definition gibt zweifellos den Tenor an, auf den die gesamte
Ekklesiologie der Zeit vom Ende des 16. Jahrhunderts bis zum Vaticanum I
gestimmt war.[459] Sie wird von den Kanonisten deshalb oft an den Anfang ihrer
Ausführungen gestellt; doch finden wir außer bei B. Panzram[460] keine ausführliche Exegese dazu. Er stellt fest, daß sie, wie schon die Fundstelle sagt, kon-
troverstheologischen Charakter hat. Sie geht im ersten Teil mit dem Sprachgebrauch der Reformatoren einig: Nach der Confessio Augustana ist die Kirche
die „Versammlung der Heiligen, in der das Evangelium recht gelehrt und die
Sakramente recht verwaltet werden"[461]. Der Heidelberger Katechismus spricht
wie R. Bellarmin von „coetus"[462]. So ist also der erste Teil der Definition so

---

[457] Cf. cc. 1322 § 2; 1495 § 1; 1496; 2214 § 1 (nach *Cappello,* Summa 95–99 nn. 99–103).
[457a] Cf. *Ottaviani* I, 198s n. 127.
[458] De controversiis christianae fidei II, De Eccl. militante III, c. 2 (ed. Sforza, Napoli 1872):
Dicimus Ecclesiam esse „coetum hominum eiusdem christianae fidei professione et eorun-
dum sacramentorum communione colligatum sub regimine legitimorum pastorum ac praecipue unius Christi in terris Vicarii, Romani Pontificis". Diese Definition geben *Cappello,*
Summa 75 n. 81; *Ottaviani* I, 141 n. 88; *Sägmüller* 6; *Koeniger* 2; *Naz-Fogliasso* im DDC
V. 158; *Brys* I, 68 n. 127; *Hilling,* Personenrecht 2; *Panzram,* Kirchenbegriff 189; *Bertola*
93s; *Montero,* Derecho comparado 2s; *Wernz–Vidal* I, 14; *Ciprotti,* Lezioni 16 n. 14. In
allen Fällen finden wir jedoch kleinere oder größere Abweichungen im Wortlaut. Vgl. noch
aus früherer Zeit *F. X. Wernz,* Ius decretalium, Romae 1905, ²I, 13; *J. Haring,* Grundzüge
des katholischen Kirchenrechts, Graz ²1916, 39.
[459] Cf. *Munier,* Église 602.
[460] Für das Folgende vgl. *Panzram,* Kirchenbegriff 188 ff.
[461] Art. 7: „Congregatio sanctorum, in qua evangelium recte docetur et recte administrantur
sacramenta."
[462] „coetus ad vitam electus", Heidelberger Katechismus 54. Frage, der 21. Sonntag.

vorsichtig formuliert, daß er auch die Billigung der Reformatoren finden konnte. Dann erst fügt R. Bellarmin das für die katholische Kirche wichtige Unterscheidungsmerkmal hinzu, die hierarchische Leitung durch die rechtmäßigen Hirten und durch den Stellvertreter Christi, den Papst in Rom. B. Panzram macht nun darauf aufmerksam, aus dem Zusammenhang des Textes bei R. Bellarmin ergebe sich, er habe bei dieser Definition das Kirchenvolk vor Augen gehabt und er sage selber, daß sich „aus dieser Definition leicht erkennen läßt, welche Menschen zur Kirche gehören und welche nicht". So gibt sie ein Kriterium für die Unterscheidung der Zugehörigkeit zur Kirche.[463] Im übrigen beschränkt sich die Definition dabei auf die wesentlichsten äußeren Merkmale[464] und verschweigt die Offenbarungstatsachen (Gründung durch Christus, Einsetzung der Sakramente und ewiges Ziel der Kirche).

Interessant sind nun einige Modifikationen dieser Definition. Vielfach wird der coetus zu einer societas (A. Bertola, C. Jannaccone, F. X. Wernz – P. Vidal). Bisweilen wird schon die Einsetzung durch Christus erwähnt (F. X. Wernz – P. Vidal). Einige präzisieren die Menschen in der Kirche als Getaufte (A. M. Koeniger, A. Bertola, F. X. Wernz – P. Vidal), andere als die, welche das Reich Christi[465] bzw. das Reich Gottes (C. Holböck) auf Erden bilden. A. Ottaviani möchte den Finis hinzufügen, darum verdeutlicht er hominum durch viatorum (im Pilgerstand). Auch A. Bertola fügt den Finis ein. Die Sakramente werden zu Gnadenmitteln (A. M. Koeniger). N. Hilling weist in seiner Erklärung darauf hin, daß R. Bellarmin die organische Einheit und Verbindung durch den gleichen Glauben, die gleichen Sakramente und die Unterordnung unter die gleichen Hirten sehr gut zum Ausdruck bringe. A. M. Koeniger nimmt wohl deswegen den Ausdruck vom dreifachen Band gleich in die Definition auf und A. Bertola zielt darauf hin, indem er von dem Bande der gegenseitigen Gemeinschaft der geistlichen Güter spricht.[466] R. Naz – E. Fogliasso und A. Ber-

---

463 *B. Panzram* (Kirchenbegriff 208) zitiert *R. Bellarmin* nach *C. Mirbt,* Quellen zur Geschichte des Papsttums und des römischen Katholizismus, Tübingen ⁵1934, 361 Nr. 504, 4. Über die Zugehörigkeit zur Kirche vgl. unten §§ 30 und 31.

464 *R. Bellarmin* macht selbst auf diese Eigenart seiner Definition aufmerksam. Er unterscheidet mit Augustinus Leib und Seele der Kirche, wobei die inneren Gaben des Heiligen Geistes Glaube, Hoffnung und Liebe die Seele bilden, und sagt: „Unsere Definition umfaßt also nur diese letzte Existenzweise in der Kirche (Zugehörigkeit zum Leibe), weil mindestens diese erforderlich ist, damit man von jemandem sagen kann, er sei ein Teil der sichtbaren Kirche." (De controversiis christianae fidei II, de Eccl. milit. III, c. 2: „Definitio igitur nostra solum comprehendit hunc ultimum modum existendi in Ecclesia, quia hic requiritur ut minimum ut quis possit dici pars visibilis Ecclesiae.")

465 Cf. *Cappello,* Summa 75 n. 81; er scheint von der Konzeption Pius' XI. beeinflußt zu sein.

466 „vinculo mutuae communionis bonorum spiritualium coniuncti". Er folgt übrigens *P. Gasparri,* Catechismus Catholicus, XIV. ed. Romae 1933, q. 133; bonorum spiritualium stammt von *A. Bertola;* darin zeigt sich eine Spiritualisierung der communio in der Kirche.

tola führen überdies für den Ausdruck Leitung den anderen von der Autorität ein. Alle die genannten Modifikationen lassen sich leicht vom Schema der Sozialphilosophie her begreifen, für welche bei einer societas vier Punkte gegeben sind: eine Vielzahl von Menschen, ein gemeinsamer Finis, die Mittel, um ihn zu erreichen und das Band, das die Menschen vereint, einschließlich der Autorität. A. Ottaviani weist denn auch ausdrücklich darauf hin.[467] Darüber hinaus erinnert A. M. Koeniger, der in seinem Lehrbuch mit einem geschichtlichen Überblick beginnt, daran, daß Papst und Bischöfe Nachfolger Petri und der übrigen (!) Apostel sind, indem er diese Tatsache in die vorliegende Definition einfügt. Wir sehen, daß hier schon alles auf die beherrschende Definition der Kirche als souveräner Gesellschaft hinzielt. Dem entspricht, daß A. Bertola in die Definition P. Gasparris (societas visibilis) noch das Prädikat perfecta einfügt und daß der Faktor der Autorität ganz allgemein stärkstes Interesse findet (vgl. N. Hilling, A. M. Koeniger).

Andererseits klingt schon der Begriff der Heilsanstalt an, den z. B. N. Hilling in die Bellarminsche Definition einfügt.[468] Von dieser ist es auch nicht weit zu der Dreiteilung der Funktionen der Kirche, die analog zu der Dreizahl der Ämter Christi gesehen wird.[469]

Beide Linien sind bei E. Eichmann angedeutet, der die Kirche als Lehr-, Heils- und Rechtsanstalt qualifiziert.[470]

Wir können also feststellen: Die Bellarminsche Definition ist im gesellschaftlichen Kirchenbild durchaus beherrschend, sie wird aber mehr oder weniger auf die sozialphilosophischen Kategorien hin umgeformt.

§ 8 *Die Kirche als Heilsinstitution*

Eine weitere Definition der Kirche faßt ihre Stiftung durch Jesus Christus ins Auge und gibt den Finis an:

Die Kirche ist „die Gesellschaft, welche von Christus dem Herrn gestiftet ist, damit in ihr und durch sie ausschließlich die Menschen das ewige Heil erlangen".[471] In dem Fachausdruck Heilsanstalt[472] ist das Typische dieser Definition

---

467 Cf. *Ottaviani* I, 141 n. 88.

468 Er hebt dadurch den Anstaltscharakter der Kirche hervor; bei *R. Bellarmin* steht dagegen für ihn der Körperschaftscharakter im Vordergrund (Personenrecht 3; vgl. unten S. 92).

469 Cf. *Lesage*, Nature passim; theologiegeschichtlich grundlegend ist *J. Fuchs*, Magisterium, Ministerium, Regimen. Vom Ursprung einer ekklesiologischen Trilogie, Bonn 1941.

470 Vgl. *Eichmann* I, 6.

471 *Cappello*, Summa 76 n. 81: Ecclesia „Brevius definitur: *Societas a Christo D. instituta, ut in ea et per eam exclusive homines vitam aeternam consequantur.*"

ausgesprochen.[473] Sie stammt schon von F. Cavagnis und C. Tarquini.[474] Wir möchten wegen gewisser Assoziationen den Ausdruck Heilsinstitution vorziehen, der sich enger an das Lateinische anlehnt und für unser heutiges Verständnis genau das mit Anstalt Gemeinte benennt. Auch diese Definition wird z. T. modifiziert;[475] so fügt A. Ottaviani der Gesellschaft gleich das Prädikat juridisch, C. Holböck das Prädikat vollkommen und M. Conte a Coronata beide hinzu. N. Hilling erweitert R. Bellarmins Definition zu einer Definition der Heilsanstalt. Man sieht wiederum die prägende Kraft der Konzeption von der souveränen Gesellschaft. In einer sehr charakteristischen Weise entwickelt B. Panzram einen kanonistischen Kirchenbegriff. Wenn man ihn auch nicht ganz einseitig in die Gruppe der Kanonisten einreihen kann, die ein juridisches Kirchenbild haben, so kommen doch in seiner Definition von 1953 mit großer Klarheit die Elemente der Heilsinstitution zur Darstellung: „Die Kirche ist die sichtbare, auf das Fundament des Papsttums gegründete, ständisch und hierarchisch gegliederte Einrichtung, die von dem Gottmenschen Jesus Christus geschaffen und mit den notwendigen Mitteln – insbesondere den Sakramenten – ausgerüstet worden ist, um unter dem dauernden Beistand des Heiligen

---

472 Es ist interessant, daß im vorigen Jahrhundert das Wort Heilsanstalt ein Tun Gottes bzw. Christi im Sinn etwa von Veranstaltung bezeichnete und in der Mehrzahl verwendet wurde, vgl. *J. S. v. Drey*, Art. Kirche, christliche in: *H. J. Wetzer – B. Welte*, Kirchen-Lexikon, Freiburg/Br. [1]1951 Bd. 6, 104: In der Kirche „. . . werden die Heilsanstalten durch die sie vermittelnden heiligen Handlungen erhalten . . .“; *A. Müller*, Lexikon des Kirchenrechts und der römischen katholischen Liturgie, Würzburg [2]1838, Bd. 2, 354: „Gnaden- und Heils-Anstalten“.

473 Vgl. *Hilling*, Personenrecht 3; *Eichmann* I. 6; *Ebers* 2. 4. Es ist auffallend, daß das Stichwort Heilsanstalt in den großen Lexika fehlt: Es wurden verglichen Allgemeines Kirchen-Lexikon (hrsg. von *J. Aschbach*) 3. Bd. Mainz 1850; Handlexikon der katholischen Theologie (hrsg. von *J. Schäfler*) 2. Bd. Regensburg 1883; *H. J. Wetzer – B. Welte*, Kirchen-Lexikon, 4. Bd. Freiburg/Br. 1850; Kirchliches Handlexikon (hrsg. von *M. Buchberger*) 1. Bd. München 1907; StL[5], 2. Bd.; LThK (hrsg. v. *M. Buchberger*) 4. Bd. Freiburg/Br. [1]1932; LThK (2. Aufl.) 5. Bd.; Der Neue Herder von A bis Z (Verlag Herder, Freiburg/Br.) 1. Bd. Freiburg/Br. 1951; Herders Konversationslexikon (Verlag Herder, Freiburg/Br.) 4. Bd. Freiburg/Br. [3]1905; Meyers Lexikon (Bibliographisches Institut, Leipzig) 5. Bd. Leipzig [7]1926; ECatt VII, Roma 1951. Vgl. aber *H. Simar*, Lehrbuch der Dogmatik Bd. 2, Freiburg/Br. [4]1899, 667; *J. B. Haring*, Grundzüge des Kirchenrechts, Graz [2]1916, 38.

474 *F. Cavagnis* (I, 109 n. 199) hat die gleiche Definition, nur statt „vitam aeternam“ „salutem aeternam“. *C. Tarquini* schreibt (p. 30 n. 41): „. . . *Ecclesiam Christi esse societatem ab ipso Christo Deo ita institutam, ut proprius eiusdem finis sit adeptio vitae aeternae, atque ita proprius, ut extra eam acquiri illa nullatenus possit, res est inter catholicos divina fide certissima.*“ Es ist nicht gelungen, eine etwaige frühere Quelle für diese Definition festzustellen, obwohl ziemlich alle Dogmatiklehrbücher des vergangenen Jahrhunderts durchgesehen wurden.

475 Weitere Fundstellen: *Ottaviani* I, 148 n. 93; *Holböck* I, 45; *Michiels* I, 1, 174; *Hilling*, Personenrecht 3; *Conte a Coronata* 45 n. 38; *Sotillo* 69 n. 102.

Geistes die geoffenbarten Glaubenswahrheiten gewissenhaft zu bewahren und in aller Welt zuverlässig zu verkünden und um die in sie aufgenommenen Menschen aller Zeiten und Länder zu leiten, damit diese in gehorsamer Unterordnung unter den Papst als Stellvertreter Christi und unter die Bischöfe als Nachfolger der Apostel die für sie bereitgehaltenen Heilsmittel gebrauchen, um das von Gott gewollte Ziel der Heiligung und Beseligung zu erreichen." B. Panzram definiert sofort anschließend die Kirche noch kürzer „als die von Jesus Christus für die Menschen aller Zeiten und Länder gestiftete ständisch und hierarchisch gegliederte Heilsanstalt."[476]

I. Die Gründung durch Jesus Christus

Die Gründung durch Jesus Christus wird erwähnt, um das Mißverständnis auszuschließen, die Kirche habe ihren Ursprung aus dem Naturrecht oder aus menschlichem Recht; sie existiert ja auf Grund positiven göttlichen Rechtes.[477] Christus hat als Erlöser während seines Erdenlebens direkt und unmittelbar[478] selbst die Kirche bzw. sein Reich gegründet, indem er eine besondere Gemeinschaft[479] von Menschen stiftete, die er als Glieder einer neuen Gesellschaft und Bürger seines Reiches bezeichnete.[480] Wir erwähnten schon oben diese Argumente, als wir von dem Gesellschaftscharakter der Kirche sprachen.[481] Es wird auf die Wahl der Apostel (Lk 6, 13; vgl. Mk 3, 13 f.)[482] und ihre Aussendung in die Welt verwiesen (vgl. Mt 28, 18 f.)[483] Die Verheißung des Beistandes bis zum Ende der Welt läßt auf die von Christus beabsichtigte Dauerhaftigkeit seiner Stiftung schließen (vgl. Mt 28, 20).[484]

Das ist die Gründung der Kirche ganz im allgemeinen. Darüber hinaus wird nun für die einzelnen Strukturen und Elemente der Kirche immer wieder auf den positiven Willen Christi verwiesen, durch den sie festgelegt sind.

Die wichtigsten Daten, die Christus seiner Kirche eingezeichnet hat, sind folgende:

---

[476] *Panzram*, Kirchenbegriff 211; vgl. auch unten § 18 II, 1.

[477] Hiermit ist Christus nur als Gott gesehen, wie auch *C. Tarquini* (p. 30 n. 41) statt „Christus der Herr" „Christus Gott" sagt.

[478] *Sotillo* 73 n. 107.

[479] *E. R. v. Kienitz* möchte societas aus diesem Grunde mit Gemeinschaft übersetzen; die Kirche ist ja keine Gesellschaft, sondern eine Anstalt, die gestiftet ist. Gesellschaft ist hier im Sinn von Körperschaft aufgefaßt (Gestalt 34; vgl. unten § 23).

[480] Cf. *Cappello*, Summa 77 n. 84.

[481] Vgl. oben § 6 Die Kirche als societas.

[482] Cf. *Cappello*, Summa 77 n. 84.

[483] Cf. *Cappello*, Summa 77s n. 84.

[484] Cf. *Cappello*, Summa 78 n. 84; cf. *Ottaviani* I, 144 n. 90.

Er hat seiner Kirche den gemeinsamen Finis des Heiles mitgegeben.[485] Er vertraute ihr die Mittel an, diesen Finis zu erreichen: das Glaubensbekenntnis, besser gesagt, das Bekenntnis zu ihm selbst,[486] das das Lehramt zu bewahren hat, den Gebrauch der gleichen Sakramente[487], und die gegenseitige enge Bindung der Liebe und gegenseitigen Hilfe (vgl. Joh 13, 34).[488] Christus selber schließlich gab seiner Kirche die Fülle der Gewalt, setzte Vorsteher ein, legte ihre Autorität grund (vgl. Lk 10, 16; Mt 10, 40)[489] und zentrierte seine Anstalt um den Primat (vgl. Mt 16, 18 f.; Joh 21, 15 ff.).[490] Das bedeutet eine Scheidung der Mitglieder in Klerus und Laien; die Kirche ist eine Gesellschaft, die aus ungleichen Ständen besteht. So ist die grundlegende Konstitution der Kirche von Christus festgelegt.[491]

II. Der von Christus gesetzte Finis[492]

Die Kirche ist von Jesus Christus gestiftet, „damit in ihr und durch ihre Vermittlung die Menschen auf Erden die Frucht gewinnen, die zur Heiligung führt,

---

[485] Siehe unter II.

[486] Cf. *Cappello*, Summa 79 n. 84. Er stützt sich auf Mt 10, 32 f.; Mk 8, 38; Lk 9, 26; 12, 8 f.

[487] Cf. *Cappello*, Summa 79 n. 84. Er gibt als Belege u. a.: Mt 28, 19; 1 Kor 12, 12 f.; Mt 18, 17 f.

[488] Cf. *Cappello*, Summa 80 n. 84.

[489] Cf. *Cappello*, Summa 80s n. 84; p. 84 n. 88; *Ottaviani* I, 144s n. 90.

[490] Cf. *Cappello*, Summa 80s n. 84.

[491] Cf. *Cappello*, Summa 84 n. 88; p. 87 n. 90.
Ganz ähnlich *Eichmann* I, 5 f.

[492] Wir haben hier das lateinische Wort stehengelassen, um die Mehrdeutigkeit zu erhalten. Finis wird im älteren Sprachgebrauch immer mit „Zweck" übersetzt, im neueren unterscheidet man Zweck und Ziel. *J. de Vries*, Art. Ziel, in: *Brugger*, Wörterbuch 461 f.: „Dabei ist Ziel dem Streben, Zweck vorzüglich dem Mittel zugeordnet ... Das Ziel wird meist nicht schon durch das bloße Wollen erreicht, sondern nur dadurch, daß äußere Handlungen oder Dinge als Mittel in den Dienst des Zielstrebens genommen werden. So wird auch den Mitteln eine Richtung auf das erstrebte Ziel mitgeteilt. Die Mittel haben dann den ‚Zweck', der Person bei der Verfolgung ihres Zieles zu helfen. Sie haben aber ihren Zweck nicht selbst zum ‚Ziel' (die Uhr hat das Anzeigen der Zeit nicht zum ‚Ziel', sondern zum ‚Zweck'), es sei denn, sie besäßen eine innere, den Zweck von sich aus erstrebende Triebkraft. Umgekehrt ist die Person, eben weil sie nicht als Mittel gebraucht werden darf, nicht für einen ‚Zweck' bestimmt, sondern ihre Bestimmung ist ihr ‚Ziel'!"
Wenn also in der Gesellschaftslehre von Finis gesprochen wird, kann man das mit Ziel übersetzen, soweit dabei an das Endziel der Menschen oder wenigstens an einen umfassenden, dem Seinssinn entsprechenden Wert gedacht ist, so wie hier; man wird von Zweck sprechen, wenn der angestrebte Wert seinerseits wieder zum Mittel werden soll, wie man etwa die Rechtsordnung als finis immediatus (unmittelbaren *Zweck*) der Gesetzgebung ansehen kann. Damit haben wir ein Kriterium, ob jeweils die lebendige Wirklichkeit der Kirche mit ihrer personalen Struktur berücksichtigt ist, oder ob die Kirche vorwiegend als

und am Ende das ewige Leben im Himmel haben"[493]. Dahinter steht Röm 6, 22: „Ihr werdet eure Frucht haben zur Heiligung, als Ende (finis!) aber das ewige Leben."[494] Damit läßt der Erlöser sie seine eigene Sendung fortführen, der in diese Welt gekommen ist, um uns Menschen das Leben in Fülle zu bringen.[495] Die gleiche Angabe findet sich im wesentlichen bei allen Älteren.[496] Sie bezeichnen im übrigen die beiden Phasen der kirchlichen Aufgabe als nächsten und entfernten Finis: das Heil, das im ewigen Leben besteht, als entfernten Finis, die irdische Heiligung als nächsten Finis der Kirche.[497]

Bemerkenswert ist zunächst, daß wie gesagt eine biblische Schau zugrunde liegt; Heiligung und ewiges Leben sind bibeltheologische Schlüsselbegriffe. Vielfach wird nun diese biblische Sicht der Heiligung des Menschen auf die Heiligung der Seelen eingeschränkt; man spricht auch vom Heil der Seelen.[498]

sachhafte Institution aufgefaßt wird bzw. an solche Aspekte ihrer Gesamtwirklichkeit gedacht ist. Der Begriff „Sinn" hebt sich in einer anderen Hinsicht von Ziel und Zweck ab, insofern er nicht nur den teleologischen Sinn (Hingerichtetsein oder Hingeleitetwerden zu einem Ziel – Sinn der Geschichte oder des Übels), sondern auch den metaphysischen Sinn umfaßt. *J. B. Lotz*, Art. Sinn, in: *Brugger*, Wörterbuch 338: „Ziel und Wert empfangen ihre Sinnhaftigkeit vom Sein, das in und aus sich selbst sinnhaft ist, weil es sich durch sich selbst rechtfertigt, sowohl für das Verstehen als auch für das Erstreben."
Zur Beziehung von Zweck bzw. Sinn zum Gegensatz Transzendenz–Immanenz s. unten § 15 III.
Zum Ganzen vgl. unten § 27 und §§ 28 f.

[493] *Ottaviani* I, 178 n. 112: „... ut in ea et per eam homines ... fructum sanctificationis in terris consequantur, ac tandem vitam aeternam in coelis habeant."

[494] Cf. *Ottaviani* I, 178, nota 10 (n. 112).

[495] *Ottaviani* I, 144 n. 90: „Venit enim Christus in hunc mundum ut homines *vitam habeant et abundantius habeant,* per sanctificationem in hoc mundo consequendam, et in coelis perenniter perficiendam visione beatifica Dei (Anm. 15 verweist auf Joh 6, 40; 17, 2 f.; 1 Thess 4, 3); Ecclesia autem ideo instituta est ut Christi missionem continuet." (Anm. 16 zieht Joh 20, 21 heran.)

[496] *G. J. Ebers* spricht auf S. 442 von der Erfüllung „der ihr wesentlichen Aufgabe, der Heiligung der Menschen..."; *A. Hagen* (Prinzipien 93): „...Heiligung der Menschen..."; *Koeniger* 3: „... die Erlösung zu vermitteln und die Menschen ohne Ausnahme zum ewigen Heil zu führen..."; *Holböck* I, 46; vgl. auch *Panzram*, Kirchenbegriff 211: „um das von Gott gewollte Ziel der Heiligung und Beseligung zu erreichen."

[497] *Cappello* p. 76 n. 81: „finis proximus": „sanctificatio hominum"; p. 78 n. 84: „remotus": „vita aeterna"; *Cavagnis* t. I, 19 n. 34: „finis ... remotus est salus hominum aeterna, proximus est animarum sanctificatio"; *Bender* 34: „finis ... remotus ... est aeterna beatitudo in coelo fruenda; finis ... proximus ... est perfectio supernaturalis seu perfecta sanctitas in hac vita consequenda".

[498] *Cavagnis* I, 19 n. 34: „sanctificatio animarum"; *J. de Salazar Abrisquieta*, Lo Jurídico y lo Moral en la técnica legislativa, in: Investigación 103; *Conte a Coronata* 91 n. 75; *Ottaviani* I, 144 n. 90; diese drei und andere: „salus animarum"; *Ciprotti*, Lezioni 17 n. 14: „salvezza eterna delle anime".

Entsprechend wird der Finis als geistlich[499] qualifiziert. In bezug auf die Spannung Einzelmensch–Gemeinschaft wird der Akzent im allgemeinen auf den Einzelnen gelegt, weil man überzeugt ist, daß „die Heiligung der Einzelmenschen den äußeren und nächsten Zweck der Kirche bildet"[500]. Diese Auffassung der Kirche sieht zwar die Sendung der Kirche zu den vielen, ja zu allen Menschen, doch eben als einzelnen. Das gesellschaftliche Leben und die soziale Ordnung werden diesem Finis als Mittel untergeordnet,[501] wie auch die folgenden Ausführungen zeigen. F. Cavagnis hat allerdings noch beides nebeneinander: Finis der Kirche ist das ewige Heil sowohl des Individuums wie der Gemeinschaft.[502] Gelegentlich ist darüber hinaus als umfassender Finis der Kirche wie der ganzen Welt die Verherrlichung Gottes genannt als eine selbstverständliche Voraussetzung der näheren Bestimmungen.[503] In engem Zusammenhang damit steht das bonum commune. Man kann es hier der Kürze halber mit dem finis communis gleichsetzen.[504] Dieses Gemeinwohl ist nach Thomas[505] substantiell Christus in der Eucharistie; er ist natürlich kein Gemeinwohl, das die Gemeinschaft hervorbringt, sondern mehr ein bonum privatum, ein individuelles Wohl. Er ist das Gemeinwohl, weil viele an diesem numerisch und spezifisch einen teilhaben. Gerade dieses substantielle Gemeinwohl wird aber von keinem dieser Gruppe von Kanonisten erwähnt. Im menschlichen Bereich werden sodann bonum publicum und bonum privatum als Arten des bonum commune (im technischen Sinn[506]) unterschieden. Bonum publicum bezeichnet die äußere

---

[499] *Cappello*, Summa 112 n. 118: „spiritualis"; *Hagen*, Prinzipien 93: „. . . geistlichen Zweckes . . ."; Ottaviani I, 252 n. 156; p. 154 n. 98: „spiritualis"; „felicitas spiritualis": *Conte a Coronata* 47 n. 39.

[500] J. *Meile*, Der kanonische Strafzweck, in: Festgabe U. Lampert, Freiburg/Br. 1925, 96 (älterer Sprachgebrauch von Zweck–Ziel; vgl. oben S. 85 f. Anm. 492).

[501] *Bender* 40: Die Heiligkeit kann nicht erreicht werden, „nisi floreat vita supernaturalis socialis, quae est vita ipsius Ecclesiae"; ähnlich *Vermeersch–Creusen* I, 17 n. 21 (ed. 6. 1937!): „Es ist die Aufgabe der Kirche, eine Fülle von Mitteln zur Verfügung zu stellen, deren sich die einzelnen dann, entsprechend ihrem freien Ermessen, bedienen, um im zweiten Schritt die eigene Heiligung zu erreichen." („Ecclesiae munus est copiam suppeditare mediorum quibus singuli dein, pro libero arbitrio suo, utentur ad propriam sanctificationem in actu secundo obtinendam.")

[502] I, 158 n. 253: „Finis Ecclesiae est salus aetefna tum individui tum societatis."

[503] Cf. *Cappello*, Summa 87 n. 90; hier liegt die Übersetzung Sinn für finis nahe.

[504] Cf. *Cappello*, Summa 25 n. 30; *Lesage*, Nature 77; S. th. 1 II q. 90 a. 2 (nach *Useros*, Statuta AnGr 232).

[505] S. th. III q. 65 a. 3 ad 1 (nach *Useros*, Statuta AnGr 231), 1 II q. 111 a. 5 ad 1 (nach *Useros*, ib. 233).

[506] Zu dieser Unterscheidung von bonum commune substantialiter und sensu technico, die man wohl sonst bei keinem Kanonisten mehr findet, cf. *Bertrams*, Subsidiaritas 27. 34. 51. Da die Kanonisten des societas-perfecta-Bildes nur von diesem bonum commune sensu technico sprechen, bezichtigt *M. Useros Carretero* (Statuta AnGr 353) sie des „soziologisch-kanonistischen Technizismus".

Ordnung der kirchlichen Gemeinschaft, die für die gemeinsame Heiligung der Gläubigen notwendig ist.[507] Bonum privatum ist das Gemeinwohl der Gläubigen als einzelner, die geheiligt werden sollen.[508] Wir bemerken allerdings, daß bei den Kanonisten weitgehend bonum commune gleich bonum publicum gesetzt wird.[509]

III. Die universale Notwendigkeit der Kirche

Die Definition spricht mit den Worten ut in ea ac per eam exclusive eine unbedingte Notwendigkeit der Kirche aus; „nach dem Willen Christi müssen alle zu ihr gehören, entsprechend der Lehre des 4. Laterankonzils: ‚Es gibt nur eine einzige universale Ekklesia der Gläubigen, außer welcher niemand gerettet wird.‘"[510] Dazu wird unten im Zusammenhang mit der Gliedschaftsfrage noch etwas zu sagen sein.[511]

§ 9 Das Verhältnis zwischen der Definition Bellarmins und der Definition der Kirche als Heilsinstitution

I. Gegenüberstellung unter den Begriffen Körperschaft und Anstalt

In den vorangegangenen Paragraphen haben wir zwei Begriffe dargestellt, die sehr häufig auftreten: den Bellarminschen und den Kirchenbegriff der Heilsinstitution.

Es liegt nahe, nach dem Verhältnis der beiden Begriffe zu fragen. Einige unserer Autoren tun das ausführlich, einige heben die beiden Begriffe nur kurz voneinander ab.[512] B. Löbmann spricht im Anschluß an B. Bartmann[513] von

---

[507] *Michiels* I, 1, 174 = Die Kirche muß als societas perfecta fördern das bonum publicum, „ordinem externum societatis ecclesiasticae communi fidelium sanctificationi necessarium"; cf. et *Cappello*, Summa 141 n. 150: „bonum ... fidelium, in quantum sunt membra societatis ecclesiasticae".

[508] *Cappello*, Summa 141 n. 150.

[509] Vgl. *Eichmann* I, 40: „Das Gesetz zielt ... auf das *gemeine, öffentliche* Wohl." Cf. *Bidagor*, Espiritu 8: Das „bien común (*publicum*)" wird dem „bien privado (*singulorum*)" gegenübergestellt.

[510] *Cappello*, Summa 76 n. 81.

[511] Vgl. unten § 30 II.

[512] Cf. *Cappello*, Summa 75s n. 81, der sie einfach mit der Bemerkung nebeneinander setzt, die anstaltliche Definition sei kürzer.

[513] Vgl. *B. Bartmann*, Lehrbuch der Dogmatik, Freiburg/Br. 8·1932, Bd. II, 146 f. (nach *B. Löbmann*, Zwei Wege 220).

zwei Elementen, die in der Kirche aber eine konkrete Einheit bilden: Heilsanstalt und Gemeinschaft der Gläubigen. Er gibt dabei dem ersten den Vorrang.[514] B. Panzram macht darauf aufmerksam, wie wir schon oben ausführten,[515] daß R. Bellarmin mit seiner Definition angibt, wer als Mitglied der Kirche zu betrachten ist. So stellen denn auch die beiden Begriffe jeweils einen Teil der Kirche in den Vordergrund, das Kirchenvolk bzw. die Heilsmittel. Dieses Verfahren ist durchaus möglich, „denn man kann … einen wesentlichen Teil für das Ganze setzen"[516]. Die Anstaltsdefinition lenkt natürlich den Blick stark auf die Hierarchie; solange sie aber nicht den Anschein erweckt, man könne die Hierarchie vom übrigen Kirchenvolk trennen, ist das zu vertreten. N. Hilling und ihm folgend U. Mosiek sprechen von den zwei Kirchenbegriffen, die sie der Dogmatik und der Kanonistik zuordnen, als dem Korporationsbegriff[517] und dem Anstaltsbegriff[518]. Auch E. Eichmann faßt R. Bellarmins Kirchenbegriff als Korporationsbegriff auf und zieht den Anstaltsbegriff vor.[519]
Die Begriffe Anstalt und Körperschaft bezeichnen im Sprachgebrauch der Juristen juristische Personen. Damit bekommt die ganze Frage ein anderes, nämlich spezifisch juristisches Gesicht. Werden diese Begriffe auf die Kirche angewandt, so ist damit vorausgesetzt, daß diese eine juristische Person ist. Das ist in c. 100 ausdrücklich festgestellt, und zwar kraft göttlicher Anordnung für die Katholische Kirche als solche wie für den Apostolischen Stuhl. An diese Feststellung knüpfen A. Hagen und B. Panzram Überlegungen an, welche dieser Begriffe und in welchem Sinne man sie auf die Kirche anwenden könne.

II. Juristische Person

Damit soll gesagt sein, daß die Kirche ganz unabhängig von den einzelnen Katholiken Trägerin von Rechten und Pflichten ist. Sie bildet eine Einheit, ein einziges, besonderes rechtliches Wesen neben den Mitgliedern. Diese wechseln im Laufe der Zeit. Die Kirche bleibt und ist immer dieselbe. Ihre Rechte sind eigene Rechte (nicht Rechte der Mitglieder), ihre Pflichten sind eigene Pflichten. Ihr Eigentum ist nicht Eigentum der Gläubigen, wie sie umgekehrt für

---

[514] Vgl. *Löbmann*, Zwei Wege 220; auch *Valeske*, Votum 137–159, das ganze Kapitel über die Kirche als „Heilsgemeinde" und als „Heilsanstalt".

[515] Vgl. oben S. 81.

[516] Kirchenbegriff 209.

[517] *Hilling*, Mitgliedschaft 127; *U. Mosiek* (Zugehörigkeit 262 und 268) spricht von der körperschaftlichen Seite und dem „Kirchengemeinschaftsbegriff Bellarmins".

[518] *Hilling*, Mitgliedschaft 128.

[519] Vgl. *Eichmann*, I, 6.

ihre Schulden selbst haften muß. Die Kirche erhebt Klage, treibt Forderungen ein, besetzt Ämter, errichtet Diözesen, verhängt Strafen, erläßt Gesetze etc. Die Interessen und Ziele dieses Rechtsgebildes haben ihren eigenen Charakter, sie stehen über den Interessen und Zielen der Mitglieder und gehen neben deren Interessen und Zielen her. Folglich hat die Kirche ihren eigenen rechtlichen Willen. Die juristische Person ist nicht etwa nach Art einer Gesamtperson zu denken. Denn es gibt kein neues personales Zentrum. Es ist auch nicht die moralische Einheit von physischen Personen entscheidend, denn diese ist tatsächlich nicht immer vorhanden, außerdem wechseln die physischen Personen und schließlich gibt es auch juristische Personen, die aus anderen juristischen Personen bestehen. Person hat einfach hier die Bedeutung von Rechtssubjekt, also Trägerin von Rechten und Pflichten (vgl. unten § 30, Mitgliedschaft).[520] B. Panzram macht dem Vernehmen nach in seinen Vorlesungen darauf aufmerksam, daß die ‚juristische Person‘ eine Erfindung des Kanonisten Sinibaldus Fliscus (Innozenz IV.) sei; Ph. Hergenröther schreibt: „Der eigentliche Vater dieser Fiktionstheorie ist Sinibaldus Fliscus (der spätere Papst Innozenz IV.), der nachweisbar erstmals den Satz vertritt: Collegium in causa universitatis fingatur una persona; Comm. in c. 57, X 2,20; *O. v. Gierke*, Genossenschaftsrecht III 277 ff. Die Lehre von der juristischen Person ist indes erst in der Gegenwart mit besonderem Eifer untersucht worden, ohne daß es gelungen wäre, zu einem ausgeglichenen Resultat zu kommen. Schon die Frage, ob diese Person bloß Fiktion oder Realität, und wenn letzteres, wer dann als Reales zu denken sei, ist sehr widersprechend beantwortet worden.“[521] Das ausführliche Zitat des Sinibaldus Fliscus lautet: „Hodie licitum est omnibus collegiis per alium iurare. Et hoc ideo quia, cum collegium in causa universitatis fingatur una persona, dignum est, quod per unum iurent, licet per se iurare possint si velint.“[522]

A. Hagen entscheidet sich im übrigen dafür, daß die juristische Person eine Realität ist, nicht eine bloße Fiktion[523]: „Gewiß, man kann die juristischen Per-

---

[520] Vgl. *Hagen*, Prinzipien 12–14.

[521] *Ph. Hergenröther*, Lehrbuch des Katholischen Kirchenrechtes, 2. Aufl. von *J. Hollweck*, Freiburg/Br. 1905, 850, über die juristische Person, Anm. 2. Dort heißt es weiter: „*Zitelmann*, Begriff und Wesen der juristischen Person, Leipzig 1873; einen guten Überblick der ganzen Lehre bietet *Meurer* I, 46 ff.“ (S. Anm. 528.)

[522] *Innocentii Quarti* Pontificis Maximi in quinque libros Decretalium Commentaria (Lugduni 1554) 103a: Comm. in c. 57, X 2, 20 n. 5. Den Hinweis und Text verdanke ich Herrn Prof. *B. Panzram*, der auch darauf aufmerksam macht, daß im Corpus Iuris Canonici nur 56 capitula stehen.

[523] Zur Frage der Fiktion vgl. *K. v. Hohenlohe* OSB, Grundlegende Fragen des Kirchenrechts, Wien 1931, 76. Obwohl er meint, der Kanonist brauche sich nicht auf eine der beiden Theorien festzulegen, neigt er zur Realitätstheorie mit der Begründung: „Die metaphysische Grundlage des Verbandes und der moralischen Person ist der philosophische Be-

sonen nicht mit den Sinnen wahrnehmen, aber sie existieren in unserer geistigen Welt genauso wie alles Recht (etwa wie ein Vertrag, eine Forderung, ein Eigentumsrecht)."[524] Das gilt seiner Meinung nach im besonderen für die Katholische Kirche, zumal da sie ihre Rechtsfähigkeit aus dem göttlichen Recht ableitet (c. 100).

Im Rahmen dieser juristischen Begrifflichkeit liegt es nun, wenn man die Kirche als Anstalt oder als Körperschaft bezeichnet. Die Anwendung des Begriffes Körperschaft geschah hauptsächlich von seiten der Staatsrechtler und des Staates.[525] Die allgemeine Entwicklung, die das Gewicht von den Trägern der Autorität auf das Volk verlegte,[526] förderte seine Anwendung. Nun lag die präzise Frage nahe: In welchem Sinn kann man diese Begriffe auf die Kirche anwenden? Ist sie eine Anstalt oder eine Körperschaft?

III. Kirche als Anstalt

Eine Anstalt ist als Spezialfall einer Stiftung „ein Bestandteil von persönlichen und sachlichen Mitteln, welche einem besonderen Zweck dauernd gewidmet sind"[527] entsprechend dem Willen des Stifters. „Eine rechtsfähige Stiftung ist ein mit eigener Rechtspersönlichkeit ausgestattetes Vermögen, das durch den Willen des Stifters einem bestimmten Zweck dauernd gewidmet ist." Bei der Anstalt kommt hinzu, daß sie sichtbare äußere Räumlichkeiten hat, die in Erscheinung treten.[528] Manche nennen noch ein zweites Merkmal: Die Stiftung

---

griff der Relation, und da diese Relationen real sind, ist der Verband keine Fiktion." Vgl. auch *K. v. Hohenlohe*, Zur Lehre von der juristischen Person nach Sinibaldus Fieschi und Michael von Mora: AkathKR 124 (1950) 469–473.

[524] *Hagen*, Prinzipien 14.

[525] So bestimmte z. B. die deutsche Reichsverfassung von 1919 in Art. 137, V, daß die Religionsgesellschaften „Körperschaften des öffentlichen Rechtes" bleiben sollten, soweit sie es bisher waren. Das traf auf die Katholische Kirche (genauer gesagt auf die einzelnen Diözesen) im Deutschen Reich überall zu. Schon im bayerischen Religionsedikt von 1818 heißt der 2. Abschnitt „,Religions- und Kirchengesellschaften': Die privilegierte Kirche ist eine ,öffentliche Korporation'" (§ 28). Zit. nach *Sohm*, Kirchenrecht I, 694.

[526] Vgl. oben § 2 III.

[527] *Hagen*, Prinzipien 21.

[528] *Hagen*, Prinzipien 20 f. Für diese Auffassung gibt *A. Hagen* an: *O. Mayer*, Deutsches Verwaltungsrecht, Leipzig 1896, Bd. II, 468; *O. Gierke*, Deutsches Privatrecht, Berlin 1895 ff., Bd. I, 645; *F. Fleiner*, Institutionen des deutschen Verwaltungsrechts, Tübingen [8]1928, 103; *A. Wynen*, Die Rechts- und insbesondere die Vermögensfähigkeit des Apostolischen Stuhles, Freiburg/Br. 1920, 14 f.; *C. Meurer*, Begriff und Eigentümer der heiligen Sachen, Düsseldorf 1885, Bd. I, 46. Der Große Brockhaus, Leipzig [15]1928, Bd. I, 507 gibt eine etwas andere Definition: „Anstalt, öffentliche, ein dem öffentlichen Recht unterstehendes, mit Rechtsfähigkeit ausgestattetes Gebilde, das bald Körperschaft, bald Stiftung ist." Danach ist der Begriff weiter, auch die Körperschaften sind darunter gefaßt.

gehöre dem bürgerlichen, die Anstalt dem öffentlichen Recht an, weil sie den Zweck habe, der Allgemeinheit zu dienen.[529] Man kann nun auf die obige Frage vehement und apodiktisch antworten: Die Kirche ist eine Anstalt,[530] alles andere ist protestantisch. „Im Gegensatze zur evangelischen Kirchenverfassung ist der Anstaltscharakter in der katholischen Kirche sehr scharf ausgeprägt."[531] Um den Begriff Anstalt für die Kirche zu rechtfertigen, beruft man sich darauf, daß der Kirche von Jesus Christus eine Grundverfassung eingestiftet ist.

Die Gesamtheit der Gläubigen kann keinen Willen erzeugen, sondern die kirchliche Vollgewalt ruht beim Papst, der sie wiederum unmittelbar von Christus herleitet. Entscheidende Kennzeichen für diesen Charakter der Anstalt sind die Gliederung in Klerus und Laien sowie die Beschränkung der Weihe- und Leitungsbefugnis auf den Klerus.[532] Ferner hat die Kirche viele äußere Einrichtungen und eine wirtschaftliche Grundlage, es gibt in ihr sachliche Mittel und eine Vermittlung des Heiles, das die Kirche selber empfängt (analog zu der Versorgungsfunktion der Anstalt). Der Zweck und die Dauer der Kirche sind festgelegt; schließlich wirkt auch der Wille Christi gegenwärtig weiter. Er ist die Seele der Kirche, nicht zuerst der Einigungswille der Gläubigen.[533]

IV. Kirche als öffentliche Körperschaft

Gegen diese Auffassung wird geltend gemacht, die Kirche als die von Christus errichtete, „über den Erdkreis ausgebreitete Rechtsgemeinschaft der Gläubigen"[534] müsse wohl eher als Körperschaft, denn als Anstalt betrachtet werden. Wenn man nämlich die Kirche als Anstalt bezeichnet, wird leicht übersehen,

---

[529] Vgl. *Hagen*, Prinzipien 21: *Mayer*, Verwaltungsrecht II (vgl. Anm. 528) 598 ff.; *P. Hinschius*, Staat und Kirche, Freiburg/Br. 1883, 250.

[530] Vgl. *Koeniger* 111; *K. v. Hohenlohe*, Zur Lehre von der juristischen Person nach Sinibaldus Fieschi und Michael von Mora: AkathKR 124 (1950) 472: „... sie war immer der Urtypus der Anstalt, wo alles von oben und außen kommt, in der der transzendente Wille des Stifters lebt."

[531] *Hilling*, Personenrecht 3.

[532] Vgl. *Hilling*, Personenrecht 3 f.

[533] Vgl. *Hagen*, Prinzipien 21 f.; damit antwortet er wohl auf gewisse Vergleiche, z. B. bei *A. Ottaviani* (cf. *Ottaviani* I, 29 n. 15). Ganz ähnlich argumentieren im ganzen *E. Eichmann* (I, 6), der die Kirche als Anstalt definiert (Lehr-, Heils- und Rechtsanstalt). Vgl. § 8 I. S. auch *Bertrams*, Origo 255, der den Anstaltscharakter der Kirche neben dem gesellschaftlichen festhält und ihn exklusiv auf ihr übernatürliches Wesen bezieht: Die Kirche ist danach eine Gesamtheit von Gütern; und zwar (Personalitas 223s) sind es die übernatürlichen Werte, die von Christus objektiv der Kirche eingestiftet sind (Lehre, Kult etc.): „bona supernaturalia obiective a Christo Domino instituta". In diesem Zusammenhang kommt die sakramentale Sicht nicht zum Zuge.

[534] *Holböck* I, 214.

daß sie wesentlich eine Gemeinschaft von Menschen ist.[535] Und für das Leben der Kirche ist die persönliche, soziale Aktivität wesentlich, die aus echter Freiheit der vielen entspringt.[536] Und gerade diese Bezeichnung der Kirche als Gemeinschaft von Menschen (societas, coetus fidelium oder fidelium multitudo)[537] wird als Anlaß genommen, um sie als Korporation zu qualifizieren; „*Körperschaften* sind feste, auf die Dauer berechnete Vereinigungen mehrerer physischer Personen zu einem gemeinsamen Zweck unter einer Autorität."[538] „Mitglieder sind die Gläubigen, der Zweck ist die Übung und Pflege der christlichen Religion, die Autorität liegt bei den Klerikern, besonders bei Papst und Bischöfen."[539]

Die Kirche will sogar eine „Körperschaft des öffentlichen Rechtes" sein. Eine solche hat gegenüber den rein privaten Körperschaften einige rechtliche Vorzüge: Eine Körperschaft des öffentlichen Rechtes hat Hoheitsgewalt im Rahmen ihres Zweckes, nicht bloß Vereinsgewalt. Sie steht über den Mitgliedern, ist ein Bestandteil der öffentlichen Ordnung und lebt auch nach öffentlichem Recht. Streitigkeiten sind Fälle des öffentlichen Rechtes, schließlich werden Beiträge als Steuern betrachtet (öffentliche rechtliche Lasten) und entsprechend eingetrieben, ohne daß die Gerichte tätig werden müssen. Solche Körperschaften haben Zuchtgewalt, können Ordnungsstrafen erteilen und Zwangsvollzug einleiten. Sie sind autonom, das heißt, sie verwalten ihre Angelegenheiten selbständig. Sie geben sich selbst Satzung und Leitungsorgane. Zuweilen erhalten sie sogar Aufgaben des Staates und dieser hat ein verstärktes Aufsichtsrecht.[540]

In der Kirche finden wir entsprechend Gesetzgebungsrecht, Gerichtsbarkeit, Zwangsgewalt, ein Recht, das öffentliches Recht ist, und anderes mehr. Die Tatsache ihrer starken Verbreitung und ihres Einflusses auf das öffentliche Leben wie auch ihre weltweite Organisation, ganz abgesehen von den Eigenschaften, mit denen sie ihr Stifter ausgezeichnet hat, läßt sie deutlich über den

---

[535] Vgl. Mörsdorf I, 20; diese Auflage ist aus dem Jahr [6]1951 bzw. [6]1949; anders dann in der 9. Auflage – siehe unten § 23 III.

[536] Vgl. *Bertrams*, Origo 255: „Hac ratione ergo Ecclesia non est institutum salutis, sed corporatio." Hier denkt *W. Bertrams* (cf. et. id., Personalitas 223s) noch in den alten Kategorien.

[537] *A. Hagen* (Prinzipien) zitiert hier auf S. 17 in Anm. 4 *Ottaviani*, ed. 2. 1935, t. I p. 178s, daneben *Ph. Maroto*, Institutiones juris canonici, Romae 1921, t. I p. 540s und *B. Ojetti*, Comm. in CIC, Romae 1927ss t. II (1) p. 126ss.

[538] *Hagen*, Prinzipien 16. Vgl. *Hilling*, Personenrecht 3 („coetus hominum", „Personengemeinschaft").

[539] *Hagen*, Prinzipien 17; für den Körperschaftscharakter führt *N. Hilling* übrigens die biblischen Gleichnisse vom Reich (Mt 6, 10) und von der Herde (Joh 10, 1) an.

[540] Vgl. *Hagen*, Prinzipien 16 f.

privatrechtlichen Bereich hinaustreten und verlangt die Anerkennung als Körperschaft des öffentlichen Rechtes.

Durch einige wesentliche Punkte unterscheidet sich die genuin kirchliche Auffassung nun allerdings von der skizzierten staatlichen: Die Gewalt der Kirche ist ganz eigener Art, weil sie von Christus verliehen ist. Auch die Existenz der Kirche beruht nicht auf staatlicher Anerkennung, sondern sie ist „persona publica" aus eigenem Recht.

Die Kirche hat schließlich in keiner Weise eine staatliche Mission, sondern nur die von Gott übertragene.[541]

V. Ergebnis

Innerhalb des älteren Kirchenbildes ergibt sich also, daß der Begriff Körperschaft nicht streng anwendbar ist, weil in der Kirche der Wille Christi als des Stifters maßgeblich bleibt; der Begriff Anstalt paßt wohl im ganzen besser, doch vermißt man darin, daß die Kirche Gemeinschaft von Personen ist. Die Fragestellung wird uns im Rahmen des sakramentalen Kirchenbildes noch einmal beschäftigen; einige neue Aspekte kommen hinzu.[542]

§ 10 Die Kirche als „societas perfecta supernaturalis"

I. Der Begriff der societas perfecta und ihre Gewalt

1. Der Begriff

Wie schon oben gesagt, ist der Begriff von Aristoteles[543] entwickelt worden. Er wird von ihm auf den Staat angewendet. Er geht von den kleinen Gemeinschaften aus, wie der Familie, und geht dann über das Dorf zur Polis über, zum Stadt-Staat, der aus mehreren Dörfern besteht. Die Polis ist autark, das heißt, sie hat alle Mittel, und zwar nicht nur zum Leben, sondern auch zum angenehmen Leben (eu zēn). Es gibt eben im Stadt-Staat nicht nur Essen und Trinken, Handwerker etc., sondern auch Philosophen, Theater, Tempel, Gericht usw., der Stadt-Staat ist auf niemand anderen angewiesen, ist autark. Er hat auch

---

541 Vgl. *Hagen*, Prinzipien 18; ähnlich *Eichmann* I, 6 und andere.
542 Siehe unten § 23.
543 Politik I, 1 (2): „Hē d'ek / pleiónōn kōmōn koinōnía téleios pólis, ēdē pásēs échousa / péras tēs autarkeías hōs épos eipein..." *Aristotelis* Politica, rec. etc. *W. d. Ross*, Oxonii Clarendon 1957, 3–1252 b 27ss.

die politische Souveränität. Aristoteles kennt natürlich als solche vollkommene Gesellschaft (koinōnía téleios) nur die Polis. Den Scholastikern ist dieser Begriff nicht unbekannt,[544] jedoch in keiner Weise der typische Begriff, um die ekklesiale Realität auszusagen.[545] In der Auseinandersetzung mit den Positivisten wurde dem Staat die Kirche als eine andere Art der vollkommenen Gesellschaft gegenübergestellt. Daraus ergibt sich die Möglichkeit und Notwendigkeit, ein gemeinsames Genus der vollkommenen Gesellschaft zu definieren; die Kanonisten glauben, daß man die Vollmachten (potestates) jeder vollkommenen Gesellschaft naturrechtlich in einer zunächst allgemeinen Weise feststellen kann. Und so definieren sie: Vollkommen kann man eine solche Gesellschaft nennen, „die in sich vollständig ist und überhaupt die Mittel besitzt, die zur Erreichung ihres Finis genügen"[546]. Die Späteren ergänzen immer den Gesichtspunkt der verschiedenen Ordnung, der natürlichen bzw. übernatürlichen Ordnung. Denn, so sagen sie mit Recht: Im absoluten Sinne wäre die vollkommene Gesellschaft diejenige, die sowohl das natürliche wie übernatürliche Glück des Menschen zum Finis hätte. Faktisch ist dies aber in der gegenwärtigen heilsgeschichtlichen Situation getrennt.[547] Darum geben sie die ausführlichere Definition: „Eine vollkommene Gesellschaft ist jene, welche ein Gut (einen Wert), das in seiner Ordnung vollständig ist, als Finis hat, die über alle notwendigen und hinreichenden Mittel zur Erreichung desselben verfügt und deswegen in ihrer Ordnung sich selbst genügt und unabhängig ist."[548] Weil solch ein Finis seinerseits dieses Gut begründet, ist die Gesellschaft von jedem anderen etwa übergeordneten Finis unabhängig. Insofern kann eine solche Gesellschaft auch höchste in bezug auf den Finis genannt werden.[549]

Die Verfügung über die Mittel braucht nicht tatsächlich gegeben sein, sondern kann auch in der Berechtigung begründet sein, sie von einer anderen (faktisch der staatlichen) Gesellschaft autoritativ, legitim anzufordern.[550] Das soll damit

---

[544] *Thomas von Aquin*, S. th. 1 II q. 90 a. 3. Er fragt sich dort, ob jeder Beliebige Gesetze machen kann. Antwort: Ein Hausvater kann das nicht, denn „bonum unius domus ... ad bonum unius civitatis, quae est communitas perfecta" ordinatur.

[545] So *Useros*, Statuta AnGr 105.

[546] *Tarquini* 3s n. 6: „Societas ... perfecta ... ea dici debet, quae est in se completa, adeoque media ad suum finem obtinendum sufficientia in semetipsa habet."

[547] Cf. *Ottaviani* I, 48s n. 26.

[548] *Bender* 27: „Quae bonum in suo ordine completum tamquam finem habet ac de omnibus mediis ad illum consequendum necessariis et sufficientibus disponit et propter hoc in suo ordine est sibi sufficiens et independens." *Ottaviani* I, 46 n. 25 fast genauso; er ergänzt abschließend: „id est plene autonoma."

[549] Cf. *Sotillo* 25 n. 19: „societas in ordine suo independens (autónoma, soberana), completa et suprema ratione finis, et sibi sufficiens ratione mediorum."

[550] Cf. *Sotillo* 26 n. 19.

ausgedrückt sein, daß man eine derartige Gesellschaft „bezüglich der Rechte" vollkommen nennt.[551]

2. Die Gewalt (potestas)

Wir stellen fest, daß es im IP nun wesentlich um die Gewalt geht; „potestas" ist einer der Kernbegriffe und wird als „Inbegriff der Rechte"[552] bezeichnet. Ausführlicher kann man sie auch so definieren: „Die Autorität selbst oder das Recht, die Untergebenen dahin zu leiten, daß sie den Finis der Gesellschaft erreichen."[553] Die Gewalt einer souveränen Gesellschaft stellt Ansprüche an ihre eigenen Mitglieder, und in gewissem Maß auch an solche, die außerhalb stehen. Die allgemeine Regel für die Gewalt der souveränen Gesellschaft gegenüber den eigenen Leuten lautet: „Was notwendig ist, um den Finis voll zu erreichen, kann sie rechtmäßig fordern; was nicht notwendig ist, nicht; was wohl notwendig ist, aber irgendeiner höheren Ordnung angehört, kann sie an sich nicht ordnen und bestimmen."[554] Im einzelnen handelt es sich um folgende Gewalten: Die gesetzgebende Gewalt, die bei der Verschiedenheit der Köpfe, der Unbeständigkeit des Willens und der ungeordneten Begierde vieler notwendig ist, um die Mittel zur Erreichung des Finis im konkreten Fall zu bestimmen und zu ihrer Anwendung zu verpflichten;[555] die richterliche Gewalt, die darüber urteilt, ob die Mittel wirklich entsprechend dem Sinn und in der Weise angewendet worden sind, die durch die Gesetzgebung vorgesehen war;[556] diese beiden Gewalten werden schließlich durch die Exekutive wirksam, die sich in ihrer drastischen Form als Zwangsgewalt zeigt.[557] Auf der anderen Seite wäre auf

---

[551] Cf. *Cappello*, Summa 31 n. 33: „Dicimus *iuridice*, quia, quod palam est, non ex facto, quod a causa extrinseca et contingenti pendet, sed *ex iure* natura societatis dimetienda est." *Cavagnis* I, 33 n. 57: Societas dicitur perfecta, „. . . quae quoad ius est sibi in suo ordine sufficiens ac independens." S. auch unten S. 99.

[552] *Tarquini* 5 n. 7: „complexio iurium".

[553] *Conte a Coronata* 71 n. 58: „Publica potestas est ipsa auctoritas seu ius regendi subditos in ordine ad finem societatis consequendum." Cf. *Sotillo* 27 n. 20.

[554] *Tarquini* 5 n. 8: „Potestas generali hac regula continetur: ut, quae sunt necessaria ad finem plene consequendum, exigere iure possit; quae non sunt necessaria, non possit; quae vero necessaria sunt, sed pertinent ad ordinem quendam superiorem, ea per se ordinare et determinare non valeat."

[555] Cf. *Tarquini* 8s n. 15.

[556] Cf. *Tarquini* 12 n. 20.

[557] Die Autoren teilen die Exekutive analog zu den staatlichen Formen in die Lenkungsgewalt (Gubernative), die sich auf Personen bezieht, die Administration, die sich auf Sachgüter bezieht, und die Zwangsgewalt (cf. *Cavagnis* I, 55 n. 96) ein. Andere fassen hier zunächst nur die Zwangsgewalt mit ins Auge, weil sie besondere Probleme im Hinblick auf die Kirche aufwirft (so *Bender* 70–75; cf. *Cappello*, Summa 52 n. 51, der sich auf die im kanonischen Recht weiter verbreitete Einteilung beruft, ohne die Exekutive und die Administration auszuschließen).

die Gewalt der vollkommenen Gesellschaft nach außen hin hinzuweisen. Zunächst ist der Fall zu bedenken, daß Mitglieder einer Gesellschaft gleichzeitig Mitglieder einer anderen Gesellschaft sind und daß daraus Konflikte erwachsen, wenn die Ansprüche einer Autorität gegen die andere stehen. Die Regel zur Lösung dieser Konflikte zwischen Gesellschaften, die wesentlich verschieden sind, beinhaltet, daß diejenige den Vorrang hat, die den Finis der höheren Ordnung hat.[558] Ein anderer Fall ist noch denkbar, daß nämlich zwei Gesellschaften einen völlig verschiedenen Mitgliederbestand haben. Dann sind beide gehalten, einander nicht zu behindern. Wenn Konflikte auftreten, muß jede Gesellschaft sie nach ihrem rechtverstandenen Wohle lösen, wenn nicht das Gemeinwohl einer umgreifenden höheren Gesellschaft, etwa der universalen Menschheitsgesellschaft, etwas anderes fordert. Im Streitfall sollen im beiderseitigen Einvernehmen die Schwierigkeiten gelöst werden.[559]

II. Die Anwendung auf die Kirche

Dieser kurz skizzierte allgemeine Begriff wird nun mit seinen Implikaten auf die Kirche angewendet, nachdem bewiesen ist, daß auch die Kirche eine vollkommene Gesellschaft ist.

1. Begründung

Der Beweis dafür wird meist recht breit aus den Worten Christi, der Lehre und Praxis der Apostel, der Tradition und Lehre der Kirche, sowie aus theologischen Argumenten geführt. Die Kernstellen des Neuen Testamentes sind Mt 16, 18 f. und 18, 15 f., nach denen eine Beschränkung der Gewalt der Kirche durch eine staatliche Autorität nicht zugelassen werden kann.[559a] Das theologische Argument aus der Natur der Kirche ist besonders folgendes: Die Kirche ist eine einzige und universale Gesellschaft. Dagegen gibt es viele zivile Gesell-

---

[558] Cf. *Tarquini* 22 n. 33. *P. Huizing* (Kirche und Staat im öffentlichen Recht d. Kirche: Conc 6 [1970] 589) sieht nicht richtig, wenn er unterstellt, diese Kanonisten hätten die Kirche „als eine in sich geschlossene und sich selbst genügende ‚vollkommene Gesellschaft‘ gesehen, die von der profanen, unerlösten Welt getrennt ist". Der vorausgesetzte Fall nimmt hier die gleichen Mitglieder für Staat und Kirche an.

[559] Cf. *Tarquini* 28s n. 38. Wenn man diese Aufstellungen liest, kann tatsächlich der Eindruck entstehen, daß hier ein künstlicher Begriff zurechtgemacht wird, der dann, passend auf die Kirche angewendet, gerade das leistet, was notwendig ist, um die bestehenden Verhältnisse und Rechte der kirchlichen Gemeinschaft zu begründen. Cf. *Fogliasso* 82s nach *Hera*, Droit 59 bzw. nach *T. I. Jimenez-Urresti*, La Potestad de la Iglesia, in: REDC 15 [1960] 687).

[559a] Zu dieser Ansicht der früheren Kanonisten vgl. unten Anm. 633a.

schaften. Eine Unterwerfung einzelner Teile der Kirche unter die verschiedenen Staaten verträgt sich nicht mit ihrer Universalität.[560] Eine weitere sehr gewichtige Argumentation weist auf das Gut, den Finis hin, der der Kirche eigen ist.[561] Er überragt ja bei weitem das Gut, den Finis der zivilen Gesellschaft. Dieser Finis ist nämlich geistlich und übernatürlich.[562] Dann geht die Darlegung ins einzelne.

2. *Entfaltung*

a) Die Gewalt, besonders die Zwangsgewalt

Der Kern der Ausführungen ist zweckentsprechend die potestas, die Vollmacht oder Gewalt. Gegen jede Einschränkung der Gewalt der Kirche steht die lapidare Feststellung, daß den Aposteln „alle Gewalt gegeben ist im Himmel und auf Erden, wie sie Christus ... verliehen war"[563]. Dann werden jeweils die verschiedenen Ausprägungen der Gewalt mit einer entsprechenden Reihe von Argumenten begründet.[564] Normalerweise wird die Weihegewalt nicht behandelt, weil sie erst durch die Jurisdiktion in den rechtlichen Bereich rückt. Die Jurisdiktionsgewalt wird in den drei Funktionen dargestellt, die wir schon oben sahen: als gesetzgebende, richterliche und ausführende Gewalt. An dieser dem Staat nachgebildeten Unterscheidung wird im einzelnen gezeigt, welche Rechte die kirchliche Autorität besitzt. Im Gange dieser Darlegungen werden verschiedene heiße Eisen angefaßt: In welchem Sinne kann die kirchliche Autorität Gesetze betreffs zeitlicher Dinge erlassen? Wieweit ist die Rechtsprechung für geistliche Personen (Kleriker) und Arme dem kirchlichen Gericht vorbehalten? Ist die kirchliche Zwangsgewalt mit der notwendigen Freiheit vereinbar, hat die Kirche das Recht, die Todesstrafe zu verhängen?[565] Die Frage nach dem Zwang möchten wir ausführlicher darstellen.

---

[560] Cf. *Ottaviani* I, 153s n. 98.

[561] Vgl. oben § 8 II.

[562] Damit sind wir bei einem weiteren wichtigen Kriterium: Die Kirche ist eine spirituelle und übernatürliche Gesellschaft. Doch was verstehen unsere Autoren darunter? Hier wird zwar die dogmatische Theologie vorausgesetzt, doch bleibt ausdrücklich von dieser Charakterisierung nur eine Übernatürlichkeit des Ursprungs durch die Einsetzung durch den göttlichen Stifter der Kirche sowie eine Übernatürlichkeit des Finis und der Mittel; vgl. unten § 10 III.

[563] *Ottaviani* I, 193 n. 123 im Zusammenhang mit der Begründung der gesetzgeberischen Gewalt: „... cum ipsis *omnis potestas* data sit in coelo et in terra, sicut collata fuerat Christo divino legislatori."

[564] Vgl. oben zur Begründung des Kirchenrechts die Ausführungen über die Kirche als juridische Gesellschaft, § 6.

[565] Siehe unten § 29.

Die Kirche ist bezüglich der Rechte vollkommen (societas iuridice perfecta) – Zwangsgewalt

Die meisten Autoren nennen die Kirche eine bezüglich der Rechte vollkommene Gesellschaft (societas iuridice perfecta).[566] Das hieße, wie schon oben[567] gesagt, daß sie mit einem Recht ausgestattet ist, das in seiner Ordnung in bezug auf die Mittel, die ihrem Finis entsprechen, vollständig ist. Die Basis dafür ist eben die Tatsache, daß das Recht einer Gesellschaft im Verhältnis zu ihrem Finis steht. Und hier handelt es sich um einen in seiner Ordnung vollständigen Wert.[568] Demnach müßte auch die rechtliche Ausstattung perfekt sein. Gegen diese Terminologie erhebt T. I. Jiménez-Urresti Einspruch. Er gibt zu bedenken, ob das nicht Begriffe aus dem staatlichen Leben seien, die zur Erfassung der Kirche ungeeignet seien. Er möchte lieber sagen, die Kirche sei iure perfecta, also eine von Rechts wegen vollkommene Gesellschaft.[569] Die Vollkommenheit will er auf die „socialidad", also die Gesellschaftlichkeit beziehen, nicht auf die „juridicidad". Die Juridizität fügt der Gesellschaftlichkeit etwas hinzu, und zwar die Möglichkeit, Rechtszwang auszuüben, der sich letztlich auf physischen Zwang stützt.[570] Man darf hier nicht bei terminologischen Fragen stehenbleiben; es geht im Grunde eben um die Frage, ob der physische Zwang mit dem Wesen der Kirche prinzipiell vereinbar ist.

Was lehren die Kanonisten des Ius Publicum darüber? Wie begründen sie die

---

[566] *Cavagnis* I, 122–180 (nn. 218–276); *Cappello*, Summa 100 propos. VI; *Ottaviani* I, 150 n. 95; *Brys* I, 70 n. 129; *Sotillo* 25 n. 19; *Michiels* I, 1, 174; *Salazar Abrisquieta*, Lo Jurídico y lo Moral en la técnica legislativa, in: Investigación 104; *Conte a Coronata* 49: „iuridica Ecclesiae perfectio"; *E. Fogliasso* und *R. Naz*, Art. Église, in: DDC V, 162: „perfection juridique"; *Montero*, Derecho comparado 9: „juridicamente *perfecta*"; die einfache Formulierung societas perfecta hat *C. Tarquini* (3s n. 6). *G. Cocchi* (I, 56 n. 39) u. *L. Bender* (42) sprechen nur von der societas iuridica perfecta, wie auch *E. R. v. Kienitz* (Gestalt 35) nur von der vollkommenen, rechtlichen Gemeinschaft spricht.

[567] Vgl. S. 96.

[568] Cf. *Ottaviani* I, 47s n. 25, adn. 48.

[569] Dafür beruft er sich auf *Leo XIII.*, Immortale Dei § 5, ASS 18 (1885/86) 165; CICfontes III (1933) 238. Dort heißt es: „societas est genere et iure perfecta". Er stellt fest (vgl. La potestad jurídica de la Iglesia, Trabajos de la VII. semana Española de Derecho Canónico [Rez.], in: REDC 15 [1960] 689), die Päpste hätten bis *Pius XII.* nicht von der Kirche als societas iuridica, noch weniger von der societas iuridice perfecta gesprochen. In die Terminologie Pius' XII. sei das iuridice wohl aus der unscharfen Redeweise der Ius-Publicum-Autoren hereingekommen.

[570] Er sieht hier von der Frage ab, ob der Kirche tatsächlich die Möglichkeit offensteht, physisch zu zwingen, sondern empfindet das als offensichtlich im Widerspruch zum Wesen der Kirche. Schon die Aussage, der sonntägliche Meßbesuch oder die Osterkommunion seien juridisch verpflichtend, klingt ihm odios. Das sei zwar eine gesellschaftliche Angelegenheit, aber nicht eine juridische.

Zwangsgewalt? Was verstehen sie darunter? Welche Grenzen geben sie an? Welche Formen der Ausübung billigen sie?

Sie definieren die Zwangsgewalt folgendermaßen: „Das Recht zu zwingen allgemein genommen schließt sowohl das Recht ein, die zu strafen, die sich verfehlt haben, als auch, Gesetzesübertreter bei der Tat zu hindern, als auch solche, die nicht wollen, und Widerspenstige zu zwingen.“[571] Dieses Recht ist in der sozialen Vollkommenheit der Kirche, und zwar in juridischer Hinsicht, begründet: Wenn es schon in der Kirche völlig zu Recht Gesetzgebung und Rechtsprechung gibt, dann erfordert deren Effektivität auch die Zwangsgewalt; so ziemt es der Weisheit Gottes.[572] Die Kirche ist ja eine menschliche Gesellschaft, was ihre Glieder angeht; darum braucht sie auch äußere, menschliche, körperliche Strafmittel, um ihr Ziel erreichen zu können.[573] Die positive Begründung aus den Worten Christi führt Mt 16, 19 und 18, 17 f. an, z. T. finden wir daneben Mt 28, 19 und Joh 20, 21. Die Stelle Mt 16, 19 handelt von einer universalen Gewalt; da sie keine Einschränkung vermerkt, ist auch die fragliche Zwangsgewalt eingeschlossen.[574] Für die Praxis und Lehre der Apostel werden 2 Thess 3, 14; 1 Tim 1, 20; 5, 20; 1 Kor 4, 21; 5, 5; 2 Kor 10, 6–12; 13, 1 f.; 13, 10 angezogen. Ein Überblick über die Geschichte zeigt klar, wie von Anfang an in der Kirche gestraft worden ist, und zwar nicht nur mit geistlichen Strafen. A. Ottaviani belegt das für die Exkommunikation, die Suspension und das Interdikt, für die Infamie, die Prügel- und Gefängnisstrafe und schließt mit einigen Hinweisen auf Geldstrafen, Konfiskation und Bann im Sinn von Verweis aus einem bestimmten Gebiet.[575] Diese faktische Situation wird vom Recht zu solchem Vorgehen getragen, auf das die kirchliche Lehrautorität Anspruch erhebt. Vor allem ist die klare Formulierung des c. 2214 § 1 zu nennen, wonach es „das natürliche und ureigene Recht der Kirche ist, unabhängig von jeder menschlichen Autorität die ihr untergebenen Gesetzesübertreter zu bestrafen, sowohl mit geistlichen wie auch mit zeitlichen Strafen“[576]. Dazu kommen dann Verurteilungen falscher Meinungen aus den verschiedenen Zeiten, angefangen von der Konstitution Johannes' XXII. Licet vom 23. 10. 1327 gegen Marsilius von Padua, über das Tridentinum bis hin zu Leo XIII., der in der Enzyklika Immortale Dei lehrt, daß die Kirche von Christus mit eigentlicher Gesetzgebungsgewalt versehen ist, wie auch mit entsprechender richter-

---

[571] *Ottaviani* I, 262 n. 164, nota 1.
[572] Cf. *Ottaviani* I, 263 n. 164; *Cappello*, Summa 172 n. 171.
[573] Cf. *Cappello*, Summa 172 n. 171.
[574] Cf. *Ottaviani* I, 263s n. 165.
[575] Cf. *Ottaviani* I, 266–272 nn. 167s.
[576] „Nativum et proprium Ecclesiae ius est, independens a qualibet humana auctoritate, coercendi delinquentes sibi subditos poenis tum spiritualibus tum etiam temporalibus.“

licher und Strafgewalt.[577] Die Behandlung einiger Einwände gegen die Strafgewalt der Kirche, speziell gegen die Strafgewalt in temporalibus, verdeutlicht
die Auffassung der Autoren.

Man wendet ein, die Strafart müsse dem Finis entsprechen; da der Finis der
Kirche geistlich ist, dürfte die Strafart auch nur geistlich sein. Darauf entgegnet
F. M. Cappello, die Strafart müsse insofern dem Finis entsprechen, als sie geeignet sein müsse, ihn zu erreichen. Das sei aber auch beï zeitlichen Strafen prinzipiell der Fall. Dagegen wenden nichtkatholische Gegner ein, Strafen nähmen
die Freiheit. Da aber die Freiheit zur Verdienstlichkeit der Handlungen notwendig sei, mache sie die Erreichung des Finis unmöglich. Die Unterscheidung
klärt: Es ist klar, daß sowohl eine innere Unfreiheit wie auch ein bloß äußer-
liches Vollziehen der geforderten Leistung kein Heilstun zustandebringen. Insofern aber durch den moralischen Druck der Strafen der Wille zum Heilstun
bewegt wird, können sie geeignete Mittel sein. Damit ist auch ein weiterer Ein-
wand erledigt, der die Einheit von Leib und Seele im Menschen nicht ernst
nimmt: Die Strafe als physisches Übel könne die geistige Seele des Menschen
nicht erreichen. Tatsächlich kann sie auf dem Wege eines Einflusses auf den Willen, der ein erstrebtes Gut gefährdet sieht, sehr wohl den Personkern (die Seele)
des Menschen erreichen.[578]

So ergibt sich, daß zeitliche Strafen geeignete Mittel sein können, den Finis der
Kirche zu erreichen. Da sie hierzu auch oft notwendig sind, hat die Kirche auf
Grund ihres Charakters als vollkommene Gesellschaft auch die entsprechende
Gewalt, zu zwingen und zu strafen.

Andererseits betont A. Ottaviani mit Nachdruck den Geist des Evangeliums
bei der Anwendung der Strafgewalt. Wie die Kirche Christus nachfolgt, der die
Händler mit Gewalt aus dem Tempel getrieben und die Pharisäer öffentlich
vor allem Volke entlarvt hat (Infamie), so muß sie auch Christus folgen, indem
sie zwar den Sünder straft, sich aber des Menschen erbarmt, nach dem eindring-
lichen Wort Augustins.[579] Wenn schon in jeder Gesellschaft die Strafpraxis
klug und maßvoll gehandhabt werden muß, gilt das besonders von der Kirche.
Jeder, der in der Kirche eine Leitungsfunktion innehat, muß deshalb sowohl
die sozialen Rücksichten im Blick haben als auch besonders darauf achten, daß
die Strafen dem einzelnen wirklich helfen. Dazu gehört eine kluge Auswahl
und Diskretion, was das Maß angeht; gewisse Strafen werden zuzeiten zu ver-

---

[577] Cf. *Ottaviani* I, 276s n. 170; Immortale Dei § 5 (CICfontes III, 238): „iudicandi punien-
dique potestate" (ASS 18 [1885/86] 165).

[578] Zu den Einwänden und ihrer Widerlegung cf. *Cappello,* Summa 174–178 nn. 175–182.

[579] Contra Parmenian., eb. II, c. 1; PL 187, 1174 (*A. Ottaviani* entnimmt die Stelle *Gratian;*
Quelle ist PL 43, 51).

meiden sein, weil sie mehr zerstören als aufbauen; das Urteil des Richters wird die große Freiheit in der Strafbemessung zu nützen haben.[580] Schließlich hängt natürlich die Wirksamkeit besonders des geistlichen Zwanges von der Sensibilität des Glaubenden bezüglich der entsprechenden Mittel ab.[581]

b) Überblick über die weiteren Themen

Dann geht es um die Regelung der Ordensangelegenheiten: Wer ist zuständig, Staat oder Kirche? Die Immunitäten der Kleriker, die Frage des kirchlichen Eigentums und der freien Verwaltung der Kirchengüter kommen zur Sprache. Dann folgen Ausführungen über die Träger der Autorität, Primat, Episkopat und weitere Träger der Vollmachten.[582] Gliederung der Kirche in territoriale und personale Bezirke, Rechte des römischen Bischofs, Freiheit der Kirche in Ehesachen, Schulfragen, Ausbildung der Geistlichen, schließlich noch einmal prinzipiell die Beziehungen der Kirche zum Staat, und die Konkordate. Verschiedentlich taucht der Vergleich der Kirche mit einer intakten staatlichen Gemeinschaft auf.[583]

Interessant ist das Bemühen der älteren Kanonisten, die „Regierungsform" der Kirche zu bestimmen.[584] Denn auch hier werden Begriffe aus dem Staatsleben verwandt. Man versucht die Kirche mit Hilfe der Begriffe absolute bzw. gemäßigte Monarchie zu qualifizieren. Während einzelne ausdrücklich auf den analogen Charakter solcher Bezeichnungen bei Anwendung auf die Kirche aufmerksam machen, versuchen andere, wie F. M. Cappello, sie einfach zu übernehmen.[585] Dabei klagt gerade er selber darüber, daß „sehr viele Autoren allzu sklavisch auf die Kirche einen Begriff der Gesellschaft und Gewalt anwenden, den seit Aristoteles die Philosophen und Juristen allgemein tradieren. Die Kirche, das muß man sehr stark betonen, ist zwar eine wahre Gesellschaft, aber doch eine geistliche und übernatürliche und die höchste."[586]

---

[580] Cf. *Ottaviani* I, 283–287 n. 175s.

[581] Cf. *Ciprotti*, Lezioni 39.

[582] Siehe unten § 35 B.

[583] *Ottaviani* I, 273 n .169; cf. 145 n. 90: „ad instar bene ordinatae reipublicae".

[584] Siehe unten § 34.

[585] Cf. *Cappello*, Summa 341s n. 362: Es gibt vier Formen; drei passen sicher nicht auf die Kirche, also bleibt bloß die vierte, die absolute Monarchie. Damit ist stillschweigend vorausgesetzt, daß die gängigen Begriffe aus dem Staatsleben auch auf die übernatürliche Gesellschaft Kirche zutreffen; vgl. dagegen *R. Guardinis* Hinweis in unserer Einleitung S. 4 ff.

[586] *Cappello*, Summa 138 n. 142: „Dolendum maxime est, plerosque AA. *nimis serviliter* applicare Ecclesiae conceptum societatis et potestatis, quem post Aristotelem passim tradunt philosophi et iuristae. Ecclesia, alte conclamandum, est quidem vera societas, sed *spiritualis et supernaturalis*, atque *suprema*." Cf. *Cavagnis* I, 203 n. 312.

III. Die Übernatürlichkeit dieser souveränen Gesellschaft

Fragen wir nun noch genauer, was unsere Autoren unter spiritualis und supernaturalis verstehen. Denn darin soll sich nach ihnen ja die Kirche vom Staate abheben, und auch in dem wesentlichen Kennzeichen, dem Finis, wird gerade dies immer erneut betont: Die Kirche hat einen geistlichen und übernatürlichen Finis (passim).[587] Kurz und knapp sagt F. M. Cappello: Die Kirche ist eine geistliche und übernatürliche Gemeinschaft wegen 1. des Ursprungs, 2. des Finis, 3. der Mittel. Mit spiritualis ist einerseits im Gegensatz zu temporalis die Zielbestimmung der Kirche benannt, insofern sie die Ehre Gottes durch Heiligung und Hinführung zur ewigen Seligkeit fördern soll;[588] andererseits im Gegensatz zu sensibilis und visibilis die Weise des Daseins, daß man sie mit den körperlichen Sinnen nicht erfassen kann.[589] Dazu kommt noch eine Bedeutung, die der paulinischen nahekommt: was der Sünde und der Neigung zur Sünde entgegengesetzt ist.[590] Supernaturalis ist im Gegensatz zu naturalis gebraucht und bezieht sich auf die heiligmachende Gnade, die durch die Sakramente geschenkt und vermehrt wird. Im letzten tendiert sie auf das ewige Leben mit dem dreifaltigen Gott,[591] das über die Ansprüche der menschlichen Natur hinaus ihm selbst zu verdanken ist.[592] Darum wird supernaturalis auch von dem Faktum Jesu Christi ausgesagt, das über die Natur hinausgeht. Die Kirche ist also eine geistliche und übernatürliche Gesellschaft in bezug auf ihren Ursprung, ihren Finis und die Mittel, die ihr zur Verfügung stehen. Damit unterscheidet sie sich vom Staat besonders in dieser dreifachen Hinsicht.[593] Die staatliche Ge-

---

[587] Cf. *Cappello*, Summa 84 n. 88.

[588] Cf. *Cavagnis* I, 112 n. 203; spiritualis est „quatenus scil. ad hoc facta comparataque est divinitus, ut membra sua proxime quidem ex statuta norma sanctificet, tum vero, quod illius fructus est ac corona, ad aeternam beatitudinem adducat; atque hoc tandem pacto externam. Dei gloriam promoveat". *F. Cavagnis* beruht hier auf *C. Mazzella*, De Religione et Ecclesia. Praelectiones Scholastico-Dogmaticae, Romae ⁴1892, 341.

[589] Cf. *Cavagnis* I, 156 n. 251; *Cappello*, Summa 112 n. 116.

[590] Cf. *Cavagnis* I, 120 n. 216.

[591] Cf. *Cavagnis* I, 156 n. 251.

[592] Cf. *C. Mazzella*, De Religione et Ecclesia, Romae ⁴1892, 341.

[593] Mit diesen drei Bestimmungen greifen unsere Autoren die Aussage von Satis cognitum auf (29. Juni 1896), wo *Leo XIII.* sagt: (*Rohrbasser* 637): „Die Kirche ist mithin ihrem Ursprunge nach eine göttliche Gesellschaft; ihrem Zweck und den dazu führenden Mitteln nach übernatürlich; nur weil sie aus Menschen besteht, ist sie auch eine menschliche Gesellschaft." (CICfontes III, 483: „Ergo Ecclesia societas est ortu *divina*: fine, rebusque fini proxime admoventibus, *supernaturalis*: quod vero coalescit hominibus, *humana* communitas est.") Cf. *Ottaviani* I, 147 n. 92. Auch die potestas hat ihre übernatürliche Qualität vor allem vom übernatürlichen Finis her, sodann vom Ursprung, d. h. von der Übertragung bei der Stiftung der Kirche. *L. Bender* (cf. IPE 62) führt aber sogar diesen zweiten Grund auf den ersten zurück. Wir deuten hier ‚Ursprung' in diesem historischen Sinn, nicht im Sinn

sellschaft hat natürlichen Ursprung, was ihr Recht, und menschlichen, was das Faktum angeht; dagegen steht am Anfang der Kirche ein göttliches und übernatürliches Faktum, und sie hat auch darum ein göttliches und übernatürliches Recht. Was den Finis angeht: Die staatliche Gesellschaft tendiert zu einem natürlichen Glück, das zudem noch zeitlich begrenzt ist, die kirchliche zu einem geistlichen und zwar übernatürlichen Glück. Fragen wir nach den Mitteln: Sie müssen dem Finis angepaßt sein, also bedient sich die staatliche Gesellschaft äußerer Aktionen, die Kirche aber müht sich speziell um die innere Heiligkeit, die in Glaube und Gnade besteht. Sie fördert diese Werke zwar auch durch äußere Mittel, doch sind unter ihren Mitteln einige im strengen Sinn übernatürliche, wie die Sakramente, andere, die man wegen ihres Ursprunges so nennen kann, wie die Glaubenslehre, die geoffenbart ist und unfehlbar vorgelegt wird.[594]

Kapitel 2

BILDER ZUR ERFASSUNG DER KIRCHE

§ 11 *Das Bild vom Leibe*

Die Begriffe im Feld der vollkommenen Gesellschaft bzw. der Heilsinstitution sind nicht die einzigen Hilfsmittel, mit denen die Kirche von diesen Kanonisten beschrieben wird. Die Beschreibung corpus, Leib, Körper, und dementsprechend der Angehörigen dieses Körpers als Glieder ist uralt. Selten aber wird sie im paulinischen, biblischen Sinne gebraucht.[595] A. Ottaviani hat sie besonders ausgeprägt. Seine Verwendung ist typisch für dieses Kirchenbild. Er nennt schon ganz allgemein die Gesellschaft, etwa eines Staates, einen „mystischen Leib".[596] Unverkennbar steht er hier in der kanonistischen Tradition, die unter

---

eines dauernden ‚Ursprungs' wegen der Ausdrücke „Ecclesia pollet", was einen dauernden Besitz bezeichnet, und „potestas a Deo causata", was einen abgeschlossenen Vorgang bezeichnet.

[594] Zum Ganzen cf. *Cavagnis* I, 112 n. 203.

[595] Die Väter und neuerdings auch moderne Exegeten finden das Bild vom Leib, angewendet auf die Gemeinde, auch bei Mt 18, 8 f.: Vgl. *W. Pesch*, Die sogenannte Gemeindeordnung Mt 18, in: BZ 7 (1963) 223 f.; *ders.*, Matthäus der Seelsorger (Stuttgarter Bibel-Studien 2), Stuttgart 1966, 27 f.; cf. *Cappello*, Summa 81 n. 86.

[596] *Ottaviani* I, 273 n. 169.

mystisch nichts anderes versteht als „bildlich", „geistig".[597] Im folgenden Satz spricht er sofort von der Kirche, die Christus so eingerichtet habe, „daß sie ein mystischer Leib sei".[598] Das Bild vom Leibe wird bei der Definition der Gesellschaft eingeführt: „Vereinigung mehrerer Menschen zur Erreichung ein und desselben Zieles mit gemeinsamen Mitteln."[599] Dort erläutert er diese Elemente weithin mit Ausdrücken aus dem organischen Bereich: Es gibt in einer societas

1. die Menschen oder Glieder, aus denen der Sozialkörper zusammenwächst;

2. das Band der Einheit, das ist der Komplex der Bindungen, auf Grund derer das Gefüge dieses Leibes besteht und durch die die Vielzahl der Glieder zu einer geordneten Einheit werden;

3. den Finis, der gleichsam die Seele (animus) jenes moralischen Organismus ist;

4. die Mittel, das ist alles, was nötig ist, damit der organische Leib wie mit organischen Kräften ausgestattet erhalten wird und zur Erreichung seines Finis handeln kann.[600] Die Mittel nennt er an anderer Stelle auch „Organe".[601]

Diese Bilder und dieses Begriffsfeld tauchen nun immer wieder auf. Unter diesen allgemeinen Begriff des Körpers oder Organismus wird die Kirche gefaßt.[602] Dabei wird als Haupt einfachhin der Papst bezeichnet.[603] Dieser Organismus hat übernatürliches Leben.[604] In ihn werden die Menschen durch die Taufe eingegliedert[605], ebenfalls die Ordensfamilien durch ihre Einrichtung.[606] Alles in allem können wir feststellen, daß der Gebrauch dieses Bildes fast völlig im natürlichen Bereich bleibt, er wird nicht biblisch vertieft. Es liegt ein

---

[597] Für F. Suarez und die Spätscholastiker bezeugt das F. Frodl in seiner Gesellschaftslehre, Wien 1936, 143. Sie wollen damit (aaO. 142) „die selbständige Einheit des gesellschaftlichen Ganzen ausdrücken"; ähnlich zitiert Ch. Munier (Église 612) in seinem Aufsatz Église J. B. Fragosi, der corpus mysticum in einem allgemeinen philosophischen Sinne verwendet.

[598] Ottaviani I, 273 n. 169, cf. et. p. 359 n. 214: corpus mysticum, quod est Eccl.; 337 n. 204: corpus eius mysticum (sc. Ecclesiae, nicht etwa Christi).

[599] Ottaviani I, 29 n. 15.

[600] Ottaviani I, 29s n. 15.

[601] Ottaviani I, 86 n. 50; p. 96 n. 57.

[602] Organismus cf. Ottaviani I, 151 n. 96, adn. 3; p. 307 n. 187; p. 337 n. 204; corpus p. 154 n. 98 et passim; compago corporis Eccl. p. 355 n. 211.

[603] Ottaviani I, 154 n. 98; p. 355 n. 211; p. 359 n. 214; de supremo Eccl. capite ist das Kapitel über den römischen Pontifex überschrieben: p. 357 ante n. 213.

[604] Ottaviani I, 337 n. 204.

[605] Ottaviani I, 144 n. 90.

[606] Ottaviani I, 338 n. 204.

„körperschaftlich-juristisches Leibverständnis"[607] vor. Allerdings erfaßt er mehr als moderne individualistische Auffassungen die wesenhafte Einheit der Gesellschaft, worin sich natürlich der Einfluß der theologischen Wirklichkeit zeigt.[608]

Wie nicht anders zu erwarten, ergibt sich also das gleiche Bild wie beim Begriff der vollkommenen Gesellschaft.

§ 12 Kirche als Herde und Schafstall

Kurz sei der gleiche Sachverhalt noch an einem anderen biblischen Bild aufgewiesen, an dem vom Hirten und der Herde. Es wird ziemlich formelhaft verwendet, und zwar hauptsächlich im Anschluß an den Auftrag an Petrus in Joh 21. Einerseits wird gelegentlich daraus erwiesen, daß die Kirche numerisch eine sein muß,[609] was ja auch in Joh 10 gemeint ist. Andrerseits ist aber am häufigsten die Applikation der Teilung in Hirten und Herde (Schafe), d. h. es gibt auch in der Kirche Vorgesetzte und Untergebene.[610] Doch vermissen wir das Bewußtsein, daß Jesus Christus der bleibende wahre Hirt seiner Herde ist, wenn Petrus als der oberste Hirt bezeichnet ist.[611] Die Gegenwart des wahren Hirten, der sein Leben für seine Schafe gibt, ein wesentlicher Skopos der Bildrede vom Hirten, fehlt in diesem Kirchenbild.

§ 13 Kirche als Reich

Einige wenige Kanonisten geben als Definition der Kirche an, sie sei das Reich Gottes, die anderen setzen dies als selbstverständlich voraus.

Im vorigen Jahrhundert schrieb G. Phillips[612]: Die Kirche ist „das *Reich Gottes auf Erden*". Er bezog sich dabei auf Innozenz' III. Dekretalenstelle: „Denn Christus machte uns wirklich in seinem Blute zu einem Reich für unseren Gott."[613]

---

[607] *J. Ratzinger*, Der Kirchenbegriff und die Frage nach der Gliedschaft der Kirche, in: Das neue Volk Gottes, Düsseldorf ²1970, 99.

[608] Vgl. *F. Frodl*, Gesellschaftslehre, Wien 1936, 143.

[609] *Ottaviani* I, 147 n. 92.

[610] *Ottaviani* I, 349 n. 209.

[611] *Ottaviani* I, 358 n. 213; p. 364 n. 217; p. 357 n. 213: „pascendi cura".

[612] *G. Phillips*, Lehrbuch des Kirchenrechtes I, Regensburg ³1855, 8.

[613] „Quia vero Christus fecit nos in sanguine suo Deo nostro regnum..." (X. I 15, 1 § 6); Anm. 4 auf S. 2.

Eine der bedeutendsten Darstellungen des vorkodikarischen Kirchenrechts ist das „Handbuch des Kirchenrechtes" von R. von Scherer. In ihm finden wir: „. . . sie (die Kirche) ist das Reich Gottes auf Erden."[614] Dieses zweibändige Kirchenrechtshandbuch R. von Scherers ist eine der wichtigsten Quellen für das Lehrbuch des Kirchenrechts von E. Eichmann geworden. So schreibt dieser: „Die Kirche ist die von Christus gestiftete (rechtlich organisierte) Anstalt zur Verwirklichung des Reiches Gottes auf Erden."[615] Es heißt aber auch direkt: „Die Kirche wird Reich Gottes genannt, weil sie alle Menschen für das Reich Gottes gewinnen soll."[616] Im übrigen wird in unserer Literatur bei den Autoren, die das Kirchenbild der übernatürlichen societas vertreten, dieser biblische Begriff nur herangezogen, um gewisse Teilaspekte der Kirche darzustellen und zu begründen. Meistens wird die Bezeichnung Reich auf die Kirche angewandt, um ihre Sichtbarkeit aufzuweisen[617] und die gesetzgebende Gewalt der Kirche als vollkommene Gesellschaft zu sichern. „Aus den Worten Christi geht klar hervor, daß die Kirche in der Form eines Reiches realisiert ist."[618] Die Kirche ist eine wahre, sichtbare Gesellschaft, darum nennt Christus sie ein Reich.[619] Dafür wird besonders die Stelle Mt 16, 19 zitiert: „Dir werde ich die Schlüssel des Himmelreiches geben." So ist also die Kirche praktisch mit dem Reiche Gottes gleichgesetzt.[620] Andererseits heißt sie auch manchmal Reich Christi.[621] Das Tertium comparationis ist für diese Kanonisten also einmal die Sichtbarkeit, wobei sie nicht vergessen zu sagen, dieses Reich sei kein irdisches, sondern ein geistliches Reich.[622] Zum anderen ist Vergleichspunkt die Tatsache, daß eine gesetzgebende Autorität vorhanden sein muß, eine letzte, oberste Instanz.[623] Dazu kommt dann in Anlehnung an Satis cognitum noch die Betonung der

---

614 Handbuch des Kirchenrechts I, Graz 1886, 18; *Sägmüller* 31: „das sichtbare Reich Gottes auf Erden".

615 *Eichmann* Bd. I, in der 1. Auflage (Paderborn 1923) S. 5 ohne den eingeklammerten Text, in der 4. Auflage von 1934 auf S. 18 mit ihm.

616 3. Auflage, Band I, 6.

617 *Cappello*, Summa 84 n. 88.

618 *Ottaviani* I, 191 n. 123: „Ex verbis Christi constat Ecclesiam regni imaginem expressam gerere." Dafür eine Reihe von Stellen, die vom Reiche Gottes sprechen: Senfkorngleichnis, Mt 13, 31; Reich Gottes ist zu euch gekommen, Lk 11, 20.

619 Cf. *Cappello*, Summa 81 n. 85.

620 Vgl. *Holböck* I, 45: Kirche, das sind die Menschen, „die das Reich Gottes auf Erden bilden".

621 *Cappello*, Summa 77 n. 84; p. 101 n. 106. *Wernz–Vidal* II, 2 n. 1 „civem regni Jesu-Christi". Vgl. früher *Phillips* (Anm. 612) 9.

622 „Ecclesia est regnum non utique temporale sed spirituale." *Cappello*, Summa 100 n. 105. Cf. *Wernz–Vidal* I, 31.

623 *Ottaviani* I, 191 n. 123: „supremus magistratus".

Einzigkeit der Kirche,[624] die sich ganz allgemein in der Bezeichnung Reich ausdrückt.

Zusammenfassend läßt sich also sagen, daß bei den Kanonisten der societas-perfecta-Lehre die Kirche als Reich Christi und auch als Reich Gottes angesehen wird.[625]

Kapitel 3

ZUR EINORDNUNG UND BEURTEILUNG DES KIRCHENBILDES DER ÜBERNATÜRLICHEN SOCIETAS PERFECTA

§ 14 *Die Beziehung zu Jesus Christus*

Unser erstes Kriterium ist die Beziehung zu Jesus Christus. Dieses Kriterium hatten wir der Enzyklika Ecclesiam Suam entnommen, wo Paul VI. davon spricht.[626]

I. Unterbewertung der Menschheit Christi

Man sieht nun ohne Schwierigkeiten, daß diese Verbindung zu Jesus Christus im gesellschaftlichen Kirchenbild fast nur als Verbindung zum historischen Christus gesehen wird. Damals, vor knapp 2000 Jahren, hat Jesus Christus die Kirche gegründet, er hat sie so und so eingerichtet, die und die Eigenschaften und den und den Finis ihr gegeben. Dabei ist es interessant zu lesen, wie von Christus überwiegend als Gott gesprochen wird,[627] von der göttlichen

---

[624] Cf. *Ottaviani* I, 147 n. 92; *Rohrbasser* 616-Acta Leonis XIII, vol. XVI, pp. 163. 164. 168., cf. CICfontes III, 483.

[625] Es kommt also nicht die Spannung in den Blick, daß in der Kirche das Reich Gottes zwar schon keimhaft und zeichenhaft gegenwärtig ist (vgl. *Mörsdorf* I, 27), daß es aber erst am letzten Tage von Gott her kommt und so die Kirche „aufhebt". (Vgl. *P. Hoffmann*, Art. Reich Gottes, in: HthG II, 414–428. [bes. 427]; *H. Schürmann*, Das Gebet des Herrn, Leipzig ⁵1965, 51 bzw. Freiburg/Br. ³1965; *R. Schnackenburg*, Gottes Herrschaft und Reich, Freiburg/Br. 1959 u. ö.; ders., Die Kirche im Neuen Testament [QD 14], Freiburg/Br. 1961; *H. Schlier*, Reich Gottes und Kirche nach dem Neuen Testament, in: ders. Das Ende der Zeit, Freiburg/Br. 1971, 37–51).

[626] Vgl. oben Anm. 29.

[627] Vgl. auch den Begriff der Kirche bei *Tarquini* p. 30 n. 41: „a Christo *Deo* instituta(m)", während *F. Cavagnis* (I, 109) nur „a Christo *Domino*" sagt; auch bei *L. Bender* kann man feststellen, daß er von Christus einfach als von Gott spricht (146): „Ante omnia notari de-

Stiftung der Kirche etc. Die menschliche Natur Christi steht nicht so im Blick. Es liegt in der Konsequenz dieser Tatsache, daß dann die weitere Heilsgeschichte und das Wirken der Kirche stark auf der menschlichen Ebene liegt. Grob gesprochen könnte man die Tendenz so bezeichnen: Damals bei der Stiftung der Kirche hat Gott gewirkt, heutzutage wirken die Menschen in der Kirche. Es wird kaum einmal von Christus als Haupt der Kirche, des geheimnisvollen Leibes, gesprochen. Sein Geist wird fast nie als Prinzip allen kirchlichen Tuns genannt.

II. Das Begriffsfeld der societas

Der tragende Begriff ist der Begriff der societas. Wie alle Begriffe, mit denen wir die Heilsgeheimnisse zu erfassen suchen, ist er aus dem natürlichen Bereich genommen. Es ist ein philosophischer Begriff, man kann auch sagen, eine juristische Idee.[628] Er ist umgeben von einem Begriffsfeld, das u. a. auch dazu dient, die staatliche Wirklichkeit zu erfassen, aber auch andere Gesellungsformen wie etwa die Familie, die Freundschaft etc. Häufig ist von den Autoren des Ius Publicum zunächst dieses Begriffsfeld dargestellt, um es dann erst speziell auf die Kirche anzuwenden.

Man kann wohl nicht sagen, daß der Begriff societas überhaupt nicht geeignet sei, die tiefe Realität zu bezeichnen, welche die Kirche belebt.[629] Sicher ist richtig, daß er von der Offenbarung her gefüllt und getauft werden muß. Und da wird man zugeben müssen, daß dies weitgehend bei den Autoren des gesellschaftlichen Kirchenbildes nicht geschieht.

Die einzigartige Realität, die die Kirche belebt, ist ja die Aktion Christi, des Hauptes des mystischen Leibes.[630] Es ist also nicht das gottmenschliche Prinzip gewahrt, welches in der Inkarnation wirksam ist.[631]

---

bet Ecclesiam non esse institutam mediate a Deo et immediate a voluntate humana, agente secundum praecepta Dei. Christus immediate instituit Ecclesiam." Hier sollte man sich an das Dogma von den zwei Willen in Christus erinnern. Ungewollt steht man darum nahe bei *R. Sohm,* der die menschliche Natur Christi völlig vernachlässigt (Das altkatholische Kirchenrecht und das Dekret Gratians, Leipzig 1917, 81. 83). Darauf macht *K. Mörsdorf* aufmerksam (Sakramentsrecht 492).

[628] Cf. *L. de Echeverria,* Die Theologie des Kirchenrechts: Conc 3 (1967) 603.

[629] *Hera,* Droit 60s: „un concept philosophique, . . ., incapable de servir de support à la realité profonde qui anime l'Église".

[630] *Hera,* Droit 61: „la réalité profonde qui anime l'Église ... cette réalité unique est l'action du Christ, Chef du Corps Mystique ... la relation de l'Église à Dieu ... n'est pas arbitraire; elle passe nécessairement par l'Unique Médiateur, Notre Seigneur Jésus Christ." Er zit. *Y. M.-J. Congar,* Peut-on définir l'Église? Sainte Église, Paris 1963, 36–39.

So muß man sagen, daß das System des gesellschaftlichen Kirchenbildes noch sehr stark in einer natürlichen Auffassung von Gesellschaft verhaftet bleibt. Es ist nicht durchgängig von der Offenbarung her geprägt. Sicher werden Tatsachen der Offenbarung eingearbeitet; so z. B. wenn die Kirche eine societas inaequalis genannt wird. Man kann auch nicht sagen, daß das falsch sei; doch auf der anderen Seite fehlt beispielsweise, was in diesem Zusammenhang so wichtig wäre, nämlich die allen Gläubigen gemeinsame Verbindung zu Jesus Christus und ihre Würde als Tempel des Heiligen Geistes. Mag das durch die Zielsetzung der Traktate bedingt und sogar bisweilen bewußt in Kauf genommen sein, es bleibt die Tatsache und wir stellen sie fest.

III. Enge Anlehnung an staatliche Begriffe

Es bleibt damit sehr stark der Begriff der societas allein vorherrschend, und damit gerät man in die Nähe des Staates. Schon J. A. v. Zallinger hat vor 200 Jahren davor gewarnt, die Parallelen zwischen Staat und Kirche zu eng zu ziehen. Er bemerkt, daß der Ursprung, der Finis, das Objekt und die Art der Ausübung der Vollmachten, die die Kirche empfangen hat, wesentlich verschieden ist von den entsprechenden Realitäten in der staatlichen Gesellschaft.[632]

Es gibt allerdings auch andere Stimmen. Danach wird in den Traktaten des Ius Publicum ein künstlicher Begriff einer vollkommenen Gesellschaft konstruiert, der speziell nur für diese apologetischen Zwecke gebraucht wird.[633] Es ist interessant, wie hier zwei Vorwürfe sich genau widersprechen; einmal soll der Begriff der vollkommenen Gesellschaft aus dem natürlichen (philosophischen) Bereich genommen sein, ein andermal soll er dann doch künstlich zurechtgemacht sein, und das hieße doch, seinem besonderen Gegenstand angepaßt. Bei

---

[631] F. X. *Arnold*, Grundsätzliches und Geschichtliches zur Theologie der Seelsorge, Freiburg/Br. 1949; vgl. auch vom gleichen Verfasser: Das gottmenschliche Prinzip in der Seelsorge (Pastoral-Katechetisches Heft 12), Leipzig 1959 (Abdruck aus F. X. *Arnold*, Seelsorge aus der Mitte der Heilsgeschichte [Untersuchungen zur Theologie der Seelsorge 10], Freiburg/Br. 1956).

[632] Cf. Institutionum Iuris naturalis et ecclesiastici libri V, Aug. Vindel. 1784, p. 741, zit. nach *Munier*, Eglise 613. Cf. et *Kemmeren*, Ecclesia 2: Philosophisch-juridische Kategorien reichen nicht aus. Vgl. auch *Heimerl*, Kirche 54: Dort hebt er die Eigenart der kirchlichen Regierungsgewalt hervor.

[633] Cf. *Hera*, Droit 59 folgend E. *Fogliasso*, La tesi fondamentale del IPE: Salesianum 8 (1946) 82s.

beiden Vorwürfen spürt man das Unbehagen;[633a] wir möchten wiederum sagen: Das entscheidende Manko ist eben, daß dieser Begriff unvollständig ist; der Charakter des Mysteriums fehlt.[634] Der Begriff erwähnt nicht die lebendige Beziehung zu Christus, er übergeht die Kräfte, die der Kirche eigen sind, dem Volk Gottes, das mit dem Blute Christi losgekauft ist.[635]

IV. „Übernatürlich" und Christusbeziehung

Die Kennzeichnung „übernatürlich" reicht nicht hin, um diese Verbindung auszudrücken. Die Beziehung der Kirche zu Gott, die sie eigentlich zur übernatürlichen Gesellschaft macht, ist ja nicht willkürlich, sondern sie verläuft eben gerade über den einzigen Mittler, unsern Herrn Jesus Christus.[636] In dem Verständnis des gesellschaftlichen Kirchenbildes bezieht sich „übernatürlich" auf Ursprung, Finis und Mittel (Objekt) der Kirche. Damit ist aber im Grund zu wenig ausgesagt. Es ist damit von der Gründung durch Christus die Rede (durch „Gott"), also von der Vergangenheit, vom Finis, also von der Zukunft,

---

[633a] Das heutige Bewußtsein der katholischen Gläubigen ist entscheidend geprägt vom 2. Vatikanischen Konzil. Dieses bringt nicht nur eine neue Sicht der Kirche als solcher, wenn es vom Mysterium der Kirche spricht (Dogmatische Konstitution Lumen gentium), sondern auch eine neue Darstellung des Verhältnisses zwischen der politischen Gemeinschaft und der Kirche (Pastoralkonstitution Gaudium et spes), welches in dieser Arbeit nicht eigens behandelt wird: „Die Kirche, die in keiner Weise hinsichtlich ihrer Aufgabe und Zuständigkeit mit der politischen Gemeinschaft verwechselt werden darf noch auch an irgendein politisches System gebunden ist, ist zugleich Zeichen und Schutz der Transzendenz der menschlichen Person.

Die politische Gemeinschaft und die Kirche sind auf je ihrem Gebiet voneinander unabhängig und autonom. Beide aber dienen, wenn auch in verschiedener Begründung, der persönlichen und gesellschaftlichen Berufung der gleichen Menschen. Diesen Dienst können beide zum Wohl aller um so wirksamer leisten, je mehr und besser sie rechtes Zusammenwirken miteinander pflegen; dabei sind jeweils die Umstände von Ort und Zeit zu berücksichtigen. Der Mensch ist ja nicht auf die zeitliche Ordnung beschränkt, sondern inmitten der menschlichen Geschichte vollzieht er ungeschmälert seine ewige Berufung. Die Kirche aber, in der Liebe des Erlösers begründet, trägt dazu bei, daß sich innerhalb der Grenzen einer Nation und im Verhältnis zwischen den Völkern Gerechtigkeit und Liebe entfalten. Indem sie nämlich die Wahrheit des Evangeliums verkündet und alle Bereiche menschlichen Handelns durch ihre Lehre und das Zeugnis der Christen erhellt, achtet und fördert sie auch die politische Freiheit der Bürger und ihre Verantwortlichkeit.

Wenn die Apostel und ihre Nachfolger mit ihren Mitarbeitern gesandt sind, den Menschen Christus als Erlöser der Welt zu verkünden, so stützen sie sich in ihrem Apostolat auf die Macht Gottes, der oft genug die Kraft des Evangeliums offenbar macht in der Schwäche der Zeugen. Wer sich dem Dienst am Wort Gottes weiht, muß sich der dem Evangelium eigenen Wege und Hilfsmittel bedienen, die weitgehend verschieden sind von den Hilfsmitteln der irdischen Gesellschaft.

aber in der Gegenwart bleibt dann nur die Übernatürlichkeit der Mittel, also der Sakramente, und das ist zu wenig. Es wird z. B. nicht von der Teilnahme an der göttlichen Natur gesprochen, die uns durch Taufe und Eucharistie geschenkt wird.[637] Typischerweise ist auch die Verkündigung des Wortes Gottes nicht mehr übernatürlich und geistlich, weil sie im Heiligen Geiste geschieht, sondern weil sie einmal göttlich (!) geoffenbart und jetzt kraft des Rechtes des Papstes unfehlbar vorgelegt ist.

Das Irdische und das, was am konkreten Menschen diese Welt übersteigt, sind miteinander eng verbunden, und die Kirche selbst bedient sich des Zeitlichen, soweit es ihre eigene Sendung erfordert. Doch setzt sie ihre Hoffnung nicht auf Privilegien, die ihr von der staatlichen Autorität angeboten werden. Sie wird sogar auf die Ausübung von legitim erworbenen Rechten verzichten, wenn feststeht, daß durch deren Inanspruchnahme die Lauterkeit ihres Zeugnisses in Frage gestellt ist, oder wenn veränderte Lebensverhältnisse eine andere Regelung fordern. Immer und überall aber nimmt sie das Recht in Anspruch, in wahrer Freiheit den Glauben zu verkünden, ihre Soziallehre kundzumachen, ihren Auftrag unter den Menschen unbehindert zu erfüllen und auch politische Angelegenheiten einer sittlichen Beurteilung zu unterstellen, wenn die Grundrechte der menschlichen Person oder das Heil der Seelen es verlangen. Sie wendet dabei alle, aber auch nur jene Mittel an, welche dem Evangelium und dem Wohl aller je nach verschiedenen Zeiten und Verhältnissen entsprechen.

In der Treue zum Evangelium, gebunden an ihre Sendung in der Welt und entsprechend ihrem Auftrag, alles Wahre, Gute und Schöne in der menschlichen Gemeinschaft zu fördern und zu überhöhen, festigt die Kirche zur Ehre Gottes den Frieden unter den Menschen" (GS 76, 2–6).

Hierzu wäre auch Art. 39 der Verfassung der Deutschen Demokratischen Republik bedeutsam: „1 – Jeder Bürger der Deutschen Demokratischen Republik hat das Recht, sich zu einem religiösen Glauben zu bekennen und religiöse Handlungen auszuüben. 2 – Die Kirchen und andere Religionsgemeinschaften ordnen ihre Angelegenheiten und üben ihre Tätigkeit aus in Übereinstimmung mit der Verfassung und den gesetzlichen Bestimmungen der Deutschen Demokratischen Republik. Näheres kann durch Vereinbarungen geregelt werden."

[634] Cf. *L. de Echeverria*, Die Theologie des Kirchenrechts: Conc 3 (1967) 603.

[635] *Hera*, Droit 61: Cette définition „ne rend pas compte des forces profondes qui sont à l'oeuvre dans l'Église, Peuple de Dieu, racheté par le sang du Christ".

[636] *Hera*, Droit 61: „La relation de l'Église à Dieu … n'est pas arbitraire; elle passe nécessairement par l'Unique Médiateur, Notre Seigneur Jésus Christ." *A. de la Hera* zitiert *Y. M.-J. Congar* Peut-on définir l'Église? Sainte Église, Paris 1963, 36–39.

[637] Man kann diesen Mangel nicht einfach auf die dogmatische Theologie der früheren Zeit schieben; cf. *H. Hurter*, der auf wesentlich mehr hinweist (Theologiae Dogmaticae Compendium I, Veniponte [12]1909, 241): Die Kirche ist übernatürlich, weil ihre Glieder „Menschen sind, und zwar nicht insofern sie mit natürlichen Gaben und Fähigkeiten ausgestattet sind, sondern insofern sie mit übernatürlichen Gaben geschmückt sind; ... sie wird schließlich vom Heiligen Geist geleitet und beseelt" (societas supernaturalis „. . . cuius membra 3. sunt homines, non quidem prout dotibus et facultatibus naturalibus sunt praediti, sed quatenus donis supernaturalibus ornantur; . . . Quae tandem 6. Spiritu Dei regitur et animatur [n. 211]").

V. „Unabhängigkeit"

Die bleibende Beziehung zu Jesus Christus, dem Haupte der Kirche, wird schließlich gerade durch das Attribut „independens", die Behauptung der Unabhängigkeit, verborgen; wir erinnern uns,[638] daß darin die aristotelische Autarkie der koinōnia téleios weiterlebt. Die Kirche aber, wie im Grunde jede Gesellschaft, – das war nicht im Blick des Aristoteles –, ist nicht autark, sondern in ständiger Abhängigkeit von ihrem Schöpfer und Erlöser. Solange das ganz klar bleibt, daß das „independens" nur auf andere Gesellschaften wie den Staat bezogen bleibt, mag das angehen; sobald der Begriff aber das Gefühl einer völligen Unabhängigkeit weckt, wird er verderblich und irreführend, man kommt dann zu einem „soziologisch-kanonistischen Technizismus"[639].

Wenn wir dieses Kirchenbild geistesgeschichtlich einordnen wollen, wobei wir bewußt etwas vergröbern, können wir es im Zusammenhang mit der Aufklärung sehen. J. R. Geiselmann analysiert es am Beispiel des jungen J. M. Sailer.[640] Er weist auf, daß hier ein Anthropozentrismus vorliegt. „Dieses Kirchenverständnis ist nicht mehr getragen von der Idee, daß Christus im Heiligen Geist das Prinzip ist, das die Kirche trägt und durchherrscht, der Mensch aber in ihr immer nur dienende Funktion habe, das instrumentum separatum (Thomas von Aquin) in der Hand Gottes sei. Aus dem Diener Mensch ist der Herr, aus dem Werkzeug Gottes der selbständig Handelnde geworden."[641] Im übrigen führt er diesen Kirchenbegriff auf den Deismus zurück. Im deistischen Weltbild läuft die Welt mechanistisch ab. Am Anfang hat Gott die Maschine in Gang gesetzt, dann läuft sie nach ihren Gesetzen unabhängig von ihm ab. Entsprechend ist es in diesem Kirchenbild bei der Kirche: Sie ist von ihrem Gründer in Gang gesetzt und läuft nun nach ihren Gesetzen ab. Auch das Menschenbild ist entsprechend verändert: Es ist der autonome Mensch, der hier auch in der Kirche der selbständig Handelnde ist und Gott bestenfalls die Rolle des Unterstützers läßt.[642] Darum finden wir eben in den Darstellungen des Ius Publicum nur gelegentlich Christus als unsichtbares Haupt seines geheimnisvollen Leibes genannt.[643] Als Haupt ist einfach der Papst bezeichnet.[644] Genauso tritt der Geist Christi als Prinzip der Einheit völlig in den Hintergrund.

---

[638] Vgl. oben § 10 I, 1.

[639] *Useros*, Statuta AnGr 353.

[640] *J. R. Geiselmann*, Kirche und Frömmigkeit in den geistigen Bewegungen der 1. Hälfte des 19. Jahrhunderts, in: Sentire Ecclesiam (Festschr. für H. Rahner), Freiburg/Br.–Basel–Wien 1961, 474–530.

[641] *Geiselmann*, Kirche 478; dagegen *Mörsdorf* I, 27.

[642] Vgl. *Geiselmann*, Kirche 479 f.

[643] Cf. *Cappello*, Summa 82 n. 86.

[644] Vgl. oben Anm. 603.

Die Folgen dieser Zurückdrängung des göttlichen Anteils am Wirken der Kirche sind dann besonders zwei: „Sie führt zwangsläufig zur ausschließlichen Betonung des *Amtes* in der Kirche vor dem in ihr waltenden Gottesgeist: und sie führt von da aus zur Einschränkung der handelnden Kirche auf den Klerus als Amtsträger."[645]

§ 15 *Die Spannungsgegensätze*

Jedes System muß von der Wirklichkeit in gewissem Maße abstrahieren. Es entfernt sich damit vom Konkreten. Während man nun am lebendig Konkreten Gegensätze oder Polaritäten feststellen kann, kommt man im logischen System, das notwendigerweise abstrakt ist, zu einer gewissen Einseitigkeit. Die Abstraktion ist im gesellschaftlichen Kirchenbild relativ weit fortgeschritten, nicht zuletzt dadurch, daß weitgehend sein Begriffsfeld aus dem naturrechtlichen Bereich übernommen wird.

Die Polarität, die in jeder Gesellschaft vorhanden ist, kann sehr verschieden akzentuiert sein. Zum Beispiel gilt das für die Polarität Einzelner–Gemeinschaft. Wie bei einem individuellen lebendig Konkreten kann auch in einer Vielheit von Personen, in einer gesellschaftlichen Einheit, entweder eine individuelle Richtung vorherrschen, so daß zuerst alles auf die Einzelnen bezogen wird und daß die Sozietät von den Einzelnen hergeleitet erscheint. Umgekehrt kann auch das entgegengesetzte Extrem vorherrschen: Der Einzelne wird in der Gemeinschaft aufgelöst als eine Phase oder als eine „Funktion".[646]

Recht lebendig, kraftvoll, in der starken Mitte, ist das Leben dieser Gesellschaft, wenn beides zugleich da ist, wenn beide Gegensatzseiten zum Zuge kommen, wenn auch in immer neuem Verhältnis. Die Gegensatzseiten sind i. a. einerseits den Partnern eigen, den Leitern oder Vorgesetzten, oder wer immer diese Lenkungsfunktion ausübt, und andererseits den Vielen. Der Leiter oder die Leiter werden immer stärker den Blick aufs Ganze richten, während die Einzelnen eben ihre eigenen Interessen, ihr Wachsen und Reifen im Auge haben. Wenn nun in einem System und besonders in einem Rechtssystem eine extreme Verschiebung eintritt, wird sie häufig in Richtung auf das Allgemeine, auf das Gesamte hin verlaufen, denn das Einzelne ist ja eben das, was leichter als Konkretes greifbar wird, das sich aber nicht systematisch aus-

---

[645] *Arnold*, Grundsätzliches 84 (vgl. oben Anm. 631).

[646] *Guardini*, Gegensatz 139. Hierzu vgl. auch *Guardini*, Gegensatz 50–56. Er weist darauf hin, daß in jedem Lebendigen der Gegensatz zwischen der Richtung hin auf die Gesamtheit und der Richtung hin auf das Einzelne existiert.

sagen läßt. Aber das Schwinden des göttlichen Elementes kann im gesellschaftlichen Leben, in der Wirklichkeit, sicher genausogut eine lebensunfähige Überbetonung des Einzelnen hervorrufen, einen kirchlichen Individualismus. Darin, daß die Gegensatzseite der Gesellschaft stärker betont ist, kann eine große Kraft liegen, „Kraft des Umspannens, Einbauens und Überwölbens".[647] Sobald aber hier das Maß überschritten wird, verliert das Leben den Zusammenhang mit dem „Wirklichen".[648]

Welche Seiten sind nun im gesellschaftlichen Kirchenbild mehr betont bzw. überwiegen? Eine ähnliche Frage läßt sich dann für die Gegensätze Form-Fülle, Transzendenz–Immanenz, Gliederung und Zusammenhang, Verwandtschaft und Besonderung stellen.

I. Einzelner und Gemeinschaft

Die Bemerkung F. X. Arnolds, die wir am Schluß des vorigen Paragraphen referierten, führte uns schon zu diesem Komplex. Tatsächlich können wir im gesellschaftlichen Kirchenbild feststellen, daß es eine Überbetonung des Amtes vor dem Geiste Gottes gibt; gleichzeitig wird der Klerus sehr in den Vordergrund gestellt, bis zu der Behauptung, nur der Klerus habe die Seelsorgsaufgabe.[648a]

Das bedeutet eine Verschiebung in Richtung auf die Gesamtheit hin. Vom Begriff der Gesellschaft her tritt das Gemeinwohl immer wieder stark in den Vordergrund.[648b] Der Unterschied der Gesellschaften kommt nach der hier übernommenen Naturrechtslehre allein aus dem Finis.[649] Die Vielzahl von Menschen ist den Gesellschaften ja gemeinsam; darin sieht man keinen Grund, einen Unterschied zu machen. Natürlich kann man sagen, hier sei ja nach Wesensunterschieden gefragt. Das ist richtig, doch belastet gerade diese Wesensfrage das Individuum. Denn dieses ist eben etwas Konkretes. So ist das System von der Richtung auf die Gesamtheit hin geprägt. Die andere Seite ist allerdings auch eingebaut, weil als Finis immer wieder das Seelenheil angegeben ist, also eine Sache des einzelnen.

[647] *Guardini*, Gegensatz 54.
[648] Ebd. 52.
[648a] Vgl. § 35 A.
[648b] Vgl. §§ 28 f.
[649] *Ottaviani* I, 37 n. 21.

II. Form und lebendige Fülle

Sodann können wir gerade die Betonung der Form im Gegensatz zur Fülle immer wieder feststellen. Klare Abgrenzungen, eindeutige Prägungen, das liegt schon in der Notwendigkeit, ein eindeutiges Recht zu formulieren. An einem Beispiel[649a] sei es kurz aufgezeigt: Es werden vier Regierungsformen als möglich angegeben, eine davon muß also die Form der kirchlichen Regierung sein. Drei werden ausgeschieden, kommen nicht in Frage. Also bleibt nur die vierte. Hier ist typisch nach der eindeutigen, klaren Form gefragt. Dabei wird die Fülle des Lebens, die manchmal die vorgegebenen Formen sprengen möchte, sie verändert, sie an ihr eigenes inneres Gesetz der Fülle anpassen möchte, nicht recht berücksichtigt.

III. Transzendenz und Immanenz

Weiter können wir beobachten, wie immer der Finis im Vordergrund steht. Damit ist der Schritt über den Amtsträger, den Handelnden also, und weiter auch der Schritt über die gegenwärtige Kirche hinaus getan, der Blick transzendiert die Grenzen der Kirche. R. Guardini nennt die zugrunde liegende Haltung jene der ausgestreckten Hand, die zum Griff bereit ist.[650] Damit liegt der Akzent auf der Seite der Transzendenz.[651] Im Gegensatz dazu werden wir unten bei A. Hagen und K. Mörsdorf[652] besonders dem Sinn begegnen, der dem Lebendigen immanent bleibt und in dem es sich selbst ruhig vollzieht[653]. Die Überbetonung des Zweckes erinnert uns an den Rationalismus, der alles in Worte fassen, alles in Zweckbezeichnungen aufgliedern wollte.

Damit hängt wiederum zusammen, daß wir in diesem Kirchenbild immer wieder auf die Rechte der Kirche stoßen, die der Gründer seiner Kirche verliehen hat, sehr selten jedoch dem göttlichen Leben, fast nichts hören wir von den Umwandlungen des Seins, von der Bedeutung der Taufe etwa als Neuschöpfung o. ä. Auch dies ist natürlich verständlich für Kanonisten, wir wissen aber doch schon, daß dieser Gegensatz sehr weit, gefährlich weit in das Extrem der Trans-

---

[649a] Vgl. oben § 10 II. 2. b.

[650] Vgl. *Guardini*, Gegensatz 77.

[651] Den Gegensatz Immanenz–Transzendenz nennt *R. Guardini* (Gegensatz 56–58) einen transempirischen. Hier kann man vergleichen, was er über das Innere und den transempirischen Punkt sagt.

[652] Vgl. *Mörsdorf* I, 26.

[653] Vgl., was hierzu in *Guardini*, Gegensatz 136 ff., bezüglich der kollektiven Gegensatzeinheiten gesagt ist, über das Eigenleben von Gesellschaften; siehe unten § 28.

zendenz gerät, die über sich hinausgreift. Wir spüren wenig davon, daß hier eine „innere Anwesenheit" intensiviert ist, wir merken nicht, daß etwas Tiefstes heraufsteigt, „in den einzelnen Akten und Vorgängen anwesend ist".[654] Darin sieht R. Guardini das Charakteristikum des immanenten Lebens. Viel mehr tritt immer wieder die Gegenseite hervor, daß das Leben (der Kirche) außer sich stehen kann, daß es Beziehungen nach außen, in die Vergangenheit und in die Umwelt aufnehmen kann. Das zeigt sich hier durch die isoliert betonte Kette der Vollmachtsübertragung von der Zeit Christi her, das zeigt sich in den Rechtsbeziehungen gegenüber den anderen Gesellschaften. Und sicher gilt auch: „Je weiter es (das Leben) Vergangenheit überspannt und Zukunft vorwegnimmt; je größer die Zusammenhänge und Rhythmen der Geschichte, in die es eingeordnet ist und die es aktuell durchlebt; je ferner die gesetzten Ziele und umfassender das Gefüge der Zwecke und Mittel" . . . desto stärker und freier weiß es sich. „Allein auch diese Richtung hebt sich selbst auf, sobald sie ins Extrem geht. Auf diesem Wege kann das Leben soweit außer sich gelangen, daß es den Zusammenhang mit sich selbst buchstäblich verliert, ins Leere gerät."[655] Spüren wir die Gefahr, eben den Zusammenhang mit sich selbst, das heißt hier mit *dem Leben,* mit Jesus Christus zu verlieren, wenn die Rechte zu sehr schematisch und losgelöst verfochten werden?

So hängt es auch hier zusammen: der Verlust der lebendigen Beziehung zu Gott und die gefährliche Neigung zu einem Extrem der Gegensatzseiten.

IV. Gliederung und Zusammenhang, Verwandtschaft und Besonderung

Schließlich kann man noch hinweisen auf zwei weitere Gegensätze. Das Lebendige kann so beschaffen sein, daß es stark und deutlich gegliedert ist, die einzelnen Teile stark voneinander abgehoben sind, die Besonderheiten überall ins Auge springen. Es kann aber auch anders sein, nämlich so, daß alle Teile miteinander eine tiefe Verwandtschaft ausprägen, daß der Zusammenhang erkennbar ist, daß die Grenzen fließend sind.[656]

Wenden wir diesen Gegensatz auf die gegebene Frage an, so sehen wir und werden es noch deutlicher erkennen, daß in dem älteren Kirchenbild die Seite der Besonderung, der Gliederung überwiegt. Denken wir an den scharfen Unterschied zwischen Klerus und Laien,[657] noch einmal auf höherer Ebene zwi-

---

[654] *Guardini,* Gegensatz 74.
[655] *Guardini,* Gegensatz 77.
[656] *Guardini,* Gegensatz 80–88. Er bezeichnet diese Gegensätze als „transzendentale" Gegensätze.
[657] Vgl. § 35 A.

schen Papst und Bischöfen,[658] zwischen der staatlichen und der kirchlichen Gesellschaft, mindestens der Intention der Autoren nach, an die saubere Trennung zwischen Weihe- und der Jurisdiktionsgewalt,[659] deren Zusammenhang und Aufeinanderhingeordnetsein nicht so deutlich sichtbar wird.

Zusammenfassend können wir also sagen, daß dieses besprochene Kirchenbild stark auf der Seite des Formalen steht, daß die Gesamtheit, die Transzendenz und die Gliederung bzw. Besonderung überwiegen.[660] Diese Einseitigkeit ist gelegentlich in Gefahr, lebensfremd, starr zu werden. Wir sehen darin einen notwendigen Zusammenhang mit der Unterbetonung der Hauptfunktion Christi.

§ 16 Positiva des gesellschaftlichen Kirchenbildes

Klang oben oft eine gewisse negative Kritik auf, so wollen wir doch um der Redlichkeit willen am Ende noch einmal die positiven Seiten dieses Kirchenbildes aufzeigen. Sie ergeben sich aus der schon mehrfach aufgewiesenen Systematisierung, d. h. gerade aus der Einseitigkeit der societas-perfecta-Auffassung.

I. Klarheit des Systems

Jedes System erreicht mit fortschreitender Abstrahierung größere Klarheit. So ist auch hier eine große Logik zu verzeichnen, ein klarer Aufbau des ganzen Kirchenbildes und eine strenge Durchführung der Grundprinzipien.

II. Die Einzigkeit der Kirche

Der Anspruch der Kirche, eine souveräne Gesellschaft zu sein, wird zu einem guten Teil aus ihrer numerischen Einheit (Einzigkeit) begründet. Dadurch wird diese wesentliche Eigenschaft der Kirche immer wieder ins Bewußtsein gerufen.[661]

---

[658] Vgl. § 35 B II.

[659] Vgl. § 32 II.

[660] Vgl. *Guardini*, Gegensatz 98–102; er spricht von einer „Reihung" der Gegensätze (Formreihe – Reihe der Fülle).

[661] Vgl. Rundschreiben Satis cognitum, welches die Einheit der Kirche zum Thema und die Rückführung der Irrenden zum Ziel hat; cf. ASS 28 (1895/6) 708–739; CICfontes III (1933) n. 630 (pp. 470–494); *Rohrbasser* 600–668; DS 3300–3310; D 1954–1962.

III. Die Universalität der Kirche

Die ständige Betonung der Unabhängigkeit und Souveränität der Kirche läßt von vornherein den Unterschied zu anderen gesellschaftlichen Gruppierungen erkennen. Die Kirche baut nicht auf dem Fundament rassischer oder sozialer Gleichheit auf, sondern sie ist universal und ein Reich, das nicht von dieser Welt ist, sie hat ihr letztes Ziel nicht in irdischer Perfektion. Hier wirkt sich die Einseitigkeit im Gegensatz Verwandtschaft–Besonderung zur Besonderung hin aus.

IV. Das Königtum Christi

Was man als übertriebenen Anspruch ansehen kann, daß die Kirche als vollkommene Gesellschaft hier praktisch mit der vollen Autorität und den Vollmachten Christi auftritt, ist ebenfalls ambivalent. Zunächst und vor allem übertriebenen, falsch verstandenen Mißbrauch ist hier das Bewußtsein lebendig. daß Jesus Christus als Gott und Herr doch Menschheit und Welt unter seinem Königtum vereinen will. Die Kirche, speziell der Klerus, wird darin als seine Beauftragte[662] gesehen.[663] Hierin wirkt sich die Einseitigkeit der Richtung auf die Gesamtheit aus, womit eben in der Hierarchie der Anspruch Christi konkretisiert wird.

V. Die historischen Fakten

Zur Begründung des hohen Anspruches der Kirche werden die historischen Fakten der Gründung durch Christus sehr herausgestellt. Freilich ist die Exegese noch durch keine historisch-kritische Methode berührt, doch ändert das nichts am Gewicht der grundsätzlichen Verankerung allen Kirchenwesens in der Geschichte und der absoluten Verbindlichkeit der Worte und Taten des menschgewordenen Gottessohnes. Wenn man dann dieser Phase der Kanonistik einfach zuschreibt, sie bleibe in ekklesiologischer Hinsicht auf der Ebene des Naturrechts, dann übersieht man diese ihre (wenn auch einseitigen) christologischen Fundamente.[664] Wenn hier die Stiftungsworte so hervorgehoben werden (im Vergleich zum Gesamt des Mysteriums des Lebens Jesu), dann ist dies eben die Einseitigkeit der klaren Form gegenüber der Fülle.

---

[662] Cf. *Cavagnis* I, XXI; *Cappello*, Summa 87 n. 90.

[663] Vgl. zu diesen drei Punkten *Ménard*, Ecclésiologie 41ss; vgl. *Ménard*, Kirche 50–54.

[664] Vgl. *A. M. Rouco-Varela*, Allgemeine Rechtslehre oder Theologie des Kirchenrechts? AkathKR 138 (1969) 101.

Das sakramentale Kirchenbild

Wir haben das neue Kirchenbild sakramental genannt, weil darin der Begriff Ursakrament eine hervorragende Rolle spielt und auch die anderen Wesenserklärungen deuten hilft. Der historische Überblick hat gezeigt, daß das theologische Denken im Rahmen der Kanonistik gegen Ende unserer Periode mit der Erarbeitung des Begriffes Ursakrament eine gewisse Klarheit erreicht. So ist dieser zur systematischen Ordnung des vorgefundenen Stoffes nicht nur deshalb geeignet, weil er einen aus der Sakramententheologie bekannten Begriff verwendet, sondern auch darum, weil er bei einer ganzen Reihe von Kanonisten (W. Bertrams, G. May, K. Mörsdorf, M. Useros Carretero) eine prägende Rolle spielt. Sicher fehlt er noch bei einer ganzen Anzahl von Kanonisten dieser Gruppe, doch ist die Sache auch dort mehr oder weniger deutlich vorhanden: das Verständnis für das zeichenhafte Wirken Christi in der Kirche. Diese wird – mindestens der Sache nach – bei allen als eine Art großes Sakrament aufgefaßt. Bei einem Sakrament werden nach dem traditionellen Begriff das äußere Zeichen, die innere Gnade und die Einsetzung durch Jesus Christus genannt. Es hat zudem eine bestimmte Finalität und setzt eine gewisse Disposition von seiten des Empfängers voraus. Dementsprechend möchten wir den folgenden Stoff gliedern: Zunächst lassen wir die Texte sprechen, die das Ursakrament als Ganzes aufscheinen lassen (Kapitel 1). Die drei folgenden Kapitel entfalten dann das äußere Zeichen (Kapitel 2), die innere Gnade (Kapitel 3) und die Disposition (Kapitel 4). Der Abschnitt wird durch Ausführungen beschlossen, welche etwas zur Einsetzung durch Jesus Christus und zum Finis bringen (Kapitel 5). Damit ist nicht gesagt, daß der Stoff völlig neu ist oder anders als im gesellschaftlichen Kirchenbild, doch erscheint durch die mehr oder weniger bewußte Gesamtkonzeption alles in anderem Licht. Die Zusatzüberschriften von Kapitel zwei bis vier zeigen das schon an: Spannungseinheit von Gegensätzen – der dreifaltige Gott – Haltung der Braut. Kapitel fünf stellt den Ursprung am Kreuz und den Finis dar: die Ehre Gottes in der Fülle Christi.

Man könnte dieses Kirchenbild auch als komplex bezeichnen, weil in ihm in neuer Weise die Einheit verschiedener Elemente, Aspekte oder Komponenten bewußt wird. Wir finden bei den Kanonisten wie in der gesamten Ekklesiologie[665] sehr häufig Überlegungen, welche Gegensätze, Spannungen u. ä. be-

---

[665] Vgl. *Valeske*, Votum 30–33.

rücksichtigen. Dabei handelt es sich entweder um eine Unterscheidung am äußeren Zeichen der Kirche oder zwischen diesem und der inneren Gnade.

Bezüglich des äußeren Zeichens (Kapitel 2) geht K. Mörsdorf ausführlich auf die zwei Elemente Wort und Sakrament ein.[665a] Sie sind auf den ersten Blick adäquat unterschieden, doch stellt sich bei genauerem Hinsehen eine tiefgreifende Einheit heraus. Weitere real unterschiedene Komponenten werden unten im 3. Abschnitt behandelt: Papst und übrige Bischöfe[665b], Laien und Hirtenschaft.[665c]

Nicht als real verschiedene Komponenten, sondern als Spannungen auf Grund des leib-seelischen Wesens des Menschen zeigen sich Frömmigkeit und Liturgie, Glaube und Dogma, Liebe und Recht, Geist und Amt. Diese Einzelaspekte sind unter dem Sammelbegriff personale Spontaneität und Institution dargestellt.[665d]

Die Gegensätzlichkeit begegnet uns noch einmal in größerem Maßstab, wenn man versucht, auf die Kirche als ganze von ihrem Phänotyp[666] her gewisse soziologische oder juristische Begriffe anzuwenden: Gemeinschaft–Gesellschaft, Anstalt–Körperschaft, Heilsanstalt–Heilsgemeinschaft, Organismus–Organisation. Zu den ersten drei Begriffspaaren finden wir eine Reihe von Überlegungen bei unseren Autoren, die in den §§ 22 und 23 folgen.

Von all diesen Gegenüberstellungen ist nun jene einzigartige genau zu unterscheiden, die wir als Unterscheidung von äußerem Zeichen und innerer Gnade finden. Sie wird zunächst mit den Begriffspaaren rechtlich-gnadenhaft, natürlich-übernatürlich, sichtbar-unsichtbar angezielt. Da dies das Ursakrament als Ganzes betrifft, referieren wir es im Kapitel 1[666a]. Zur vollen Deutlichkeit kommt diese Unterscheidung, wenn man sie als das Mit- und Ineinander des dreifaltigen Gottes (innere Gnade, § 24) und von uns Menschen erkennt. Zwar weisen viele der anderen Unterscheidungen auf diese letzte, beides ist in der Wirklichkeit untrennbar miteinander verwickelt („komplex"), doch ist es gerade dies, was die neuere Kanonistik[667] sehr befruchtet hat: In und hinter den Gegensätzen im Geschöpflichen wird das tiefste Geheimnis der Kirche neu er-

---

665a Siehe § 20.
665b Siehe § 36 B.
665c Siehe § 36 A; C.
665d Siehe § 21.
666 Unter Phänotyp verstehen wir hier die Erscheinungsform eines Idealtypus (vgl. Anm. 841), die immer durch fremde Elemente modifiziert ist.
666a § 19 A.
667 In der älteren Kanonistik tauchte die Zweiheit der Kirche, äußeres Zeichen und innere Gnade, gelegentlich als Zweiheit von Leib und Seele der Kirche auf (cf. *Cappello*, Summa 86s n. 89).

ahnt, Gott und seine Selbsterschließung in Christus, sein gnädiges Heilshandeln, das in der Kirche, im Hier und Jetzt auf uns zukommt.[667a] Daraus ergeben sich unmittelbar die Antworten auf zwei schon erwähnte Fragen: 1. Die Kirche ist nicht streng logisch definierbar, weil in ihr eine Unmittelbarkeit zu dem unbegreiflichen Gott selber gegeben ist.[667b] 2. Das Kirchenrecht ist legitimer Aspekt der Kirche, weil der unsichtbare Gott seinerseits durch sichtbare Zeichen und Worte wirkt; darin begründet er selbst geistliches Recht. Alle Beschreibungen weisen auf dieses Geheimnis, auf dieses Ineinander und Zueinander, wobei biblische Bilder und der Begriff des Sakramentes eine besondere Rolle spielen.[667c] Das Miteinander von Gott und Menschen ist geschichtlich. Es weist auf den Beginn im Dort und Damals, im irdischen Leben Christi hin, damit zugleich auch auf sein Geheimnis, das Geheimnis der Inkarnation bzw. der hypostatischen Union[667d] und des Kreuzes[667e]. Der Sinn dieser Einheit liegt in ihr selbst, doch kann man ihn auch nach der Seite Gottes hin im Gottesdienst im weitesten Sinne sehen, während er für die Menschen im Heil liegt.[667f]

Kapitel 1

DAS URSAKRAMENT ALS GANZES: „DIE GEGENWART DES GÖTTLICHEN IN DER WELT"[668]

§ 17 *Die Kirche ist ein Geheimnis*

Eine wichtige Erkenntnis bricht neu auf; es dringt aus der dogmatischen Theologie herüber in das Bewußtsein der Kanonisten, daß sie vor einem Geheimnis stehen oder besser: in einem Geheimnis. War das auch früher nie ganz vergessen worden, so hatte man doch praktisch die Kirche oft wie ein Sozialgebilde neben anderen behandelt.

Die „neue" Erkenntnis zeigt sich in zwei Spielformen: A. M. Sticklers Aufsatz führt uns an beide heran. Der Titel und der Text sprechen vom Mysterium *der*

[667a] Siehe § 17.
[667b] Vgl. § 18 III.
[667c] § 18 II.
[667d] § 18 II.
[667e] § 26.
[667f] § 27.
[668] *May*, Wesen 174.

Kirche, während der Sammelband „Mysterium Kirche" heißt. Ähnlich finden wir bei W. Bertrams sowohl den Ausdruck „Geheimnis der Kirche"[669] wie die Aussage: Die Kirche ist ein Geheimnis.[670] Solange von dem Mysterium der Kirche gesprochen wird, ist die Koexistenz oder Verflechtung von Göttlichem und Menschlichem gemeint.[671] Mysterium ist hier der Modus des Daseins, der für uns nicht durchschaubar ist, im Grunde die Relation zwischen dem Göttlichen und dem Menschlichen,[672] wenn wir zunächst ganz allgemein und unpersonal davon sprechen wollen.

Ein tieferes Verständnis setzt sich durch, wenn die Kirche selbst als Mysterium oder Geheimnis bezeichnet wird. Damit ist schon ein ganzheitlicher Blick auf die Kirche geworfen. Sie ist als ganze[673] ein Geheimnis des Glaubens, weil sie „eine Wirklichkeit der Heilsordnung"[674] ist. Das bedeutet u. E. folgendes: Im ersten Verständnis konnte man noch an Gott als Schöpfer denken, wenn nur so allgemein von dem „Göttlichen" gesprochen wurde. Hier aber ist ganz klar die Ordnung der Erlösung angesprochen. Mit diesem zweiten Verständnis ist vorausgesetzt – um mit der dogmatischen Theologie zu sprechen –, daß wir „Glauben" in seiner ganzen Fülle verstehen, als den religiösen Akt der Person, deren Antwort auf die offenbarende Tat Gottes sich des Intellektes und des Willens bedient.[675] Es erscheint nämlich als Objekt solchen Glaubens das Geheimnis neu: Wir erkennen es als Wirklichkeit, die dem religiösen Akt als solchem zugeordnet ist, nicht allein dem Erkennen, „als das, woraufhin der Mensch in der Einheit seiner erkennenden und frei liebenden Transzendenz immer schon sich selbst übersteigt".[676]

Diese neue Erkenntnis schlägt sich in den Beschreibungen und Wesenserklärungen der Kirche nieder, die Frage der Definierbarkeit wird infolgedessen negativ beantwortet.[677]

---

[669] *Bertrams*, Sinn 106; vgl. *v. Kienitz*, Gestalt 2: „Das innere Geheimnis der Kirche wird nur mit den Augen des Glaubens und der Liebe geschaut"; cf. et. *Bidagor*, Espiritu 8: „el misterio de la ... Iglesia"; er zitiert *J. Salaverri*, El derecho en el misterio de la Iglesia: RET (1954) 250. 267; *Heimerl*, Laien 9.

[670] Vgl. *Bertrams*, Sinn 105.

[671] Vgl. *Stickler*, Mysterium 645; auch 628.

[672] Vgl. *Bertrams*, Sinn 106: das Ineinander von göttlichem Leben und Menschlichem.

[673] Vgl. *Hagen*, Prinzipien 7, Anm. 3; *Mörsdorf* I, 22; *Useros*, Statuta 17: „el misterio total de la Iglesia"; *J. Hervada*, Rez. R. L. Nolasco, La Iglesia visible misterio de Cristo. Miembros y excluidos, Buenos Aires 1961: Ius Canonicum 2 (1962) 771.

[674] Vgl. *W. Bertrams*, Sinn 105; *V. Del Giudice* (Nozioni 39, adn. 6) zit. *Pius XII.*, Ansprache vom 4. 12. 1943: „gran mistero visibile".

[675] Vgl. *J. Trütsch*, Art. Glaube systematisch, LThK 4, 920.

[676] *K. Rahner*, Art. Geheimnis, LThK 4, 593 f.

[677] Vgl. unten § 18 III.

Oben hatten wir die Einflüsse erwähnt, die von der dogmatischen Theologie her in die Kanonistik eindrangen. Wir wollen nun hier noch einmal übersichtlich alle „Definitionen" bzw. „Wesenserklärungen" zusammenstellen, die auf ein neues, komplexes Kirchenbild hinweisen. Wir sind auf die meisten schon gestoßen, als wir oben[678] die geschichtlichen Anstöße überschauten. Wir erinnern uns, daß darunter zuletzt auch die Reflexion zu nennen war, ob überhaupt eine streng logische Definition der Kirche zu gewinnen sei. Es wird gut sein, sich im Folgenden bewußt zu werden, welchen Sinn die Wesensbeschreibung der Kirche eigentlich hat.

Am einfachsten ist der Fall, wenn am Anfang eines Lehrbuches eine Wort- und Sacherklärung gegeben wird. Damit geht es um ein gegenseitiges Verständnis zwischen Autor und Leser, um eine gemeinsame Sprache, gleichzeitig aber um ein Verstehen der gemeinten Sache. In den speziellen Abhandlungen wird die Grundlage gesucht, von der aus man einzelne Fragen angehen kann. Das schon teilhaft Gewußte wird verdeutlicht, gegen falsche Meinungen abgesetzt, einer umfassenderen Erkenntnis zugänglich gemacht. Damit werden apologetische Akzente eingetragen; meistens schwingt die Frage von R. Sohm[679] heimlich oder offen mit. Doch im letzten geht es bei jeder wissenschaftlichen Bemühung um das Wesen der Kirche um die Aufgabe, „das Leben und Wirken Gottes in den Menschen und seine Fürsorge für ihr ewiges Heil besser zu begreifen"[680].

I. Worterklärung

Hierin unterscheiden sich die beiden Kirchenbilder nicht. Eines nur ist zu bemerken: Es tritt allmählich der biblische Sprachgebrauch stärker ins Bewußtsein, daß nämlich nicht nur die gesamte Christenheit Kirche genannt wird, sondern auch „die Gemeinschaft der Christen einer Gegend, eines Ortes oder eines Hauses"[681].

---

[678] Siehe § 2.
[679] Vgl. oben § 2 I. 1.
[680] Vgl. *Panzram*, Kirchenbegriff 211.
[681] *Mörsdorf* I, 23; vgl. auch bei *Ebers* im historischen Teil 15: „Stadtkirchen"; cf. *Noubel*, Eglise passim.

1. Anstalt[682] mit dem Haupte Christus

Eine noch recht traditionelle Definition lautet: „Die Kirche ist die von Christus
für alle Menschen gestiftete und mit bestimmten Heilsmitteln (den Sakramenten) ausgerüstete Heilsanstalt, die von ihren rechtmäßigen Vorstehern, den
Bischöfen, als den Nachfolgern der Apostel, unter dem Papst als Nachfolger
des Apostelfürsten Petrus und sichtbarem Stellvertreter ihres unsichtbaren
Hauptes Christus unter dem Beistand des Heiligen Geistes geleitet wird."[683]
Stärker auf die Kirchenrechtswissenschaft ist der Versuch B. Panzrams abgestimmt: „Die Kirche ist die sichtbare, auf das Fundament des Papsttums gegründete, ständisch und hierarchisch gegliederte Einrichtung, die von dem Gottmenschen Jesus Christus geschaffen und mit den notwendigen Mitteln – insbesondere den Sakramenten – ausgerüstet worden ist, um unter dem dauernden
Beistand des Heiligen Geistes die geoffenbarten Glaubenswahrheiten gewissenhaft zu bewahren und in aller Welt zuverlässig zu verkünden und um die in
sie aufgenommenen Menschen aller Zeiten und Länder zu leiten, damit diese
in gehorsamer Unterordnung unter den Papst als Stellvertreter Christi und unter die Bischöfe als Nachfolger der Apostel die für sie bereitgestellten Heilsmittel gebrauchen, um das von Gott gewollte Ziel der Heiligung und Besel-
gung zu erreichen."[684] In einer kürzeren Definition bezeichnet er sie „als die von
Jesus Christus für die Menschen aller Zeiten und Länder gestiftete ständisch
und hierarchisch gegliederte Heilsanstalt (in der in Gehorsam und Liebe der
geheimnisvolle Leib Christi erbaut wird)."[685] Besonders in der ersten Definition hebt er die stiftungsgemäßen Kennzeichen der Kirche hervor, die sie als
Anstalt erkennen lassen (Stände, Papsttum, Offenbarung). Doch wird auch
deutlich, daß Christus als Gottmensch eine bleibende Hauptes-Beziehung zur
Kirche hat, und darum ordnen wir B. Panzrams Definition hier ein.

2. Beschreibung der Kirche als Leib Christi[686]

Was sich in den eben genannten Definitionen nur andeutete, wird in einigen
Texten und für einige Kanonisten beherrschend: „Die Kirche ist der Leib des
Herrn."[687] In dieser Vorstellung vom Leibe, vom Leibe Christi oder auch vom

---

682 Vgl. oben § 8 Die Kirche als Heilsinstitution.
683 *Ebers* 2.
684 *Panzram*, Kirchenbegriff 211.
685 Ebd.
686 Vgl. *Valeske*, Votum 196–236.
687 *Bertrams*, Sinn 105.

mystischen Leibe Christi ist eine Fülle von Inhalten und Aussagen enthalten. So nimmt es nicht wunder, daß auch Kanonisten in der Konzeption von Mystici Corporis eine geeignete Schau finden, die uns einen vollständigen Kirchenbegriff vermitteln kann.[688] Uns soll in diesem Zusammenhang jedoch aus der Fülle der Aussagen speziell interessieren, wie sich die Neuorientierung auf eine komplexe Erkenntnis der Kirche hier zeigt. Dabei können wir hier um der Zusammenschau willen auf die oben verwendete Unterscheidung einer organologisch-mystischen und einer sakramental-ekklesiologischen Auffassung verzichten.[689] Entscheidend ist die bewußte Einsicht: Wenn Paulus die Kirche mit einem Leib vergleicht, dessen Haupt Christus ist, dann soll damit „nicht etwa die Kirche als Körperschaft charakterisiert werden, deren Haupt deswegen Christus ist, weil er sie gestiftet, sie mit einer Verfassung versehen und ihr ihre Aufgabe zugewiesen hat. Die Verbindung Christi mit der Kirche ist nach Paulus viel *inniger.* Nach ihm hat die Kirche wohl viele, unter sich verschiedene Glieder, aber Christus verbindet die Gläubigen aufs engste miteinander. *Er* ist das *Prinzip* der *Einheit* für alle Gläubigen. Diese stehen in Lebenseinheit mit Christus und durch ihn in inniger Beziehung zueinander. Christus und die Kirche gehören zusammen wie Haupt und Leib. Christus nimmt die Gläubigen in seine Person auf und macht aus ihnen eine neue Gemeinschaft."[690] Die Kirche ist der „totale Christus",[691] Haupt und Glieder. Vom Haupte strömt seit dem Versöhnungsopfer am Kreuze neues Leben auf die Glieder über.[692] „Das eigentliche Leben der Kirche ist Christi Leben."[693] Es liegt eine enge Vereinigung vor, so eng, wie das Haupt mit dem Leibe vereinigt ist.[694] Wir sind Christus eingeglie-

---

[688] Vgl. *Stickler,* Mysterium 609; in der Durchführung kommt *A. M. Stickler* allerdings mehr auf die Linie einer von Christus losgelösten Analogie zum menschgewordenen Logos, vgl. unten Nr. 3. *E. R. v. Kienitz* (Gestalt 22) nimmt „Leib Christi" als „beste und tiefste Definition des Wesens der Kirche".

[689] Vgl. oben § 4 I, wo wir diese Charakterisierung *J. Ratzingers* verwendet haben. Auch *M. Schmaus* unterscheidet entsprechend (III, 1 404 f.). *A. Hagen, B. Mathis* (15) und *G. May* meinen mit Leib Christi mehr das innere Leben, *W. Bertrams, J. Bernhard* (Membres 218) und *G. Lesage* (Nature 178) meinen mehr die ganze Kirche, eine Rechtsgemeinschaft, deren inneres Leben Christus ist.

[690] *Hagen,* Mitgliedschaft 2. Wir wollen hier nicht auf die Fragen eingehen, wie sich nach der Meinung der Kanonisten die Darstellung unter dem Bilde des Leibes zu den anderen Beschreibungen der Kirche verhält; nur soviel sei angedeutet, wie diese Sicht auch zu der anderen Auffassung als Ursakrament in Beziehung gesetzt wird. *M. Useros* meint (*Useros,* Semmelroth 717), daß Ursakrament mehr die Ontologie der Kirche in ihrer dynamischen Realisation, Corpus Christi mysticum mehr eine Ontologie und Soziologie der Kirche in ihrer vollendeten Realisation ausdrückt.

[691] *Del Giudice,* Nozioni 38 („il Cristo totale") nach *Augustinus,* De unitate Ecclesiae 4.

[692] Vgl. *May,* Ehre 2.

[693] *Bertrams,* Sinn 105; cf. *Bidagor,* Espiritu 7s.

[694] Vgl. *May,* Ehre 8.

dert worden.[695] Dadurch ist klar, daß die Kirche ihre Gewalten in Abhängigkeit von Christus besitzt.[696]

Im Vergleich zu einem moralisch geeinten „Leib" einer Gesellschaft muß man folgenden wesentlichen Unterschied feststellen: Bei einem „moralischen Leib" ist das Prinzip der Einheit nur der gemeinsame Finis und das gemeinsame Wirken daraufhin, vermittels der sozialen Autorität; im mystischen Leibe kommt dazu noch ein anderes inneres Prinzip: „Was die Kirche über jedwede natürliche Ordnung hoch hinaushebt, ist der Geist unseres Erlösers, der als Quelle aller Gnaden, Gaben und Charismen fortwährend und zuinnerst die Kirche erfüllt und in ihr wirkt."[697] Neben die Analogie zum körperlichen Verhältnis Haupt–Leib tritt also, entsprechend der Kirchenenzyklika, die subtilere Analogie zu der Beziehung zwischen der Personmitte, der Seele[698], dem Ich, und dem Gesamtbestand des raumzeitlichen Daseins des Menschen. Auch von Christus her sieht man die Kirche als Werkzeug: „Der sakramentale Organismus ... wird ... die Fortsetzung des priesterlichen Dienstes Jesu Christi und das irdische Instrument seiner himmlischen Mittlertätigkeit."[699] Ganz deutlich kommt im Gegensatz zu einer anthropozentrischen Ekklesiologie[700] die Initiative von seiten Gottes heraus. Der auferstandene Christus leitet die Kirche, sie steht ihm als Instrument zur Verfügung, der Heilige Geist gibt die Impulse.[701] Etwas überraschend ergibt sich als Antwort auf die Frage nach dem Recht: „Wie der Leib die Seele offenbart und ihr als Instrument dient, so drückt das kanonische Recht die Liebe Gottes aus und verbreitet sie."[702]

Die geheimnisvolle Einheit des Gottmenschen als des Hauptes mit seinem geheimnisvollen Leibe wird in verschiedener Weise greifbar dargestellt. Es gibt in der Kirche Menschen, die durch das Weihesakrament befähigt sind, „das unsichtbare Haupt der Kirche sichtbar zu vertreten und einer kirchlichen Gemeinschaft als Haupt vorzustehen."[703] Das Leben der Kirche vollzieht sich in vielen Aspekten nach diesem von K. Mörsdorf so genannten Prinzip der Haupt-Leibes-

---

695 Vgl. *Hagen*, Prinzipien 282; et. *Lesage*, Nature 21.

696 Cf. *Lesage*, Nature 17; „elle ne possède ces pouvoirs que dans la dépendance du Christ."

697 Mystici Corporis 222, zit. bei *Bidagor*, Espiritu 7s, deutsch nach *Rohrbasser* 805; cf. *Del Giudice*, Nozioni 39: „lo Spirito Santo come causa efficiente dei divini carismi, ecc."; v. *Kienitz*, Gestalt 24.

698 Cf. Lesage, Nature 62.

699 *Lesage*, Nature 18: „L'organisme sacramentaire ... devient ... la continuation du ministère sacerdotal du Jesus-Christ et l'instrument ici-bas de sa médiation céleste."

700 Vgl. oben § 14.

701 *Lesage*, Nature 20: „sous l'impulsion de l'Esprit-Saint".

702 *Lesage*, Nature 84, folgend *Congar*, Chrétiens 106: „Comme le corps manifeste l'ame, et lui sert d'instrument, ainsi la loi canonique exprime et propage l'amour de Dieu."

703 *Mörsdorf* 11I, 558.

Einheit.[704] Hier ist auch auf die Ehe zwischen zwei Christen hinzuweisen. Sie ist ja eine Begegnung, „die sich in dem Liebesbund des Herrn mit seiner Kirche abspielt, und zwar so, daß sie gnadenwirksame Darstellung dieser Haupt-Leibes-Einheit ist (vgl. Eph 5, 21–33).“[705]

Kurz zusammengefaßt bietet sich folgende Erklärung der Analogie vom Leib: „Die Kirche besitzt eine Seele, welche der Heilige Geist ist; sie besitzt ein eigenes Haupt, Christus, der hier auf Erden durch die Hierarchie repräsentiert wird, welcher der Papst vorsteht; echte Glieder, die Getauften, die am gleichen Glauben, den gleichen Gesetzen und den gleichen Sakramenten Anteil haben; aber auch ‚Aspiranten‘ aufgrund ihres Wunsches oder ihres Verlangens, denen das eine oder andere Element fehlt, das für eine eigentliche Eingliederung erforderlich ist.“[706]

Soweit die wesentliche Analogie. Wir wollen an dieser Stelle nicht weiter verfolgen, welche Entfaltung die Analogie in der Erfassung der Kirche findet; es seien nur die Ansatzpunkte kurz genannt: Die Verbindung zu Christus wirft Licht auf die tiefe Verbindung der Gläubigen untereinander, bedingt vielfach eine stärkere Betonung des Gemeinschaftscharakters[707], läßt die Zusammenhänge zwischen dem mystischen und dem eucharistischen Leibe Christi[708] sichtbar werden, erinnert an die Gründung der Kirche durch die Hinopferung des irdischen Leibes Christi am Kreuze[709] und zeigt die Taufe als Eingliederung in Christus[710]. Für das Ehesakrament ergibt sich wie schon erwähnt ein neues Verständnis,[711] genauso wie für die Sichtbarkeit der Kirche als Leib[712], endlich wird das dunkle Geheimnis der Sündlichkeit und Leidensfähigkeit des geheimnisvollen Leibes Christi annehmbarer.

---

[704] Vgl. z. B. *Mörsdorf* [11]I, 561: Es kommt in der recht verstandenen Strafe des Ehrverlustes in greifbarer Weise zum Ausdruck; zwar gehen infamia facti und infamia iuris einmal von dem gläubigen Volke, einmal von der Hierarchie aus, doch gewinnt die Rechtsminderung ihren Abschluß erst dadurch, daß Haupt und Leib in ihrem Urteil übereinstimmen und dieses gemeinsam vollziehen. Zu diesem Prinzip vgl. noch unten § 36 A.

[705] *Mörsdorf* II, 134. 138.

[706] *Lesage*, Nature 48: „L'Église possède une ame, qui est l'Esprit-Saint; elle possède un chef propre, le Christ, qui est représenté ici-bas par la hiérarchie à laquelle préside le souverain pontife; elle possède des membres reels, qui sont les baptisés participant à la même foi, aux mêmes sacrements et aux mêmes lois, ainsi que des ‚aspirants‘, par le souhait ou le désir, qui sont depourvus de l'un ou l'autre des éléments requis pour une aggrégation proprement dite.“ (Er bezieht sich auf Mystici Corporis 222. 208. 211s. 227. 243).

[707] Siehe § 22.

[708] Vgl. *May*, Ehre 8. 10–14; *Mathis* 259; unten § 31 II. 1.

[709] Siehe unten § 26.

[710] Siehe unten § 31 II.

[711] Vgl. *Mörsdorf* II, 134; *Mathis* 329; *May*, Ehre 99.

[712] Siehe unten § 19 A II.

3. Analogie zum menschgewordenen Logos

Sehr eng benachbart ist dieser Bezeichnung der Kirche als geheimnisvoller Leib Christi die Analogie zum menschgewordenen Worte Gottes. Sie wird in zweifacher Weise aufgefaßt: zunächst als Vergleich zwischen zwei geheimnisvollen Wirklichkeiten (Christus als Modell[713]). Wenn man versucht, die Kirche nur „unter dem Bild des mystischen Leibes Christi, des fortlebenden und fortwirkenden Christus"[714] zu sehen, ist der Zusammenhang mit Jesus Christus nicht berücksichtigt. Entsprechend heißt es dann auch: „Christus also, der in sich Gott-Sein und Mensch-Sein, geistiges Sein und materielles Sein vereinigt, wird gerade in dieser materiellen Erscheinungsform des Körpers zum *Bild* (Hervorhebung vom Verfasser) der Kirche."[715] So wird denn hier auch nur ganz allgemein das „Göttliche"[716] in der Kirche dem Menschlichen gegenübergestellt.[717] Gott entäußert sich in der Kirche in die Formen menschlicher Gemeinschaft, ähnlich wie sein ewiges Wort Fleisch geworden ist.[718]

In einer anderen Form, die den Zusammenhang der beiden Mysterien wahrt, finden wir die Analogie, wenn gesagt wird: „Die Kirche nimmt teil an der Doppelnatur Christi"[719] – und: „das eigentliche Leben der Kirche ist Christi Leben"[720]. Im zweiten Falle wird ganz klar die wirkliche Einheit der Menschen als Glieder in aktueller Verbindung mit Jesus Christus ausgesagt (Christus als Haupt[721]). So wie Jesus Christus wahrer, ganzer Mensch ist, so ist ähnlich in der Kirche wahres, ganzes Menschsein, menschliche Gemeinschaft, der alle Eigenschaften menschlicher Sozialbildungen, auch die rechtliche Ordnung, zukommen. So wie die menschliche Natur Christi in die Person des

---

713 Cf. *Salaverri*, Derecho 36.

714 *Stickler*, Mysterium 609; im Bild der Kirche als übernatürlicher Gesellschaft ist die Analogie nur auf die Funktion bzw. das Recht der Kirche bezogen (*Cappello*, Summa 87 n. 90): „Christi missionem continuet".

715 *Stickler*, Mysterium 572; vgl. auch 624, wo er von dem „Vergleich der Kirche mit dem fortlebenden und fortwirkenden Christus" spricht.

716 *Stickler*, Mysterium 572, 624 und 645.

717 Cf. *Bidagor*, Espiritu 7; *May*, Auctoritas 39; *Stickler*, Mysterium 606; *Lesage*, Nature 28; *Jiménez-Urresti*, Binomio 56.

718 Vgl. *Mörsdorf*, Sakramentsrecht 502.

719 *Bertrams*, Sinn 106.

720 *Bertrams*, Sinn 105; in der Analogie ist ein Bruch: Der göttlichen Person des Logos entspricht der ganze gottmenschliche Christus in der Kirche (vgl. im Text weiter unten, am Schluß dieses Abschnittes 3). Könnte man nicht besser sagen: ... entspricht die göttliche Natur Christi, so daß die verklärte menschliche Natur des Herrn zur Kirche gehörte? Wenn man dann auf die Heiligen verweist, die streng genommen auch nicht zur Kirche gehören, wäre zu fragen: Findet man sie denn auf seiten des göttlichen Elementes beachtet?

721 Vgl. Anm. 713.

Wortes Gottes aufgenommen ist, so ist die menschliche Tätigkeit der Kirche zutiefst von Christus getragen und geformt.[722]

4. Wesenserklärung als neues Volk Gottes

In der Darstellung dieses Begriffes folgen wir K. Mörsdorf. Er hat ihn als erster in die Kanonistik eingeführt und entfaltet. Andere Kanonisten haben nur ganz sporadisch Gedanken dazu, die wir an passender Stelle einfügen.

K. Mörsdorf nennt als Vorzug dieses Begriffes, daß es neben dem Namen Ekklesia[722a] der einzige Sachbegriff für die Kirche ist. Darum empfiehlt sich die Verwendung für den Kirchenrechtler.

Im Alten Testament ist Israel das Volk Gottes, das er zusammengerufen und sich als Eigentumsvolk auserwählt hat. Die junge Christenheit versteht sich von daher sogleich als das neue Gottesvolk, das neue Israel.

Die Kirche faßt sich als das für die Fülle der Zeit verheißene neue Volk Gottes auf, das an die Stelle des auserwählten Volkes Israel getreten ist. Frei von aller nationalistischen Enge ist es aus Angehörigen aller Völker der Erde von Gott zusammengerufen. Laós ist ein im profanen Griechisch seltener archaisch-poetischer Ausdruck (= Bevölkerung, Nation). Die Septuaginta greift ihn auf, um die einzigartige Stellung Israels unter den Heidenvölkern (éthnē) zu kennzeichnen. Laós theou ist gleichzeitig biologisch-geschichtlich wie auch religiös gefüllt. Im Kampf der Propheten gegen die Treulosigkeit des Volkes Israel beginnt sich die natürliche Grundlage des laós-Begriffes zu lösen. Ihren stärksten Ausdruck findet diese Spannung zwischen dem natürlichen und religiösen Moment in dem Wort: „Ihr seid nicht mein Volk!" (Hos 1, 9) Im Neuen Testament wird mit laós einerseits weiterhin das Volk Israel bezeichnet (Apg 21, 28), andererseits wird der Ausdruck auf das neue Gottesvolk, die Kirche, übertragen, deren Grundlage nicht eine natürliche, biologisch-geschichtliche Abstammung, sondern die Geburt aus Gott ist (Joh 1, 13). Laós lebt auch in der Sprache der Liturgie weiter.

a) Übernatürliche Einheit

Unter Volk versteht man eine „Gemeinschaft von Menschen, die durch eine innere, alle Glieder ergreifende, einheitsbildende Kraft zusammengehalten wird".[723]

---

[722] Vgl. *Bertrams*, Sinn 106. Es sei angemerkt, daß in dem zit. Artikel *W. Bertrams'* nie von Sünde und Defizienz die Rede ist; an diesem Punkte hat die Kritik der neueren Theologie eingesetzt, die dem Leib-Christi-Bild die Konturen des Volkes Gottes einzeichnet.

[722a] Der wichtige Begriff Ekklesia wird von *K. Mörsdorf* nicht weiter untersucht.

[723] *Mörsdorf* I, 24; vgl. *Hagen* (Prinzipien 10): darin kommt „in der denkbar klarsten Weise der Gemeinschaftscharakter zum Ausdruck"; *Lesage*, Nature 22: „eine Kollektivität", „ein

Diese Gemeinschaft ist aber eine übernatürliche, denn der Quellgrund, aus dem sie stammt, ist das Sakrament der Taufe. Sie ist eine Neugeburt, durch die der Mensch in die Kirche Christi als Person mit allen Rechten und Pflichten eines Christen hineingestellt wird. Diese Übernatürlichkeit wird durch die Apposition „Gottes" garantiert.[724] Der übernatürliche bleibende Bezug zum lebendigen Gott kommt auch in der Anwendung der alttestamentlichen Bezeichnung „Bund" zum Ausdruck. Der Bund Gottes mit seinem neuen Volke ist im Blute Christi geschaffen, man wird durch die Taufe in ihn aufgenommen, „im eucharistischen Opfer richtet ... Jesus an die ... (in den Bund Aufgenommenen) den Befehl, die Bundeszeichen zu setzen, das Bundesgesetz anzuerkennen und die Treue zu dem Bunde zu beweisen".[725]

b) In hierarchischer Ordnung

Hierarchie bedeutet heiliger Ursprung und heilige Herrschaft, insofern steht das neue Gottesvolk doppelt in hierarchischer Ordnung. Der Ursprung der Kirche liegt im Willen Gottes. K. Mörsdorf weist nicht nur auf die bewußt kirchenschöpferischen Handlungen Christi hin, sondern nennt das Werden aus den Tiefen Gottes nach geheimnisvollem Wachstumsgesetz. In prophetischer Schau vorherverkündet, wurde sie grundgelegt in der Fleischwerdung des Gottessohnes, sie entfaltet sich mit der Verkündigung der Frohbotschaft und wurde vollendet durch den Kreuzestod (durch Christi Blut erkauft[726]), Auferstehung und Geistsendung. Bemerkenswert sind die Formulierungen, mit denen K. Mörsdorf die einzelnen Gründungshandlungen nennt: Die Berufung zur Jüngerschaft zielt auf vorbehaltlose Gefolgschaft (vgl. Lk 9, 59 ff.)[727], die Zwölf sind besonders in die Geheimnisse des Gottesreiches eingeweiht (Mk 4, 10; 7, 17–23; 10, 10–12),[728] die Apostel und Jünger werden zur Verkündigung der Botschaft vom Gottesreich ausgesandt (Mt 9, 35 – 10, 14).[729] Er erwähnt besonders die Einsetzung der Eucharistie, in der ihm das innere Wesen christlicher

---

neues Volk, das durch die Solidarität aller seiner Glieder konstituiert ist" („un peuple nouveau constitué par la solidarité de tous ses membres").

724 Vgl. *Hagen*, Prinzipien 10 f. *E. Rösser* (Laien 8) faßt „Volk Gottes" überhaupt als Bezeichnung für die „tiefere Seite" der Kirche auf, insofern sie „die unsichtbare Gemeinschaft der von Christus durch Vermittlung seiner Sendboten Erleuchteten, Erlösten, Geisterfüllten, Geheiligten" ist. Damit haben wir eine Entsprechung zu der verschiedenartigen Auffassung der Rede vom Leibe Christi (vgl. oben Anm. 690).

725 *May*, Ehre 9.

726 Vgl. *May*, Ehre 13.

727 Vgl. *Mörsdorf* I, 24.

728 Vgl. ebd.

729 Vgl. ebd.

Gemeinschaft zu tiefstem Ausdruck gelangt (1 Kor 10, 17),[730] und schließlich Apostel- und Petrusamt als Hirtendienste.

Hierarchie bedeutet außerdem heilige Herrschaft. Christus ist Kirchengründer. *„Er, der Erstgeborene vor aller Schöpfung"* (Kol 1, 15), *„ist der Stammvater* und damit der *tragende Grund des neuen Gottesvolkes".*[731] Er ist als solcher sein Erhalter und Führer.[732] Er wirkt durch seinen Geist geheimnisvoll in den Hirten, denen er zweifach Gewalt verleiht: die Weihegewalt schafft die seinshaften und bleibenden Gliederungen, die Hirtengewalt ist die zur Führung des Gottesvolkes berufene Gewalt.

c) Verwirklichung des Gottesreiches auf Erden

In dieser Sinnangabe des Gottesvolkes, die die Sinnrichtung der Menschwerdung des Gottessohnes übernimmt, kommt bei K. Mörsdorf die spannungsvolle Dynamik der Basileia zu Worte.[733] Diese reiche Vorstellung liegt der Sachbezeichnung Volk Gottes nahe. Darin findet ein eminent sozialer Begriff vertieft Eingang in das Bedenken des Finis. „Es ist ein Reich eigener Art. Es bedeutet Herrschaft Gottes über die Menschen und Geborgenheit der Menschen in Gott. Es ist Gabe Gottes an die Menschen und der Menschen Aufgabe. Es ist ein Reich, dessen letzte Vollendung in der Zukunft liegt, das aller Welt bei der Wiederkunft Christi in Macht und Herrlichkeit offenbar wird und seine Vollendung darin findet, daß der Sohn seine Herrschaft, sein Reich in die Hände des Vaters gibt (1 Kor 15, 24). Aber es ist zugleich in der Jetztzeit gegenwärtig, seine Grundgesetze sind in der frohen Botschaft verkündigt und es ringt um seine Anerkennung in der Menschheit. Kirche und Gottesreich fallen nicht in eins zusammen. Die Kirche ist das *Werkzeug des Herrn,* um das Banner des Gottesreiches auf Erden zu entfalten. Sie ist dazu berufen, nach Art des Sauerteigs die ganze Menschheit von innen her zu erneuern und der Herrschaft Gottes zuzuführen. Aber die Kirche ist mehr als Werkzeug, sie ist für die Jetztzeit *sichtbare Darstellung des Gottesreiches,* d. h. sie ist einerseits für die auf dem Wege der Pilgerschaft befindliche Menschheit das allen, die guten Willens sind, im Glauben sichtbare *Zeichen* der Gottesherrschaft auf Erden, anderseits strebt sie danach, eine mehr und mehr zutreffende *Verwirklichung*

---

[730] Vgl. *Mörsdorf* I, 24 f.

[731] *Mörsdorf* I, 25.

[732] Darin kommt der Ansatz zur doppelten Hierarchie zum Vorschein, vgl. unten § 35 B bzw. § 33 II.

[733] *E. R. v. Kienitz* (Kirche 7) sieht Kirche und Reich Gottes noch enger zusammen, wenn er davon spricht, daß sich das „Reich(es) Gottes' ... als weltweite, sichtbare, rechtlich verfaßte Gemeinschaft darstellt" (Kirche 8) oder – noch stärker –, daß die katholische Religion in Form der Weltkirche den Anspruch erhebt, das Reich Gottes zu „verkörpern".

des Gottesreiches zu sein. So ruft der Gedanke des Gottesreiches das Gottesvolk in eine tätige Ordnung; denn nur wer den Willen des Vaters tut, wird in das Himmelreich eingehen (Mt 7, 21)."[734] Wir stellen eine sehr lebendige Spannung von präsentischer und futurischer Eschatologie mit einem gesunden Bezug zur Ethik fest.

d) Ansätze zu den Einzelfragen

Diese globale Übersicht über die Gesamtvorstellung des Gottesvolkes eröffnet gleichzeitig einige Ansätze und Ausblicke für spezielle Sachverhalte. Es sind dies die Auffassung der Taufe und des Taufcharakters[735], ein vertieftes Verständnis der Ehe als Bund und Abbild des Bundes[736], eine klare Sicht der zugleich natürlichen und übernatürlichen Funktion der Leitungsgewalt im Gottesvolk[737], ein besseres Verständnis der Strafgewalt[738], und ein Ansatz für eine universale Sicht der Kirche im Verhältnis zum Staate[739], insofern die Kirche sich als das eine Gottesvolk zu allen Völkern der Erde gesandt weiß. Vielleicht sollte man hier auch noch auf die besondere Konzeption der Buße als Versöhnung mit Gott in der Versöhnung mit der Kirche hinweisen.[740]

5. *Erhellung mit Hilfe des Begriffes Sakrament*[741]

Eine wachsende Bedeutung gewinnt in der Beschreibung der Kirche der Begriff Sakrament (universales Sakrament[742]) bzw. Ursakrament. In Analogie zu den einzelnen Sakramenten kann man auch in der konkreten Kirche folgende Elemente unterscheiden: ein äußeres Zeichen; eine innere Gnade bzw. „den durch das Zeichen bewirkten Gnadenvorgang"[743]; die Einsetzung durch Christus und die Disposition, die den Empfang des Sakramentes (hier also das Leben in der Kirche) fruchtbar werden läßt. Dazu kann man noch den gottesdienstlichen Aspekt beachten, insofern auch das letzte Ziel der Kirche die Ehre

---

[734] *Mörsdorf* I, 26 f. Vgl. *May*, Ehre 28 f.

[735] Vgl. § 31 I; *Mörsdorf* I, 185 f.

[736] *May*, Ehre 99: „Christusbund"; vgl. *Mörsdorf* I, 33.

[737] Vgl. *Mörsdorf* I, 314; auch I, 196 zum Unterschied von Laien und Klerikern.

[738] Vgl. *Mörsdorf* III, 297.

[739] Vgl. *Mörsdorf* I, 54.

[740] Vgl. *Mörsdorf* I, 34; II, 69.

[741] Vgl. *M. Bernards*, Zur Lehre von der Kirche als Sakrament (s. o. Anm. 97).

[742] Cf. *Lesage*, Nature 49; er zitiert dort *P. Smulders*, Sakramenten en Kerk. Kerkelijk Recht–Kultus–Pneuma. Bijdragen 17 (1956) 393 s. 416; *J. Beyer:* „das große Sakrament" (Vollkommenheitsleben 176).

[743] *Mörsdorf* I, 28; vgl. *May*, Wesen 182, bes. Anm. 27; *Heimerl*, Kirche 29 sagt mit *P. Smulders* (Sacramenta 3–53), daß „die Gesellschaftlichkeit der Kirche zugleich Zeichen und Instrument der Gnade ist".

Gottes ist.[744] Diese Momente werden entfaltet und biblisch gefüllt, indem der Disposition die Haltung der Braut entsprechend Eph 5 zugeordnet wird. Das äußere, wirksame Zeichen wird durch die Beschreibung als hierarchisch strukturiertes Volk Gottes erläutert, die innere Gnade durch die Aussagen vom Leib Christi.[745] So läßt sich auch sagen: „Die Kirche ist das von Jesus Christus aufgerichtete Zeichen des Heiles, in dem der Gottmensch, der einzige Mittler des Heiles, sein Heilswirken bis zu seiner Wiederkunft in verborgener Weise fortsetzt.“[746]

Diese Analogie im Sakramentsbegriff wird im übrigen schon auf die hypostatische Union angewandt: „die hypostatische Einheit der göttlichen und menschlichen Natur in Christus ist das Ursakrament, da hier das äußere Zeichen der menschlichen Natur die ganze Fülle der übernatürlichen Gnade versinnbildet und bewirkt.“[747] Der Sache nach ist hier das gleiche ausgesagt wie in der Analogie zum menschgewordenen Worte Gottes, soweit dort eine wirkliche Teilnahme an diesem Mysterium erfaßt wird. „Das ist das Geheimnis der Kirche: göttliches Leben, Christi Leben in der Gestalt einer wahren, menschlichen, rechtlich organisierten Gemeinschaft.“[748] Die Verbindung zwischen den beiden Verständnishilfen kommt in der Bezeichnung Christi als Ursakrament zum Ausdruck.[749] Dabei ist entscheidend, daß die menschliche Natur Christi nicht „nur als Zeichen und Bürgschaft des von Gott gewirkten Heiles verstanden wird“, sondern „als Werkzeug göttlichen Handelns“. Sonst könnte auch „der kirchlichen Rechtsgestalt keine Wirksamkeit für das Heil zugewiesen werden“.[750] Doch ist gerade dies wesentlich, daß nämlich die Kausalität zwischen Zeichen und sakramentaler Wirklichkeit klar erkannt wird.[751]

6. Tempel Gottes

Im Zusammenhang mit der Heiligkeit der Gemeinde wird 1 Kor 3, 16 ff. mit

---

[744] Vgl. unten Teil II, Kapitel 1.

[745] Vgl. *May*, Ehre 7; wie oben gesagt, folgt er *Semmelroth*, Kirchenbegriff.

[746] *Mörsdorf* I, 317; auch Persona 354; als sakramentales Zeichen für die Gemeinschaft der Gnade mit Gott; auch *Useros*, Semmelroth 716; *Bertrams*, Subsidiaritas 30: „Signum visibile a Christo institutum efficax gratiae mode obiective“; Eigennatur 564: „Ipsa Ecclesia est sacramentum, i. e. sacrum symbolum, quod gratiam supernaturalem significat et efficit.“

[747] *Bertrams*, Sinn 106; *Bertrams*, Subsidiaritas 30: „Incarnatio Verbi ... dicitur ... sacramentum primarium“.

[748] *Bertrams*, Sinn 106.

[749] Vgl. zuerst *Mörsdorf*, Grundlegung 329 ff., dann *Mörsdorf* I, 27; er nennt darum auch die Kirche „das fortlebende Ursakrament“ (Mörsdorf 27 f.); vgl. *Bertrams*, Subsidiaritas 30: „Ecclesia ... tamquam continuata Incarnatio Verbi ...“

[750] *May*, Wesen 182, Anm. 26, wo er sich auf *Schmaus* III, 1, 461 beruft.

[751] Das betont *M. Useros* in der Rez. Ursakrament von *O. Semmelroth* S. 717.

der Bezeichnung der Kirche als Tempel Gottes[752] herangezogen. Vergleichspunkt ist hier die Tatsache, daß die Gemeinde wie der Tempel aus der sündigen Welt als Ort der Gottesbegegnung ausgegrenzt sind. In dieser Gemeinschaft soll er angebetet werden, so daß Strafen und andere Mittel die Heiligkeit dieser Wohnung schützen müssen.[753] In besonderer Weise wird die Kirche Haus Gottes durch die reale Gegenwart Christi in der Eucharistie.[754]

7. Familie Gottes

Verwandt mit der genannten Bezeichnung ist der Begriff des Hauses Gottes. Die Worterklärung für die Kirche führt ja auf „Kyriaké oikía" – Haus des Herrn.[755] Damit ist gemeint, daß die Gläubigen zu Gott gehören als Hausgenossen bzw. „familia". Bei dieser Ausdrucksweise ist an die antike Großfamilie einschließlich vieler Verwandter (und Sklaven) zu denken. Wir finden diese Bezeichnung auch öfter im üblichen modernen Sinn, um die innere und geistige Seite der Kirche auszudrücken; Familie der Gotteskinder.[756] G. Lesage zielt verschiedentlich auf die gemeinschaftliche Seite der Kirche, wenn er von den Kindern Gottes,[757] den Brüdern[758] oder der Gottes-Familie[759] spricht.

III. Zum Charakter dieser Beschreibungen

Welche von diesen Beschreibungen erheben Anspruch darauf, logische Definitionen zu sein? Welche anderen Ansprüche erheben sie? Worin besteht das Neue im Unterschied zum älteren Kirchenbild?
Die präzise Frage, ob es eine streng logische Definition gibt, wird nur bei K. Mörsdorf gestellt.[760] Bei anderen Autoren klingt sie an.[761] B. Panzram stellt einige methodologische Erwägungen an. Dabei kommt er nicht auf die grundsätzliche Frage, sondern stellt nur den allgemeintheologischen Definitionen,

---

752 Vgl. *May*, Ehre 30; auch 32: „heiliger Tempel" mit Bezug auch auf Eph 2, 21.
753 Vgl. *May*, Ehre 63 und 29.
754 Vgl. *May*, Ehre 11.
755 Vgl. *Mörsdorf* I, 24; ähnlich *Ebers:* „kyriakōn oikeion".
756 *Rösser*, Laien 8. 11.
757 Nature 43. 21. 44. 20: „enfants de Dieu".
758 Cf. Nature 21. 23; p. 22: „fraternité universelle"; ib.: „cohésion fraternelle".
759 *Lesage*, Nature 20: „L'Église est la mère, la famille et la cité des enfants de Dieu."
760 Vgl. Band I, 22 f.
761 Vgl. *Bertrams*, Sinn 105; *v. Kienitz*, Gestalt 20; *Hagen*, Prinzipien 25: Die Kirche läßt sich „nicht so leicht in die üblichen rechtlichen Begriffe unterbringen".

etwa der von K. Mörsdorf, die speziell kanonistische Definition gegenüber. Im Gegensatz zu der Nominaldefinition (im Wundtschen Sinne), die Begriffe aus anderen theologischen Disziplinen verwendet, sucht der Freiburger Kanonist eine synthetische Realdefinition, die aus Elementen besteht, die im System des Kirchenrechts im engeren Sinne vorgefunden werden. Auf diese möchte er Kriterien anwenden, die er aus der Rechtsphilosophie, der Rechtsvergleichung, der Begriffsjurisprudenz und der Methodenlehre gewinnt.[762] Man findet jedoch keinen Hinweis auf den Geheimnischarakter der Kirche. K. Mörsdorf antwortet ausdrücklich auf die Frage,[763] indem er die Möglichkeit einer streng logischen Definition ausschließt.[764] „Die Kirche ist ... wahrhaft ein Geheimnis, eine Wirklichkeit der Heilsordnung, die wir in Begriffen und Bildern nicht restlos wiedergeben können."[765] Welche Art von Definition gibt es dann für die Kirche? Wir haben schon gesehen, daß es eine Definition im weitesten Sinne, eine Wesensbeschreibung ist, die sich der Analogie bedient.[766] Wie sich aus der Durchführung dieser Wesensbeschreibung ergibt, ist damit sowohl die Analogie des Seienden wie die Analogie des Glaubens gemeint.[767] Dementsprechend häufen sich in den Erklärungen die Bilder, die meist aus den Schriften des Alten und Neuen Testamentes genommen sind.[768]

---

[762] Vgl. *Panzram*, Kirchenbegriff 193.

[763] Im Anschluß an *Schmaus* III, 1, 40 f.

[764] Vgl. *Mörsdorf* I, 22. In diesem Zusammenhang wäre zu fragen, ob denn überhaupt menschliche, geschichtliche Wirklichkeiten logisch, streng wissenschaftlich in dem hier gemeinten Sinne definiert werden können. Das aus zwei Gründen: Erstens sind wir zur Erkenntnis von geistigen personalen Wirklichkeiten immer auf Bilder, Analogien angewiesen, die aus der Erfahrung der Sinne stammen und übertragen werden. Zweitens darf man wohl sagen, daß ja eigentlich ein Mensch zum Beispiel nur sehr peripher definiert ist, solange man von Gott schweigt. So spricht *Karl Rahner* von dem Geheimnis des Menschen als der „radikalen Verwiesenheit auf das absolute Geheimnis Gottes" (LThK 7, 293). Ähnliches gilt für Tier und unbelebte Materie, die auch erst ihr wahres Wesen zeigen, wenn ihre Kontingenz einerseits, andererseits positiv ihr Teilhabe- und Abbildsein erkannt ist.

[765] *Bertrams*, Sinn 105.

[766] *Mörsdorf* I, 23 folgend *Schmaus* III, 1, 40 f.; cf. *Lesage*, Nature 47; *J. Hervada Xiberta*, Rez. R. L. Nolasco, La Iglesia visible misterio de Cristo, Buenos Aires 1961: Ius Canonicum 2 (1962) 771.

[767] Vgl. bei *K. Mörsdorf* den Begriff des Ursakramentes, der mit Hilfe eines anderen Glaubensgeheimnisses, nämlich der Struktur der anderen Sakramente, erläutert wird (27 f.), und den Rechtscharakter des Sakramentes, der mit dem des Rechtssymboles in Verbindung gebracht ist (29 f.).

[768] Eine wichtige Verbindung ergibt sich von hier zur orthodoxen Theologie. *E. Lanne* zitiert den orthodoxen Theologen *Florovskij* (Le corps du Christ vivant 13): „Die einzige genaue Definition der Kirche wäre das Christentum in seiner Gesamtheit" (Die Kirche als Mysterium und Institution in der orthodoxen Theologie, in: Mysterium Kirche II, 898).

A *Die beiden Seiten der Kirche*

Die Kirche ist ein Geheimnis. Das kommt nicht nur in den verschiedenen Analogien und Bildern zum Ausdruck, sondern auch in der häufigen Rede von den zwei Seiten der Kirche – in verschiedenen Hinsichten. Wir haben schon im Überblick zu diesem 2. Abschnitt auf die Gegenüberstellung von Einzelaspekten und von Phänotypen hingewiesen. Soweit es sich dabei eindeutig um die Ebene des Geschöpflichen handelt, wollen wir im 2. Kapitel darauf zurückkommen. Hier müssen wir aber zwei Sachverhalte aufweisen, die sich nicht recht einfügen lassen, aber eher das Ursakrament als Ganzes betreffen.

I. Rechtlich – gnadenhaft, natürlich – übernatürlich

Man spricht von der rechtlichen und der gnadenhaften Seite der Kirche[769] und davon, daß die Kirche eine Rechts- und eine Gnadengemeinschaft sei.[770] Da wir diese Unterscheidung besonders im Zusammenhang mit der Frage nach der Mitgliedschaft in der Kirche finden, behandeln wir sie dort.[771]
Überraschend ist die Gegenüberstellung: Zeitlich-Natürliches und Geistig-Übernatürliches, die wir bei A. M. Stickler antreffen. Der Kirchenrechtshistoriker versucht mit dieser Zweiheit die geschichtliche Entwicklung aufzuzeigen, in der der menschliche Geist oft in Versuchung geführt wird, das Zeitlich-Materielle in den Vordergrund zu stellen. „Das Zeitlich-Natürliche kann im Leben der Kirche in den Vordergrund treten entweder auf Grund des Rückganges und der Anämie des Geistig-Übernatürlichen oder auch aus dem Verteidigungszwang gegen äußere irdisch-materielle Mächte, die einen Waffengang auf gleicher Ebene verlangen; schließlich auch aus einer inneren Dynamik heraus, die sich bei Hochspannungen des Kirchenlebens notwendigerweise zusammen mit dem geistig-übernatürlichen auch auf den so enge damit verbundenen irdischen Bereich auswirkt."[772] Im übrigen zeigt A. M. Stickler in sehr interessanter Weise diese Wellengänge in der Geschichte der Kirche auf.[773] Man wird allerdings

---

[769] Vgl. *Hagen*, Prinzipien 7; Mitgliedschaft 21; *Mörsdorf*, Persona 354: „öffentlich-rechtliche Sphäre"; *Stickler*, Mysterium 590: juridisch-charismatisch.

[770] Vgl. *Hagen*, Mitgliedschaft 4; *Mörsdorf*, Persona 353.

[771] Siehe unten § 30 II und § 31.

[772] *Stickler*, Mysterium 588. Diese Vermischung finden wir übrigens schon bei *A. Rademacher* (Kirche 62), wenn er die Verzeitlichung des Logos im Menschen Jesus und die Vergegenständlichung des Glaubens im Dogma parallel setzt.

[773] Vgl. *Stickler*, Mysterium 581–608. S. 628: „Neben dem Göttlichen und Geistigen lebt in ihr, ... als etwas wesentlich Gutes und Gottgewolltes das Menschliche und Leibliche."

fragen, warum hier das Geistige so nahe neben das Übernatürliche gestellt ist; Christus teilt sich doch dem ganzen Menschen mit, da er selber ja ganzer Mensch mit Leib und Seele ist.

II. „Die Kirche ist zugleich sichtbar und unsichtbar."[774]

In einem ähnlichen Zwielicht bleibt auch die Beschreibung der Kirche mit den Kategorien sichtbar und unsichtbar.[775] Wenn wir die Stellen über den Aspekt, die Seite, das Leben, die Elemente zusammenstellen, die unsichtbar sind, finden wir ein Ineinander von Benennungen menschlich-geistigen Seins und göttlichen Attributen; dem stehen juridische und materielle Begriffe für die sichtbare Seite (Leben, Elemente) gegenüber. So etwa „das unsichtbare geistliche Leben im Heiligen Geiste" der „sichtbare(n) Verfassung" der Kirche.[776] Das „göttliche Leben" oder „Christusleben" wird als „Geistleben" der Kirche im Unterschied zum „Rechtsleben" aufgewiesen.[777] Im allgemeinen sind die Attribute innerlich, gnadenhaft, unsichtbar, mystisch miteinander verbunden.[778] G. May stellt dabei sofort diese als göttliche dar: Einerseits folgt er L. Ott: „Zum mystischen Leib Christi gehört ein äußeres, sichtbares, juridisches Element, die rechtliche Organisation, und ein inneres, unsichtbares, mystisches Element, die Gnadenvermittlung"[779]; andererseits faßt er diese Doppelheit als Erläuterung des gottmenschlichen Wesens der Kirche auf und zitiert O. Semmelroth: . . . „das wesensgerecht verwirklichte Institutionelle in der Kirche (steht) als sakramentale Wirklichkeit mit dem gnadenhaft Göttlichen im Verhältnis gegenseitiger Förderung: Die klare gesellschaftliche Prägung der Kirche soll der Verwirklichung des Göttlichen im Menschlichen dienen und ihr das Feld bereiten; die kraftvolle Wirksamkeit des Göttlichen wird in einer klaren gesellschaftlichen Prägung der Kirche als seinem sakramentalen Ausdruckszeichen vergegenständlicht."[780]

Als wesentliche Folgerung betont G. May in diesem Zusammenhang jedenfalls noch einmal, daß „die entscheidenden Vorgänge, in denen Gott den Menschen

---

[774] *Mörsdorf,* Persona 353. Vgl. *Heimerl,* Kirche 56.

[775] Vgl. *Valeske,* Votum 60–66.

[776] *May,* Wesen 182, Anm. 27 folgend *Schmaus* III, 1, 405.

[777] *Bertrams,* Eigennatur 542 f.; Sinn 107.

[778] Vgl. *Hagen,* Prinzipien 7; Mitgliedschaft 3; *Mörsdorf,* Persona 353; *Bertrams,* Subsidiaritas 27; *Stickler,* Mysterium 574 f.

[779] *May,* Wesen 182, Anm. 27. Dort verweist *G. May* auf *L. Ott,* Grundriß der katholischen Dogmatik, Basel–Freiburg–Wien ⁴1959, 355.

[780] Vgl. *O. Semmelroth,* Das geistliche Amt, Frankfurt/M. 1958, 83; Fundort s. Anm. 779.

ergreift und heiligt, rechtlich geordnet" sind.[781] Dasselbe ist schon in der Erkenntnis grundgelegt, in der sich übrigens alle Autoren einig sind, daß das Sichtbare und das Unsichtbare in der Kirche zusammengehört; es ist je die Innen- und die Außenseite der einen Kirche.[782]

Wir sehen bei alledem deutlich, daß wir an der Grenze des Geheimnisses angelangt sind. Es drängt sich die Frage auf: Ist denn alles Unsichtbare in der Kirche gnadenhaft, göttlich? Ist hier nicht deutlich ein anderes Korrelat zum Institutionellen, zur gesellschaftlichen Prägung gefordert? Man müßte es wohl in der Richung der Fülle suchen, in der Richtung des Aktes bzw. Vorganges.[783] Wenn dies beides zusammengeschaut ist, als lebendig konkrete Wirklichkeit, dann läßt sich sagen, daß dahinter, darin – es bleibt Geheimnis – das Göttliche nah und fern zugleich ist.

Die Begegnung des sich erbarmenden Gottes richtet sich an menschliche Personen, die schon als solche für sich und andere Geheimnis sind. So bleibt auch „die innerlich-unsichtbare Wirklichkeit im Tiefengrund der Kirche", die Vereinigung mit Christus, im letzten undurchdringliches, aber auch beseligendes Geheimnis,[784] das uns in menschlichen, ja, rechtlichen Formen begegnet.

B *Konstitutionelle und tätige Ordnung der Kirche*[785]

Eine andere Gliederung, die die Kirche als ganze betrifft, wird notwendig, wenn man das Geschehen in der Kirche als Spendung und Empfang, als Gabe und Aufgabe, als Bewirken und Mitwirken sieht und von daher die Differenz ins Auge faßt, die seit langem in der Sakramententheologie mit Begriffen gültiger und würdiger Sakramentenempfang gemeint ist. Darum unterscheidet K. Mörsdorf zwischen zwei Ordnungen der Kirche, der konstitutionellen und der tätigen Ordnung.

Unter der selbstverständlichen Voraussetzung, daß die Kirche als Volk Gottes ganz auf dem gnädigen Wollen Gottes gründet, weist er darauf hin, daß die Gaben Gottes, die er durch sein Wort und seine heiligen Zeichen wirkt, der gläubigen, freien Annahme bedürfen, um heilswirksam zu sein. Sie sind zugleich Aufgaben, die in freier personaler Entscheidung zu erfüllen sind. Erst dann ist das Zeichen Kirche in seiner ganzen Wirklichkeit da, das heißt auf Grund der rechten Disposition[785a], auf Grund des personalen Mitvollzugs auch fruchtbar. Dennoch bedingt der Charakter der Kirche als Volkes Gottes, als

---

[781] *May*, Wesen 182.
[782] Vgl. *Hagen*, Prinzipien 7.
[783] Vgl. *Guardini*, Gegensatz 56. 73–79; s. auch unten § 22.
[784] Vgl. *May*, Ehre 7.
[785] Vgl. *Mörsdorf*, Grundlegung 341–348; I, 30–35.
[785a] Vgl. unten § 25.

von Gott errichteten Zeichens des Heiles, daß seine Existenz und Wirkmächtigkeit nicht auf das freie Wollen der Glieder gegründet ist.

„Die konsekratorischen Sakramente haben eine Wirkmächtigkeit, die das einmal gültig gewirkte innere Zeichen der Zugehörigkeit zu Christus und zu seiner Kirche dem menschlichen Wollen vollends entzieht. Weder der so Gezeichnete noch die Autorität der Kirche können etwas daran ändern. Soweit diese Christusbildlichkeit Zeichen für den persönlichen Heilserwerb ist, kann sie für den mündigen Christen nicht fruchtbar werden ohne die freie Aufnahme der Entscheidung Gottes, so weit sie aber Zeichen dafür ist, anderen das Heil zu vermitteln, ist sie unabhängig von der persönlichen Würdigkeit des Gezeichneten, weil dieser nur Werkzeug ist in der Hand des Herrn."[786]

So unterscheidet er zwei Ordnungen: In der konstitutionellen Ordnung ist die Kirche ein Zeichen des Heiles, das von Gott errichtet und menschlichem Versagen entrückt ist; in der tätigen Ordnung strebt „die konsekratorisch begründete Kirchengemeinschaft in Aufnahme der Heilsgaben Gottes in freier personaler Entscheidung danach . . ., das Reich Gottes in Wort und Tat zu verwirklichen"[787]. Diese beiden Ordnungen sind einander wesentlich zugeordnet, die tätige Ordnung ist Sinnerfüllung der konstitutionellen und folgt gewissermaßen aus ihr; diese letzte hat einen bestimmten Vorrang, „weil sie eine unabänderliche Bestimmung durch Gott und für Gott gibt und hierdurch die Grundlage für die rechtliche Ordnungsmacht der Kirche ist"[788]. Die Kirche wird durch das Wort des Glaubens und die Sakramente konstituiert. Als Gemeinschaft des Glaubens gründet die Kirche „auf Schrift und Tradition als den Quellen der Offenbarung und auf der verbindlichen Glaubensvorlage durch die Kirche, insbesondere auf den feierlichen Glaubensentscheidungen"[789]. Der Aufbau der Kirche vollzieht sich im übrigen vor allem durch die Sakramente:

Taufe und Firmung als Sakramente der christlichen Initiation verleihen die Grundgliedschaft.[790] Das Weihesakrament[791] verleiht die Befähigung, Christus in seinem Hauptsein sichtbar zu machen. Das Sakrament der Ehe befähigt zur Darstellung des Liebesbundes des Herrn mit seiner Kirche.[792] Die klösterliche Profeß ist zwar kein Sakrament, jedoch ein Vorgang, der kraft des Annahmewortes des Kirche wirkmächtig ist, „eine geistliche Vermählung mit dem Herrn,

---

[786] *Mörsdorf* I, 31.
[787] *Mörsdorf* I, 31.
[788] *Mörsdorf* I, 32.
[789] *Mörsdorf* I, 32.
[790] Vgl. unten §§ 30 und 31.
[791] Vgl. unten § 35 B I.
[792] Vgl. *Mörsdorf* I, 32 f.

die den Professen auf Zeit oder für immer in den klösterlichen Stand einreiht"[793].

Was nun in der einen Ordnung grundgelegt ist, kommt in der anderen zur Entfaltung, kann aber auch hartnäckig abgelehnt werden; Christus hat uns in den Gleichnissen vom Fischnetz (Mt 13, 47 ff.) und vom Unkraut (Mt 13, 24–30. 36–43) angedeutet, daß nicht alle Glieder der Kirche den Forderungen des Gottesreiches entsprechend leben. Als Auswirkungen der Fähigkeiten, die der Getaufte bzw. Geweihte auf Grund seiner „Konsekration" besitzt, nennt K. Mörsdorf dann im sakramentalen Bereich die Feier der Eucharistie[794] und das Sakrament der Buße.

In ihnen kommt ja die konstitutionelle Gliedschaft sowohl des Getauften wie des Geweihten zu fruchtbarer Tätigkeit; die Gemeinschaft mit Christus wird gelebt und in Raum und Zeit sichtbar gemacht.[795]

Im Weiteren erwähnt er hinsichtlich des außersakramentalen Bereiches die Verkündigung des Wortes und die Kirchenzucht. Damit bleibt die Aufmerksamkeit wesentlich bei der Tätigkeit der Hoheitsträger der Kirche, allerdings unter der Rücksicht, die ganze Kirche „zu einer zutreffenden Darstellung dessen zu machen, was sie ihrem Wesen nach ist"[796].

Kapitel 2

DAS ÄUSSERE ZEICHEN: SPANNUNGSEINHEIT VON GEGENSÄTZEN

Nun wollen wir das äußere Zeichen in den Blick nehmen. Es handelt sich hier um die sichtbare, greifbare, hörbare Wirklichkeit der Kirche, um alle die Dinge, die von Gott benutzt werden, um die innere Gnade anzuzeigen und zu bewirken. Diese Wirklichkeit wird als Spannungseinheit von Gegensätzen erkannt.

§ 20 *Wort und Sakrament als Bauelemente der Kirche*

Das äußere Zeichen wird wesentlich durch Wort und Sakrament konstituiert. Die Wortverkündung ist hörbar (und sichtbar), die Sakramente sprechen als Handlungen den ganzen Menschen an.

---

[793] *Mörsdorf*, Grundlegung 344.
[794] Vgl. unten § 35 B I.
[795] Vgl. *Mörsdorf*, Persona 380.
[796] *Mörsdorf* I, 35.

Im Rahmen einer Darlegung über die rechtliche Struktur der Kirche weist K. Mörsdorf auf Wort und Sakrament hin und zeigt, wie beide rechtlich strukturiert sind. Wir möchten hier diese Frage nach der rechtlichen Struktur der Kirche nur nebenbei bedenken und dafür auf die Hinweise achten, die uns für die Gesamtsicht gegeben werden. Und da scheint eben diese Doppelheit auf, die übrigens nicht ohne Zusammenhang mit der leib-seelischen Natur des Menschen ist.

Es geht darum, daß das Heil vermittelt wird. Dazu dienen Wortverkündung und sakramentales Handeln, und zwar als „zwei verschiedene Weisen der Heilsvermittlung, sie stehen aber in einer tiefgreifenden Zuordnung zueinander und begegnen sich in lebendiger Wirkeinheit"[797].

Sie sind Zeichen und Werkzeug des in der Kirche bewirkten Gnadenvorganges. Sie setzen das Heilswirken des Herrn fort und leiten von ihm alle Mächtigkeit her. Die Greifbarkeit des Heiles basiert letztlich darauf, daß schon Jesus Christus das Ursakrament ist und die Kirche die Gegenwärtigsetzung des Gottmenschen. Beides, Wort und Sakrament, führt dazu, die Gemeinschaft der sichtbaren Kirche aufzubauen, aber als ein Zeichen des Gottmenschen, der in und mit ihr sein Heilswirken in greifbarer und sichtbarer Weise fortsetzt.

Auf der einen Seite wird also in der Kirche das Wort verkündet und gehört, mit dem sie Zeugnis gibt von der Menschwerdung des Gottessohnes, von seinem Leben und Wirken, seinem Sterben und Auferstehen und von dem Evangelium, das er der Menschheit gebracht hat. Dies ist einerseits lebendiges Zeugnis der christlichen Gemeinschaft und läßt andererseits die Glieder der Kirche zu tieferem Verstehen und Ergreifen des Wortes heranreifen und ruft jene, die draußen sind, auf zur gläubigen Entscheidung und zur Nachfolge des Herrn in der Kirche. „Der Wortverkündung eignet damit eine gemeinschaftsbildende und gemeinschaftserhaltende Kraft; sie ist wesentliches Element im Aufbau der sichtbaren Kirche."[798] Diese Verkündung des Wortes geschieht in der Vollmacht des Herrn. Er hat sich durch rechtliche Bevollmächtigung die Apostel zu seinen Stellvertretern erwählt. „Der Apostel ist Stellvertreter des Herrn, nicht bloß im Zeugnisgeben, sondern auch im verbindlichen Handeln für den Herrn. In allem, was der Apostel und sein Nachfolger in der apostolischen Sendung im Namen des Herrn fordert, hat er, weil er die Person des Herrn vertritt, Anspruch auf den Gehorsam, der dem Herrn selbst geschuldet ist."[799]

Im Sakrament wird auf der anderen Seite das, was im Worte gehört wird, sicht-

---

[797] *Mörsdorf* I, 28. Zum rechtlichen Charakter von Wort und Sakrament vgl. auch die grundsätzlichen Ausführungen bei *May*, Wesen 182–191.
[798] *Mörsdorf* I, 28.
[799] *Mörsdorf* I, 29.

bar und greifbar. Das Geheimnis des Heils verleiblicht sich in den sakramentalen Zeichen, d. h. in symbolischen Handlungen und Dingen, die der natürlichen Ordnung entstammen und vom Herrn dazu bestimmt sind, wirksame Träger seiner Heilsvermittlung zu sein. Hier macht K. Mörsdorf auf eine selten berücksichtigte Tatsache aufmerksam, daß nämlich die Sakramente ihr natürliches Analogon in den Rechtssymbolen haben. Rechtssymbole weisen in gemeinschaftsbezogener Weise auf eine unsichtbare Wirklichkeit hin. „Es ist entweder ein Gegenstand, der über seine sinnliche Erscheinung hinaus etwas aussagt, oder eine Handlung, die im sinnbildlichen Geschehen etwas Unsichtbares bewirkt. Das Rechtssymbol steht in lebendigem Zusammenhang mit der Sitte eines Volkes; es wächst aus dieser urtümlichen Quelle des Rechtes, es steht so durch die Art seines Werdens mitten in der Gemeinschaft und erlangt durch sie die Kraft, im Sinnbild Rechtsverbindliches auszusagen oder zu bewirken."[800] Wie gesagt, wollen wir hier nicht speziell den rechtlichen Aspekt betonen, doch wird ein wichtiger anthropologischer Bezug sichtbar. K. Mörsdorf verweist auf das orientalische und das germanische Recht, welche eine reiche Symbolik hatten, „von der vieles im Recht und in der Liturgie der Kirche fortlebt".[801] Entscheidend ist dann auch hier wieder der Bezug auf den Herrn, der selbst den von ihm ausgewählten Zeichen ihre sakramentale Sinnbildlichkeit und Wirkmächtigkeit eingestiftet hat. Das gilt auch in Beziehung auf die Gemeinschaft der Kirche; die Bedeutung, die schöpferische Kraft der Sakramente besteht wiederum in dem, was der Herr ihnen mitgegeben hat.

Die Sakramente sind insofern mehr als nur Gnadenmittel der Kirche als Heilsinstitution; in ihnen wird nicht nur die Kirche erbaut; vielmehr vollzieht sie in ihnen auch ihre Existenz als sakramental geprägte Heilsgemeinschaft.[802] Darin kommt die volle Bedeutung des Wortteiles „Ur-" von Ursakrament zum Vorschein, daß eben „die sakramentalen Einzelhandlungen als Lebensfunktionen des Ursakramentes die sakramentale Wirklichkeit der Kirche"[803] aktualisieren.

„Wort und Sakrament sind zwei verschiedene, aber einander verbundene Elemente im Aufbau der sichtbaren Kirche. Die Kirche ist weder nur Kirche des Wortes noch Kirche des Sakramentes, sondern beides zugleich und in einem:

[800] *Mörsdorf* I, 29 f.; als Beispiel verwendet er die Handauflegung.
[801] *Mörsdorf* I, 30. Mit diesem geschichtlichen Hinweis könnte eine Anregung für die heutige Ausprägung der Sakramente gegeben sein.
[802] Vgl. *Mörsdorf* I, 30.
[803] *O. Semmelroth*, Art. Ursakrament, in: LThK 10, 569.

Kirche des Wortes und des Sakramentes. Damit erhält die der Kirche als Zeichen des Heiles eigene Sakramentalität eine bestimmte Differenzierung, die der verschiedenen Wirkweise von Wort und Sakrament entspricht."[804]

Wie wir schon oben sahen, faßt K. Mörsdorf hier unter Wort ganz bewußt auch die Ausübung der Jurisdiktion, bei welcher im Namen des Herrn Gehorsam gefordert wird. So kann er dann fortfahren: „Diese Verschiedenheit findet ihre bedeutsamste Ausprägung in der Zweigliedrigkeit der kirchlichen Hierarchie. Hirtengewalt und Weihegewalt haben ihre Entsprechung im Wort und im Sakrament ... An der Verbundenheit beider Gewalten zeigt sich zugleich die Einheit von Wort und Sakrament."[805]

§ 21 *Personale Spontaneität und Institution*

Im Rahmen seiner Unterscheidung von Gemeinschaft und Gesellschaft[805a] kommt A. Hagen auf verschiedene Elemente in der Struktur der Kirche (sie sind paarweise gemischt), die unter Umständen zu Spannungen führen können. Als Beispiele nennt er u. a. Liebe und Recht, Glaube und Dogma, Frömmigkeit und Liturgie, Freiheit und Gesetz, Geist und Amt.[806] Stellen wir experimentierend einmal die Begriffe in zwei Reihen zusammen:

Liebe, Freiheit, Glaube, Frömmigkeit, Geist –
Recht, Gesetz, Dogma, Liturgie (Ritus), Amt.

Wir sehen auf den ersten Blick, daß uns eine Reihe heute sympathischer ist, während uns die andere unangenehm berührt. Und doch hängt beides untrennbar zusammen. Wie sieht nun A. Hagen, der wohl am meisten von allen Autoren gegensätzlich denkt und die Realität zu ihrem Rechte kommen läßt, diese beiden Reihen bzw. das Verhältnis zwischen den jeweils sich entsprechenden Begriffen? Was tragen die anderen Autoren dazu bei? Wir haben mit der Überschrift schon versucht, eine Deutung zu geben.

---

[804] *Mörsdorf* I, 30. Vgl. auch den wegweisenden Vortrag *W. Kaspers* auf der Konferenz der deutschsprachigen Pastoraltheologen in Wien, 3. bis 6. 1. 1968, veröffentlicht in: Martyria, Leiturgia, Diakonia (Festschr. für Bischof H. Volk), Mainz 1968, 260–285.

[805] *Mörsdorf* I, 30; vgl. unten § 33 II zur Gewaltenlehre.

[805a] Vgl. § 22.

[806] Er folgt hier weitgehend *A. Rademacher*, so daß wir zur Erhellung des Gemeinten auf dessen Buch (Kirche) zurückgreifen können. Vgl. auch *P. Winniger*, L'adaptation du Code aux exigences pastorales: Estudios de Deusto 9 (1961) 385.

I. Frömmigkeit und Liturgie[807]

„Die Frömmigkeit (will) zur Liturgie werden."[808] Das ist die Folge der psycho-physischen und sozialen Veranlagung des Menschen; er hat eben eine Tendenz, innere Werte herauszustellen und zu objektivieren. Sicher wird diese Objekti-vierung in der Kirche nicht durch diese Naturanlagen determiniert, sondern durch den Gründungswillen Jesu Christi. Interessant ist aber doch, daß hier von der Verfaßtheit des Menschen her, insofern er „Geist in Welt" ist, die in-nere Zuordnung von Frömmigkeit und Liturgie erfaßbar wird. Es sind beides Bezeichnungen für Gottesverehrung; das eine tendiert auf die innere Weise der Gottesverehrung, insofern sie der personalen Mitte des Menschen zuge-ordnet ist, das andere ist deren Ausdruck, insofern der Mensch eben Leib ist.[809] Von da aus lassen sich nun auch die anderen Gegensätze einsehen.

II. Glaube und Dogma

„Der Glaube will zum Dogma . . . werden."[810] Auch Glaube und Dogma oder Glaube und Bekenntnis sind die Hingabe des Menschen an Gott, wobei der Akzent auf seiner intellektuellen Seite liegt; der Glaube wird gelebt, aber auch formuliert, definiert.[811] „Das Irrationale des Glaubens kann rational nur ge-faßt werden im Dogma."[812] Das Dogma „etabliert" den Glauben.[813]

III. Liebe und Recht (Freiheit und Gesetz)[814]

1. *Anthropologische Deutung*

Heiße Diskussionen vermag das Stichwortpaar Rechtskirche–Liebeskirche aus-zulösen. Es ist das Verhältnis von Liebe und Recht gefragt. „Die Liebe drängt zum Recht, die Freiheit zum Gesetz."[815] Es ist nicht etwa so, daß die Schwäche

---

[807] Vgl. auch *Stickler*, Mysterium 600: religiöses Leben und kirchliche Normierung.

[808] *Hagen*, Prinzipien 11; cf. *Lesage*, Nature 43: Kult als Ausdruck des religiösen Lebens.

[809] Vgl. *Rademacher*, Kirche 66 f.; auch *Stickler*, Mysterium 590: äußere Institution – geistige Elemente von Glaube und Sakrament.

[810] *Hagen*, Prinzipien 11.

[811] Damit ist schon etwas anderes mitausgesagt, was über den Unterschied geistig–leiblich hinausgeht: Hinter dem Ausdruck „den Glauben leben" deutet sich die Fülle im Gegen-satz zur Form an. Vgl. *Rademacher*, Kirche 65.

[812] Ebd.; vgl. auch *Stickler*, Mysterium 590.

[813] *Lesage*, Nature 43; auch 28.

[814] Vgl. *Stickler*, Mysterium 600.

[815] *Hagen*, Prinzipien 11.

der Menschen, die die Liebe nicht fertigbringen, das Recht provoziert. Es ist nicht so, daß das Recht etwa eintreten müßte, um sie zu züchtigen, da sie auch versagen und hassen können. Vielmehr ist die Liebe gar nicht aktionsfähig, sie kann gar nicht sie selber sein, wenn sie nicht Stoff hat, in dem sie sich betätigt.[816] Sie braucht Organe, in denen sie sich auswirkt. Die geistige Mitte des Menschen verfügt ja immer über ein Material, in dem die Person sich auslebt, darstellt, ausspricht. So ist nichts natürlicher, als daß bei einem Zusammenschluß leib-seelischer Wesen sowohl die inneren Bande der Gesinnungs- und Liebesgemeinschaft, als auch die äußeren Bande der Rechtsordnung als einende Faktoren wirksam sind.[817] Beides ist verflochten, die Personen in die Dinge, und so gibt es im zwischenpersonalen Raum Recht (ius normativum), eine Rechtsordnung[818]. Dieses Verhältnis von Seele und Leib findet seine Analogie dann im Leben der Kirche, und eine Trennung von Liebes- und Rechtskirche entspricht darum der Trennung von Leib und Seele, das heißt dem Tod. „Liebes-... Kirche ohne Rechts-... Kirche ist darum eine naturrechtliche Utopie."[819] A. Hagen nennt dann als Korrelat zur Liebe allerdings das gesetzte Recht (ius positivum), woran ja in der konkreten Situation meistens eher Anstoß genommen wird. Von der Beziehung dieser beiden läßt sich dann sagen: „Der Drang der Liebe und die Stimme des Gewissens finden ihre Organe und ihren Rückhalt in den Rechts- und Gesetzesbüchern und umgekehrt"[820], also auch die Rechts- und Gesetzesbücher finden ihren Rückhalt und ihre Organe im Drang der Liebe und in der Stimme des Gewissens. Erst der ganze Mensch in seiner Welt kann in der Liebe Recht schaffen.[821]

2. Theologische Deutung

E. R. v. Kienitz führt das Zusammen von Liebe und Recht wohl am tiefsten auf das Wesen Gottes selbst zurück: Ein Satz richtigen Rechtes ist eine Ablei-

---

[816] Vgl. *Beyer*, Formen 296, Anm. 15: „Der kanonische Aspekt der Vollkommenheitsstände... besteht wesentlich in ihrer Gemeinschaftsstruktur, verleiht ihrem Gemeinschaftsleben Ausdruck." Die Beziehung Liebe–Recht erscheint hier in der Beziehung Gemeinschaftsleben–kanonischer Aspekt.

[817] Vgl. *Stickler*, Mysterium 575.

[818] Vgl. *O. von Nell-Breuning*, Art. Recht, in: *Brugger*, Wörterbuch 305.

[819] *Stickler*, Mysterium 627. Ebd.: „Theologisch gesprochen bedeutet das schließlich, den Manichäismus in die Ekklesiologie einführen." Der evangelische Kirchenrechtslehrer *Erik Wolf* bezeichnet diese begriffliche Entgegensetzung als einseitig und überspitzt, als (im Grunde) nur scheinbar und darum unbrauchbar, vgl. Kirchenbegriff und Kirchenrechtslehre: ThLZ 85 (1960) 645 (auch *Wolf*, Ordnung 496 f.).

[820] *Rademacher*, Kirche 63; cf. *Lesage*, Nature 43: „Il ne peut exister ni ... ni un amour ordonné si nul droit ne le contrôle."

[821] Man könnte dieses Verhältnis vergleichen mit dem Verhältnis von Motor und Autoatlas, die zusammen einen Kraftfahrer ans Ziel bringen.

tung aus der lex aeterna, aus dem Weltgesetz in Gottes Vernunft; jede irdische Liebe aber, wenn sie diesen Namen verdient, ist ein Abglanz Gottes, dessen Wesen nach Johannes die Liebe ist (1 Joh 4, 8). „Gerade weil die Kirche eine Kirche wahren Rechtes ist, ist sie auch die Kirche wahrer Liebe."[822]

Er belegt das an einigen pastoralen Situationen und schließt: „Selbst die Härte der Kirche: die granitharte Unbeugsamkeit ihres absoluten und ausschließlichen Wahrheitsanspruches, die Kompromißlosigkeit ihrer sittlichen Forderung, die schwerlastende Wucht ihrer Strafgerichte sind nur Härte um der Barmherzigkeit willen. Denn die Liebe der Kirche ist nicht Schwäche und Sentimentalität. Sie nimmt teil an der unbegreiflich tiefen und weiten Liebeskraft Gottes, der gesagt hat: Wer sein Kind lieb hat, züchtigt es."[823] Er führt diesen Gedanken im Hinblick auf die Freiheit noch fort.[823a]

Die Einordnung in die Maßstäbe des Rechtes nennen wir normalerweise Gehorsam. Wenn man aber den echten erkennenden und freiwilligen Gehorsam näher besieht, findet man den Zusammenhang mit der Liebe. Der vollendete Gehorsam Christi bis zum Tode am Kreuze ist Ausdruck göttlicher Liebe, und so fordert er entsprechend als Zeichen der Liebe Gehorsam (Joh 14, 15. 23 f.). Und um des Herrn willen können wir auch Menschen in Liebe gehorchen.[824] Man erkennt, „daß die begriffliche Unterscheidung einer ‚Rechts-‘ und ‚Liebeskirche‘ unmöglich ist, wenn man das ‚Gesetz seines Gottes im Herzen‘ hält (Ps 37, 31; 40, 9; cf. Ps 119)"[825].

IV. Geist und Amt

Auch in diesem letzten Punkte kann man die Wurzel im psychophysischen Wesen des Menschen sehen. Beides wird ziemlich scharf gegenübergestellt: „Nicht der Geist oder die größere Fülle von Liebe oder Glaube oder Frömmigkeit geben den Anspruch auf das Amt oder verleihen es gar, sondern dieses muß übertragen werden."[826] Natürlich sind sie nicht nebensächlich, aber sie haben sich der rechtlichen Berufung unterzuordnen, wenn es auf die Gültigkeit an-

---

[822] *v. Kienitz*, Gestalt 16.
[823] *v. Kienitz*, Gestalt 17.
[823a] Vgl. unten § 25 IV.
[824] Vgl. *Panzram*, Kirchenbegriff 200 ff.
[825] *Panzram*, Kirchenbegriff 201 f.; vgl. Mathis 20: rechtliche Gemeinschaft und mystischer Leib Christi; auch *Stickler*, Mysterium 574.
[826] *Hagen*, Prinzipien 12.

kommt.[827] Ähnlich wie eine Liebeskirche ohne Rechtskirche, so wäre auch eine Geistkirche ohne Amtskirche dem Tode gleichzusetzen und darum eine Utopie.[828] Es kann keinen christlichen Geist geben, wenn kein Haupt ihn garantiert.[829]

So zeigt sich in jeder der Spannungen eine Variation des Verhältnisses von personaler Spontaneität (Frömmigkeit, Glaube, Liebe, Freiheit, Geist) und ihrer institutionellen Ausprägung (Liturgie, Dogma, Recht, Gesetz, Amt). Die Spannungen sind aus dem leib-seelischen Wesen des Menschen vorgegeben und müssen ausgehalten werden.

§ 22 *Kirche: mehr Gemeinschaft als Gesellschaft*[830]

„Was ganz allgemein für die Generation nach dem ersten Weltkrieg gilt, daß die weitgehende ‚Versachlichung‘, ‚Entseelung‘ und ‚Erkaltung‘ der zwischenmenschlichen Beziehungen ‚durch geschäftliche, maschinelle, politische Abstraktionen‘ die Sehnsucht ‚nach der verlorenen Gemeinschaft und nach neuen Gemeinschaftsformen‘ geweckt hatte (vgl. N. Monzel, Die Kirche als Gemeinschaft, Wort u. Wahrh. 4 [1949] 525), gilt auch für weite katholische Kreise (vgl. R. Guardini, Vom Sinn der Kirche, Mainz ⁴1956, 10 f.; A. Stonner, Kirche und Gemeinschaft, Köln–München–Wien 1927). Von daher ergab sich ein Widerwille gegen alles in der Kirche, ‚was an eine bloß gesellschaftlich geartete Verbundenheit erinnert‘. Man wünschte die Befreiung von allem ‚Organisatorisch-Mechanischen‘, ‚Bürokratisch-Abstrakten‘ und ‚Juristisch-Formalen‘. Man empfand das Gesellschaftliche in der Kirche als ‚beengende, tötende Form des religiösen Lebens‘. ‚Neu quellendes Leben will die starre Hülle sprengen, daß unbeengt und unvermittelt die ergriffenen Herzen zusammenfließen in der ersehnten Gemeinschaft der Liebeskirche‘ (N. Monzel, a. a. O. 525 f.).“[831] Wir

---

[827] Gültigkeit ist eine rechtliche Kategorie; bei *Rademacher*, Kirche 68 wird noch die Gesinnung des Amtsträgers sehr betont: Dienen, wie der Menschensohn gekommen ist, um zu dienen.

[828] Vgl. *Stickler*, Mysterium 627.

[829] Cf. *Lesage*, Nature 43: „Il ne peut exister ... un esprit chrétien, si nul chef ne le garantit ...“

[830] Zu der Gegenüberstellung Gemeinschaft–Gesellschaft vgl. *Valeske*, Votum 115–121; *J. Hamer*, L'Église est une communion (Unam Sanctam 40), Paris 1962, zit. von *Ch. Moeller*. Die Konstitution, ideengeschichtlich betrachtet, in: *Baraúna*, De Ecclesia I, 85, Anm. 35; vgl. *E. v. Ivánka*, Art. Sobornost, in: LThK 9, 841 f.; *T. I. Jiménez-Urresti*, Gemeinschaft und Kollegialität in der Kirche: Conc 1 (1965) 627–632.

[831] *Valeske*, Votum 115 (Die Fußnoten sind hier im Text in Klammern gesetzt).

brauchen darüber hinaus nur noch das Stichwort Jugendbewegung zu nennen, dann spüren wir die damalige Aktualität des Bemühens, die Kirche als Gemeinschaft zu zeigen, über die bisherige Sicht der Kirche als Gesellschaft hinaus.

Im Hinblick auf dieses Begriffspaar finden wir zunächst bei A. Hagen eine ausführliche Darstellung, die er als Beitrag zur Klärung der soziologischen Struktur der Kirche versteht (I und II). Sodann stellen wir in den neueren kanonistischen Veröffentlichungen allgemein eine breite Verwendung des Wortes Gemeinschaft anstelle der früheren Bezeichnung Gesellschaft fest (III), allerdings nur selten eine ausdrückliche Reflexion über die Unterscheidung von Gemeinschaft und Gesellschaft. Schließlich hat das Wort Gemeinschaft noch die Bedeutung „Verbundenheit", wodurch der Begriff eine sehr große Fülle bis zur Gemeinschaft mit Gott hin erhält (IV).

I. Bewußte Unterscheidung von Gemeinschaft und Gesellschaft

Nicht im Anschluß an F. Tönnies[832], sondern weitgehend auf A. Rademacher[833] und damit auch auf dem breiteren allgemeinen Sprachgebrauch[834] fußend, kann man Gemeinschaft als eine reale Einheit auffassen, die aus physischen Personen besteht. „Gemeinschaft ist das natürlich Soziale"[835] im Gegensatz zum künstlich Gemachten. Natur meint hier zunächst die Natur des Menschen, der zugleich Individuum und Gemeinschaftswesen in gleicher Ursprünglichkeit ist. Gemeinschaft wächst aber nicht nur aus blinder Naturnotwendigkeit, sondern auch die Geistnatur des Menschen trägt dazu bei, wenn er sich frei und bewußt zu einer Gemeinschaft entschließt. So ist Gemeinschaft auch von sittlichen Kräften getragen.[836]

Hier kann der Vergleich mit dem Organismus[837] helfen. Er verdeutlicht, daß die Teile sich wie Glieder zueinander verhalten, also nicht auswechselbar sind.

---

[832] *F. Tönnies*, Gemeinschaft und Gesellschaft, Grundbegriffe der reinen Soziologie, 1887. Neudruck nach der 8. Auflage Darmstadt 1963, vgl. *Valeske*, Votum 116 f.

[833] *Rademacher*, Kirche.

[834] Vgl. auch *Brugger*, Wörterbuch, Stichwörter Gemeinschaft (*W. de Vries*) und Gesellschaft (*O. v. Nell-Breuning*).

[835] *Hagen*, Prinzipien 8.

[836] Vgl. *Hagen*, Prinzipien 7 f.; vgl. *Stickler*, Mysterium 574, wo er die Werte als die höheren bezeichnet, welche die Gemeinschaft bilden: „die innere Verbundenheit auf Grund gleicher Gesinnung, gegenseitiger Liebe, Achtung und Zielstrebigkeit, ja der auch für sich stehenden göttlichen Zielbestimmung des Menschen".

[837] *G. Lesage* verwendet auch diesen Vergleich; nach ihm (Nature 43) muß sich der Organismus der Gnade in einer Organisation inkarnieren.

Die Teile des Ganzen sind allerdings Personen, die als solche nicht nur Teile sind, sondern ihren selbständigen Wert besitzen.

Die Gemeinschaft ist „nichts Willkürliches und Künstliches, nichts Zweckhaftes, sondern etwas Gewachsenes. Die Teile verhalten sich wie Glieder und leben von dem Ganzen und für das Ganze. Es ist eine dauernde innerlich begründete Lebenseinheit."[838]

Demgegenüber ist die Gesellschaft eine „Mehrheit von Personen, die sich zur Erreichung eines bestimmten Zweckes freiwillig zusammengeschlossen haben".[839] Das einheitsbildende Prinzip ist hier dieser Zweck; bei der Gemeinschaft ist es eine naturhafte Notwendigkeit. Sie hat einen Sinn, der in ihr selbst ruht, während die Gesellschaft eben einen Zweck hat,[840] der von ihr selbst oder von anderen gesetzt worden ist und der außerhalb ihrer liegt. Das Modell für diese Sozialverbindung ist das mechanische Aggregat. Es entsteht keine beständige Ganzheit, sondern lediglich eine Summe. Natürlich sind dies beides Typen, die in der Wirklichkeit nie rein vorkommen.[841]

II. Die Anwendung auf die Kirche

Auf die Kirche angewandt finden wir deutlich einige Momente, die die Kirche als Gemeinschaft erscheinen lassen, und umgekehrt findet die religiöse Gemeinschaft ihre höchste Erfüllung in der Kirche.[842] Es gibt nicht nur einen Zweck[843], der rational erfaßt wird und so die Mitglieder verbindet, sondern es gibt in ihr ein Einheitsprinzip, das analog zum Natürlichen ganz aus dem neuen Sein des Christen kommt, der in der Taufe zu einem neuen Geschöpf wird (vgl. Joh 3, 3 ff.)

---

[838] *Hagen,* Prinzipien 8 f.

[839] *Hagen,* Prinzipien 9.

[840] Vgl. *Hagen,* Prinzipien 9; für die Gegenüberstellung von Sinn und Zweck gibt *A. Rademacher* (Kirche) auf S. 26 *A. Pieper,* Was geht den Geistlichen seine Volksgemeinschaft an? Mönchengladbach 1926, 13 ff. als Beleg an.

[841] Vgl. *Hagen,* Prinzipien 9. 12; diese Darstellung zeichnet also „Idealtypen" im Sinne von *N. Monzel,* Soziallehre I, 31–34: in isolierender Abstraktion aus der Wirklichkeit gewonnene Bilder von sozialen Phänomenen, die deren Wesentliches darstellen (vgl. auch *Herder* 4, 1229). *A. Hagen* folgt in diesen Ausführungen weitgehend *A. Rademacher,* Kirche, der kennzeichnend für Gemeinschaft und Gesellschaft die Attribute naturhaft-künstlich, organisch-mechanisch, gegliedert-zusammengesetzt und gewachsen-gemacht angibt. *W. Bertrams* (Privatrecht 289, Anm. 2, wo er *W. Schwer,* Katholische Gesellschaftslehre, Paderborn 1928, S. 96 zitiert) zögert mit der Unterscheidung Gemeinschaft–Gesellschaft und betont, daß die weitaus meisten sozialen Gebilde als Verbindungen beider Typen erscheinen.

[842] Vgl. *Hagen,* Prinzipien 231.

[843] In der Gegenüberstellung von Sinn und Zweck zeigt sich der Gegensatz Immanenz–Transzendenz (vgl. § 15 III). Gegenüber dem gesellschaftlichen Kirchenbild bekommt hier die Immanenz ein stärkeres Gewicht (vgl. auch *Guardini,* Gegensatz 73–79).

Weiter ist da eine Ganzheit, die über den Teilen steht und (ontisch) vor den Teilen da ist. Die Kirche ist nicht nur die Summe ihrer Glieder, sondern: „Sie ist gegenüber den einzelnen Christen etwas gänzlich Neues, Selbständiges und Höheres."[844] Allerdings bleibt die Persönlichkeit des einzelnen: „Die geistige Selbständigkeit ist seinsmäßig unverlierbar, – und doch lebt der Christ aus der Kirche."[845]

Schließlich trifft das Merkmal der Gemeinschaft zu, daß sie nicht bloß einen Teilausschnitt des Lebens ergreift, nicht bloß einen Interessenaspekt, sondern den ganzen Menschen, ihm sogar einen neuen Sinn gibt. Hier ist eine Bindung durch höchste, ja absolute Werte, durch Gott selber; darum werden die Menschen, die sich von ihm erfassen lassen, ganz elementar in eine neue Verbundenheit hineingestellt; daraus wachsen starke Gemeinschaftskräfte und ein tiefes Kirchenbewußtsein.[846]

Es liegt nahe, die Benennung der Kirche als Volk Gottes hier zu erwähnen, da dadurch „wiederum in der denkbar klarsten Weise der Gemeinschaftsgedanke zum Ausdruck" kommt.[847] Auch die Bezeichnung der Kirche als Leib Christi legt einen Akzent auf die lebendige, natürliche, gegliederte Einheit.[848]

Andererseits verweist A. Hagen sodann mit Nachdruck auf die verschiedenen Elemente der Kirche, die sie als Gesellschaft erscheinen lassen, wie ihren Stiftungscharakter, ihren vorgegebenen Zweck und ihre rechtliche Verfassung.[849] In diesem Zusammenhang zeigt sich auch, daß er die Elemente der oben genannten Spannungen Frömmigkeit und Liturgie, Liebe und Recht etc.[849a] jeweils der Gemeinschaft bzw. der Gesellschaft zuordnet. Darin folgt ihm übrigens G. Lesage.[850]

So ist die Kirche Gemeinschaft und Gesellschaft zugleich. Die „sichtbare Kirche" ist selbst die „gegliederte Gemeinschaft der zu Christus Gehörigen".[851]

---

[844] *Hagen*, Prinzipien 10.

[845] *Hagen*, Prinzipien 10. Es zeigt sich hier der Gegensatz von Richtung auf die Gesamtheit– Richtung auf die Einzelheit, wobei deutlich wird, wie beides miteinander verbunden wird (vgl. *Guardini*, Gegensatz 50–55).

[846] *A. M. Stickler* (Mysterium 575) deutet eine etwas andere Typisierung an, wenn er gelegentlich den Gemeinschaftscharakter der Kirche auf die geistig-seelische und individuelle Naturanlage zurückführt, den Gesellschaftscharakter dagegen auf die körperlich-materielle und soziale Naturanlage.

[847] *Hagen*, Prinzipien 10.

[848] Vgl. *Hagen*, Prinzipien 11, Anm. 1.

[849] Prinzipien 11 f.

[849a] Vgl. § 21.

[850] Cf. Nature 43.

[851] *May*, Ehre 8; er legt gleichfalls *A. Rademacher* zugrunde und zitiert auch *A. Hagen* selbst; cf. *Lesage*, Nature 43: „Le Corps mystique ne saurait être exclusivement une *Gemeinschaft*, il doit être en même temps une Gesellschaft constituée en un organisme consistant et vital." Auch *G. Lesage* zitiert hier *Hagen*, Prinzipien 12. 14.

III. Gemeinschaft im weiteren Sinn

In der neueren kanonistischen Literatur finden wir sehr häufig das Stichwort Gemeinschaft. Als typisches Beispiel legen wir den Befund besonders bei G. May vor.

Zunächst stellen wir fest, daß die Benennung von Sozialgebilden im allgemeinen als Gemeinschaft sehr beliebt ist.[852] Dann findet die Bezeichnung auf die Kirche Anwendung, weil hier eine natürliche Gegebenheit vom Übernatürlichen durchdrungen und erhoben wird. Dabei bleiben aber die natürlichen Ordnungsbeziehungen (wie z. B. die der Ehre) in der kirchlichen Gemeinschaft bestehen,[853] und es werden eine Reihe von entsprechenden Ausdrücken angewandt: Gemeinschaftsordnung[854], Gemeinschaftsmahl[855], Gemeinschaftsleben[856]. Das bleibende natürliche Fundament wird in den Ausdrücken „gegliederte"[857], „äußere, sichtbare und rechtlich strukturierte Gemeinschaft"[858] bezeichnet.

Auf die übernatürliche Wirklichkeit weisen die Bezeichnungen „übernatürliche"[859] und „geistliche"[860] „Heils-"[861] und „Gnadengemeinschaften"[862] oder „Gemeinschaft mit metaphysischer Tiefe"[863] hin. Die Zuordnung dieser beiden Elemente schließlich wird durch das Attribut „sakramental geprägte Gemeinschaft"[864] benannt und durch den theologischen Begriff „Ursakrament" erläutert, dessen sinnenhaft wahrnehmbares Zeichen sie ist,[865] besonders deutlich dann, wenn Priester und Gläubige sich in der Einheit um den Opferaltar Jesu Christi zusammenfinden.[866] Als sichtbare Gesellschaft ist die Kirche auch sonst schon eher zu erkennen, doch als diese gegliederte Gemeinschaft der zu Christus Gehörigen wird sie eben gerade in der Eucharistiefeier dargestellt. Damit ist der relativ selten gebrauchte Gegenbegriff Gesellschaft wieder aufgetaucht, der verwendet wird, um das Äußere, Sichtbare der Kirche zu betonen.[867] Wir stel-

---

[852] Vgl. *May*, Ehre 35 ff. und passim.
[853] Vgl. *May*, Ehre 39.
[854] *Mörsdorf* I, 39 und ihm folgend *May*, Ehre 53; auch schon *Hagen*, Prinzipien 7; *Panzram*, Kirchenbegriff 189.
[855] *May*, Ehre 71.
[856] *Mörsdorf* I, 35; *Stickler*, Mysterium 614 f.
[857] *May*, Ehre 8.
[858] *May*, Ehre 71; vgl. auch 55, und *Stickler*, Mysterium 583. 610 und 629.
[859] *Mörsdorf* I, 40.
[860] *May*, Ehre 75; vgl. 56.
[861] *Mörsdorf* I, 34.
[862] *May*, Ehre 55.
[863] *May*, Ehre 85.
[864] *Mörsdorf* I, 30.
[865] *May*, Ehre 8.
[866] Vgl. *May*, Ehre 8.
[867] Vgl. *May*, Ehre 48.

len alles in allem fest, daß der Begriff Gemeinschaft in fast allen Aussagen steht, die wir im Kirchenbild der älteren Kanonisten im Zusammenhang mit dem Begriff der Gesellschaft fanden: übernatürliche, geistliche, sichtbare Gesellschaft und so fort.[868]

Darin sind G. May und A. M. Stickler A. Hagen vergleichbar;[869] denn dieser verzichtet nach der anfänglichen Unterscheidung der beiden Typen darauf, die Bezeichnungen präzise verschieden zu verwenden.[870] Doch behält der Begriff Gemeinschaft vorwiegend die Färbung, die zuvor beschrieben worden ist, und durch die im Vergleich zum Begriff Gesellschaft überwiegende Verwendung bekommt die ganze Darstellung einen wesentlichen Akzent in dieser Richtung.

IV. Gemeinschaft als Verbundenheit (communio)

Sehr bemerkenswert ist ferner ein weiterer Bedeutungsgehalt des Begriffes Gemeinschaft. Wenn von einem gesagt wird, daß er in „Gemeinschaft mit seinem Oberhirten"[871] oder in der „Gemeinschaft im Glauben"[872] steht, dann bedeutet Gemeinschaft etwas wie Verbundenheit oder Einheit. Gesellschaft hat diese abstrakte Bedeutung einer Relationsbezeichnung nur für die aktuelle Beziehung („in Gesellschaft eines jungen Herrn"). Die Bedeutung von Gemeinschaft als Verbundenheit deckt sich mit der des Ausdrucks communio in den Verbindungen „communio ecclesiastica" (c. 87), „communio civilis bzw. divina"[873] oder „communio Ecclesiae" (c. 2268 § 1).[874] Er erinnert an den altkirchlichen Ausdruck communio sanctorum, ganz gleich, ob diese Formel nun einen persönlichen (= Gemeinschaft der Heiligen) oder einen dinglichen (= Gemeinschaft mit den Heilsmitteln) Sinn hat.[875] In jedem Falle bezeichnet Gemeinschaft hier eine Relation und wird so geeignet, die Beziehungen zwi-

---

868 Vgl. oben § 10 III; vgl. auch *Bertrams*, Sinn 102, wo die traditionelle Definition der societas gegeben wird (Vielheit von Menschen etc. s. oben § 6); als Übersetzung wählt er „Gemeinschaft", s. auch *Bertrams*, Eigennatur 551–556. 538 f.

869 Anders liegt die Sache z. B. bei *B. Panzram*; vgl. *Panzram*, Kirchenbegriff 209 und passim: er gebraucht fast durchgehend, jedoch vollständig ohne darüber zu reflektieren, die Bezeichnung Gemeinschaft, selbst für die vollkommene Gesellschaft des *Aristoteles*, die ja im Griechischen „koinonia" heißt.

870 Vgl. *Hagen*, Prinzipien 12, Anm. 1.

871 *May*, Ehre 13.

872 *May*, Ehre 69, Anm. 3.

873 *Hagen*, Mitgliedschaft 88 f.

874 Davon ist, wie *May*, Ehre 83 sagt, „ex-communicatio, Entgemeinschaftung" abgeleitet; cf. *Lesage*, Nature 52; *Heimerl*, Kirche 59.

875 Dazu vgl. *Valeske*, Votum 121–123. *Lesage*, Nature 53: „communion au culte et à la doctrine."

schen den Gliedern der Gemeinschaft, ja sogar das Verhältnis zu Jesus Christus[876] und den anderen göttlichen Personen auszusagen. Da nun aber die Beziehung zu Jesus Christus mit der Beziehung zu den anderen Christen in Wirklichkeit unlösbar verbunden ist, erhält der Begriff der Gemeinschaft eine berechtigte Bereicherung. Wenn man dann sagt: „Die Kirche ist eine Gemeinschaft", dann schwingt leicht mit: „. . . der Christen untereinander und mit Christus"[877]. So hat also dieser Begriff die besondere Kraft, die Einheit von Gott und Menschen in dem Sozialgebilde Kirche auszusagen. G. May betrachtet unter diesem Aspekt auch die Eucharistiefeier und die Kommunion. Sie vollenden die Verbundenheit mit Christus und die Gemeinschaft der Kommunizierenden.[878]

Während im älteren Kirchenbild der Aspekt der Gesellschaftlichkeit so sehr typisch ist, daß wir es danach das Bild der Kirche als der übernatürlichen Gesellschaft nannten, konnten wir nun feststellen, daß in der neueren kanonistischen Literatur der Begriff der Gemeinschaft stark in den Vordergrund tritt. Mit ihm wird betont, daß die Kirche eine Verbindung von Personen ist und daß unter diesen Personen (Gott und Menschen) eine spezifisch personale Verbundenheit besteht. Sie ist nicht künstlich oder willkürlich, sondern stammt aus der Neugeburt in der Taufe. Sie drückt sich aus in der Hinordnung auf das Ganze und spiegelt sich in einem gemeinsam erfaßten Sinn.

§ 23 Kirche – Anstalt oder Körperschaft?

Oben (§ 9) haben wir die Kontroverse dargestellt, die sich um die beiden genannten Begriffe entsponnen hat: Es wird gefragt, ob man die Kirche als Anstalt oder als Körperschaft klassifizieren soll, falls man überhaupt diese juristischen Begriffe anwenden will. Wir fanden im Rahmen des gesellschaftlichen Kirchenbildes zwei Auffassungen:

Die eine verweist mit Nachdruck auf die Stiftung und verfassungsmäßige Festlegung der Kirche durch Jesus Christus. Darum ist die Kirche eine Anstalt, in der der Wille des Stifters weiterwirkt.

Die andere stellt die Gemeinschaft der Gläubigen in den Vordergrund, wie sie in der Bellarminschen Definition beschrieben wird und wendet deswegen

---

[876] Vgl. *May*, Ehre 8.

[877] *Hagen*, Mitgliedschaft 2: „So ist die Kirche nach Paulus die Gemeinschaft der Christen untereinander und mit Christus."

[878] Vgl. *May*, Ehre 12 f., wo er die Grundlagen aufdeckt, auf denen die kanonistischen Vorschriften über die kirchliche Ehre aufruhen.

den Begriff der Körperschaft (des öffentlichen Rechtes) auf die Kirche an, wenn auch mit Vorbehalt.

Nun ist zu fragen: Zeigt sich im sakramentalen Kirchenbild eine befriedigende Lösung, und wie sieht sie aus? Wie verändert sich das Bild, wenn die geheimnisvolle Beziehung zu Jesus Christus im Glauben beachtet wird?

I. Welches ist das wichtigste unterscheidende Merkmal?

B. Panzram greift das Problem noch einmal gründlicher auf und fragt nach dem zwischen Anstalt und Körperschaft unterscheidenden Merkmal.

Rechtsnormen entstehen infolge einer Willensbildung. Darum sieht B. Panzram darin das wichtigste Merkmal, wie die Willensbildung zustandekommt: ob sie immanent, von den Mitgliedern der in Frage stehenden Gesellschaft, oder von außen, von einem Außenstehenden vollzogen wird. „Haben sich z. B. einige ‚Gründer‘ zusammengefunden, um frei durch Mehrheitsbeschlüsse die Satzungen oder Statuten zu schaffen, so erkennt man eindeutig die immanente Willensbildung und bezeichnet dieses von einem immanenten Verbands- oder Kollektivwillen geformte Rechtsinstitut mit dem juristischen Fachausdruck ‚Körperschaft‘ oder ‚Korporation‘ (corporatio, persona moralis collegialis). Wenn dagegen die konstitutive Rechtsquelle nicht bei den Mitgliedern ... einer juristischen Person, sondern im Willen eines Außenstehenden liegt, der den Zweck des Instituts so festlegt, daß er durch eine immanente Willensbildung nicht mehr verändert werden kann, dann wird das Institut von außen her, durch eine transzendente Willensbildung geformt und heißt infolgedessen eine ‚Anstalt‘ oder ‚Institut im engeren Sinne‘ (institutum, persona moralis non collegialis)."[879] Dazu läßt sich noch erläuternd sagen, daß in der Körperschaft die Satzungen (die Verfassung) in der Verfügungsgewalt der Mitglieder bleiben, während die Verfassung der Anstalt vom Gründer festgelegt wird; er „bleibt der Herr der Anstalt".[880]

Jetzt kann die Antwort nur lauten:

---

[879] *Panzram*, Kirchenbegriff 193.
[880] *Panzram*, Kirchenbegriff 194.

II. Die Kirche ist eine Anstalt, deren Gründer und unsichtbares Oberhaupt eine gottmenschliche Person ist, Jesus Christus[881]

Sie ist ganz von der transzendenten Willensbildung beherrscht. Neben den schon oben genannten Tatsachen finden wir noch folgende: Schon im c. 100 § 1 ist von der göttlichen Anordnung gesprochen, auf Grund derer die Kirche juristische Person ist. Die Sichtbarkeit von Apostolat, Bekenntnis und Sakramentenempfang ist von Christus festgelegt.[882] Dann geht B. Panzram auch gerade auf die Beziehung zum erhöhten Herrn ein, auf die Stellung Christi als Haupt[883] und wertet sie gleichfalls als Kennzeichen für den Anstaltscharakter. Genauso weist er auf das Wirken des Heiligen Geistes in der Kirche hin, der z. B. die Unfehlbarkeit des Papstes sichert.[884] Das läßt erkennen, daß tatsächlich die transzendente Willensbildung des Kirchengründers stets weiterwirkend das gesamte Leben seiner Kirche durchdringt.[885] Gegenüber dem Hinweis K. Mörsdorfs, die Kirche sei eine Gemeinschaft von Menschen,[886] legt er Wert auf die Feststellung, daß der Kirchenbegriff Bellarmins nicht schon deshalb körperschaftlichen Charakter trage, weil er vom Kirchenvolk spreche, sondern aus dem Grunde, weil er die Tatsache der Stiftung durch Jesus Christus nicht erwähne[887]; insofern biete er die Versuchung zu einem positivistischen Mißverständnis.[888] Allerdings müsse auch in der Anstaltsdefinition die Hinordnung auf die Menschen ausgesprochen werden.[889]

III. Die Kirche ist eher eine Körperschaft, insofern sie eine Gemeinschaft von Menschen mit dem Herrn als Haupt ist.[890]

Auf die Ausführungen B. Panzrams antwortet K. Mörsdorf in der neunten Auflage seines Lehrbuches: „Dabei wird übersehen, daß die Kirche *nicht nur für die Menschen gestiftet*, sondern wesentlich eine Gemeinschaft von Men-

---

881 Vgl. *Hagen*, Prinzipien 22 f.
882 Vgl. *Panzram*, Kirchenbegriff 198 f.
883 Vgl. *Panzram*, Kirchenbegriff 203.
884 Vgl. *Panzram*, Kirchenbegriff 197.
885 Vgl. *Panzram*, Kirchenbegriff 204.
886 Vgl. *Mörsdorf* ⁶I, 20.
887 Vgl. *Panzram*, Kirchenbegriff 193.
888 Vgl. *Panzram*, Kirchenbegriff 198 f. Wir geben noch einmal den lateinischen Text R. Bellarmins: Dicimus Ecclesiam esse „coetum hominum eiusdem christianae fidei professione et eorundem sacramentorum communione colligatum sub regimine legitimorum pastorum ac praecipue unius Christi in terris Vicarii, Romani Pontificis". Den Fundort s. Anm. 458.
889 *Panzram*, Kirchenbegriff 207.
890 Vgl. *Mörsdorf*, Art. Körperschaft, in: LThK 6, 560 f.

schen *mit dem Herrn als Haupt* ist."[891] An anderer Stelle gibt er in einer Einfügung den Hinweis: „In der Kirche herrscht der Wille ihres Stifters, nicht als der Wille eines Außenstehenden, sondern als der Wille des Hauptes, durch das die Gläubigen zur Gemeinschaft des neuen Gottesvolkes verbunden sind."[892] Damit ändert er seine Argumentation, und es fällt das wesentliche Argument B. Panzrams, die Willensbildung komme von außen, sie sei transzendent. Wenn man das Phänomen der Bildung von Gewohnheitsrecht beachtet, liegt noch mehr Gewicht auf der Gemeinschaft der Gläubigen, also auch auf den Laien. Sie haben ja in weitgehendem Maße die Möglichkeit zur Bildung von Gewohnheiten, die unter bestimmten Bedingungen vom Gesetzgeber als Gewohnheitsrecht anerkannt werden können. In der Gewissensentscheidung einzelner und ganzer Gemeinschaften wirkt sich aus, daß die Kirche gewissermaßen von innen durch den Geist Christi belebt und geleitet wird.[893]

IV. Die Kirche ist sowohl eine Anstalt wie auch eine Heilsgemeinschaft

H. Heimerl führt die Kontroverse zu einer gewissen Klärung, indem er von dem gleichen Kriterium ausgeht, der Frage der Willensbildung. Er weist im Zusammenhang mit der Frage der Jurisdiktion darauf hin, daß man sowohl den anstaltlichen Aspekt wie den Aspekt der Heilsgemeinschaft, wie er sagt, gelten lassen kann, je nachdem man Christus als Stifter oder als Haupt der Kirche betrachtet. Die Kirche ist Anstalt, insofern die kirchliche Gemeinschaft nicht durch den vereinten Willen der Glieder geleitet wird, sondern durch die Bischöfe unter dem Papst, die Christus als Stifter der Kirche vertreten.[894] „Doch besagt das keineswegs eine Fremdgesetzlichkeit, denn Christus, der Gesetzgeber, wirkt in jedem Glied innerlich durch das ‚eingegebene Gesetz'."[895] Denn der Glaube und das göttliche Gesetz sind „wahres Gemeinschaftsgesetz als vereinter Wille aller in Christus".[896] Christus gießt ja seinen Gläubigen das Licht des Glaubens ein und wirkt so in ihnen innerlich das Streben nach dem gemeinsamen Glaubensbekenntnis, und er lenkt sie durch seine Gnade dazu hin, durch ihren eigenen Willensentschluß nach seinem Gesetz zu leben. Wenn

---

[891] *Mörsdorf* ⁹I, 22; die unterstrichenen Partien sind neu.
[892] *Mörsdorf* ⁹I, 27.
[893] Vgl. *May*, Auctoritas 39 und 53.
[894] Vgl. *Heimerl*, Kirche 59.62. Man wird an Y. M.-J. *Congar* erinnert, den H. *Heimerl* im zit. Buch öfter referiert; vgl. Laie 253 f.; 422.
[895] *Heimerl*, Kirche 59; er zit. *Thomas von Aquin*, S. th. I II q. 106 a. 1: „Principaliter nova lex est lex indita, secundarie autem est lex scripta."
[896] *Heimerl*, Kirche 63.

die Hirten der Kirche dieses gemeinsame Streben aller formulieren und vorlegen, tun sie „dabei nichts anderes, als daß sie den Willen Christi ausdrücken, der das Wollen und das Vollbringen in den einzelnen wirkt".[897] Hierin vertreten sie Christus als das Haupt seiner Kirche. Darin zeigt sich die Kirche als Heilsgemeinschaft. Auch H. Heimerl erinnert hier an das Gewohnheitsrecht.[898] So betrachtet, liegt die Rechtsquelle im Inneren des „Wir"[899] von Hirten und übrigen Gläubigen.

Es ist wohl hinreichend deutlich geworden, wie das Ernstnehmen der entscheidenden Beziehung zu Jesus Christus die Gegensätze erhellt und dem Verständnis erschließt, ohne sie nach einer Seite hin aufzulösen. In der konkreten Kirche muß man beides sehen, ohne durch die Systematisierung etwas wegzustreichen. Die Betonung der Aspekte kann dabei verschieden sein. So verstehen wir, warum auch das Kirchenbild der Autoren verschieden sein kann, je nachdem, wie man die Kirche erlebt und auffaßt. Wir fanden unter den Auffassungen, die überhaupt die gegenwärtige Wirksamkeit des Hauptes berücksichtigen, eine einseitige Anstaltsauffassung (B. Panzram); daneben drei komplexe Sichten, für welche in der Kirche Anstalt und Körperschaft miteinander verwachsen sind[900] („konkret"); eine legt mehr Nachdruck auf die anstaltliche Seite (A. Hagen), eine andere auf die körperschaftliche (K. Mörsdorf); am ausgewogensten und theologisch klarsten ist die Sicht von H. Heimerl.

[897] *Heimerl*, Kirche 64.

[898] Vgl. *E. Mersch*, La théologie du Corps mystique, t. II, Paris ³1949, 254ss. 262–265; zit. bei *Heimerl*, Kirche 64 f. *E. Mersch* spricht hier von den beiden Aspekten der „superiorité" und „interiorité". Man wird an *R. Guardinis* Transzendenz und Immanenz erinnert (Gegensatz 73–79; hierzu vgl. auch *H. Dombois*, Kampf 293. Er stellt dort das Missionsrecht dem Sakramentsrecht gegenüber, d. h. in *R. Guardinis* Begriffen auch wieder Transzendenz und Immanenz). Das Wirken des Heiligen Geistes in der Kirche möchten wir gegen *Panzram*, Kirchenbegriff 197 als immanentes Wirken auffassen.

[899] *G. Gurvitch*, Grundzüge der Soziologie des Rechts. Vom Verfasser autorisierte deutsche Ausgabe (Soziologische Texte Bd. 6), Neuwied 1960, 133 (nicht 217): „Wir' bedeutet ‚Intimität der Einheit im Zustand der Bewußtheit." Zit. nach *E. Hahn*, Soziale Wirklichkeit und soziologische Erkenntnis, Berlin 1965, 124. *G. Gurvitch* schreibt aaO.: „Das Wir bedeutet die Interiorität und eine Intimität der Einheit im Zustand der Bewußtheit. Es hat eine intuitive Basis."

[900] Vgl. *Hagen*, Prinzipien 23.

Kapitel 3

DIE INNERE GNADE: DER DREIFALTIGE GOTT

Alle Bilder und Erklärungen versuchen immer von neuem, die Wirklichkeit Gottes in dieser Welt, in diesem Stück Welt, das wir Kirche nennen, und seine Beziehungen zu den Menschen, die die Kirche bilden, auszusagen. Mit der Wirklichkeit Gottes ist die Heiligste Dreifaltigkeit gemeint, auch wenn manchmal nur die eine oder andere der göttlichen Personen genannt wird. Der dreifaltige Gott ist die Wirk-, Form- und Zielursache der Kirche.[901] Vielleicht überraschen die hier dargestellten Aussagen aus der Feder von Kanonisten; man darf natürlich darin keine breite Reflexion über diese Geheimnisse erwarten. Doch hebt unsere Darstellung eine teils reflex, teils unreflex gegebene Ordnung ans Licht.

§ 24 *Die Beziehungen zu den göttlichen Personen*

Wir beginnen mit der Christusbeziehung, weil sie am deutlichsten gesehen wird und die Beziehung zum Vater und zum Hl. Geist vermittelt.

I. Christus

Die objektive Heilskraft des sakramentalen Zeichens ist die Vereinigung mit Christus.[902] Die Kirche steht „in engster Verbindung mit"[903] ihm. Sie wird die Beziehung der Kirche zu Christus unter verschiedenen Bildern dargestellt: So ist sein Leib, sein Reich, seine Braut, seine Herde, – er ist der Weinstock, wir sind die Reben, die Kirche ist seine Schule, sein Tempel.[904] Am häufigsten ist zweifellos die Bezeichnung Christi als Haupt seines geheimnisvollen Leibes.[905] Christus ist in der Kirche in vielfältiger Weise heilbringend wirksam. Er ist ihr tragender Grund. Mit dem Gleichnis vom Weinstock und den Reben wie auch mit dem Bilde vom Leibe wird erkennbar: Christus ist „einerseits *das Leben spendende Prinzip,* aus dem heraus das Gottesvolk wächst und lebenstüchtig erhal-

---

901 Vgl. *May,* Ehre 27.
902 Vgl. *May,* Ehre 8.
903 *v. Kienitz,* Gestalt 21; *Del Giudice,* Nozioni 38s: „der Sohn und seine Kirche sind eine Sache" („sono una cosa il Figlio e la sua Chiesa").
904 Vgl. *Lesage,* Nature 18. 52. 162 u. ö.
905 Vgl. oben § 18 II. 2.

ten wird, andererseits *das ordnende Prinzip,* wodurch das Wachstum in der Kirche gelenkt und geleitet wird. So hat sein Herrsein die zweifache Funktion, *Erhalter* und *Führer* seines Volkes zu sein."[906] Christus ist der bleibende Lehrer, die Kirche ist seine Schule; er ist der Priester, der ständig für uns eintritt, die Kirche ist sein Tempel.[907] Darum ist die Kirche „eine aus Christus geborene und durch Christus lebende Gemeinschaft"[908]. Auf das tiefste Geheimnis der Beziehung zur Kirche weist das Bild des Bräutigams[909] hin, der seine Braut mit großer Liebe umgibt und sie in seine Opferhingabe hineinziehen will[910]. Der unsichtbare Hirte ist seiner Kirche ständig präsent.[911] „Alles, was in der natürlichen Gesellschaft die Autorität ist, das ist Christus für die Kirche und noch weit mehr. Er ist Mittelpunkt der Gemeinschaft und so Repräsentant der Einheit."[912]

In dieser gegenwärtigen tiefen Einheit mit Christus wirken sich die Tatsachen und Taten seines irdischen Lebens aus: Er hat sein Reich gegründet,[913] hat die Christen unter Hingabe seines Lebens erkauft und gereinigt,[914] hat seiner Kirche die Sendung gegeben, „sein Heilswirken durch den Wechsel der Zeiten fortzusetzen und allen Menschen die durch ihn gewordene ‚Gnade und Wahrheit' (Joh 1, 14) zu übermitteln"[915].

Die Dynamik dieses Geschehens zielt auf die eschatologische Vollendung durch Christus. Er ist ihr Ziel in hervorragender Weise: als Leben der Gnade und als Gottesschau. „Weil er die ‚Wahrheit' und der ‚Weg' ist, ist er es, der das übernatürliche Leben des Glaubens und der Tugend ermöglicht; er ist aber auch das ‚Leben' selbst, nämlich die Gnade im Pilgerstand und die Erfüllung im Jenseits."[916] Bei seiner Wiederkunft wird das Reich offenbar werden, dessen Anfang die Kirche ist. Christus wird sein Reich am Ende in die Hände des Vaters übergeben.[917]

---

[906] *Mörsdorf* I, 25; damit deutet er schon auf die spätere Unterscheidung von Weihe- und Hirtengewalt hin; vgl. *Bertrams,* Sinn 105: „Von Christus ... geht alles Leben der Kirche aus, in ihm hat es seinen Mittelpunkt."

[907] *Lesage,* Nature 18.

[908] *May,* Ehre 53 nach *Mörsdorf,* Grundlegung 345 f.

[909] Vgl. *May,* Ehre 14.

[910] Vgl. *May,* Ehre 27 (Verweis auf Eph 5, 26). 9. 28 (Vergleich mit der Ehe). 99.

[911] Vgl. *Mörsdorf* I, 32, wo von den sichtbaren Hirten gesprochen wird.

[912] *Heimerl,* Kirche 59.

[913] *Heimerl,* Kirche 60: Er ist der „Ursprung".

[914] Vgl. *May,* Ehre 27.

[915] *Mörsdorf* I, 254.

[916] *Heimerl,* Kirche 59.

[917] Vgl. *Mörsdorf* I, 27.

II. Gott der Vater

Durch Christus ist die Kirche die „Gnadengemeinschaft des Christen mit Gott"[918]. Wenn die Kirche als Volk Gottes, Israel Gottes, Tempel Gottes oder Familie der Kinder Gottes[919] bezeichnet wird, dann bezieht sich die Aussage meistens auf den Vater, jedenfalls wo der Sprachgebrauch des Neuen Testamentes dahinter steht.[920] Die Kirche hat als das neue Gottesvolk eine besondere Beziehung zu Gott dem Vater. Er ist sein Ursprung.[921] Er hat es erkannt.[922] Er trägt für sein Volk Sorge und nährt es;[923] weil die Kirche „Israel Gottes"[924] ist, darf sie die Vorzüge des alten Gottesvolkes auf sich beziehen. Das Volk gehört Gott darüber hinaus in Christus, weil es mit dessen Blut erkauft ist.

„Gottes Tempel'" bedeutet nach G. May: Die Christen bilden die neue Kultgemeinschaft; sie sind ein „heiliger Tempel'", das heißt sie sind mit Gott verbunden.[926] Die Adoptivkinder des Vaters sind auf dem Weg zum Himmel in der Gegenwart Gottes, sie erreichen dieses Ziel durch ihn und mit ihm.[927] Hinter aller kirchlichen Tätigkeit, z. B. der Jurisdiktionsausübung wie „auch dem Gehorsam der Glieder steht ‚der Gott und Vater aller, der über allen und durch alle und in allen wirkt' (Eph 4, 6)".[928]

So verweist die Gottesgegenwart auf die vergangenen Gottestaten und Schöpfungen, die in der Erwählung ihren Anfang nahmen.[929] Wie jede Geschichte von Menschen ist auch die Geschichte des neuen Gottesvolkes auf eine Zukunft ausgerichtet. Die Kirche ist eine „Gemeinschaft, die sich hoffend auf dem Wege weiß zum himmlischen Vater"[930]. Es sind ja seine Kinder, die zu ihm streben.[931] Die Kirche ist die „Gemeinde der Endzeit"[932]. Auch die ganze Menschheit soll durch die Kirche der Herrschaft Gottes zugeführt werden.[933] Im Blick auf die

---

918 *Hagen*, Prinzipien 11, Anm. 1.
919 Cf. *Lesage*, Nature 20; *Rösser*, Laien 8.
920 Vgl. *K. Rahner*, Theos im Neuen Testament, in: Schriften zur Theologie I, Einsiedeln–Zürich–Köln ⁷1964, 91–167.
921 Vgl. *May*, Ehre 27.
922 Vgl. *May*, Ehre 76 nach Gal 4, 9.
923 Vgl. *May*, Ehre 13.
924 Ebd. 30 (Gal 6, 16).
925 Vgl. ebd. 13. 27 f.
926 *May*, Ehre 30. 32 (1 Kor 3, 16 f. und Eph 2, 21).
927 Vgl. *Lesage*, Nature 44.
928 Vgl. *Heimerl*, Kirche 68.
929 Vgl. *Mörsdorf* I, 9 f. und *May*, Ehre 28. 63; *ders.*, Wesen 177.
930 *Mörsdorf* I, 33.
931 Vgl. *Lesage*, Nature 44.
932 *May*, Ehre 28.
933 *Vgl.* Mörsdorf I, 27.

Zukunft kommt das „noch nicht" der Gegenwart zum Vorschein. In dieser Spannung von „schon jetzt" und „noch nicht" bewegt sich das Verhältnis von Gottesvolk und Gottesreich; die Kirche stellt das Reich Gottes für die Jetztzeit dar und strebt danach, seine mehr und mehr zutreffende Verwirklichung zu sein.[934]

III. Der Heilige Geist

Christus ist Erhalter und Führer seines Volkes „in der Kraft des der Kirche gesandten und in ihr wirkenden *Heiligen Geistes,* der vom Vater und vom Sohne ausgeht, auf das Volk Gottes, die einzelnen Glieder wie im besonderen auf die zum heiligen Dienst Erwählten überströmt und so das unsichtbare Prinzip, die Seele allen kirchlichen Lebens und Gestaltens ist"[935].

Also: Die gesamte Aktivität der Kirche ist zur übernatürlichen Ordnung erhoben, weil „der Heilige Geist die soziale Aktivität von innen her prägt, so daß sie die Fähigkeit erhält, das übernatürliche Gut in sich zu bewirken"[936]. Unter den Akteuren, die die Kirche erbauen, also Heiliger Geist, Jesus Christus, Hierarchie und Gläubige, kommt dem Heiligen Geist offensichtlich die erste Rolle zu.[937] Er wird als Seele der Kirche, Autorität der Kirche und als Band der Einheit unter den Gläubigen bezeichnet. Da die Leib-Christi-Theologie den breitesten Raum einnimmt, ist die Bezeichnung des Heiligen Geistes als Seele der Kirche am häufigsten.[938] Die Kirche ist vom Heiligen Geist belebte Gnadengemeinschaft,[939] vom Geiste Gottes durchlebtes Volk.[940] Sie steht unter seiner Herrschaft,[941] er ist ihre Autorität.[942] „Nicht ein oberstes Gericht, sondern der Beistand des der Kirche verheißenen Heiligen Geistes garantiert die Kirchen-

---

[934] Vgl. ebd.

[935] *Mörsdorf* I, 25; vgl. Mystici Corporis 219: „Ille est, qui caelesti vitae halitu in omnibus corporis partibus cuiusvis est habendus actionis vitalis ac reapse salutaris principium." DS 3808; D 2288; *Rohrbasser* 799.

[936] *Bertrams,* Subsidiaritas 28 und ihm folgend *Heimerl,* Kirche 55: „*Spiritus Sanctus* activitatem socialem Ecclesiae ab intrinseco informat, ita ut fiat apta ad bonum supernaturale in se efficiendum."

[937] Cf. *Lesage,* Nature 49; er setzt allerdings voraus, daß dieser Aussage eine Appropriation zugrunde liegt.

[938] Cf. *Lesage,* Nature 52, adn. 26 u. ö.; *Del Giudice,* Nozioni 39; *Heimerl,* Kirche 28; *Bertrams,* Sinn 112; *Hagen,* Prinzipien 49.

[939] Vgl. *May,* Ehre 120, Anm. 17.

[940] Vgl. ebd. 98, Anm. 11. Er weist auf Seite 96 (Anm. 3) in bezug auf die infamia facti auf das „Ehrgefühl der geisterfüllten Gemeinde".

[941] Vgl. ebd. 28 (Röm 8, 5).

[942] Cf. *Lesage,* Nature 48.

verfassung."[943] Auch ihrer äußeren Einheit liegt sein geheimnisvolles Wirken zugrunde: Er ist das einende Band der Gottesfamilie.[944]

E. R. v. Kienitz hebt einen besonderen Aspekt am Wirken des Heiligen Geistes hervor: Als wirkendes Prinzip in der Kirche ist er der Vollender des Erlösungswerkes Christi und verherrlicht ihn gemäß der Verheißung Joh 16, 7. 13 f.[945] Er ordnet das Handeln und das Sein der Glieder auf Christus als Haupt hin, „denn von dem Haupte Christus nimmt der in den Gläubigen wirksame Heilige Geist dieses neue übernatürliche Sein und das Handeln nach den sittlichen Forderungen dieses neuen übernatürlichen Seins. Es entsteht so also gleichsam ein Stromkreis von Christus, dem Haupt, zu den Gliedern des mystischen Leibes und zurück zum Haupt."[946]

Während der Heilige Geist im älteren gesellschaftlichen Kirchenbild in die undankbare Rolle eines Unterstützers der Aktionen der Menschen gedrängt worden war, wird seine zentrale Bedeutung hier gesehen.

Kapitel 4

DIE DISPOSITION: DIE HALTUNG DER BRAUT

Zum Begriff des Sakraments gehört die Disposition des Empfängers. Darin kommt zum Ausdruck, daß es sich um eine personale Begegnung mit Gott handelt, nicht um einen Automatismus. Die Kanonisten haben dies in verschiedener Weise aufgezeigt und für das Rechtsleben betont.

§ 25 *Die Berücksichtigung der menschlichen Freiheit und Mitwirkung*

I. Die Haltung der Braut

G. May hat tatsächlich die Disposition des Sakramentenempfängers bewußt in Parallele zur Disposition des Kirchengliedes als „Empfänger" des „Ursakramentes Kirche" gestellt. Er meint, das Bild von der „Braut Christi" verweise

---

943 *K. Mörsdorf*, Art. Kirchenverfassung, in: LThK 6, 274 f.
944 Vgl. *Hagen*, Mitgliedschaft 124; Prinzipien 119; *Lesage*, Nature 50; die *„unité formelle"* des mystischen Leibes ist die „grace de l'Esprit-Saint" (48s).
945 Vgl. *v. Kienitz*, Gestalt 23.
946 *v. Kienitz*, Gestalt 23 f.

an erster Stelle auf die personale Disposition der Kirchenglieder vor Gott.[947] Sie besteht in bräutlicher Haltung, er versteht darunter in Gehorsam, Dienstbereitschaft und Hingabe an Gott.[948] Der Mainzer Kanonist kommt dann ausdrücklich nicht mehr auf dieses Thema zurück. Er folgt der Linie, die die Eucharistiefeier ihm gibt. Wir möchten jedoch ein Moment der Disposition zum eucharistischen Mahl erwähnen, das analog auf den Gesamtzusammenhang des Ursakramentes anzuwenden ist. Damit die Eucharistiefeier ihre volle Wirkung hervorbringen kann, müssen Voraussetzungen sittlicher Art erfüllt sein, und zwar äußere und innere. Sie bestehen im Ehrbesitz und in der Würdigkeit der Teilnehmer.[949] Die Disposition darf nicht nur eine innere seelische sein, sondern muß auch, ja sogar zuerst, in der Ebene des sichtbaren Zeichens liegen. Mit Kirche ist ja „in recto die äußere, sichtbare und rechtlich strukturierte Gemeinschaft und nur in obliquo die innere Gläubigkeit und gnadenhafte Christusverbundenheit der Menschen gemeint"[950].

Der Unterschied zum gesellschaftlichen Bild der Kirche besteht nicht in Differenzen bezüglich positiver Normen, sondern in einem neu aufgedeckten Zusammenhang des Ganzen.

II. Konstitutionelle und tätige Ordnung der Kirche[951]

In einer ähnlichen Weise, wie O. Semmelroth und ihm folgend G. May im Rahmen der ursakramentalen Kirchenauffassung den Aspekt des äußeren Zeichens und (neben dem der inneren Gnade) den der personalen Haltung (Disposition) unterscheiden und diesen Aspekten die Bilder Volk Gottes und Braut Christi zuordnen, hat K. Mörsdorf die freie Mitwirkung der Menschen unter dem Begriff der tätigen Ordnung der Kirche dargestellt. Er betont sehr stark die freie personale Entscheidung, mit der die Heilsgaben Gottes aufgenommen werden müssen. Sie zielt darauf ab, das Reich Gottes in Wort und Tat zu verwirklichen.[952]

---

[947] Vgl. *May*, Ehre 7 folgend *Semmelroth*, Kirchenbegriff 328 ff.
[948] *May*, Ehre 9. Er spricht davon im Zusammenhang mit den sittlichen, durch kirchliche Gesetze geregelten Voraussetzungen für die Teilnahme an der Eucharistiefeier.
[949] Vgl. *May*, Ehre 24 f.
[950] *K. Rahner*, Die Gliedschaft in der Kirche nach der Lehre der Enzyklika Pius' XII. Mystici Corporis, in: Schriften zur Theologie 2, Einsiedeln 1955, 22, zitiert bei *May*, Ehre 71.
[951] Vgl. *Mörsdorf*, Grundlegung 341–348; I, 30–35. Siehe auch oben § 19 B.
[952] Vgl. *Mörsdorf* I, 23.

III. Der Anteil der Glieder

G. Lesage liebt bei aller Vielseitigkeit die Systematik. So gibt er eine Tabelle, welche die konstitutiven Elemente des mystischen Leibes Christi darstellt. Dabei ist eine Spalte, welche die Seele, den Heiligen Geist, betrifft, eine, welche das Haupt (Christus bzw. die Hierarchie) angeht und eine, welche die Kausalität auf seiten der Glieder analysiert. Hier nennt er als ausführende Wirkursache die Tugenden der Gottesverehrung, des Glaubens und der Legalgerechtigkeit der Glieder. Als Formalursache gibt er wieder entsprechend den drei Ämtern die Praxis des Kultes, die Zustimmung zur Lehre und die soziale gegenseitige Hilfe. Als Materialursache schließlich bezeichnet er den Taufempfang (wohl repräsentativ für alle Sakramente), die Gelehrigkeit und den Gehorsam. Die Disposition ist also hier aufgeteilt auf die Sakramente, die Verkündigung der Lehre und die Gesetzgebung.[953] Diese Darstellung ist ganz bewußt in den Rahmen der Konzeption vom Ursakrament gestellt, wenn G. Lesage dessen verschiedene Elemente aufzählt: „Gnade des Heiligen Geistes, Vermittlung des menschgewordenen Wortes und der sichtbaren Häupter, Teilhabe der Gläubigen an den Sakramenten, an der Lehre und am Recht."[954]

IV. Die Kirche der Freiheit

Einen ersten, „vorläufigen" Beitrag zu diesem Komplex gab schon E. R. v. Kienitz. Er weist als geistige Signatur der Kirche die Freiheit[955] auf. Damit zielt er auf das Phänomen einer dynamischen Freiheit und Befreiung der Menschen in und durch die Kirche. Zunächst fragt er: Was heißt frei sein? Darauf antwortet er: „Das Leben nach dem Wesensbild, das Gott von jedem Menschen in seinen ewigen Gedanken gedacht hat und als wirkende Gestaltungsgesetzlichkeit jedem Geistwesen eingepflanzt hat. So viel nun der Mensch in jene Form hineinwächst, die ihm von Gott geschenkt wurde, so viel reift er zur Freiheit."[956] Die katholische Auffassung der Kirche als Heilsinstitution, als Hel-

---

[953] Cf. *Lesage*, Nature 52s.

[954] *Lesage*, Nature 49: „... participation des fidèles aux sacrements, à la doctrine et au droit".

[955] Das Kirchenrecht fördert als Ordnung personaler Freiheit das echte Bemühen der Menschen bei ihrer Lebensgestaltung als Kinder Gottes und Träger des Heiligen Geistes: W. *Bertrams*, die personale Struktur des Kirchenrechts: StdZ 164 (1958/59) 121–136, besonders 127 f. Früher hatte N. *Hilling* den CIC als lex libertatis gekennzeichnet und eine Menge Belege gegeben: Der CIC als legislatio libertatis: AkathKR 123 (1948/49) 261–267. Vgl. auch K. *Hofmann*, Die Kirche der freien Gefolgschaft: ThQ 128 (1948) 110–117.

[956] *v. Kienitz*, Gestalt 14.

ferin und Führerin zum Guten setzt ein bestimmtes Menschenbild voraus. Der Mensch ist nicht, wie M. Luther meinte, unfähig zum Guten, noch darf man sagen, er könne mit seiner Freiheit nichts anfangen (F. M. Dostojewski). Er ist, das weiß die Kirche schon immer, in Urschuld verstrickt und auch als Glied der Kirche noch dem Bösen unterworfen. Doch gibt die Kirche dem Einzelnen Kraft für Erkenntnis und Willen, sie macht ihn „stark und fähig, in der Gnade den königlichen Weg zur wahren Freiheit zu gehen".[957] „Und deswegen ist ein Mensch in dem Maße wahrhaft frei, als er nach dem Gesetz der Freiheit lebt, das ihm die Kirche gibt, mit anderen Worten: Er ist so weit frei, als er wahrhaft katholisch ist."[958]

Von der (späteren) Systematik des Ursakramentes her gesehen lassen sich diese Gedanken als Erhellung der ontologischen Struktur auffassen.

Kapitel 5

URSPRUNG UND FINIS DER KIRCHE

§ 26 *Die Einsetzung durch Jesus Christus: Ursprung am Kreuz*

Der Begriff des Sakramentes hat als ein Moment die Einsetzung durch Jesus Christus. So darf man auch beim Ursakrament danach fragen, wann und wie Jesus Christus die Kirche eingesetzt habe. Während im Begriff der übernatürlichen Gesellschaft normalerweise ausschließlich die Stiftungsworte Christi herangezogen werden, treten im sakramentalen Bild der Kirche die Heilsgeheimnisse des Lebens Christi in den Vordergrund. Darin wirkt sich die Vätertheologie aus.

Einfach durch sein Menschsein ist Christus das Haupt der Kirche. „Seit seiner Menschwerdung ist er kraft der hypostatischen Union wurzelhaft das übernatürliche Haupt der neuen Menschheit; denn die von ihm als dem zweiten Adam angenommene menschliche Natur war der Natur aller Menschen gleichwesentlich und repräsentierte die gesamte von ihm zu erlösende Menschheit. Christus ist der Stammvater der neuen Menschheit, und diese war in ihm selbst gegeben,

---

[957] Ebd. 15 f.
[958] Ebd. 16.

166

denn er hat die menschliche Natur angenommen. Er hat immer und in allem die Bedeutung der Quelle für ein ganzes Volk."[959]

W. Bertrams hat in einer eigenen Untersuchung im Anschluß an die Enzyklika Mystici Corporis das Kreuzesgeschehen in den Mittelpunkt gestellt.[960] Er hebt den Ursprung der Kirche vom Ursprung jeder natürlichen Gesellschaft scharf ab, insofern sie nicht aus dem natürlichen Vergesellschaftungstrieb der Menschen entstanden ist, sondern Christus sie am Kreuze gestiftet hat.[961] Der Finis der Kirche übersteigt jede natürliche Möglichkeit und jedes natürliche Verlangen des Menschen. Die ganze kirchenbildende Tätigkeit Christi erhielt vom Kreuzestod ihre letzte Bestätigung und Kraft. Finis und Mittel, Lehre, Opfer der Eucharistie, Sakramente und Autorität gründen dort, gerade auch die juridische Autorität. Hier wird auch das alte Gesetz beendet und das neue gegeben, das die objektive Norm des sozialen Lebens der Kirche sein wird.[962] Zweitens empfängt die Kirche ihr innerstes Lebensprinzip aus dem Tod am Kreuz: den Heiligen Geist, das Prinzip, auf Grund dessen alle soziale Tätigkeit der Kirche übernatürlich ist.

Sodann war unter dem Kreuz tatsächlich auch die Kirche in ihren ersten Gliedern anwesend, die damals Glieder im vollen Sinne wurden. Schließlich gilt dieser Ursprung sowohl für das Innen wie für das Außen der Kirche: Wenn dorther der übernatürliche Finis, die übernatürlichen, geistlichen Güter, die heilige Gewalt des Kirchenhauptes Christus stammen und die geoffenbarte Lehre dort besiegelt wird, dann liegt in der Konsequenz auch die äußere Tätigkeit der Kirche, ihr greif- und sichtbares Wesen, das somit auch am Kreuze seinen Ursprung hat.[963]

G. May greift die Väter in weiterem Umfange auf, „die in dem Hervorfließen von Blut und Wasser aus der geöffneten Seite Christi ein Sinnbild der Geburt der Kirche erblicken. Aus der die Erlösung vollendenden Seitenwunde des zweiten Adam entstand die Kirche, die neue Eva, wie aus der Seite des ersten Adam die erste Eva hervorging. Blut und Wasser werden dabei als die beiden Sakramente der Taufe und der Eucharistie gedeutet, die wegen ihrer einheit-

---

959 Vgl. *May*, Ehre 1 f.; er zitiert *Hilarius*, Tr. in Ps. 51 n. 16: PL 9, 317; *Cyrill. Al.*, In Joh 1, 14: PG 73, 164; *Aug.*, C. Faust. 12, 8: PL 42, 258; *Gregor. Mgn.*, Hom. in Ev. II, 38, 3: PL 76, 1283. *Mörsdorf* I, 24: die Kirche „wurde ... grundgelegt in der Fleischwerdung des Gottessohnes".

960 Besonders 204–208, zit. bei *Bertrams*, Origo 241.

961 „Constituitur Ecclesia a Christo Domino *morte sua in Cruce*" (Origo 243); vgl. auch *Bertrams*, Eigennatur 543; *Heimerl*, Kirche 59: Die eigentliche Stiftungshandlung ist der Kreuzestod.

962 *Bertrams*, Origo 243s, er zit. Mystici Corporis 205.

963 Cf. *Bertrams*, Origo 249.

stiftenden und kirchenbildenden Wirkung als die zwei Wesenselemente der Kirche erscheinen und deshalb die Kirche selbst darstellen."[964]

Außerdem bezieht G. May ebenso wie K. Mörsdorf die Auferstehung in den Blick ein.[965] „In der Geistsendung am Pfingstfest" schließlich „führte Christus die in seinem Blute gegründete Kirche unter aufsehenerregenden Zeichen durch die sichtbare Herabkunft des Heiligen Geistes in die Öffentlichkeit ein."[966]

Neben diesen Heilsgeheimnissen des Lebens Jesu behalten natürlich für alle Kanonisten dieser Gruppe die „bewußt *kirchenschöpferische(n) Handlungen des Herrn*"[967] ihre Bedeutung. Der Universalität des Ursakramentes Kirche entspricht so die universale Basis seiner Einsetzung durch Leben und Handeln Christi.

§ 27 *Der Finis der Kirche: Die Fülle Christi*

Eine erste negative Feststellung können wir treffen: Im sakramentalen Kirchenbilde tritt der Finis erheblich zurück. Die Kirche wird nicht mehr von ihm her definiert. Positiv finden wir besonders drei Gedanken:

I. Verwirklichung des Reiches Gottes,
II. Aufrichtung des Reiches Christi, und
III. die Ehre Gottes in der Fülle Christi.

I. Verwirklichung des Reiches Gottes
(E. Eichmann, K. Mörsdorf)

Während E. Eichmann noch als Zweck der Kirche die „Verwirklichung des Reiches Gottes auf Erden"[968] angibt, spricht K. Mörsdorf bemerkenswerterweise vom Sinn, nicht vom Zweck. „Die Aufrichtung des Gottesreiches ist der

---

[964] *G. May* zit. in Ehre 2 *Aug.,* In Joh. tr. 9, 10; PL 35, 1463; In Joh. tr. 120, 2: PL 35, 1953; Enarr. in Ps. 40, 10: PL 36, 461; *Ambros.,* In Lc. II, 87: PL 15, 1585; *Chrysost.,* In Col. 2 hom 6, 4: PG 62, 342; *Thomas* S. th. I q. 92 a. 3; III q. 64 a. 2 ad 3; Enz. Divinum illud: ASS 29 (1897) 649. Vgl. auch *Heimerl,* Kirche (S. 58): „Christus hat sie (die Kirche) am Kreuze als der zweite Adam in geistiger Weise gezeugt. Er ist Stammvater aller Erlösten und besteht daher vor ihnen."

[965] Vgl. *May,* Ehre 2; *Mörsdorf* I, 24.

[966] *May,* Ehre 2 unter Hinweis auf Mystici Corporis 204. 207 (*Rohrbasser* 773. 779). Vgl. *Mörsdorf* I, 24.

[967] *Mörsdorf* I, 24.

[968] Ebd. 7.

innere Sinn der Menschwerdung des Gottessohnes."[969] Da die Kirche den Auftrag hat, das Wirken des Herrn fortzusetzen, heißt das für sie „nach Art des Sauerteiges die ganze Menschheit von innen her zu erneuern und der Herrschaft Gottes zuzuführen"[970].

II. Aufrichtung des Reiches Christi
(B. Mathis)

B. Mathis schreibt: „Ihre Aufgabe besteht darin, daß sie das Reich der christlichen Wahrheit, Gnade und Liebe hienieden aufrichten und die Menschen zur ewigen Seligkeit führen soll."[971] Damit ist genauso wie bei K. Mörsdorf eine gesellschaftliche Zielsetzung gegeben, aber ebenfalls in sakramentalem Bezug auf die drei Funktionen der Kirche: Lehre, Sakramentenspendung und Leitung. Es klingt hier die Konzeption Pius' XI. nach, der die Laien zum Aufbau des Reiches Christi gerufen hatte.[972]

III. Die Ehre Gottes in der Fülle Christi
(G. Lesage, A. Hagen)

Nach G. Lesage ergibt sich ein recht buntes Bild. Er liebt die Abwechslung in der Formulierung und trägt eine Menge Literatur zusammen. Zunächst hat er die traditionelle Darstellung: Ehre Gottes, Heil der Seelen, Ordnung in der Kirche.[973] Ein wesentlich anderes Bild ergibt sich aber im Zusammenhang der Behandlung des Rechtes im Gesamt des mystischen Leibes Christi, der gleichzeitig eine vollkommene Gesellschaft ist. Dort tritt nämlich der Begriff der Fülle Christi auf.[974] Die höchste Ehre Gottes besteht in der Fülle Christi, in dem zur Fülle herangewachsenen Leibe Christi. Dies ist das bonum supernaturale, das durch Zusammenarbeit aller verwirklicht werden soll.[975] Darum ist

---

[969] Ebd. 26.

[970] Ebd. 27.

[971] Kirchenrecht 15.

[972] Christkönigsenzyklika Quas Primas vom 11. Dez. 1925 (AAS 17 [1925] 593–610; *Rohrbasser* 61–103) und -Präfation (Missale Romanum).

[973] Cf. *Lesage*, Nature 13–17.

[974] Cf. *Lesage*, Nature 48. 53: „la plénitude du Christ" (nach *Thomas von Aquin*, In Epistolam ad Ephesios, cap. IV, lect. IV) und p. 50: „la plénitude de son Corps mystique"; er zitiert hier *P. Benoit*, Corps, tête et plérôme dans les Épîtres de la captivité, in: RB 63 (1956) 43; *Thomas von Aquin*, S. th. III q. 8 a. 3 ad 2.

[975] Cf. *Bertrams*, Relatio 7: „Cooperatione omnium plenitudo Christi est actuanda."

dies die Mission Christi, die er mit Hilfe seiner Kirche weiterführt.[976] Alle Tätigkeit der Kirche geht darauf aus, die Gläubigen in Christus und die Kirche einzugliedern. Gott beginnt in ihr durch Christus die Zusammenfassung aller Dinge im Himmel und auf der Erde (Eph 1, 10).[977] Im Leibe Christi vollzieht sich die Heiligung. Es ist eine kirchliche, eine „ekklesiale" Heiligung.[978] Sie wird im einzelnen mit Begriffen Thomas' von Aquin dargestellt: Sie vollzieht sich in der Annahme der drei Funktionen der kirchlichen Hierarchie. Die Tugend der religio treibt den Christen, in den Sakramenten die Gnade anzunehmen,[979] der Glaube verbindet ihn mit der unfehlbaren Wahrheit, die von der Lehrautorität vorgelegt wird,[980] die Gerechtigkeit unterwirft ihn der potestas iurisdictionis.[981] Auf diese Weise kommt die eigentümliche Form des mystischen Leibes zustande. Die Beziehung zu Gott und seiner Ehre kommt zunächst dadurch zum Ausdruck, daß die wahre Lehre den Glauben nährt, der Gehorsam die Hoffnung rechtfertigt und der Empfang der Sakramente die Liebe zu Gott fördert. Während nun der Begriff der Fülle Christi mehr im Hinblick auf die Vollendung gebraucht wird, möchte G. Lesage für die streitende Kirche den Namen Reich Christi hervorheben, um auf die gesellschaftliche Form der Heiligung und des Seelenheiles zu kommen. Ein weiterer Hinweis, der uns hilft, die gesellschaftliche Form der Kirche nicht bloß als eine positive Anordnung des Stifters zu verstehen, sondern als eine innerlich naheliegende Weise der Heiligung, ist die Definition der Ordnung und des Friedens in der Kirche, der „himmlischen Bürgerschaft", die G. Lesage von Augustinus übernimmt: „Die aufs beste geordnete und völlig einträchtige Gesellschaft, die bewirkt, daß man sich an Gott freut und daß die einen sich an den anderen in Gott freuen."[982] Damit ist gesagt, daß die Seligkeit nicht bloß darin besteht, daß man sich an Gott an sich freut, sondern daß auch die von ihm neugeschaffenen und erleuchteten Mitmenschen unsere Seligkeit sind. Heiligung und Heil kann also von der Sache her gar nicht von den anderen absehen. So ist die individualistische Auffassung vom Seelenheil von vornherein unmöglich gemacht. Weil Gott wirklich Mensch geworden, weil Christus den Seinen die empfangene Herrlichkeit weitergegeben hat, darum ist das Wachsen

---

[976] Cf. *Lesage*, Nature 50. Auch p. 48: „le but qui est la gloire extrinsèque de Dieu ou la plénitude du Christ" (s. Anm. 974) und p. 53.

[977] Vgl. *Hagen*, Prinzipien 232; in dieser gesellschaftlichen Sinnrichtung sieht A. *Hagen* den sozialen Dienst der Kirche, den sie z. B. durch ihre Ehegesetzgebung ausübt.

[978] *Lesage*, Nature 52, adn. 26: sanctification „ecclésiale", cf. et p. 51.

[979] Cf. *Lesage*, Nature 51; er verweist auf S. th. 2 II q. 81 a. 1c.

[980] Cf. *Lesage*, Nature 51; hierfür nennt er S. th. 2 II q. 1 a. 10c.

[981] Cf. *Lesage*, Nature 51 mit Verweis auf S. th. 2 II q. 58 a. 5c; S. th. 1 II q. 96 a. 6.

[982] *Augustinus*, De civ. Dei, lib. 19, cap. 13 (CChL 48, 679), zit. bei *Lesage*, Nature 158 („Pax coelestis civitatis ordinatissima et concordissima societas fruendi Deo et invicem in Deo").

in der Gottesliebe immer Hineinwachsen in die Fülle Christi, den Leib Christi. Dies aber ist der Finis der Kirche, dazu wird sie von ihrem Haupte belebt und geleitet.[983] So versteht man dann zwei andere Formulierungen in ihrer ganzen Tiefe: Das Gemeinwohl der Kirche ist „die hierarchische Zusammenarbeit der Gläubigen im Blick auf die kollektive Heiligung".[984] Schließlich finden wir eine ganz realistische kräftige Formulierung: Die Kirche ist eine „dynamische Kollektivität, die sich bemüht, Christus durch das Reich und in allen Gläubigen zu bauen".[985] Die kollektive Heiligung vollzieht sich im Bau des Christus, in der Errichtung seines Reiches, das eben nicht nur ein Mittel zum Zweck der Heiligung der einzelnen ist, sondern sinnträchtiger Keim und Vorläufer der Fülle Christi.

In alledem weist G. Lesage immer wieder auf die ständige Wirksamkeit Christi hin, der als verklärter Herr seiner Kirche Lehrer, Priester und König ist, und auf die Wirksamkeit des Heiligen Geistes.[986]

---

[983] Cf. LG n. 1.

[984] *Lesage*, Nature 77: „La collaboration hiérarchique des fidèles en vue de la sanctification collective".

[985] *Lesage*, Nature 22: „collectivité dynamique qui travaille à édifier le Christ par le Royaume et dans tous les fidèles".

[986] Cf. *Lesage*, Nature 51s.

Einzelfragen

In den Abschnitten 1 und 2 dieses zweiten Hauptteiles haben wir die beiden Kirchenbilder in ihrem Gesamtzusammenhang dargestellt. Dem Gewinn der Übersichtlichkeit stand dabei ein Verlust der Genauigkeit im Detail gegenüber. Wir möchten darum an einigen Stellen ohne systematische Gliederung noch einmal ansetzen und darstellen, wie jeweils im Rahmen der beiden Kirchenbilder einzelne Bereiche bzw. Fragen gesehen werden.

Im Kapitel 1 geht es um die Finalität der kirchlichen Rechtsordnung und der Strafen (§§ 28 und 29). Im zweiten Kapitel steht die Frage im Mittelpunkt, wer zur Kirche gehört (§§ 30 und 31). Das dritte Kapitel befaßt sich mit den Problemen der kirchlichen Autorität bzw. Gewalt (§§ 32 und 33). Im Kapitel 4 wird uns dann die Verfassung der Kirche beschäftigen; wir fassen Primat und Episkopat sowie den Wandel in der Sicht der Laien ins Auge (§§ 34 bis 36).

Für alle diese Realitäten in der Kirche gilt das gleiche wie für die Kirche als Ganzes: Wir finden uns vor einem Mysterium.

Auch bei der Darstellung der Einzelfragen geht es uns weniger um eine Lösung des jeweiligen Problems als solchem, sondern zuerst um ein Ausziehen der Linien, die die verschiedenen Antworten in das ganze Kirchenbild einzeichnen. Es soll der Gesamtzusammenhang deutlich werden, in dem die Fragestellung angegangen wird, damit man die Antwort verstehen kann und ihren positiven Ertrag auch für unsere heutigen Überlegungen erheben kann.

Die Anordnung der Kapitel will nichts besagen. Man hätte genausogut mit Kapitel 2 beginnen und Kapitel 3 hinter dem vierten einordnen können. Außerdem sind die dargestellten Einzelfragen natürlich nur wenige. Man könnte eine Reihe von weiteren nennen, deren Behandlung nicht weniger reizvoll wäre: die Sicht der Ordensleute und Säkularinstitute, das Einheitsprinzip der Kirche, Kirche und Eucharistie, die verschiedenen Kennzeichen der Kirche, das Wort Gottes und das prophetische Wort in der Kirche. Wie man sieht, sind dies gerade auch charismatische und prophetische Seiten der Kirche, die bei den Kanonisten wachsendes Interesse finden. Es mußte jedoch eine Auswahl getroffen werden, und leider ist sie vielleicht zu sehr dem älteren Kirchenbild angepaßt.

DIE FINALITÄT DER KIRCHLICHEN RECHTSORDNUNG UND DER STRAFEN

Im ersten Teil haben wir bereits verschiedentlich den Finis der Kirche als ganzer dargestellt.[987] Das blieb entsprechend der Anlage dieser Arbeit sehr im allgemeinen. Etwas konkreter wird die Thematik, wenn wir die Aussagen über die Finalität bezüglich einzelner Sachgebiete verfolgen: im Recht der Kirche, in der Gesetzgebung, in der Strafpraxis. Damit stoßen wir mehr ins Detail vor; gleichzeitig wird das Gesamtbild deutlicher.

§ 28 *Die Finalität der kirchlichen Rechtsordnung*[988]

I. Der Finis der Rechtsordnung im Bild der Kirche als übernatürlicher, von Christus gestifteter vollkommener Gesellschaft

1. *Soziale Ordnung und Seelenheil*

Im Rahmen dieses Bildes gibt es zwei Linien, welche die Autoren zu kombinieren haben: Die Kirche ist eine Gesellschaft, auf die die Begriffe anderer Gesellschaften weithin zutreffen; sie ist aber auch Heilsinstitution, welche die salus animarum von Christus als Finis hat.

Christus hat der Kirche den Charakter einer Gesellschaft gegeben. Eine Gesellschaft ist ohne Ordnung unmöglich. Die Ordnung wird durch das Gesetz

---

[987] Vgl. oben § 8 II und § 27.

[988] Zum ganzen Paragraphen cf. *J. Hervada,* Fin y caracteristicas del ordenamiento canónico: Ius canonicum 2 (1961) 5–110. Dort reiche Bibliographie. Die Quellen für die in diesem Paragraphen angeschnittene Thematik sind zunächst die Abschnitte über die potestas legislativa im IPE, die Passagen über die Gesetze im CIC (cc. 8–24) und die Kapitel zu den Grundfragen in den Lehrbüchern. Wichtig sind *P. Ciprottis* Lezioni und *P. Fedeles* Discorso und die damit zusammenhängenden Diskussionen der vierziger Jahre. Über die Natur des Kirchenrechts z. B.: *P. Fedele,* Il mio „Discorso sull'ordinamento canonico" di fronte alla critica: Archivio di Diritto canonico 5 (1943) 47–63; 189–199; 267–270; 381 bis 384; *O. Robleda,* Fin del Derecho en la Iglesia proposito de un libro (*P. Fedele,* Discorso): REDC 2 (1947) 283–292; *W. Bertrams,* Die Eigennatur des Kirchenrechts: Gr 27 (1946) 527–566. Aus der letzten Zeit sind bemerkenswert: *J. de Salazar Abrisquieta,* Lo Jurídico y lo Moral en la técnica legislativa, in: Investigación 99–146; *G. Forchielli,* Caratteri comuni e differenziali nel Diritto canonico, in: Investigación 77–97; *R. Bidagor,* El espiritu del Derecho canónico: REDC 13 (1958) 5–30; *P. Fedele,* Lo spirito del Dir. can., Padova 1962; *M. Useros Carretero,* „Statuta Ecclesiae" y „Sacramenta Ecclesiae": REDC 16 (1961) 5–68, spez. 67s; *K. Mörsdorf,* Altkatholisches Sakramentsrecht? in: StG I (hrsg. von *G. Forchielli* und *A. M. Stickler*) Bologna 1953, 485–502.

geschaffen, das die Aktivität jedes einzelnen seiner Anweisung unterwirft.[989] Das Gesetz dient wie alles Recht dem bonum commune.[990] Als societas perfecta erstrebt die Kirche das bonum publicum bzw. die äußere Ordnung der kirchlichen Gesellschaft.[991]

Nun hat die Kirche aber den speziellen Finis, den Menschen das Seelenheil und die ewige Seligkeit zu vermitteln. Dies ist ein Finis, der jeden einzelnen Gläubigen sehr persönlich betrifft. Ist das nicht ein bonum privatum? Aber es steht fest, daß die Kirche auf Grund ihrer besonderen, von ihrem Stifter überkommenen Eigenart, die Heiligung jedes einzelnen Gläubigen fördern muß.[992] Es erhebt sich die Frage, wie unsere Autoren diese beiden Linien berücksichtigen.

2. Koordination beider Aspekte

F. M. Cappello bringt die Doppelheit auf diese Formel: Die Kirche verfolgt als societas wie jede andere das bonum commune als bonum publicum: Das ist das bonum commune der Gläubigen, insofern sie Glieder der kirchlichen Gesellschaft sind. Und, materiell davon geschieden, gibt es Gesetze, mit denen die Kirche das bonum singulare verfolgt, also (wohl) das bonum commune, insofern die Gläubigen als einzelne geheiligt werden sollen. Es liegt eine materielle Trennung vor, die sich in der Verschiedenartigkeit der Gesetze äußert: 1. Disziplinargesetze, die den ordo socialis gestalten, und 2. moralische Gesetze, die Glauben und Sitte betreffen.[993]

Ähnlich liegt die Sache bei A. Ottaviani, der die gleiche materielle Unterscheidung hat, ohne die Begriffe bonum commune, publicum und singulare zu verwenden.[994]

G. Michiels unterscheidet noch genauer bonum commune und singulare und andererseits bonum publicum und privatum. Im Rahmen der Gesellschaftlich-

---

[989] Cf. *Ch. Lefèbvre*, Lois ecclésiastiques, in: DDC VI, 635–677, spez. 641; cf. et. *Bachofen* I, 2: „establishment and maintenance of exterior order".

[990] Lex est (*St. Thomas*, S. th. 1 II q. 90 a. 4) „ordinatio rationis ad bonum commune ab eo qui curam habet communitatis promulgata". Diese Definition wird fast überall zugrunde gelegt: Cf. *Michiels* I, 1, 174; *Cappello*, Summa 53 n. 53 n. 53: Jone I, 31; *Bachofen* I, 80; v. *Hove*, Leges 156 (er verwendet für bien commun auch den Ausdruck bien général).

[991] Cf. *Michiels* I, 1, 174: „qua societas perfecta, ... respicit bonum publicum ordinem externum societatis ecclesiasticae".

[992] Cf. *Michiels* I, 1, 174: „ratione specialissimae indolis a Fundatore divino receptae, directe et immediate promovere debet uniuscuiusque fidelis sanctificationem".

[993] Cf. *Cappello*, Summa 141 n. 150.

[994] Cf. *Ottaviani* I, 214 n. 135: „1. regiminis socialis Ecclesiae organisatio et exercitium, prout in subiecto auctoritatis; 2. fidelium omnium actus qui dirigendi sunt, opportunis normis, pro sancta ipsorum conversatione in societate ecclesiastica, ad vitae aeternae consecutionem."

keit, als societas perfecta, verfolgt die Kirche das bonum commune, und zwar teils als bonum publicum, teils als bonum privatum. Auf Grund ihres speziellen Charakters als Heilsinstitution zielt sie direkt auf das bonum singulare, und zwar liegt auch nach G. Michiels eine materielle Unterscheidung vor, doch fügt er hinzu, diese moralischen Gesetze zielten mindestens indirekt auch auf das bonum commune, weil dieses bonum singulare in vielen sich finde und sich damit indirekt auch auf das bonum totius auswirke.[995] Das bedeutet gleichzeitig, daß man zu Recht Ius Publicum und Ius Privatum unterscheidet.

3. Primäre Betonung des Seelenheils

P. Fedele hat wiederholt mit großem Nachdruck die These vertreten: „Tatsächlich befaßt sich das kanonische Recht damit, nur eine einzige Finalität zu realisieren, jene nämlich, die Menschen zu dem Gute der Rettung der Seelen hinzuführen."[996] Damit leugnet er gleichzeitig die Berechtigung der Unterscheidung zwischen Ius Publicum und Ius Privatum. Alles Recht der Kirche ist Ius Publicum. Er identifiziert also einfach bonum publicum und salus animarum. Hier ist nicht ein Nacheinander oder ein Nebeneinander, sondern eine „Koinzidenz".[997] Wer hier bonum publicum und privatum unterscheidet, der verkennt den Charakter der berechtigten Unterscheidung von individuellem und kollektivem Interesse bzw. Geheimem und Bekanntem. Diese Unterscheidung ist nämlich nach P. Fedele eine quantitative oder empirische Unterscheidung, während in der gängigen Auffassung die Unterscheidung zwischen publicum und privatum eine qualitative oder technische ist. Und das ist nach seiner Meinung innerhalb des Rechtes der Kirche nicht der Fall. Das evidente Band, das in der Kirche das Individuum mit der Gesellschaft Kirche verbindet, läßt den Finis des einzelnen mit dem der kirchlichen Gemeinschaft identisch sein.[998]

---

[995] Cf. *Michiels* I, 1, 173s. Ihm folgt *Jone* I, 31. *R. Naz* bemerkt, es könnten auch Gesetze sein, die einzelne Personen betreffen, trotzdem aber allen zugute kommen, wie die Vorschriften für den Klerus (²TrDC I, 83).

[996] Discorso 120. Cf. *Bender* 64: „*Finis ... proximus, ad quem immediate exercitium potestatis iurisdictionis ordinatur et quo actus huius regiminis specie determinantur est perfectio supernaturalis seu sanctitas hic assequenda ab omnibus Ecclesiae membris*". Ähnlich *O. Giacchi*, Il matrimonio della Chiesa in un recente discorso di Pio XII.: Vita e Pensiero 27 (1941) 480, zit. nach *Hervada*, Fin 125; (Außer im Literaturverzeichnis findet man die abgekürzten Titel, die hauptsächlich in diesem Abschnitt drei zitiert werden, jeweils in der Literaturübersicht am Anfang des Paragraphen, bei Kapitel zwei am Anfang des Kapitels.) *P. A. d'Avack*, Corso di dir. can. I, Milano 1956, 166, zit. nach *Hervada*, Fin 9.

[997] Discorso 117.

[998] *Fedele*, Discorso 24.

4. *Primäre Betonung der sozialen Ordnung*

Die Gegner P. Fedeles dagegen argumentieren so: Eine Rechtsordnung hat einen juridischen Finis. Dieser juridische Finis ist, jedem das Seine zu sichern. Das heißt für das kanonische Recht, daß es mit den Charakteristika der Exteriorität, der Intersubjektivität und der Erzwingbarkeit jedem das Seine auf dem Gebiet des Seelenheils sichert. Dieses „Seelenheil ist aber ein entfernter, ein mittelbarer, ein indirekter Finis der kanonischen Ordnung. In keiner Weise ein unmittelbarer, spezifischer, direkter Finis derart, daß die kanonischen Normen direkt die ‚salus animarum‘ dessen zu erreichen suchen, an den die Norm sich richtet".[999] Vielmehr sucht die Gesellschaft mittels des Rechtes und der Gesetze eine „gerechte soziale Ordnung"[1000] herzustellen. Das heißt, sie weist jedem Gliede das Maß zu, in dem es an der Bewahrung und Realisierung des gemeinsamen Wohles (im technischen Sinn[1001]) mitarbeiten muß. Es geht ja darum, sozusagen eine Ordnung herzustellen, in der jeder einzelne das Seine besitzt, sowohl die Gesellschaft wie die Glieder, in der Ordnung, daß sie das Gemeinwohl im substanziellen Sinn[1002] erreichen können. So unterstreicht J. Salazar seine These, daß diese gerechte soziale Ordnung das Gemeinwohl und damit der Finis des Rechtes sein wird bzw. der Gesellschaft, insofern sie Recht schafft.[1003] P. Ciprotti drückt die gleiche Auffassung folgendermaßen aus: Sowohl im Staat wie in der Kirche ist das Recht ein Instrument, eine Form, die in der Regel eine nicht juridische Materie benötigt, um ihr Ziel erreichen zu

---

[999] *Salazar Abrisquieta,* Jurídico 106: „‚salus animarum‘ es un fin ulterior, un fin mediato, un fin indirecto del ordenamiento canónico. De ningun modo un fin immediato espezifico, directo, de tal suerto que las normas canónicas traten be buscar directamente la ‚salus animarum‘ de aquel a quien está dirigida la norma." Cf. *O. Robleda,* Fin 283–292; p. 286: „*Salus animarum* fin trascendente."

[1000] *Salazar A.,* Jurídico 108: „orden social justo".

[1001] Cf. *Useros,* Statuta AnGr 231s nach *Thomas;* vgl. auch oben § 8 II.

[1002] Ebd.; auch *O. Robleda* (Fin 287; vgl. Anm. 988) bringt diese Konzeption, nur daß er das Ganze schon in den Zusammenhang des mystischen Leibes Christi stellt: eine günstige äußere Ordnung, innerhalb welcher das einzelne Glied seine Eingliederung in Christus erreichen kann.

[1003] Cf. *Salazar Abrisquieta,* Jurídico 108. Vgl. *Ebers* 5: „Diese Rechtsordnung ... ist aber nicht Selbstzweck, sondern nur das allerdings notwendige Mittel zum Zweck der Kirche, der Heiligung der Seelen." Vgl. *Eichmann* I, 9; *Hollweck,* Strafgesetze XIX; *Cappello,* Summa 25, nota 2 n. 30. Diese scharfe Trennung des Juridischen vom Moralischen wird verständlicher, wenn man sieht, wie allgemein ein starker Akzent auf das Individuum gelegt wird: Es heißt bei *J. de Salazar Abrisquieta* dann abschließend, daß ja das letzte Ziel des Menschen nur die individuelle Person besitzen könne, als Individuum; die Gesellschaft solle nur das allgemeine Wohl im technischen Sinne bewahren und realisieren. Systematisch ist das konsequent: Der salus wird das Individuum, dem ordo die Gesellschaft zugeordnet. Ob aber dahinter nicht im letzten ein Gottesbegriff steht, der das Geheimnis der Heiligsten Dreifaltigkeit nicht genügend ernst nimmt?

können.[1004] G. Forchielli wendet sich gegen die „Panpublizistik", gegen die Auffassung, alles Recht in der Kirche sei Ius Publicum (P. Fedele). Das hieße, die Person nicht mehr als subiectum iuris zu setzen. „Dann wäre die Gesellschaft ein mechanischer Bienenstock. Alles wäre von der Totalität absorbiert."[1005] Überschauen wir diese Diskussionen zum Finis des Rechtes in der älteren Kanonistik, so wird einmal mehr deutlich, wie darin ein Modell der Kirche als Gesellschaft zur Auswirkung kommt, wie man aber redlich darum bemüht ist, die spezielle, von Christus überkommene übernatürliche Zielsetzung zum Tragen zu bringen. Wie die Lösung im einzelnen aber auch ausfallen mag, sieht man doch immer im je verschiedenen Finis den entscheidenden Unterschied der staatlichen und der kirchlichen Rechtsordnung.[1006]

II. Der Finis der Rechtsordnung im Bild der Kirche als Sakrament

1. *Eingliederung in den mystischen Leib Christi und Aufrichtung des Reiches Gottes*

In den vielerlei Diskussionen um die Natur des Kirchenrechts wird immer klarer die Frage nach der Verbindung zwischen der Rechtsordnung der Kirche und der Heiligung gestellt. War bisher diese Beziehung vorwiegend in das Schema Zweck und Mittel gefaßt worden, so finden wir nun das Schema Inhalt und Ausdruck. „Das Rechtsleben der Kirche ist also seiner ganzen Natur nach Ausdruck und Vermittlung des Geistlebens der Kirche."[1007] „. . . eben weil das äußere und innere Leben der Kirche erst zusammen das wahre, volle, ganze Leben der Kirche ausmachen, . . . steht das Kirchenrecht nicht nur in äußerer

---

[1004] Lezioni 58: „. . . una forma che di regola ha bisogno di una sostanza non giuridica, per poter consequire il suo scopo." Das Recht bezieht sich auf das forum externum, die Moral auf das forum internum. Beim Recht und bei der Moral findet man Befehlsstruktur, Intersubjektivität jedoch nur beim Recht, während die Moral das Verhältnis zu Gott regelt (Lezioni 59).

[1005] *G. Forchielli*, Caratteri 88s. In diesem Zusammenhang begrüßt er den Bedeutungswandel von „persona" im Sinn des Kantschen „subiectum". Durch eine Osmose mit der Zivilistik bekommt nach ihm (Caratteri 89) subiectum die Bedeutung nicht mehr einfach des Untergebenen, sondern des Menschen, der in Freiheit Herr seiner selbst ist: „Patron und Herr seiner selbst, der Mensch, der sein Ich mit voller Freiheit gegen den Absolutismus und gegen die herrschende Theologie erobert, der Mensch gemäß der illuministischen Philosophie." Diese Bedeutung könne die Kanonistik übernehmen, allerdings in einer anderen Vitalität.

[1006] *Vgl. T. Garcia Barberena*, Die Sakramente in der kirchlichen Rechtsordnung: Conc 4 (1968) 565: „Die Methode ist nicht unberechtigt, das ‚Wozu' der Dinge erklärt jedoch nicht immer ihr ‚Was'." Dazu unten S. 156.

[1007] *Bertrams*, Eigennatur 543.

Beziehung zum übernatürlichen Leben der Kirche; es ist dessen integrierender Bestandteil, es ist selbst übernatürlicher Natur."[1008]

Ähnlich wirkt sich auch die Aufnahme der Bilder zum Verständnis der Kirche auf die Bestimmung des Zweckes ihrer Rechtsordnung, speziell ihrer Gesetze, aus. Es ist zwar ein „Establishment" einer äußeren und sichtbaren Ordnung, doch es realisiert in hierarchischer Ordnung das Reich Gottes auf der Erde.[1009] Das Kirchenrecht dient „der Aufrichtung des Gottesreiches"[1010], ja, unter einem weiteren Aspekt gesehen, der Heiligung der Welt.[1011] Noch deutlicher tritt diese enge Verbindung bei dem Bild vom Leibe Christi hervor. Noch einmal begegnen wir dem Stichwort Fülle Christi, wodurch die Heiligung wesentlich qualifiziert wird.[1012] Die Kirche bedient sich der kanonischen Ordnung nicht nur, um die einzelnen Menschen zu heiligen, sondern um sie an ihrem „Esprit" teilnehmen zu lassen und um sie in die „große geistliche und übernatürliche Familie einzugliedern, die man den Leib Christi nennt"'.[1013]

2. *Die sakramentale Natur der Rechtsordnung und ihre Beziehung zur Liebe*

Im Rahmen des Verständnisses der Kirche als Ursakrament ergibt sich ebenfalls eine charakteristische, mit der soeben beschriebenen verwandte Deutung des Zweckes des Kirchenrechtes und seiner Vorschriften. M. Useros trägt sehr differenziert die Gedanken von Thomas von Aquin vor, die wir hier nur sehr verkürzt darstellen können. Die Kirche ist Ursakrament,[1014] sichtbares Zeichen unsichtbarer Gnade. Die Sakramente sind darum Kern der Kirche. In der Eucharistie ist das substantielle Gut der Kirche, nämlich Christus, enthalten. Alle anderen Elemente und Aktivitäten der Kirche sind auf dieses hingeordnet und tragen dazu bei, daß die Gläubigen es in menschlicher Weise besitzen können. Die „lex sacramentorum" ist die Ordnung, die unmittelbar mit dem Wesen und dem rechten Vollzug der Sakramente gegeben ist. Die „lex Ecclesiae", also die übrigen Gesetze und Rechtsinstitute der Kirche sind auf jene bezogen. In dieser Sicht ist das Kirchenrecht aus dreifachem Grunde sakramental: ein-

---

[1008] *Bertrams*, Eigennatur 544.

[1009] Cf. *Bigador*, Espiritu 8; *R. Bidagor* spricht hier vom Ziel der Kirche.

[1010] *Mörsdorf* I, 39.

[1011] Vgl. *Mörsdorf* I, 39.

[1012] Cf. *Lesage*, Nature 53; *Bertrams*, Relatio 7: „Cooperatione omnium plenitudo Christi est actuanda."

[1013] P. *Galtier*, L'Encyclique sur le Corps mystique du Christ et la spiritualité: RAM 22 (1946) 47; zit. bei Lesage, Nature 54.

[1014] Vgl. oben § 18. M. *Useros Carretero* nennt (Statuta 5s. 68) Christus Quellsakrament („Sacramento fontal"), die Kirche Ursakrament („Sacramento radical"), indem er das von *Thomas* Gemeinte in heutige Begriffe faßt.

mal wegen seines zentralen Objektes, dann wegen der Finalität[1015], entscheidend aber deswegen, weil „die Totalität des kanonischen ‚legislativen corpus‘ und des ‚ordo ecclesiasticus‘, die in ihm gegründet ist, nicht nur die äußere Realität der Kirche, sondern auch die Ordnung der heiligenden Innerlichkeit ausdrücken und sich mit ihr in innerer Verbindung befinden. Diese strukturiert die Kirche als mystischen Leib, der durch die Gnade lebendig gemacht ist, die ja das ‚kraftvollste Element im Neuen Gesetz‘ ist."[1016]

Die Zielrichtung der kirchlichen Rechtsordnung läuft infolgedessen mit der Zielrichtung der sakramentalen Ordnung parallel: Die Sakramente sind darauf hingeordnet, die Gnade Gottes mitzuteilen, die sich in der Liebe zu ihm und den Nächsten äußert. „Parallel dazu ist die Liebe die gültige Kategorie, um das Prinzip und das oberste Ziel auszudrücken, das die ‚Lex Ecclesiae‘ bewegt; ‚Finis praecepti est caritas‘ (IV Sent. D 17 q. 3 a. 3)."[1017] Von seiten der Gläubigen ist die Teilnahme an den Sakramenten und die Annahme des kanonischen Gesetzes, die ja beide die Verbindung mit Christus bezwecken, Ausdruck der Liebe, die mit der Kirche vereint.[1018] Ähnlich zeigt G. Lesage als Ziel des Rechtes in der Kirche die Förderung der gegenseitigen Hilfe auf dem Wege zu Gott auf, die sich in der Entwicklung der theologalen und moralischen Tugenden konkretisiert. Das Recht zielt auf Entfaltung der „„Liebe, die aus einem reinen Herzen, einem guten Gewissen und einem Glauben ohne Zögern hervorgeht‘ (1 Tim 1, 5) . . . Wie der Körper die Seele transparent macht und ihr

---

[1015] So weit gehen auch die Aussagen im mehr juridischen Kirchenbild.

[1016] *Useros*, Statuta 68: „. . . sino porque la totalidad del ‚cuerpo legislativo‘ Canónico y del ‚ordo ecclesiasticus‘ que en él se fundamenta, no tan sólo expresan la realidad de la estructura exterior, ‚jurídica‘, de la Iglesia, sino también expresan y estan en conexión intrinseca con el orden de interioridad santificante que estructura la Iglesia como Cuerpo Místico, vivificado por la Gracia, que es el elemento ‚potissimum in Lege Nova‘." Zum ganzen Gedankengang cf. *Useros*, Statuta AnGr 173–303, besonders 176–179. 231. 261. 277. 186s. 214–217; cf. auch die Conclusio: Statuta 66ss. Ganz ähnlich *Mörsdorf*, Sakramentsrecht 502: „In diesem weiten Sinn (daß wie bei der Inkarnation die menschliche Natur Christi, so bei der Kirchengründung die naturrechtlichen Grundlagen der kirchlichen Gemeinschaft in die Gesamtgestalt der Kirche hineingenommen werden und an ihrem sakramentalen Gefüge Anteil haben, d. Vf.) darf alles kanonische Recht, weil es dem Aufbau der Kirche als dem Hort des Heiles dient, ‚Sakramentsrecht‘ genannt werden." Vgl. auch *Mörsdorf* I, 39; *Beyer*, Formen 291 f.: Die Gesetzgebung der Kirche, des Ursakramentes Christi, gehört zu den äußeren Zeichen, die ihr Leben zum Ausdruck bringen, sichern und erhalten.

[1017] *Useros*, Statuta 67: „. . . paralelamente la caridad es categoría válida para expresar el principio y el fin supremo que motiva la ‚Lex Ecclesiae‘; ‚Finis praecepti est caritas‘."

[1018] Cf. *Useros*, Statuta 67; er zitiert hier *Thomas*, S. th. 2 II q. 39 a. 1.

179

als Instrument dient, so drückt das kanonische Gesetz die Liebe Gottes aus und breitet sie aus."[1019]

L. Barcia Martin gelangt zu ähnlichen Schlußfolgerungen, indem er expliziert, was eigentlich Heil und Heiligung wesentlich sind: Vereinigung mit Gott! Das Wesentliche an der Heiligkeit ist also die Liebe, denn Gott ist die Liebe, und wer in der Liebe bleibt, bleibt in Gott. So wie das ganze Erlösungswerk aus der ewigen Liebe Gottes kommt, so ist sein Ziel die Gottesliebe und Ausweis eines authentischen Christentums die gegenseitige Liebe unter den Menschen. Auch das Recht der Kirche darf nicht toter Buchstabe bleiben; so wie es aus dem Geist des Guten Hirten gestaltet und angewendet werden muß, so soll es auch „ein Mittel sein, das zum Triumph der Caritas führt, zur Ausstrahlung der wahren Liebe".[1020] Der entscheidende Punkt scheint uns hier darin zu liegen, daß es nun nicht mehr ein Nacheinander ist, als ob die Ordnung und ihre Annahme gewissermaßen die Vorbedingung für einen individuellen Gnadenstand sei; vielmehr ist deutlich aufgezeigt: In der Annahme der äußeren Ordnung konkretisiert sich das christliche Leben, dessen innerer Aspekt die personale Hinordnung auf Gott und auf die Nächsten um Gottes willen ist. Das kanonische Recht ist nicht wie eine Treppe, welche man ersteigen muß, um dann gewissermaßen auf der Höhe des Berges mit Gott allein zu leben, sondern in der Auffassung des sakramentalen Kirchenbildes ist jeder Schritt mehr sinnträchtig als zweckbestimmt, jede Stufe ist schon Weg mit Gott,[1021] dessen Struktur eben von jenem Recht angegeben ist. In der Annahme der sakramentalen Strukturen im Glauben und in der Liebe vollzieht sich die personale Begnadung und die Teilnahme am substantiellen Gemeingut, am entscheidenden Wert der Gemeinschaft: Christus.

So treffen sich hier Gerechtigkeit und übernatürliche Liebe, da es Kinder Gottes sind, die in den Strukturen der Welt leben und durch das Recht der Kirche darin unterstützt werden sollen.[1022]

[1019] *Lesage*, Nature 84: „la charité qui procède d'un cœur pur, d'une bonne conscience et d'une foi sans détours' ...; ... Comme le corps manifeste l'âme et lui sert d'instrument, ainsi la loi canonique exprime et propage l'amour de Dieu". Er verweist für den letzten Absatz auf *Congar*, Chrétiens 106.

[1020] *L. Barcia Martin*, Potestad parroquial, in: Potestad 146s: „un medio para llegar al triunfo de la caridad, al la irradiación del verdadero amor". Vgl. *B. Mathis*, der auf Seite 20 vieles zusammenfassend sagt: „Letztes und höchstes Ziel der Kirchengesetze und des Kirchenrechtes ist das Heil der Seelen und Völker sowie die Ehre Gottes. Das Recht muß der Ordnung und der Liebe dienen."

[1021] Cf. *Lesage,* Nature 44: „La loi ecclésiastique ... est rigoureusement spécifiée par la poursuite du salut et la conquête du ciel en présence de Dieu, par Dieu et avec Dieu" („Das kirchliche Gesetz ... ist streng eigengeprägt durch das Erreichen des Heiles und die Eroberung des Himmels in der Gegenwart Gottes, durch Gott und mit Gott").

[1022] Cf. *Lesage,* Nature 152.

Sobald man etwas von kirchlichen Strafen hört, empfindet man leicht ein gewisses Unbehagen. Das kann zwei Gründe haben: Wenn es nicht die Unübersichtlichkeit des kirchlichen Strafrechtes ist, dann ist es sicher eine einseitige Sicht der Kirche. Auch „der Ansatzpunkt für eine Strafrechtsreform ist nur in der *grundsätzlichen Besinnung* zu finden“.[1024] Schauen wir darum näher zu, was sich bei den Kanonisten für ein Kirchenbild im Strafrecht, speziell bei der Behandlung des Finis der kirchlichen Strafe abzeichnet.[1025] Man kann auch hier ziemlich klar das gesellschaftliche (I) vom sakramentalen Kirchenbild (II) abheben. Innerhalb des ersten finden wir wieder Ausführungen, deren Begriffe mehr von der Analogie zur weltlichen Gesellschaft geprägt sind (I, 1), und die Darstellung, die mehr von der Offenbarung herkommt und die Kirche als Heilsinstitution sieht (I. 2).[1026]

[1023] Material zu diesem Thema finden wir im IPE im Abschnitt über die Strafgewalt der Kirche, bei den Kommentatoren in den Ausführungen zum 5. Buch des CIC und in den Werken, die sich mit Grundfragen befassen wie *A. Hagen,* Prinzipien des Kirchenrechts und *P. Ciprotti,* Lezioni di Diritto canonico. Dazu kommen Monographien über das Strafrecht der Kirche wie *H. Schaufs* Einführung in das Strafrecht der Kirche, Aachen 1952, und die allgemeinverständliche Hinführung zum Verständnis des Strafrechts von *L. Naurois* (Quand l'Église juge et condamme, Toulouse 1960), die *A. Scheuermann* bearbeitet hat: *L. Naurois – A. Scheuermann,* Der Christ und die kirchliche Strafgewalt, München 1964. Dazu sei noch besonders auf einige Artikel hingewiesen: *A. v. Hove,* Leges quae ordini publico consulunt: EThL 1 (1924) 164ss; *B. Löbmann,* Die zwei Wege der kirchlichen Strafdisziplin, Leipzig 1962; nach dem Stichjahr 1962 von *dems.:* Die Reform der Struktur des kirchlichen Strafrechts, in Ecclesia et Ius (Festschr. für A. Scheuermann), Paderborn 1968, 707 bis 725; *P. Huizing,* Delikte und Strafen: Conc 3 (1967) 657–664 mit der dort angegebenen Literatur.

[1024] *Scheuermann,* Erwägungen 395.

[1025] Es treten hier wieder Spannungsfelder auf. Wie schon oben ist es zunächst wieder das Gegensatzpaar Einzelheit und Gesamtheit, dann die Spannung zwischen Natürlichem und Übernatürlichem sowie das Gegensatzpaar Immanenz und Transzendenz. Im konkreten Leben, das heißt hier in ihrer Strafpraxis, wird die Kirche immer auf jede Seite zugleich Rücksicht nehmen, z. B. auf den Einzelnen, mit dem sie es als Übertreter eines Gesetzes zu tun hat, wie auch auf die Gesamtheit ihrer Gläubigen. Und doch steht bald dieses, bald jenes im Vordergrund, und daraus ergibt sich jeweils eine andere Darstellung der Kirche. Vielleicht ließe sich hier auch das Gegensatzpaar Fülle–Form deutlich machen. Die scharf gefaßte, klar bestimmte Strafe scheint die Form hervorzuheben, die freiwillig geleistete Buße, die sich weithin in der Tiefe der Seele abspielt, die Fülle.

[1026] Auf diese beiden Typen hat besonders *B. Löbmann* aufmerksam gemacht in seinem Artikel: Die zwei Wege der kirchlichen Strafdisziplin.

I. Der Finis der Strafen im gesellschaftlichen Kirchenbild

1. *Der Zweck der Strafen im Rahmen der Kirche als societas*

Auch in den Ausführungen zum Zweck der Strafe finden wir weithin das Kirchenbild, das stark von den Begriffen des weltlichen Rechtes geprägt ist. „Die kirchliche Strafe dient ... der Vergeltung, ... insoweit es zur Wahrung der sozialen Ordnung erforderlich ist."[1027] Die öffentliche Sühne, die Reaktion gegen die Verletzung der öffentlichen Ordnung durch das Delikt (delictum), wird als innerer Zweck der Strafe bezeichnet.[1028] Die Besserung wird dann als äußerer Zweck erwähnt, vielfach auch als Teilzweck in den Zusammenhang der sozialen Ordnung gestellt, deren Bewahrung als letzter Zweck bezeichnet wird.[1029] Die Begriffe sind also Delikt, Vergeltung und öffentliche Ordnung, sie werden aus dem natürlichen Bereich übernommen. Der absolute Strafzweck (Vergeltung) behält jedenfalls eine beherrschende Stellung.[1030] Die Besserung ist darauf bezogen; „die Strafe geht auf das vergangene, nicht auf das zu vermeidende Unrecht und bemißt sich nach diesem".[1031] Man will die Besserungszwecke nicht zu stark in den Vordergrund schieben, weil sie nach dieser Ansicht zu individualistisch sind und das Gesamtwohl der Kirche hinter dem Seelenheil des Einzelnen zurücktreten lassen.[1032] Weitreichende Konsequenzen ergeben sich für die natürlich nur theoretische Frage, ob die Kirche die Todesstrafe verhängen dürfe. L. Bender vertritt die Auffassung, man dürfe ihr das nicht einfach deswegen absprechen, weil sie als Ziel die Besserung verfolgen müsse. Den Delinquenten zu bessern, beabsichtigt auch der Staat. Andererseits hat in der Kirche als übernatürlicher Gesellschaft die juridische Ordnung und Disziplin eine ungemein große Bedeutung. Wegen der Analogie Kirche–Staat, die beide voll-

---

[1027] *Wernz* VI, n. 72: „Qui finis poenarum ecclesiasticarum ultimus et supremus est conservatio et tutela ordinis socialis in Ecclesia ... Quae restitutio et vindicta non absolute est propria poenae ecclesiasticae, sicut a Deo supremo vindice intenditur, sed tantum relative, i. e. quatenus ad ordinem socialem conservandum requiritur." Ihm folgt *Conte a Coronata* 80 n. 66; cf. et. *Wernz–Vidal* VII, 170 n. 152. Diesen folgen z. B. *Ayrinhac–Lydon*, Penal Legislation in the New Code of C. L., New York ²1936, 27.

[1028] Cf. *Wernz* VI, n. 73: „Quae redintegratio ordinis per delictum voluntarie laesi ... est finis poenae intrinsecus ac proinde essentialis ..."; ihm folgt wiederum *Conte a Coronata* 79 n. 66; cf. *Wernz–Vidal* VII, 172 n. 153; cf. et. *Ottaviani* I, 277 n. 171; *Mörsdorf* III, 295.

[1029] Cf. *Cappello*, Summa 63s n. 65 über die Strafe im allgemeinen: „Finis ... *adaequatus* et *ultimus* est conservatio ordinis socialis." *G. Michiels* versucht zu zeigen, wie im CIC beide Strafarten, die vindikative wie die medizinale, auf die soziale Ordnung und ihre Sicherung bezogen werden, cf. *Michiels* V, 2, 31s; vgl. auch *Bride*, Censures 174.

[1030] Vgl. *Hagen*, Prinzipien 381; *Ciprotti*, Lezioni 60.

[1031] *Hagen*, Prinzipien 382.

[1032] Vgl. *Hagen*, Prinzipien 382.

kommene Gesellschaften sind, entscheidet er sich für die prinzipielle Möglichkeit der Todesstrafe durch die kirchliche Autorität als solche.[1033]

Für das Kirchenbild zeigt sich, wie stark die Kirche als Ordnungsmacht gesehen
und ihre Tätigkeit in rechtlichen Kategorien ausgedrückt wird. Sie rückt damit
sehr in die Nähe der weltlichen Gesellschaft. Sie hat wie diese eine soziale Ordnung, die durch das Delikt verletzt bzw. durch die vergeltende Strafe wiederhergestellt wird. Im Vordergrund steht ihre soziale Dimension, ihre Ordnung
und deren Schutz. Bei den Störungen der Ordnung wird nicht die theologische
Schuld, sondern die rechtliche Übertretung als Delikt berücksichtigt. Die andere Seite, die Schuld vor Gott und ihre Tilgung durch die persönliche Buße
wird natürlich von den Vertretern dieser Auffassung nicht vergessen, aber
ziemlich scharf getrennt und dem forum internum zugewiesen, besonders wenn
es um Gesetzesübertretungen geht, die im privaten Rahmen bleiben.[1034]

Wir finden bei B. Löbmann eine Kritik dieser Auffassung. Er weist nach, daß
sie einen ganzen „Weg" der kirchlichen Strafdisziplin prägt. Diesen Weg nennt
er den Weg „von unten her", weil er sehr stark mit rechtlichen Kategorien arbeitet.[1035]

Dazu meint er, die konkrete Kirche habe zwar eine Ordnung, die man unter
dem rechtlichen Gesichtspunkt betrachten kann, aber diese Rechtsordnung sei
in der Kirche unlösbar mit der moralischen Ordnung verbunden.[1036]

Es kann praktisch nie der Gesichtspunkt der Sünde und das Verhältnis zu Gott
ausgeklammert werden.[1037]

2. Der Zweck der Strafen im Rahmen der Kirche als Heilsinstitution

Wir finden in der älteren Literatur der Kanonisten zwar nicht so häufig, aber
noch deutlich genug eine andere Sicht der Kirche und ihrer Strafen. So fällt es

---

[1033] Vgl. *Bender* 139s.

[1034] *Cavagnis* I, 83: „Lex tunc non solet poenam addere nisi ad summum voluntarie suscipien-
dam seu poenitentiam, et quidem privatam, si peccatum non fuit publicum, ... hinc
pertinet potius ad forum internum. Ex hac poenitentia fit ut qui ordinem suum violavit,
illum reparet salutariter pro se."

[1035] In dem zitierten Aufsatz geht *B. Löbmann* (vgl. *Löbmann,* Wege 208–211. 218) den Ur-
sprüngen dieses Weges nach und zeigt an der Lehre *Thomas' von Aquin,* wie die Gedanken
der Scholastiker prägend wirkten. Der Aquinate behandelt aber die Strafe im Rahmen der
allgemeinen Weltordnung, nicht im Rahmen der Kirche.

[1036] Vgl. *Löbmann,* Wege 215.

[1037] Vgl. *Löbmann,* Wege 217: Die Begrenztheit dieses Weges wird besonders an der Unterscheidung zwischen „inneren" und „äußeren" Strafzwecken deutlich: Auf Grund der rechtlichen Begrifflichkeit muß man zwar zu dieser Unterscheidung kommen, doch wirkt sie, auf
die konkrete Kirche angewandt, paradox; wie kann man nämlich sagen, daß eine Strafe,
die zur Besserung verhängt ist, innerhalb dieses Systems noch sinnvoll ist, wenn doch der
sogenannte wesentliche „innere" Strafzweck bereits weggefallen ist, ein Fall, den man sich
durchaus vorstellen kann?

auf, daß J. Hollweck z. B. sagt: „Oberstes Gesetz bleibt . . . die salus animarum", und zwar das *„öffentliche* Heil".[1038] Hier ist also nicht mehr die öffentliche Ordnung als oberster Zweck angegeben. Die Kirche wird als Heilsanstalt
und als Gemeinschaft der Menschen gesehen, die zum Heile streben. Es geht
um das Heil des einzelnen wie das der Gemeinschaft.[1039] Die Strafe zielt darum
einerseits hauptsächlich auf die Besserung des Schuldigen und sein ewiges
Heil.[1040] Andererseits wird auch in dem Fall, daß die Besserung nicht zu erwarten ist, der Strafe dieser Heilssinn belassen, weil es nicht um irgendeine
juristische oder materielle Gesellschaftsordnung geht, die mit einer Vindika-
tivstrafe wiederhergestellt werden soll, sondern um den Schutz vor dem Ärger-
nis und um das ewige Heil der Gemeinschaft.[1041] Hierin zeigt sich stärker die
Sicht der Kirche, wie sie die Väter hatten.[1042] Es ist nicht nur die juridische, äußere
Bindung berücksichtigt, sondern auch die innere, gnadenhafte Verbindung der
Gläubigen,[1043] die ja durch ein Delikt, das gleichzeitig als Sünde (peccatum)

[1038] *Hollweck,* Strafgesetze XX: „salus *publica*"; ebenso bezeichnet *Pius XII.* in einer Ansprache
an die S. Rota Romana vom 2. 10. 1944 (cf. AAS 36 [1944] 289) die Sorge um die Seelen
als die höhere Einheit, die alle Tätigkeit der Kirche umfaßt.

[1039] Vgl. *Pius XII.,* Ansprache an die S. Rota Romana vom 29. 10. 1947, AAS 39 (1947) 495:
„Die richterliche Tätigkeit" ist „in der Fülle des Lebens der Kirche mit ihrem hohen Ziele
einbegriffen, die himmlischen und ewigen Güter zu verschaffen."

[1040] *v. Hove,* Leges 164s: „La peine, en droit canonique, présente un caractère spécial, bien
different de celui qu'elle revêt dans la législation de l'État: elle a principalement en vue
l'amendement du coupable et son salut éternel."

[1041] *Lega,* de delictis et poenis, ed. 2. 1910, n. 17: „poenae . . . non contendunt . . . ordinem
restaurare societatis iuridicum et materialem, prouti poenae civiles, sed dumtaxat auferre
scandalum seu subditos removere a delinquendo, ne finem amittant in vita aeterna consequendum." Vgl. auch *Hollweck,* Strafgesetze XXVII: Die Strafe erreicht wenigstens ein
äußeres gesetzmäßiges Verhalten, so daß die Gutwilligen „ruhig und ungestört ihr Heil
wirken können".

[1042] Cf. *Creusen,* Adnotationes in V, 23.
B. Löbmann weist (Wege 206–208) darauf hin, wie erst Abälard innere und äußere Sünde
unterschied und eine Verbindung leugnete. Darum blieb nach ihm der Strafgewalt der Kirche nur noch übrig, die äußeren Schäden für die Gemeinschaft zu beseitigen, ohne auf die
Heilssituation Einfluß zu nehmen. Die Dekretisten dagegen hielten an der Verbindung der
so getrennten Teile der Sünde fest und lehrten, daß man aus den Umständen, den Indizien
und Präsumptionen sehr wohl an die innere Schuld herankommen könne. Das entscheidende Moment der inneren Sünde, der Ungehorsam oder „contemptus peccati", wird dann
festgestellt, wenn Verstocktheit (contumacia) vorliegt. Es bleibt also dabei, daß die Strafe
bis in den innersten Kern vorstoßen und am Heile mitwirken will, das heißt aber, daß Besserung und Abschreckung Strafzwecke sind. S. 208: „Das bedeutet die Fortsetzung der Auffassung der alten Kirche, nur daß jetzt die Strafdisziplin neben der Bußdisziplin auf einer
eigenen Ebene läuft."

[1043] *J. Creusen,* Adnotationen in V 88s: „Vinculum enim inter membra Ecclesiae est simul internum (communio sanctorum) et externum." Eben *J. Creusen* fragt sich auch, woher die
verschiedenen Auffassungen über den Strafzweck kommen. Seine Antwort: Es liegt am un-
terschiedlichen Kirchenbegriff, den die Autoren voraussetzen. Man kann die Kirche be-

aufgefaßt wird, in einer tieferen Dimension in Mitleidenschaft gezogen wird. Was das Verhältnis von Einzelnem und Gemeinschaft angeht, ist innerhalb dieser Sicht meist der Einzelne stärker berücksichtigt. Bei A. v. Hove z. B. scheint als Besonderheit der Kirche im Vergleich zum Staate mehr das Heil des Einzelnen berücksichtigt zu werden.[1044]

Diese Sicht legt es nahe, die Todesstrafe grundsätzlich aus dem Arsenal des kirchlichen Rechts herauszuhalten. Sie steht im Widerspruch zum unmittelbaren Ziel der kirchlichen Strafe, der Heiligung der einzelnen Gläubigen und zur von Christus erwarteten Milde der Kirche.[1045] Auch wenn andere fordern, bei der Übung des kirchlichen Strafrechts sei das Privatwohl dem öffentlichen Wohl nachzusetzen, ist ihr Richtmaß eben die „salus *publica* animarum", also die von der Offenbarung her gesehene Heilsaufgabe der Kirche.[1046]

II. Der Sinn der Strafen im sakramentalen Kirchenbild

Die sakramentale Auffassung der Kirche wirkt sich auch auf das Verständnis der kirchlichen Strafe aus. Die Gemeinschaftsordnung der Kirche wird nicht mehr nur als Verwirklichung der lex aeterna, auch nicht bloß als heiligende Disziplin gesehen, sondern sie wird aufgefaßt als Darstellung der geheimnisvollen Wirklichkeit der Kirche als der Gemeinschaft der Heiligen, in der wir der Gemeinschaft mit dem heiligen Gott gewürdigt werden.[1047] In der Betätigung der Rechte drückt sich die Zugehörigkeit zum mystischen Leibe Christi aus, also der Kontakt mit Christus.[1048] Daraus folgt zunächst wieder eine vertiefte Auffassung der Sünde und der Wiederversöhnung mit Gott und der Kirche: „Die neu gewonnene Erkenntnis besteht darin, daß die sakramentale Absolution, welche die im alten Bußritus[1049] geübte Rekonziliation abgelöst

---

schreiben als Einheit der Gläubigen in Christus, die zum Heile streben (*Creusen* I c. 87: „unionem in Christo omnium fidelium ad salutem per fidem et sacramenta sub Vicario Christi et successoribus Apostolorum tendentium"). Andererseits kann man sie sehen als menschliche Gesellschaft, die mit Gesetzen geleitet und mit Strafen geschützt werden muß („societatem humanam legibus regendam necnon poenis conservandam", ib.).

[1044] Cf. *v. Hove*, Leges 164s, vgl. auch Anm. 1040.

[1045] Cf. *Cappello*, Summa 186 n. 188; *H. Schauf*, Einführung in das Strafrecht der Kirche, Aachen 1952, 6 f. n. 9.

[1046] Vgl. *Hollweck*, Strafgesetze XX.

[1047] Vgl. *Naurois–Scheuermann*, Strafgewalt 37.

[1048] Vgl. *May*, Ehre 64.

[1049] Es sei an dieser Stelle auf den späteren Vortrag *T. Garcia Barberenas* auf der zehnten Spanischen Kanonistenwoche (1965) hingewiesen: Zwang im Kirchenrecht, in: Iglesia y Derecho, Salamanca 1966 (Anm. des Vf.).

hat, ebenso wie diese unmittelbar die Versöhnung mit der Kirche bewirkt und daß die Pax cum Ecclesia als bewirktes und bewirkendes Zeichen (res et sacramentum) sakramental ursächlich ist für die Pax cum Deo. In der Vordergründigkeit des sakramentalen Zeichens handelt es sich mithin um die Heimholung des Sünders in den Schoß der Kirche, d. h. kanonistisch gesprochen um einen Hoheitsakt der Kirche, durch den der Sünder mit rechtsgestaltender Wirkung wieder in die Gemeinschaft der Kirche hineingestellt und in den vollen Genuß seiner Gliedschaftsrechte eingesetzt wird."[1050] Die Strafe erhält dabei jedenfalls über ihre Zweckbestimmung hinaus eine tiefere Sinngebung. Es geht zunächst noch gar nicht darum, etwas zu erreichen, zu ändern, sondern der Geist Gottes greift strafend ein, „um zur Umkehr zu rufen und die kirchliche Gemeinschaft zu einer zutreffenden Darstellung dessen zu machen, was sie ihrem Wesen nach ist."[1051] Damit ist also das kirchliche Selbstbewußtsein gefragt, und zwar als ein gesellschaftliches Phänomen des kirchlichen Lebens.[1052] Die Strafe ist, „bevor sie am Bestraften wirksam wird, Ausdruck des kirchlichen Selbstbewußtseins, Bekundung des Volkes Gottes, daß einem Glied nicht mehr der volle Ehrenstand zuerkannt werden kann." Es geht „also nicht nur darum, eine naturrechtlich begründete, das Gesellschaftsleben sichernde Disziplinargewalt zu bestätigen, sondern im tiefsten darum, der Heiligkeit und Heilsfunktion der Kirche zu genügen".[1053] Infolgedessen „muß die Kirche selbst ihre Strafe als Reaktion der Gemeinschaft auf die in ihrer Mitte geschehene Übeltat verstehen, und dem Bestraften darf die wesentliche Gemeinschaftsbezogenheit der Strafe nicht außer dem Bewußtsein bleiben".[1054] Hier wird, wie wir sehen, der Finis mehr als Sinn aufgefaßt. Der Sinn kann sich immer auswirken, nicht immer wird das Ziel erreicht; immer ist die Strafe Bekundung des Volkes Gottes, nicht immer erreicht sie eine Änderung der Verhältnisse oder der Ein-

---

[1050] *Mörsdorf* II, 69 (Pax cum Ecclesia = Friede mit der Kirche; Pax cum Deo = Friede mit Gott); er zitiert wie auch *May*, Ehre 120, Anm. 17 B. *Poschmann*, Paenitentia secunda, Bonn 1940. G. *May* sagt dort vom Empfang des Bußsakramentes: „Der tiefste Grund liegt im Wesen der Kirche, die zugleich rechtlich organisierte Gesellschaft und vom Heiligen Geist belebte Gnadengemeinschaft ist ... Auch jeder Weg zu Gott geht durch die hierarchische Kirche."

[1051] *Mörsdorf* I, 35; *Mörsdorf* III, 297: „... der für die urchristlichen Gemeinden vielfach bezeugte Ausschluß aus der Gemeinschaft ist nicht nur Strafe, sondern zugleich Feststellung, daß der ausgestoßene schwere Sünder nicht zur lebendigen Christusgemeinschaft gehört..." Es wird deutlich, daß es in der Disziplin nicht nur um Gnade geht (etwas), sondern um Christus (jemanden).

[1052] *Scheuermann*, Erwägungen 397; der Verfasser schrieb sie in Erwartung des Konzils, wenn sie auch erst Anfang 1963 veröffentlicht wurden; vgl. auch S. 403.

[1053] *Scheuermann*, Erwägungen 395; vgl. *May*, Ehre 61: „Heiligkeit des Gottesvolkes". Er zitiert wieder *Poschmann* (s. Anm. 1050) 5. 29. S. auch noch *May*, Ehre 63.

[1054] *Scheuermann*, Erwägungen 395 f.

zelnen.[1055] Die Kirche ist gesehen als Volk Gottes, als Gemeinschaft der Heiligen bzw. Geheiligten, als lebendige Christusgemeinschaft. Sie ist als Ganzes Sakrament, wirkmächtiges Zeichen der Gemeinschaft mit Gott. In diese Sicht lassen sich die positiven Ergebnisse der ersten beiden Auffassungen einbauen; es ergibt sich allerdings kein begrifflich durchkonstruiertes System, sondern eine Zusammenschau im Blick auf die konkrete Kirche.

Kapitel 2

DIE ZUGEHÖRIGKEIT ZUR KIRCHE[1056]

Die Frage, wer zur Kirche gehört, spielt in der Literatur eine verhältnismäßig große Rolle.[1057]
Wir finden auf diese Frage zunächst zwei Antworten bzw. Gedankenreihen: Wenn man die Kirche vorwiegend als societas mit eigenem Recht sieht, wird die Aufmerksamkeit auf die Rechtspersönlichkeit gelenkt; diese wird durch die

---

[1055] Es scheint, daß hier der Gegensatz Immanenz und Transzendenz zum Vorschein kommt. Der gelebte Sinn ist ein immanenter Vollzug, der Zweck schaut nach draußen, „übersteigt" die Grenze, will angreifen und verändern. Wenn wir an dieser Stelle die drei geschilderten Auffassungen überschauen, können wir eine Art Schema aufstellen, das uns in einem Blick zeigt, wie innerhalb einzelner Gegensatzpaare die Akzente verteilt sind:

I	A	ausgeglichenes Verhältnis von Gesamtheit und Einzelnem, eher Betonung der Gesamtheit
	B	mehr natürliche Sicht
	C	Betonung der Transzendenz
II	A	Der Einzelne steht im Vordergrund
	B	mehr übernatürliche Sicht
	C	wie I C
III	A	Gesamtheit steht im Vordergrund
	B	wie II B
	C	unmittelbarer Wert der Immanenz

[1056] Zur Orientierung besonders A. Grillmeiers Einführung zur geschichtlichen und theologischen Problematik von Art. 14 der Kirchenkonstitution LThK Vat I, 194–198; eine sehr ausführliche Übersicht bietet vom kanonistischen Standpunkt aus Corral Salvador, Incorporación a la Iglesia por el bautismo y sus consecuencias jurídicas, in: Iglesia y Derecho 287–324.

[1057] Wir finden Ausführungen zu diesem Thema in der Auslegung des c. 87 und des c. 12 (vgl. die Kommentare zum CIC) und in einer Reihe von Artikeln die Diskussion, die besonders seit Erscheinen der Enzyklika Mystici Corporis geführt worden ist: K. Mörsdorf, Die Kirchengliedschaft im Lichte der kirchlichen Rechtsordnung: Theologie und Seelsorge (1944) 115–131; K. Rahner, Die Gliedschaft in der Kirche nach der Lehre der Enzyklika Pius' XII. „Mystici Corporis", in: Schriften II, 7–94 (zuerst: Die Zugehörigkeit zur Kirche nach . . .

Tatsache der Taufe allein begründet, und zwar durch das äußere Faktum vom Rechtsstandpunkt her. Das Glaubensbekenntnis ist unerheblich. Einen Verlust der Rechtsfähigkeit gibt es nicht, nur eine Minderung der Rechte. Wenn man den Nachdruck auf das Heil legt, das durch die Zugehörigkeit zur Kirche verbürgt werden soll, dann betont man die Gliedschaft. Sie wird durch die Taufe und das Bekenntnis des wahren Glaubens in der Gemeinschaft der römisch-katholischen Kirche begründet. Sie kann vollständig verlorengehen durch Abfall oder durch Ausschluß. Dann ist der Betreffende kein Glied der Kirche mehr.[1058]

Vorwiegend auf die erstgenannten Tatsachen richtet sich die Aufmerksamkeit der Kanonisten, für welche hier G. Michiels stehen soll (§ 30 I). Die zweite Sicht, die als traditionelle Lehre der Dogmatiker und Fundamentaltheologen von der Enzyklika Mystici Corporis neu hervorgehoben wurde, läßt sich als dogmatische Betrachtungsweise bezeichnen (II). Natürlich versuchen die Kanonisten, beides miteinander zu koordinieren (III). In der Diskussion bildet sich die These K. Mörsdorfs heraus, der versucht, beide Linien, die auch von der Lehrverkündigung der Kirche her gegeben sind, voll zur Geltung kommen zu lassen und miteinander zu verbinden. Dies geschieht im Rahmen des sakramentalen Kirchenbildes (§ 31 I). Dort sind auch Ansätze zu einer neuen Sicht der Gliedschaft als gestufter Gliedschaft (II).

§ 30 Die Zugehörigkeit zur Kirche im gesellschaftlichen Kirchenbild

I. Die Kirche als societas – Rechtspersönlichkeit und Untertanschaft

Die kanonistische Auffassung ist durch zwei Begriffe gekennzeichnet: persona und subditus.

ZKTh 69 [1947] 129–188); *J. Beumer*, Die kirchliche Gliedschaft in der Lehre des hl. Robert Bellarmin: ThGl 37/38 (1947/48) 243–258. *A. Gommenginger*, Bedeutet die Exkommunikation Verlust der Kirchengliedschaft? ZKTh 73 (1951) 1–71; *W. Onclin*, Considerationes de iurium subiectivorum in Ecclesia fundamento ac natura: EIC 8 (1952) 9–23, *U. Mosiek*, Die Zugehörigkeit zur Kirche im Rahmen der Kanonistik: ThGl 49 (1959) 256 bis 268, *L. Bender*, Persona in Ecclesia-Membrum Ecclesiae: Apollinaris 32 (1959) 105 bis 119. *R. L. Nolasco*, La Iglesia visible misterio de Cristo. Miembros y excluidos, Buenos Aires 1961. *J. Bernhard*, Des membres de l'Église: RDC 11 (1961) 215–226. *H. Schauf*, Zur Frage der Kirchengliedschaft: ThRv 58 (1962) 217–224. *K. Mörsdorf*, Persona in Ecclesia Christi: AkathKR 131 (1962) 345–393. *I. Hervada Xiberta*, Rez. zu: Nolasco, Iglesia (s. diese Anmerkung): Ius Canonicum 2 (1962) 768–773.

[1058] Nach der Vorlesung von *B. Löbmann*, Personenrecht (Manuskript).

1. Der Personbegriff im allgemeinen

In der Auslegung des c. 87 spielt der erste Begriff eine große Rolle. Durch die Taufe wird der Mensch als Person in der Kirche konstituiert, das heißt zum Subjekt von Rechten und Pflichten.

Etymologisch wird Person meistens, wenn auch nicht ganz sicher, von per-sonare abgeleitet.[1059]

Ursprünglich wurde das Wort persona jedenfalls für die Maske des Schauspielers angewandt; dann ging das Wort auf den Schauspieler selber über bzw. auf die Person, die er darstellte. Im allgemeinen Sprachgebrauch bezeichnet man mit Person einfachhin jeden einzelnen Menschen, da ja jeder seine eigene Rolle spielt bzw. eine eigene Funktion hat. Im römischen Recht bezeichnete man mit Personen die Menschen im Hinblick auf die Gesetze.

Philosophisch und theologisch kommt mit dem Begriff der Person besonders der Selbstand des geistigen Wesens („persona est naturae rationalis individua substantia"[1060]) in den Blick.

Im juridischen Sprachgebrauch versteht man unter einer Person „ein Subjekt, das fähig ist, Rechte und Pflichten zu haben",[1061] ein aktives Subjekt von Rechten und ein passives Subjekt von Pflichten, die durch das objektive Recht festgelegt sind oder aus den Rechten anderer sich ergeben.

Von der grundlegenden Fähigkeit, Rechte zu erwerben und zu besitzen bzw. Pflichten zu haben, muß die Fähigkeit zu rechtlich bedeutsamem Handeln unterschieden werden. Diese Handlungsfähigkeit kann teilweise begrenzt oder völlig entzogen werden (Geisteskranke, Kinder).

2. Person in der Kirche

Damit ist das Verständnis für die Aussage des c. 87 grundgelegt: Durch die Taufe wird der Mensch als Person in der Kirche konstituiert mit allen Rechten und Pflichten eines Christen, wenn nicht, was die Rechte angeht, ein Hindernis

---

[1059] *G. Michiels* II, 1, 4–6, dem wir in diesem Zusammenhang folgen wollen, zitiert hier sehr breit *H. Rheinfelder*, Das Wort „Persona", Geschichte seiner Bedeutungen, Halle 1928.

[1060] *Boethius*, Liber de Personis et duabus naturis, c. 3 (PL 64, 1343).

[1061] Capax jurium et obligationum subjectum; dieser rechtliche Personbegriff ist mit dem heutigen philosophischen Personbegriff verwandt. Im Unterschied zur früheren ontischen Auffassung könnte man die heutige ontologisch nennen, und zwar thematisch-ontologisch. Das heißt, die ontologische Struktur der Person wird gesehen und reflex aufgearbeitet. Person wird erkannt als geistiges Wesen, das auf das Du hingeordnet ist und sich im Dialog selbst vollzieht. *A. Guggenberger*, Art. Person im HthG II, 304: „Die zwischenmenschliche Ich-Du-Beziehung ist nicht Konstitutivum des Personseins. Dessen unbeschadet aktuiert sich das Ich am Du und bringt in der Weise der Selbstlosigkeit sein eigenes Sein in den Vollzug."

entgegensteht, das das Band der kirchlichen Gemeinschaft behindert, oder eine von der Kirche verhängte Zensur.[1062]

Wenn wir zunächst einmal von den möglichen Einschränkungen absehen (vgl. weiter unten), dann ergibt sich für den Getauften eine Zugehörigkeit zur Kirche, die ihm Rechte und Pflichten bringt.

Wir finden gelegentlich auch eine differenzierte Aufzählung dieser Rechte und Pflichten; G. J. Ebers z. B. nennt sie ausführlich unter dem Namen Mitgliedschaftsrechte und -pflichten, da er diese rechtliche Stellung als Mitgliedschaft in der Kirche anspricht.[1063] „Die Grundlage für die *Mitgliedschaftsrechte* gibt c. 682, wonach die Laien ein Anrecht darauf haben, vom Klerus die *geistlichen Güter* und vornehmlich die notwendigen *Heilsmittel* zu empfangen."[1064]

Ungetaufte haben diese Rechtspersönlichkeit in der Kirche nicht, wenn sie auch manche Rechte und Pflichten besitzen können, die sonst den Getauften auf Grund der kanonischen Ordnung zukommen.[1065]

Übrigens beziehen sich derartige Bindungen von Ungetauften auch auf die ihnen vom göttlichen Gesetz auferlegte Pflicht, die Kirche in der Erfüllung ihrer Sendung nicht zu hindern, ja sogar sie dabei mit geeigneten Mitteln zu unterstützen. Das folgt aus ihrem Charakter als souveräne Gesellschaft, die allen anderen übergeordnet ist.[1066]

Es bleibt aber dabei: Die Rechtspersönlichkeit in der Kirche wird durch die Taufe geschaffen, und zwar durch jede Taufe, auch die in den von Rom getrennten Gemeinschaften und auch die von Laien, ja von Ungläubigen gespendete Taufe.

3. Die Unaufhebbarkeit der Rechtspersönlichkeit

In der kanonistischen Sicht der Taufe als Schaffung der Rechtspersönlichkeit in der Kirche ist ein dogmatisches Element enthalten: Der Taufcharakter ist nach der Lehre der Theologen[1067] unverlierbar. Darum ist auch die Wirkung der

---

[1062] „Baptismate homo constituitur in Ecclesia Christi persona cum omnibus christianorum iuribus et officiis, nisi, ad iura quod attinet, obstet obex, ecclesiasticae communionis vinculum impediens vel lata ab Ecclesia censura."

[1063] Wie schon vor ihm *Eichmann* ³I, 85; auch *A. Hagen* bezeichnet die Getauften als Mitglieder, ja als Glieder der Kirche (Mitgliedschaft 6), wenn auch nur diejenigen, die in der communio ecclesiastica leben, volle Mitglieder sind (ebd. 8). Diese Terminologie weist schon auf die gestufte Gliedschaft (vgl. unten § 31 II).

[1064] *Ebers* 256; *G. Michiels* gibt in II, 1 nur kurz Beispiele für Rechte und Pflichten, cf. p. 19.

[1065] Cf. *Michiels* II, 1, 16. Auch die Tatsache, daß manche Pflichten göttlichen Rechts, welche das Lehramt der Kirche authentisch vorlegt, alle Menschen binden, Getaufte wie Ungetaufte, kann nicht heißen, daß bei den Ungetauften deswegen eine partielle Rechtspersönlichkeit in der Kirche gesehen werden sollte (cf. *Michiels* II, 1, 16s).

[1066] Cf. *Michiels* II, 1, 17.

[1067] Cf. *Thomas*, S. th. Suppl. q. 22 a. 6.

190

Taufe, die Schaffung der juridischen Personalität, nicht rückgängig zu machen. Rechte können eingeschränkt werden (s. u.), von Pflichten kann entbunden werden, doch die grundlegende Fähigkeit zum Erwerb und Besitz von Rechten und Pflichten bleibt ein für allemal erhalten, weil der Taufcharakter unzerstörbar ist. Wurzelhaft bleibt also ein Getaufter deshalb immer Person in der Kirche Christi.[1068]

4. Die Einschränkung der Rechtspersönlichkeit[1069]

a) Die Sperre

Die vollständige Rechtspersönlichkeit wird auf die kirchliche Gemeinschaft bezogen. Die Kirche ist die juridische Gesellschaft der Menschen, die getauft sind und „in der Vereinigung ihrer Intellekte die gleichen Wahrheiten des Glaubens, die von Gott geoffenbart und kraft der Vollmacht des authentischen Lehramtes von der katholischen Kirche vorgelegt sind, bekennen, und die in der Vereinigung ihrer Willen unter der Regierung der einen höchsten Autorität des römischen Bischofs mit den gleichen Mitteln sich um die Erreichung des Zieles, der heilbringenden Erlösung, bemühen".[1070]

So handelt es sich also bei dem „obex" um Tatbestände, die gerade die Glaubensbindung (vinculum symbolicum) oder die Bindung an die kirchliche Autorität (vinculum hierarchicum) beeinträchtigen. Als solche kommen Häresie, Apostasie und Schisma in Betracht.[1071]

Diese Sperre hindert den Erwerb oder Besitz der Gesamtheit der Rechte, die jemand als Rechtsperson erwerben oder besitzen könnte. Damit ist offen gelassen, daß einige Rechte bleiben können. Jeder Getaufte behält ein besonderes Recht auf die mütterliche Sorge der Kirche.[1072] Bei entsprechender Disposition hat jeder Getaufte, auch und gerade der Häretiker oder Schismatiker ein Recht darauf, die zu seinem Heile notwendigen Gnadenmittel zu empfangen.[1073] Das

---

[1068] Cf. *Michiels* II, 1, 20s.

[1069] *Sipos* 68: „Personalitas completa" – „incompleta".

[1070] *Michiels* II, 1, 21s: „in unione intellectuum easdem veritates fidei a Deo revelatas et vi potestatis magisterii authentici ab Ecclesia catholica propositas profitentium et in unione voluntatum sub regimine eiusdem auctoritatis supremae Romani Pontificis iisdem mediis ad salutiferum Redemptionis finem assequendum conspirantium".

[1071] Im einzelnen sind hier die Auffassungen der Kanonisten unterschiedlich, was z. B. heimliche Delikte angeht und bezüglich der Kinder, ob also die freie Entscheidung notwendig ist (nach *Mörsdorf* nicht: I, 191).

[1072] Vgl. *Jone* I, 112.

[1073] Cf. *W. Onclin*, Considerationes 16s: „Fideles, parati ad implendas conditiones iure requisitas, ius habent ad illa saltem media supernaturalia sine quibus finis supernaturalis consecutio in discrimen adduceretur." Cf. *Michiels* II, 1, 27. Der ganze Artikel von *W. Onclin*

schlägt sich umgekehrt in vielen Rechtsbestimmungen nieder, besonders zeigt es sich in jenen, die für die Notfälle gedacht sind.[1074]

b) Die Zensur, insbesondere die Exkommunikation

Der Begriff der Zensur, im eigentlichen Sinn angewandt auf die Beugestrafe, ist hier weiter und umfaßt alle kirchlichen Strafen, sowohl Sühn- wie Beugestrafen. Hier kommt am meisten die Exkommunikation nicht nur wegen ihrer Häufigkeit, sondern auch auf Grund ihrer Natur in Betracht, ist sie doch eine Zensur, wodurch jemand aus der Gemeinschaft der Gläubigen[1075] ausgeschlossen wird mit den Folgen, die in den canones 2259–2269 aufgezählt werden und die voneinander nicht getrennt werden können (c. 2257 § 1). Diese Folgen sind hauptsächlich Einbuße von Rechten, wie z. B. auf Ausübung von kirchlichen Rechtshandlungen (c. 2263; c. 2265 § 1 n. 1), auf Spendung von Sakramenten etc.[1076] Daneben kommen z. B. noch Interdikt (c. 2268ss) und Ausschluß von kirchlichen Ehrenrechten (c. 2291 n. 8) in Frage. Um welche Rechte es sich im einzelnen handelt, muß man aus den betreffenden canones entnehmen, z. B. bezüglich der Exkommunikation aus den cc. 2257ss, bezüglich der Suspension aus den cc. 2278ss usw.

5. Der Getaufte als Untergebener der Kirche

Im Unterschied zu den Rechten kann bei den Pflichten kein Hindernis auftreten. Durch die Taufe wird ein Mensch mit dem unauslöschlichen Siegel geprägt; er wird auf Grund dessen auch Untertan der Kirche.[1077] Die kirchlichen

---

hat den Zweck, das Fundament der subjektiven Rechte in der Kirche, also den Taufcharakter und die Rechtspersonalität, die damit gegeben ist, gebührend herauszustellen. Er nennt allerdings alle Getauften Glieder der kirchlichen Gesellschaft.

[1074] Besonders *A. Hagen* (Prinzipien 219 f.; Beichte in Todesgefahr: c. 892 § 2) weist hier auf die verschiedenen Vollmachten hin, die der Priester für Gläubige in Todesgefahr besitzt, und auf die Nottaufe. Die Kirche erlaubt auch unter bestimmten Bedingungen die Spendung von Sakramenten an schwer kranke Nichtkatholiken (vgl. Prinzipien 221; Mitgliedschaft 22–27).

[1075] Zum Begriff der Ausschließung aus der Gemeinschaft der Gläubigen, besonders zu der Frage, ob jemand dadurch vom Leibe der Kirche getrennt wird, so daß der Exkommunizierte nicht mehr Glied der Kirche ist, vgl. *Hagen*, Mitgliedschaft 78–92, besonders aber *Gommenginger*, Exkommunikation 25–71, der diese Frage theologisch und historisch gründlichst behandelt. Nach der verbreitetsten Ansicht sind nur die zu meidenden Exkommunizierten nicht mehr Glieder der Kirche (vgl. unten S. 169 f.).

[1076] Zum Verhältnis von Kirchenbild und Exkommunikation vgl. auch *B. Löbmann*, Die Exkommunikation im Neuen Testament, in: ThJ Leipzig 1965, 446–458.

[1077] Cf. *Michiels* I, 1, 346–352 passim: subditus Ecclesiae, societatis ecclesiasticae subditus, subiectio. Vgl. *Jone* I, 35. Er verwendet über den Text des Canons hinausgehend den Ausdruck Untergebene der Gesetze. Bezüglich der Greifbarkeit für die kirchliche Strafgewalt gilt das Gleiche; cf. v. g. *Ottaviani* I, 258 n. 160.

Gesetze gelten nach c. 12 nicht für Kinder unter 7 Jahren und für solche, die den Vernunftgebrauch nicht erlangt haben; für alle anderen Getauften gelten die Gesetze, weil sie subditi der Kirche sind; gewisse Ausnahmen wie c. 1099 § 2 bestätigen die Regel. Natürlich entschuldigt die Getrennten ihre (schuldlose oder schuldhafte) Unwissenheit, so daß die Übertretung der kirchlichen Gesetze kein Delikt für sie ist.[1078] Im übrigen ist der unzerstörbare Taufcharakter Titel der Unterworfenheit, wodurch der Getaufte als Mensch, der aus Leib und Seele besteht, mit seiner ganzen Aktivität, die sich auf geistliche und weltliche (natürliche) Werte richtet, der Kirche total untertan ist.[1079] Unverkennbar zeigt sich hier die Kirche als souveräne Gesellschaft.

Zusammenfassend können wir sagen, daß in dieser Sicht der Kirche als societas die Zugehörigkeit zur Kirche in der Tatsache der Taufe begründet ist, welche die unverlierbare Rechtspersönlichkeit verleiht.[1080] Damit ist jemand fähig, Subjekt von Rechten und Pflichten in der Kirche zu sein. Damit jemand der Gemeinschaft der Kirche verbunden ist und so auch alle Rechte besitzen kann, ist das dreifache Band notwendig, das durch Taufe, rechten Glauben und Gehorsam gegen die kirchliche Autorität entsteht. Die Rechte können eingeschränkt werden durch Strafe oder Sperre. Die Pflichten bleiben bis auf wenige Ausnahmen prinzipiell bestehen: der Getaufte bleibt immer subditus der Kirche. In diesem Bezug zur Gesetzgebungs- und Strafgewalt zeigt sich noch einmal typisch die Kirche als societas perfecta.

II. Die Kirche als Heilsinstitution – Gliedschaft

1. *Die Kirche – zum Heile notwendig*

In der Literatur, die das gesellschaftliche Kirchenbild enthält, begegnen wir gewöhnlich noch einer anderen Gedankenreihe, die mit dem Stichwort der notwendigen Gesellschaft verbunden ist.[1081] Christus, so betonen die Dogmatiker,

---

1078 Einige Autoren wollen annehmen, daß jene Gesetze, die nicht zur Aufrechterhaltung der öffentlichen Ordnung gegeben sind, die Getrennten nicht binden. *G. Michiels* (I, 1, 356) nimmt auch in diesen Fällen die Bindung an.

1079 Cf. *Conte a Coronata* 92 n. 75. Es geht in diesem Zusammenhang um die Berechtigung, um des Gemeinwohles willen nicht nur übernatürliche, sondern auch natürliche Güter zu entziehen.

1080 Cf. *Wernz-Vidal* I, 191s, nota 99 Traité I, 101. 234ss; *Hagen*, Mitgliedschaft geht auch vom Begriff der Kirche als Rechtsanstalt (21) aus, baut dann allerdings die andere Seite stark ein (2–8).

1081 Eine Reihe von Kanonisten setzt in diesem Punkt einfach die Lehre der Dogmatiker bzw. Fundamentaltheologen voraus; z. B. *Conte a Coronata* 44 n. 37; 46 n. 38; *Ottaviani* I, 144 n. 90; 146 n. 92; wir folgen hier *Cappello*, Summa 85s n. 89.

hat die Kirche als einziges Mittel zum Heile der Menschen gestiftet (necessitas medii). Er hat auch allen (erwachsenen) Menschen ein Gebot gegeben, die Lehre der Kirche anzunehmen, sich taufen zu lassen und sich ihren Gesetzen zu unterwerfen (necessitas praecepti).[1081a, 1082] Dadurch werden sie Glieder der Kirche. Es entspricht also dem Willen Christi, daß jeder Mensch Glied der Kirche und dadurch gerettet wird. „Niemand kann gerettet werden, der wissend und freiwillig außerhalb der Kirche lebt und stirbt, weil jeder, dem die Lehre Christi hinreichend vorgelegt worden ist, in sie eintreten muß."[1083] Diese Notwendigkeit liegt also in der Natur der Sache und ist außerdem durch Christi Gebot bekräftigt worden. Und da es auf das Heil und die Voraussetzungen dazu ja schließlich ankommt, möchten viele Theologen, Kanonisten wie Dogmatiker, die Bezeichnung Glied für die so der Kirche Angehörigen reservieren.[1084]

2. Leib und Seele der Kirche

Nun ist freilich schon lange gesehen worden, daß der Heilsbesitz bzw. die Rechtfertigung nicht immer und nur mit der Erfüllung dieser drei Bedingungen verbunden ist. Schon früh wußte man von der Gnade des baptismus flaminis und der Bluttaufe. Man erklärte das durch einen Vergleich mit dem Einzelmenschen: Die Kirche hat einen Leib,[1085] ihre sichtbare gesellschaftliche Einrichtung, und eine Seele, die heiligmachende Gnade.[1086] So ist zu sagen: Zwar gehören alle gültig Getauften, auch die geheimen Häretiker und Schismatiker, die tolerierten Gebannten und sogar die Sünder zum sichtbaren Leib der Kirche; der Seele der Kirche, ihrem innersten Geist, sind jedoch nur jene verbunden, die im Stande der Gnade sind, d. h. die den inneren Glauben und die Liebe bewahren.[1087] Und umgekehrt, wer wie die Katechumenen wünscht, der Kirche anzugehören, gehört schon zu ihrer Seele. Dabei ist allerdings vorausgesetzt, daß sein Wunsch sich auf den Körper, d. h. auf die sichtbare, von Christus begründete, also die römisch-katholische Kirche bezieht.[1088]

[1081a] Vgl. Mt 10, 14 f. 40; Mk 16, 15; Lk 10, 16; Joh 3, 5.

[1082] Cf. *Cappello*, Summa 84 n. 88.

[1083] *Cappello*, Summa 84 n. 88; wer aus der römisch-katholischen Kirche herausgeht, „se separat a fide, ab Ecclesia, a Christo, a salute" (*Wernz–Vidal* I, 15, adn. 16).

[1084] Vgl. *Michiels* II, 1, 21s; *Wernz–Vidal* I, 191–193, adn. 99; *Rahner*, Gliedschaft 33.

[1085] Cf. *Michiels* I, 1, 347: „corpori Ecclesiae adscriptas (sc. personas)"; cf. *Cappello*, Summa 86 n. 89.

[1086] *Brys* I, 186 n. 283: „elementum internum et spirituale, gratia nempe habitualis, quae est principium vitae supernaturalis et sanctificationis hominum" (CollBrug 23, 114).

[1087] Cf. *Jiménez-Fernández*, Instituciones 52.

[1088] *Cappello*, Summa 86 n. 89; *A. Vermeersch*, Practica disquisitio de sacramentis conferendis vel negandis acatholico: PerRMCL 18 (1929) 123–148; spez. 141: „Anima Ecclesiae non

In diesem Kontext bekommt auch die Exkommunikation eine etwas andere Stellung. Sie wird dann nicht nur als Entzug von Rechten gesehen, sondern in ihrer Bedeutsamkeit für das Heil. Allgemein werden drei Arten von communio fidelium unterschieden: communio civilis, der Verkehr im „bürgerlichen Leben", also im Alltag; communio ecclesiastica, die in externa und interna unterteilt wird, je nachdem man z. B. den Empfang der Sakramente und Sakramentalien oder die Teilnahme an den Früchten des Meßopfers und des allgemeinen Gebets der Kirche (c. 2262) meint; die communio divina, die Gemeinschaft in der Seele der Kirche, der heiligmachenden Gnade oder Gottesliebe. Natürlich, so sagt z. B. A. Hagen, kann die Kirche nicht in die communio divina eingreifen.[1089] Aber es kommt doch wenigstens der gegenseitige Bezug von innerer Gnade und äußeren Rechtsakten in Sicht, und so nennt man die communio ecclesiastica interna auch communio mixta. Es wird deutlich, daß der Rechtsbereich etwas mit dem Gnadenbereich zu tun hat, und darum mit dem Heil.

3. Die Enzyklika „Mystici Corporis"

Papst Pius XII. hat dann in der Enzyklika Mystici Corporis mit großem Nachdruck die Identifikation von mystischem Leibe Christi und römisch-katholischer Kirche[1090] und die traditionelle Lehre der Dogmatiker und Fundamentaltheologen bekräftigt,[1091] daß zur Gliedschaft das dreifache Band gehöre: „Glied der Kirche (Ecclesiae membrum) ist nur der, der erstens die Taufe empfangen hat, zweitens den wahren Glauben bekennt (veram fidem profiteri), drittens sich nicht entweder selbst vom Verband der kirchlichen Körperschaft (corporis compago) getrennt hat oder von ihm durch die kirchliche Autorität getrennt wurde. Daraus folgt negativ, daß der Ungetaufte und derjenige, der sich durch ein vom Glauben der Kirche abweichendes Glaubensbekenntnis oder durch eine grundsätzliche Ablehnung der kirchlichen Autorität in Gegensatz zur Kirche setzt (fide vel regimine dividi), nicht mehr Glied der Kirche ist."[1092]

---

est extra ipsam Ecclesiam visibilem seu corpus Ecclesiae." Der Vergleich wird verlassen, wenn *E. R. v. Kienitz* die gemeinte Sache so ausdrückt: Es gibt Leute, welche die fundamentalen religiösen Wahrheiten bekennen, aber als Schismatiker oder Häretiker leben. Unter ihnen sind viele, in denen Christus durch den Heiligen Geist wirkt. Diese nennt er Glieder der Kirche im mystischen Sinn (vgl. *v. Kienitz*, Gestalt 13 f.). Hier finden wir die Bildrede vom mystischen Leibe wieder in dem „romantischen" Sinn, wo damit mehr das innere, göttliche Element der Kirche bezeichnet wird (vgl. oben § 18 II. 2 Anm. 689).

[1089] Vgl. *Hagen*, Mitgliedschaft 87 ff.

[1090] Vgl. besonders *Bertrams* passim, u. a. Sinn 105 f.

[1091] Wir wählen als Interpreten *K. Rahner* (Gliedschaft).

[1092] *Rahner*, Gliedschaft 33. K. Rahner betont in diesem Zusammenhang gegen *K. Mörsdorf* und seine Vorgänger (als erster nicht *Eichmann* I, 7, wie *Gommenginger*, Exkommunika-

Des weiteren geht es um genauere Bestimmungen in der Grenzziehung. Es bleibt die kontroverse Frage unentschieden, ob der geheime Häretiker zur Kirche gehört oder nicht.[1093]

Man kann trotz abweichender Meinung einzelner Theologen nicht sagen, daß materielle Häretiker zur Kirche gehören.[1094] In einem einzigen Punkte entscheidet die Enzyklika etwas authentisch: Mindestens ein excommunicatus vitandus, ein zu meidender Gebannter, ist nicht mehr Glied der Kirche.

Aus dem Gebiet terminologischer Festlegungen führt uns der Satz von der Heilsnotwendigkeit der Kirche zur Frage nach der Sache, dem Wesen der Kirche.[1095] Die Enzyklika betont einerseits diese Heilsnotwendigkeit unmißverständlich, andererseits schließt sie aber auch nicht die Möglichkeit der Rechtfertigung und des Heiles für die Menschen aus, die ohne persönliche Schuld der Kirche nicht als Glieder im eigentlichen und vollen Sinn angehören.

Pius XII. setzt mehr als sonst im katholischen Sprachgebrauch die Kirche in dieser Welt mit dem mystischen Leib Christi terminologisch gleich. Damit geht er gegen latente Einflüsse im Denken der Katholiken an, die eine Zugehörigkeit zum mystischen Leibe Christi unabhängig von oder gewissermaßen an der römisch-katholischen Kirche vorbei annehmen wollen. Die Enzyklika nennt nicht die heiligmachende Gnade, sondern den Heiligen Geist die Seele der Kirche. Wenn man nun an die alte Unterscheidung einer Zugehörigkeit zum Leibe und zur Seele bzw. nur zur Seele der Kirche denken möchte, verwehrt uns das gerade die starke Betonung der Tatsache, daß „der rechtfertigende und vergöttlichende Geist ‚Seele‘ der *sichtbaren* Kirche ist und darum eigentlich nur in ihr gefunden werden kann",[1096] einfach zu sagen, daß Menschen, die etwa außerhalb der Kirche gerechtfertigt werden, zur Seele der Kirche gehören, ohne das Geringste mit ihrem sichtbaren Leibe zu tun zu haben.[1097]

---

tion 15, Anm. 43 meint, sondern *R. v. Scherer,* Handbuch des Kirchenrechts I, Graz 1886, 18 und *P. Hinschius,* System des katholischen Kirchenrechts V, Berlin 1893, 494), die bei allen Getauften von Gliedern sprechen, daß eine Aussage in dieser Frage sich nicht nur sachlich, sondern auch terminologisch an die Aussagen des Lehramtes halten muß. *G. Michiels* spricht ja auch nur von der Person in der Kirche und von den subditi. Glieder sind auch nach ihm nur diejenigen, die in der communio stehen.

[1093] *Rahner* 34: der größere Teil der Theologen, darunter der Klassiker der Ekklesiologie, *R. Bellarmin,* sind der bejahenden Ansicht.

[1094] *Rahner,* Gliedschaft 35.

[1095] Vgl. *Rahner,* Gliedschaft 41.

[1096] *Rahner,* Gliedschaft 74. Dazu vgl. *Schmaus* III, 1, 826, der unter Berufung auf Mystici Corporis K. *Rahners* Standpunkt teilt, und *Mörsdorf,* Persona 353 in gleichem Sinne.

[1097] Vgl. *Rahner,* Gliedschaft 74; vgl. auch Anm. 1088. Der weiteren Klärung widmet K. *Rahner* den 3. Teil der Untersuchung (Seiten 76–94), indem er die These von der durch die Menschwerdung des Wortes „konsekrierten" Menschheit darstellt.

Hier erkennen wir die typischen Merkmale der Heilsinstitution: Entscheidend ist der Bezug auf die Stiftungsdaten Christi (Glaube, Taufe, Gehorsam: Mt 28, 18 f.) und auf den speziellen Finis, auf Grund dessen die Kirche so notwendig ist, das Heil.

III. Koordinierung beider Aspekte

Zwischen den skizzierten Auffassungen besteht eine Diskrepanz. Sie wird besonders seit Erscheinen der Enzyklika Mystici Corporis deutlich gesehen, und es werden verschiedene Versuche angestellt, sie zu beheben.

Die einfachste Lösung ist die, daß man subditi und membra unterscheidet. Der reine Taufcharakter begründet die Untertanschaft, das dreifache vinculum die Gliedschaft.[1098]

Eine andere Richtung erklärt den Unterschied der Auffassungen von zwei verschiedenen Gliedschaftsbegriffen her. Während die Kanonisten die Zugehörigkeit zur Kirche als Rechtsanstalt betrachteten, bezögen die anderen sie auf die Kirche als mystischen Leib (Gnadengemeinschaft). Damit sei natürlich keine doppelte Kirche postuliert, sondern gerade im Sinne Pius' XII. nur eine Kirche behauptet, die aber unter verschiedenen Rücksichten betrachtet werde,[1099] so daß zwei analoge Weisen des Gliedseins bestünden.[1100] Eine ähnliche Erklärung verweist auf den Unterschied zwischen dem Anstaltsbegriff und dem Korporationsbegriff. Während die Enzyklika von dem „Kirchengemeinschaftsbegriff Bellarmins" ausgehe, basierten die Kanonisten auf dem Anstaltsbegriff. Dem letzteren wird eindeutig der Vorrang eingeräumt, da es in der Frage der Mitgliedschaft um eine rechtliche Frage gehe.[1101] Nach J. Bernhard liegt ein univoker juridischer Gliedbegriff (Fähigkeit, Rechte auszuüben)[1102] vor, der genauer zu bestimmen ist. Man müsse zwei Arten von Glie-

---

[1098] Cf. *Conte a Coronata* I, 131 n. 119; *Brys* I, 186 n. 283; ähnlich *May*, Ehre 15–21, der im großen und ganzen *Rahner*, Gliedschaft folgt; *Bertrams*, Subsidiaritas 32; *Montero*, Derecho comparado 11–13; *Nolasco*, Iglesia 40; *Hervada*, Rez. Nolasco 772.

[1099] Cf. *Bender*, Persona 116ss; vgl. *Beumer*, Gliedschaft 248; *Michiels* II, 1, 21, adn. 2. Vgl. auch *Hagen*, Mitgliedschaft 4.

[1100] Cf. *Ciprotti*, Lezioni 176: „essere giuridicamente membro" durch Taufcharakter.

[1101] Vgl. *Hilling*, Mitgliedschaft 127–129. *N. Hilling* meint, man dürfe die Unterscheidung von membrum und subditus keinesfalls zu einer völligen Trennung werden lassen, da die Pflichten des Untergebenen auf der „Mitgliedschaft" beruhen (126). *N. Hilling* findet Zustimmung bei *U. Mosiek* (Zugehörigkeit 268), was die Rückführung auf die beiden Kirchenbegriffe angeht. *U. Mosiek* betrachtet den Dissens nur als formellen; nach Klärung der Begriffe sei eine Synthese wie die *K. Mörsdorfs* (s. u.) zu begrüßen.

[1102] Membres 224: „la qualité de membre consiste précisément dans la capacité d'exercer au moins certains droits primoriaux."

dern unterscheiden: „vollständige" und „teilweise eingeschränkte" Glieder.[1103]
Für eine Reihe von Kanonisten klingt in membrum mehr als nur rechtliches
Denken. Es sind besonders jene, die von der Leib-Christi-Theologie berührt
sind.[1104] So nimmt F. M. Cappello den Taufcharakter als Weihe zum Gliede
des mystischen Leibes Christi.[1105] K. Mörsdorf endlich gibt eine bemerkenswerte eigenständige Lösung, die ausführlicher darzustellen ist.

§ 31 Die Zugehörigkeit zur Kirche im sakramentalen Kirchenbild

I. Die Theorie K. Mörsdorfs

Wie wir schon oben in einem Überblick gesehen haben,[1106] hat K. Mörsdorf die
Unterscheidung von konstitutioneller und tätiger Ordnung der Kirche eingeführt, um die verschiedenen Ebenen, Schichten oder Elemente in der von Gott
gegebenen Struktur[1107] der Kirche als Zeichen des Heiles[1108] klarer voneinander
abzuheben, gleichzeitig aber auch ihre innere Hinordnung aufeinander herauszustellen. Im Bereich der Gliedschaft finden wir die gleiche Struktur wieder.
Gerade für die Gliedschaftsdiskussion ist das wichtig, denn sie hängt untrennbar mit der Frage nach dem Heil zusammen. „Mit der Gliedschaftsfrage verbindet sich der alte Satz: *Extra Ecclesiam nulla salus,* der in seinem ursprüng-
lichen Verständnis auf die sichtbare, hierarchisch verfaßte Kirche zielt und in
dieser das von Jesus Christus aufgerichtete Zeichen des Heiles sieht, in dem
der Gottmensch, der einzige Mittler des Heiles, sein Heilswirken in verborgener Weise fortsetzt bis zu seiner Wiederkunft in Macht und Herrlichkeit.

[1103] *Bernhard,* Membres 215–226 passim; er berührt sich hier auch mit *N. Hilling;* Glied habe
einen verschiedenen Sinn, je nachdem man mehr die korporative oder die institutionelle
Seite der Kirche betont. *A. Hagen* spricht auch von „vollen Mitgliedern" (Mitgliedschaft 8),
Ch. A. Bachofen (I, 88) von „actual member" im Unterschied von „member", *Sipos* 68
setzt persona = membrum und spricht von personalitas completa und incompleta.

[1104] Vgl. oben § 3 II.

[1105] I, 151 n. 172: „consecratio in membrum corporis mystici Christi"; Cf. et *Beste* 136: „corpori
Christi mystico inseritur", efficitur membrum in societate a Christo instituta et constituitur
persona in Ecclesia Christi." *Gasparri,* Cat. Cath. q. 348: „baptizatus fit membrum mystici
Corporis Christi, quod est Ecclesia."

[1106] Vgl. oben § 19 B.

[1107] Vgl. *Mörsdorf,* Persona 352.

[1108] Die sakramentale Sicht der Kirche hebt auch *A. Gommenginger* (Exkommunikation) hervor. Erst wenn man das Problem der Gliedschaft als ein zugleich dogmatisches wie kanonistisches anpackt, kommt man zu rechten Lösungen, denn „die Rechtsordnung ist das Sakrament – im weiteren Sinn – einer höheren Wirklichkeit, die ihr ihren Wert und Sinn
gibt" (9).

Kirchengliedschaft heißt Teilhabe an diesem Zeichen des Heiles. Die Gliedschaftsfrage hat demnach ihren angestammten Ort in der *sakramentalen Zeichenhaftigkeit der Kirche.*"[1109]

1. Die „konstitutionelle"[1110] Gliedschaft durch die Taufe

„*Konstitutionelle Gliedschaft* ist das durch den gültigen Empfang der sakramentalen Taufe vermittelte Personsein in der Kirche, das durch den character indelebilis der Taufe bewirkt wird und wie dieser unverlierbar ist."[1111] Das Personsein in der Kirche beruht also auf der Taufe, sie ist eine Neugeburt, die Gott in sakramentaler Weise am Menschen vollzieht, wodurch dieser in die übernatürliche Gemeinschaft Kirche hineingeboren oder hineingeschaffen wird; der sakramentale Charakter ist ein von Gott gewirktes unzerstörbares Zeichen der Zugehörigkeit zu Christus und seiner Kirche. Er „ist dadurch gliedschaffendes Prinzip, daß er den Getauften Christus, dem Stammvater und obersten Hirten des neuen Gottesvolkes, ähnlich macht (signum configurativum), ihn dadurch von allen unterscheidet, die nicht zum Gottesvolk gehören (signum distinctivum), ihn zum Dienst im Gottesreich verpflichtet (signum obligativum) und ihm die Anwartschaft auf das Heil gibt (signum dispositivum ad gratiam)".[1112] Im Unterschied zu der rein juridischen Auffassung und Darstellung des Personseins in der Kirche wird hier das Gliedsein als neue ontische Wirklichkeit im Getauften ganz ernst genommen. Diese konstitutionelle Gliedschaft drängt auf die Verwirklichung in der Ebene der tätigen Gliedschaft hin, nicht in einer nur äußerlich-rechtlich verpflichtenden Weise, sondern auf Grund ihres innersten Wesens. Die Taufe ist zudem nicht bloß als Setzung eines äußeren Zeichens gesehen, „sondern als ein bewirktes und bewirkendes Zeichen, also in ihrer gliedschaffenden Funktion, die auf die übernatürliche Gemeinschaft der Kirche hingeordnet und nur im Glauben greifbar ist".[1113]

2. Die „tätige" Gliedschaft

„*Tätige" Gliedschaft* ist der personale Vollzug der konsekratorisch geprägten Christusförmigkeit des Getauften. Sie besteht darin, daß der Getaufte in Auf-

---

[1109] *Mörsdorf*, Persona 354; er beruft sich dafür auch auf *Rahner*, Gliedschaft 19 f.; vgl. *May*, Ehre 15.

[1110] Dieser Begriff ist im Hinblick auf das constituitur in c. 87 gewählt (*Mörsdorf*, Persona 349).

[1111] *Mörsdorf* I, 186. Hiernach ist die Gliedschaft einfach das Personsein, während *K. Mörsdorf* an anderer Stelle auch sagt, er schließe vom Personsein auf das Gliedsein; zur Differenz s. Anm. 1112.

[1112] *Mörsdorf* I, 186; Gliedsein ist also (Persona 372) nicht nur Fähigkeit, Rechte und Pflichten zu haben, sondern Fähigkeit, die übrigen Sakramente zu empfangen.

[1113] *Mörsdorf*, Persona 352.

nahme der Heilsgaben Gottes und in freier personaler Entscheidung danach strebt, ein getreues Bild der konsekratorisch in ihm gezeichneten Christusgestalt zu werden."[1114] Das bedeutet, daß der mündige Christ den rechten Glauben bekennen und sich unter die hierarchische Führung der Kirche stellen soll. Diese beiden Erfordernisse sind zwar auch begleitet von der Gnadenhilfe Gottes, doch sind sie abhängig von der freien Zustimmung des Kirchengliedes, während die obengenannte konstitutionelle Gliedschaft, einmal von Gott bewirkt, unverlierbar und damit dem freien Willen des Menschen, auch der Vorsteher der Kirche, entzogen ist.[1115] Dagegen sind die Gliedschaftsrechte verlierbar, so daß der Getaufte von einem aktiven zu einem passiven Glied werden kann; die Pflichten bleiben ja bestehen.[1116] Was die materiellrechtlichen Vorschriften angeht, wiederholt K. Mörsdorf nun das, was schon oben im § 30 im Rahmen der kanonistischen Auffassung gesagt worden ist, insofern ja das sakramentale Zeichen rechtliche Struktur hat. Er behandelt sehr genau die Rechtsfolgen von Sperre und Strafe, lenkt den Blick aber immer wieder auf die innere Gnade, auf das Heil, das zu verlieren der Getaufte in Gefahr steht, wenn seine konstitutionelle Gliedschaft untätig bleibt. So spricht er davon, daß der Gebannte an der vollen Zeichenhaftigkeit der Kirche keinen Anteil hat. Die Kirche wird ja erst dann „zum *vollen Zeichen des Heiles, das allen Menschen den Weg zu Christus weist*",[1117] wenn durch die bewußte freie Entscheidung ihrer Glieder die eingeprägte Christusförmigkeit gelebt wird. Deutlich zeigt sich: Der Getaufte steht nicht der Kirche als Heilsempfänger oder Untertan gegenüber, sondern ist dazu geprägt, die Kirche als Heilszeichen mitzubilden und darin selber das Heil zu empfangen.

Die tätige Gliedschaft bewegt sich in zwei Kreisen, dem des äußeren und dem des inneren Bereiches. Normalerweise sollten beide Bereiche sich decken. Doch kommt es einerseits vor, daß im äußeren Bereich eine Strafe eingetreten ist, obwohl der Betreffende im inneren Bereich nicht verantwortlich gemacht werden kann. Andererseits aber auch, daß im inneren Bereich eine Schuld vorliegt, ohne daß die Folgen für den äußeren Bereich greifbar geworden sind. Es kann sogar noch ein Widerstreit zwischen dem inneren Bereich und der letzten Wirklichkeit des Gewissens eintreten, so daß eine Beichtabsolution wegen

---

[1114] *Mörsdorf* I, 187. In der Terminologie der Sakramentenlehre gesprochen, handelt es sich also um die Disposition des Empfängers, vgl. oben § 25.

[1115] Vgl. *Mörsdorf* I, 31; er vergleicht das übrigens (Persona 369) mit der Eingliederung in eine Familie.

[1116] Allerdings betont er auch (Persona 372), daß nicht alle Rechte verloren gehen können, so daß deswegen der Begriff der Unterworfenheit (subditus) die Stellung eines solchen Getauften niemals adäquat beschreiben kann.

[1117] *Mörsdorf*, Persona 380.

Heuchelei unwirksam bleibt. Hier kann eine Klärung nur vor dem Forum Gottes erwartet werden. Es bleibt eben die Doppelheit des juridischen und charismatischen[1118] bzw. des rechtlichen und gnadenhaften[1119] Elementes. Sie sind aufeinander hingeordnet, können aber auch auseinanderfallen.

Wenn das Rundschreiben Mystici Corporis sagt, daß „die, welche im Glauben und in der Leitung getrennt sind, nicht in diesem einen Leib und aus seinem einen göttlichen Geist leben können" bzw. daß der Geist Christi es „verschmäht, in den vom Leibe völlig getrennten Gliedern durch die heiligmachende Gnade zu wohnen", dann spricht es von konstitutionellen Gliedern, die im inneren Bereich der tätigen Gliedschaft nicht in der aktiven Gemeinschaft der Kirche stehen,[1120] und weist erneut auf die Sinnspitze der tätigen Gliedschaft hin, die heilende Verbindung mit dem Leibe und Geiste Christi.

II. Gestufte Zugehörigkeit zur Kirche

Einige Andeutungen dieser Auffassung finden wir im Zusammenhang mit der Leib-Christi-Theologie schon bei G. May.

1. *Gliedschaft am mystischen Leibe Christi und Empfang des eucharistischen Leibes Christi*

G. May hat, wie wir oben sahen, die Semmelrothsche Deutung des Ursakramentes übernommen. Die Behandlung der Kirchengliedschaft als Grundvoraussetzung der Teilnahme am eucharistischen Mahle führt ihn zu einer Konzentration auf das Modell vom mystischen Leibe Christi, da ja die Eucharistie die Eingliederung in den mystischen Leib des Herrn zugleich anzeigt und bewirkt.[1121] Er bezeichnet mehrmals die Gliedschaft in der Kirche als Gliedschaft am mystischen Leibe, „der mit der römisch-katholischen Kirche als von Christus gegründeter, heilsnotwendiger, äußerer, sichtbar organisierter und hierarchischer Gesellschaft mit dem Bischof von Rom an der Spitze identisch ist"[1122]. Da die res des Altarssakramentes die Einheit des mystischen Leibes Christi ist,[1123] erscheinen von hier die integrale Gläubigkeit (Glaube als Einheitsprinzip der

---

[1118] Vgl. *Stickler* 590; *Mörsdorf,* Persona 353; vgl. *Hagen,* Prinzipien 12.

[1119] Vgl. *Hagen,* Mitgliedschaft 21; vgl. Prinzipien 12.

[1120] Vgl. *Mörsdorf* I, 192 f.

[1121] Vgl. *May,* Ehre 15; als Beleg gibt *G. May: Aug.,* De Civ. Dei 21, 25, 2: PL 41, 741. Dazu zit. er noch *Schmaus,* Katholische Dogmatik IV, 1, ³⁺⁴1952, 373 (Ehre 19, Anm. 19).

[1122] *May,* Ehre 15 nach Mystici Corporis 199, *Rohrbasser* 763.

[1123] Vgl. *Th. Sartory,* Kirche und Kirchen, in: Fragen der Theologie heute, Einsiedeln–Zürich–Köln 1957, 369 (*May,* Ehre 23).

Kirche) und die Einheit mit Haupt und Gliedern (hierarchische und soziale Einheit als Einheitsprinzip) nicht nur als Voraussetzung zur Teilnahme an der Eucharistie, sondern als Bedingungen der vollen Eingliederung in den mystischen Leib.[1124] Wie steht es nun aber mit der Eucharistiefeier außerhalb der Kirche? Obwohl es außerhalb der Kirche eine Eucharistiefeier mit dem vollen Inhalt des Leibes und Blutes Christi gibt (volle Sakramentsverwirklichung), bringt diese doch sicher nicht die volle Sakramentswirkung, die Eingliederung in den mystischen Leib und die innigere Verbindung mit der Einheit der Kirche mit sich.[1125] Man kann wohl sagen, daß in den häretischen und schismatischen Gemeinschaften eine Restspur der wahren Kirche ist, ein kirchliches Element. Doch geschieht diese Eucharistiefeier nicht im Auftrag der Kirche und „ist insofern nicht die Feier der Kirche, nicht Sichtbarkeit des mystischen Leibes des Herrn"[1126]. Sowohl mit dem Ausdruck „voll eingegliedert" wie mit der Rede von den Elementen der Kirche bei den Nichtkatholiken werden wichtige Aussagen des Konzils angedeutet bzw. vorweggenommen.[1127] Dazu äußern sich einige Autoren.

2. Gestufte Zugehörigkeit zur Kirche

Es gibt auch ausdrücklich diese Auffassung der Kirchengliedschaft: „Kirchengliedschaft ist gestuft und kommt gestuft vor."[1128] In einer sehr universalen Weise sieht Thomas von Aquin die Beziehung der Menschen zu Jesus Christus; darauf weist B. Panzram hin. Er lehrt, daß folgender Unterschied zwischen dem natürlichen Leib des Menschen und dem mystischen Leib der Kirche bestehe: „Dem natürlichen Leib gehörten alle Glieder gleichzeitig an, dem mystischen aber nicht . . . Christus sei ganz allgemein und für alle Zeiten das Haupt aller Menschen, aber in verschiedenen Graden. In erster Linie sei er das Haupt derer, die durch die Herrlichkeit der Gottesschau, zweitens derer, die durch die Liebe, und drittens derer, die durch den Glauben mit ihm wirklich vereinigt seien; viertens sei Christus das Haupt derer, die ihm nur einer Möglichkeit nach verbunden seien, die zwar noch nicht Wirklichkeit geworden sei, aber doch nach der göttlichen Vorherbestimmung verwirklicht werden solle; und

---

[1124] Vgl. *May*, Ehre 16 f. 23.

[1125] Vgl. *May*, Ehre 21; als Belege gibt G. May: *Bernold von Konstanz*, Tr. de sacr. haer.: PL 148, 1061ss; *Alger von Lüttich*, De sacr. 3, 12: PL 180, 846s; *Hugo von St. Viktor*, De sacr. christ. fid. 2, 11, 13: PL 176, 505D–506C.

[1126] *May*, Ehre 23.

[1127] LG 14–15. *May*, Ehre 23 und 22.

[1128] *Schauf*, Kirchengliedschaft 219; vgl. auch *Hervada Xiberta*, Rez. Nolasco 772, allerdings für die Stufung innerhalb der durch das dreifache Band begründeten kirchlichen Gemeinschaft; vgl. auch *May*, Ehre 20.

fünftens sei er auch das Haupt derer, die ihm nur nach einer Möglichkeit verbunden seien, die niemals verwirklicht werden könne. Das seien die Menschen, die in dieser Welt lebten, aber nicht für die Seligkeit vorherbestimmt seien. Sobald sie aus dieser Welt schieden, hörten sie ganz und gar auf, Glieder Christi zu sein, weil sie dann jede Möglichkeit verlören, mit Christus vereint zu werden."[1129] Diese Gedankenrichtung wird aber nicht weiter verfolgt und systematisiert.

Später versucht T. I. Jiménez-Urresti in dieser Richtung vorzustoßen. Er meint, es sei zu wenig, bei den Getauften, die von der römisch-katholischen Kirche getrennt sind, von subditi zu sprechen. Die Unterscheidung zu den membra sei nominalistisch. Alle Getauften, die gültig und fruchtbar Sakramente empfangen, bekennen dabei doch den Glauben an Christus, und sie werden mit der Kirche geeint, weil die Sakramente je verschieden eine soziale Struktur haben. Also sind sie wahre Glieder. Man muß allerdings hinzufügen: insofern sie den wahren Glauben bekennen, insofern sie der Kirche durch die Sozialstruktur geeint sind. Andererseits insofern sie als Häretiker denken, insofern sie gegen die Kirche sündigen, betragen sie sich nicht als Glieder.[1130] Damit sind wir wieder in unmittelbarer Nähe der Redeweise des Vaticanum II, das von den Elementen der Kirche Christi spricht, die auch außerhalb der katholischen Kirche zu finden sind, und daß die getrennten Brüder durch die Taufe Christus eingegliedert sind.[1131]

Wir haben in diesem § 31 das ursakramentale Kirchenbild wiedergefunden. Zunächst mit den großen Bildern vom Leibe Christi und neuen Gottesvolk, dann aber auch bei K. Mörsdorf und G. May mit der Einordnung der früher vorgetragenen Materie in den Begriff des Ursakramentes, der Gliedschaftsfrage in die Ebene der sakramentalen Zeichenhaftigkeit.

Man erkennt deutlich Christus als Haupt der Kirche, der durch seinen Geist in ihr wirkt und durch seinen eucharistischen Leib seinen mystischen Leib aufbaut. Im Hinblick auf die Gegensätze erkennen wir eine stärkere Hervorhebung der Zusammenhänge, besonders der verschiedenen Form der Gliedschaft; Stufung heißt ja Zusammenhang und allmählicher Übergang, im Unterschied

---

[1129] *Panzram*, Kirchenbegriff 208; er zitiert S. th. III q. 8 a. 3.

[1130] *T. I. Jiménez-Urresti*, Son miembros de la Iglesia los protestantes? REDC 15 (1960) 153 bis 166, spez. 164s. Er meint seine Aussagen als theologische verantworten zu können, während nach seiner Ansicht Mystici Corporis Termini der sozialen Sprache gewählt hat. Damit kommt er ungefähr auf die Linie von *E. R. v. Kienitz* (s. o. Anm. 1088), der von Gliedern im mystischen Sinne sprach. Man sieht nicht ganz die Logik, denn die oben genannten Merkmale sind doch auch gerade soziale Kennzeichen, das Glaubensbekenntnis und der Sakramentenempfang.

[1131] UR 3; LG 15. Vgl. auch *K. Mörsdorf*, Der CIC und die nichtkatholischen Christen: AkathKR 130 (1961) 31–58, bes. 39 ff.

zu der früheren Betonung der Gliederung mit ihrem Entweder–Oder. G. May spricht von der „vollen" Eingliederung und der „vollen" Sakramentswirkung (II, 1). Das ist ein Akzent für die Reihe der Fülle, während die beherrschende Stellung der Form zurücktritt.

Kapitel 3

DIE NATUR DER KIRCHLICHEN AUTORITÄT

In diesem Kapitel möchten wir einige Entwicklungen in der Auffassung von der kirchlichen Autorität oder Kirchengewalt (potestas Ecclesiae) skizzieren. Das Thema ist so reichhaltig und in seinen geschichtlichen wie systematischen Zusammenhängen so weitläufig, daß eine erschöpfende Darstellung in diesem Rahmen nicht möglich ist.[1132] Insbesondere gilt das für die Frage nach der Grundlegung des Kirchenrechts, die im Grunde hier mitschwingt. Auch sie

---

[1132] Das wichtigste Material für diesen ausgedehnten Komplex findet sich an folgenden Stellen: Im Ius Publicum, in den Kommentaren zum CIC u. a. bei cc. 196ss, in den verschiedenen Einleitungen zu den Lehrbüchern, wo die Grundfragen (Gewalt und Autorität) behandelt sind, und in den Lexika zu den gleichen Stichwörtern. Außerdem sind besonders ergiebig: *S. Correa*, La potestad legislativa de la Iglesia Católica, Washington 1925 (war leider nicht zugänglich); *W. Bertrams*, De origine Ecclesiae: PerRMCL 35 (1946) 241–255; *ders.*, Die Eigennatur des Kirchenrechts: Gr 27 (1946) 549 f.; *Hagen*, Prinzipien 67–75; *K. Mörsdorf*, Weihegewalt und Hirtengewalt in Abgrenzung und Bezug: MCom 16 (1951) 95–110; *ders.*, Die Entwicklung der Zweigliedrigkeit der kirchlichen Hierarchie: MThZ 3 (1952) 1–16; *ders.*, Lehrbuch I, 254–257. 324–328; *M. Kaiser* (ein Schüler *K. Mörsdorfs*), Die Einheit der Kirchengewalt nach dem Zeugnis des Neuen Testamentes und der Apostolischen Väter (MthSt, Kanon. 7), München 1956; *Lesage*, Nature; *H. Heimerl*, Kirche, Klerus und Laien. Unterscheidungen und Beziehungen, Graz–Wien 1961; *G. May*, Der Begriff der kanonischen auctoritas im Hinblick auf Gesetz, Gewohnheit, Sitte, 1962 (s. Literatur-Verzeichnis). Viel Stoff findet sich auch in dem Sammelband La Potestad de la Iglesia (análisis de su aspecto jurídico) Barcelona etc. 1960, in welchem die Vorträge der 7. Spanischen Kanonistenwoche veröffentlicht sind (zit. Potestad). Dazu eine Rezension v. *T. I. Jiménez-Urresti*, La potestad jurídica de la Iglesia: REDC 15 (1960) 685–705; *V. de Reina*, Poder y sociedad en la Iglesia: REDC 19 (1964) 629–662; *K. Mörsdorf*, De sacra potestate, in: Quinquagesimo volvente anniversario a Codice IC promulgato, in: Misc. in hon. D. Staffa et P. Felici SRE Card. I, Appollinaris 40 (1967, 1–4) 41–57; *ders.*, Heilige Gewalt, in: Sacramentum mundi II, 582–597. Einen sehr ausführlichen Überblick gibt dann *S. M. Ragazzini*, La potestà nella Chiesa, Roma 1963. Weil nach dem Konzilsbeginn erschienen, verwenden wir dieses profunde Werk nur als Sekundärliteratur. Als weitere Beiträge nach 1962 seien erwähnt: *M. Useros Carretero*, Orden y Jurisdicción Episcopal. Tradicion Teologico-Canonica y Tradición Liturgica primitiva, in: Iglesia y Derecho 159–193; *J. Neumann*, Weihe und Amt in der Lehre von der Kirchenverfassung des Zweiten Vatikanischen Konzils: AkathKR 135 (1966) 3–18.

konnte nur gestreift werden.[1133] Uns scheint es in der Linie unseres Themas besonders interessant und wichtig, die Grundlegung, d. h. die Beziehung der Kirchengewalt zu Christus (§ 32 I; § 33 I) und Möglichkeiten der Einteilung (§ 32 II) bzw. gegensätzlicher Sicht und Zuordnung (§ 33 II) darzustellen.

§ 32 Die Autorität im Rahmen des Bildes der Kirche als übernatürlicher Gesellschaft

I. Der Grund der Autorität

Wir möchten also nicht eingehend die umfassende Frage der Begründung des Kirchenrechts erörtern, sondern nur in Umrissen zunächst darstellen, wie sich im älteren Kirchenbild der Grund der Autorität zeigt.[1134] Dabei ergibt sich wieder ein gewisser Unterschied, je nachdem man von der Kirche als societas perfecta ausgeht oder mehr ihren übernatürlichen Finis betont (Heilsinstitution).

1. Societas perfecta

Hier wird die kirchliche Gewalt deduktiv aus dem Begriff der societas perfecta abgeleitet. „In einer Gesellschaft gibt es notwendigerweise eine Autorität oder Gewalt, um die Glieder zum Finis der Gesellschaft zu leiten. Nun ist die Kirche eine Gesellschaft, und zwar eine vollkommene juridische Gesellschaft. Also gibt es in der Kirche eine Autorität oder Gewalt, um die Glieder

---

[1133] Zur Grundlegung und Theologie des Kirchenrechts ist eine fast unübersehbare Literatur erschienen. Die meisten ekklesiologischen Aussagen der in der vorliegenden Arbeit besprochenen Autoren haben ihre Relevanz für dieses Thema. Vgl. noch besonders *L. de Echeverria*, Die Theologie des Kirchenrechts: Conc 3 (1967) 603–607 und die dort zitierte Literatur; sehr wichtig ist auch *G. Lesage*, La Nature du Droit Canon, Ottawa 1960; s. auch *Paul VI.*, Anspr. an d. Fastenprediger Roms am 22. 2. 1966: HerKorr 20 (1966) 52 f. (nach Osservatore Romano vom 7. 12. 1965); *K. Rahner*, Die Disziplin der Kirche, I. Grundsätzl., in: Handb. d. Past.-Theol. I, Freiburg/Br.–Basel–Wien 1964, 333–343; *C. Kemmeren*, Ecclesia et Ius, Romae 1963; *G. Fransen*, Derecho Canónico y Teología: REDC 20 (1965) 37–46; *A. de la Huerga – H. Heimerl*, Aspecto cristologico del Derecho Canónico: Ius Canonicum 6 (1966) 25–61; *A. M. Rouco Varela*, Was ist „Katholische" Rechtstheologie? AkathKR 135 (1966) 530–543; *H. Heimerl*, Das Kirchenrecht im neuen Kirchenbild, in: Ecclesia et Ius (Festschr. für A. Scheuermann), Paderborn 1968, 1–24; *T. I. Jiménez-Urresti*, Die göttliche Sendung in die Geschichte und die kanonischen Sendungen: Conc 4 (1968) 599–602.

[1134] Vgl. auch oben § 10 die Ausführungen zur Begründung der Zwangsgewalt der Kirche.

zu ihrem Finis zu leiten, der das übernatürliche Gut ist."[1135] Dabei ist also vorausgesetzt, daß die Kirche eine societas perfecta ist, und zwar nicht nur tatsächlich, sondern auf Grund des Willens Christi, der uns aus der Offenbarung bekannt ist.[1136] Im übrigen tritt die Analogie zum Staat sehr deutlich hervor: Die kirchliche Gewalt wird unmittelbar als potestas publica aufgefaßt, ohne daß die Unterscheidung von Weihe- und Jurisdiktionsgewalt erwähnt wird.[1137]

2. Heilsinstitution

Hier steht am Anfang die Unterscheidung in potestas ordinis und potestas iurisdictionis.[1138] Darin kommt der spezielle Finis der Kirche, das Heil, stärker zum Zuge. Von ihm her wird nun die Autorität der Kirche begründet. Es sind besonders zwei Argumente, die herangezogen werden:

Erstens die Redeweise Christi, der die Kirche ein Reich nennt. Die Schlüssel dieses Reiches sind Petrus übergeben. Man appliziert also den Begriff Reich Gottes unmittelbar auf die Kirche.[1139] Und in einem Reich gibt es natürlich eine Autorität.

Zweitens bezeugt die Schrift noch ausdrücklicher, daß der Kirche von ihrem Stifter ein Recht zu binden gegeben ist.[1140] Beide Argumente, die man auch für die weiteren Formen der Gewalt darstellen könnte, werden von der generellen Verheißung umfaßt, die Christus nach der Auferstehung gegeben hat (Mt 28, 19); A. Ottaviani versteht sie dahin, daß den Aposteln alle Gewalt im Himmel und auf der Erde gegeben ist, wie sie Christus als göttlichem Gesetzgeber übertragen war.[1141] So ist ein wichtiges Strukturelement der Heilsinstitution Kirche auf die Weisung ihres Stifters zurückgeführt.

[1135] *Bender* 64: „In societate necessario habetur auctoritas seu potestas regendi membra ad finem societatis. *Atqui:* Ecclesia est societas et quidem iuridica perfecta. *Ergo:* In Ecclesia habetur auctoritas seu potestas regendi membra ad finem ipsius, qui est bonum supernaturale."

[1136] Siehe oben § 10 II. 1.

[1137] Cf. *Conte a Coronata* 65 n. 47.

[1138] Cf. *Cappello*, Summa 133 n. 139.

[1139] *A. Ottaviani* zitiert u. a. Lk 12, 32 (cf. *Ottaviani* I, 191s n. 123): „Es hat dem Vater gefallen, euch das Reich zu geben"; Mt 11, 2–15: Die Botschaft des Täufers, die Antwort Christi vom Hereinbrechen des Reiches Gottes; Mt 13, 31: Senfkorngleichnis; Lk 11, 20: Dämonenaustreibung als Zeichen der Ankunft des Reiches Gottes; 16, 16: Seit Johannes dem Täufer wird das Reich Gottes gepredigt; Mt 13, 24–30: Himmelreich-Gleichnis vom Unkraut unter dem Weizen; 25, 1–13: die Jungfrauen; 21, 43: Das Himmelreich wird von euch genommen werden. Die letzten Drei sind *A. Ottaviani* ein deutlicher Hinweis darauf, daß dieses Reich nicht bloß rein innerlich, sondern ein soziologisches Gebilde ist, das sich nach außen zeigt.

[1140] Mt 16, 19; 18, 18. *A. Ottaviani* (I, 192 n. 123 adn. 5) weist für das Verständnis auf die Gesetzgebungsgewalt der Synagoge hin, für welche auch der Terminus alligare gebraucht wird: „Sie binden ihnen schwere und untragbare Lasten auf" (Mt 23, 4).

[1141] *Ottaviani* I, 193 n. 123.

II. Die Einteilung der Gewalten[1142]

1. *Societas perfecta*

Wie schon angedeutet, ist die Unterscheidung potestas ordinis – potestas iurisdictionis hier übergangen; es ist von der als potestas publica aufgefaßten Gewalt die Rede und sie wird dann wie im Staat in Gesetzgebung, Rechtsprechung und Verwaltung untergliedert.[1143]

2. *Heilsinstitution*

Wo der Heilsfinis stärker berücksichtigt wird, werden auch ausführlich die beiden Gewalten voneinander abgehoben: Die Weihegewalt ist „jener Teil der kirchlichen Gewalt, der direkt auf die Heiligkeit der Menschen und das übernatürliche Heil durch die Ausübung des öffentlichen Gottesdienstes, hauptsächlich des eucharistischen Opfers, und durch die Verwaltung der Sakramente bezogen ist und von Christus dem Herrn oder von der Kirche kraft eines heiligen Ritus, der heiligen Ordination, irgendeiner Weihestufe so verbunden ist, daß er auch ohne kanonische Sendung immer und überall wenigstens gültig ausgeübt werden kann".[1144] Die Jurisdiktionsgewalt definiert F. X. Wernz als „öffentliche Gewalt, die Getauften zu leiten, die von Christus oder mittels kanonischer Sendung von der Kirche gewährt und auf die Heiligung und die übernatürliche Seligkeit ausgerichtet ist".[1145] Beide Gewalten sind also ausdrücklich mit dem Finis verknüpft.

Wie meist stark hervorgehoben wird, unterscheiden sich beide Gewalten bezüglich

---

[1142] Hier wäre zwecks ausführlicher Information zu Rate zu ziehen: *Ragazzini*, Potestà. Dort wird auch die Kontroverse um die Lehrgewalt dargestellt (111–127). Für *Thomas von Aquin* cf. *Useros*, Statuta AnGr 262–273.

[1143] Cf. *Conte a Coronata* 65 n. 47.

[1144] *Wernz-Vidal* II, 58s n. 48: „illa pars potestatis ecclesiasticae, quae directe ad hominum sanctitatem et salutem supernaturalem per exercitium cultus divini publici maxime *eucharistici sacrificii* atque per administrationem *sacramentorum* et sacramentalium refertus et a Christo Domino vel ab Ecclesia vi ritus sacri sive sacrae ordinationis alicui *ordinum* gradui ita est alligata, ut etiam sine missione canonica *ordinarie* semper et ubique saltem *valide*, exerceri possit." *G. Ragazzini* zitiert diese Stelle in Potestà 131 nach einer früheren Auflage (1924–1938) mit der Quellenangabe II, 49; wir haben hier die Fassung der dritten Auflage wiedergegeben.

[1145] Nach *Ragazzini* l. c. und *Kaiser*, Einheit 1 sind diese beiden Definitionen repräsentativ für die Kanonisten. *F. X. Wernz*, Ius Decretalium, Roma 1913, II n. 3: *Iurisdictio* vero *ecclesiastica* „est publica potestas *regendi* homines baptizatos directe in ordine ad sanctitatem et beatitudinem supernaturalem a Christo vel ab Ecclesia per iniunctionem sive missionem canonicam alicui concessa." *G. Ragazzini* zitiert diese Stelle in italienisch in Potestà 179.

a) der Übertragungsweise (äußerer sichtbarer Ritus – kanonische Sendung oder Einsetzung);

b) ihrer Eigenschaften (unverlierbar wegen sakramentalem Charakter, darum Ausübung immer gültig – verlierbar, Umfang je nach dem Willen der Kirche);

c) des unmittelbaren Zieles (direkte Heiligung der einzelnen – Ordnung der menschlichen Mitarbeit)[1146];

d) des Objektes (Bereitung und Spendung der Sakramente – Glaubenswahrheiten und Gebote)[1147].

Wegen der starken Unterscheidung wird auch die gegenseitige Unabhängigkeit herausgestellt: Es ist sowohl möglich (und war nach früherer Praxis auch üblich), daß ein Vertreter der höchsten Stufe der Weihehierarchie keine Jurisdiktion hat (wie die Titularbischöfe), wie auch umgekehrt, daß nämlich ein Laie, der etwa gerade zum Papst gewählt ist, die Fülle der Jurisdiktion besitzt, ohne irgendeine Weihegewalt zu besitzen. Das gleiche gilt für den Verlust einer Jurisdiktionsgewalt, die etwa ein Papst wie Cölestin V. innehatte; er behält gleichwohl seine bischöfliche Weihegewalt.

An zweiter Stelle folgen dann die Beziehungen und Gemeinsamkeiten der beiden Gewalten: Sie haben

a) die gleiche Wirkursache, nämlich Gott;

b) die gleiche Wesensart, eine übernatürliche;

c) den gleichen großen Finis der Kirche;

d) normalerweise auch den gleichen Träger;

e) eine Beziehung der Abhängigkeit, insofern die erlaubte Ausübung der Weihegewalt von der Jurisdiktion geregelt wird.

§ 33 *Die Autorität im Rahmen des sakramentalen Kirchenbildes*

I. Der Grund der Autorität

Im sakramentalen Kirchenbild treten andere Aspekte in der Begründung der Gewalt bzw. Autorität in den Vordergrund, ohne daß frühere geleugnet werden. Es sind hauptsächlich vier Tatsachen: die Bedeutung des Kreuzestodes

---

[1146] Cf. *Ottaviani* I, 181–184 nn. 114s. Cf. *Claeys-Bouuaert*, in ²TrDC I, 270. 348.

[1147] *Sotillo* 88 n. 123: „sacramentorum confectio et administratio, sacrificii oblatio, cultus Dei" – „ea quae hominibus credenda, agenda aut vitanda sunt." Die Behauptung *M. Kaisers* (Einheit 1), daß die Kanonisten allgemein die Gewalten gegenständlich voneinander abgrenzten, ist, wie unsere Darstellung zeigt, zu einseitig. *A. Ottaviani* nennt z. B. nicht die „differentia objecto".

Christi, sein geistliches Königtum, welches in der Kirche weiterwirkt, die Stellung Christi als des Hauptes, das durch den Heiligen Geist wirkt, und die „Stellvertretung" durch menschliche Autoritätsträger.

1. *Die Bedeutung des Kreuzestodes Christi*

Im Begriff des Sakramentes findet sich die Einsetzung durch Jesus Christus. W. Bertrams weist darauf hin, daß der Ursprung der Kirche in einem entscheidenden Sinne im Todesleiden Christi zu suchen sei. Christus ist Haupt der Kirche durch seinen Tod geworden, wenn er es auch durch seine Geburt und durch die Einheit seiner menschlichen Natur mit der göttlichen schon war. Auf Grund seines Sterbens empfing er eine neue juridische Autorität. Die ganze kirchenbildende Tätigkeit Christi erhielt vom Kreuzestod ihre letzte Bestätigung und Kraft.[1148] Entsprechende Konsequenzen wären für die Autoritätsträger in der Kirche zu ziehen, was allerdings W. Bertrams nicht tut.

2. *Das geistliche Königtum Christi*

Die Jurisdiktion läßt sich auch auf das geistliche Königtum Christi zurückführen. Das tut G. Lesage im Rahmen seiner Dreiteilung der Gewalten. In Analogie zur staatlichen Autorität ist die Jurisdiktion eine Regelungsmacht in der übernatürlichen Sphäre. „Sie koordiniert die verschiedenen Elemente der sichtbaren Kirche und garantiert den Fortschritt des Volkes Gottes inmitten der irdischen Bedingungen, unter denen sie ihren Weg macht."[1149] Soweit ähnelt die Argumentation noch sehr der älteren. Dabei verliert aber G. Lesage nicht aus dem Blick, daß die Kirche eine Art von Antlitz und Instrument für den auferweckten Herrn ist. Darin besteht ihre sakramentale Eigenart.

3. *Die Stellung Christi als Haupt und der Einfluß seines Geistes*

Die schon oft erwähnten Gedanken aus dem Mysterium des mystischen Leibes kommen auch für die Autorität zum Tragen. Christus ist Stammvater und tragender Grund der Kirche, das alle Glieder seines mystischen Leibes belebende und regierende Haupt, „von dem der ganze Leib durch Gelenke und Sehnen verbunden und zusammengehalten wird und so in gottgewirktem Wachstum fortbesteht" (Kol 2, 19). Das wirkt er durch den Heiligen Geist, der die Seele alles kirchlichen Lebens und Gestaltens ist.[1150]

[1148] Vgl. *Bertrams*, Origo 244s.

[1149] *Lesage*, La Nature 19: „elle coordonne les divers éléments de l'Église visible et garantit le progrès du peuple de Dieu au milieu des conditions terrestres où il chemine".

[1150] Vgl. *Mörsdorf* I, 25 f. Als entscheidendes Wort zitiert *K. Mörsdorf* Joh 20, 21: „Wie mich der Vater gesandt hat, so sende ich euch."

Genauso klar sagt G. May: „Die Kirche wird in übernatürlicher Weise durch den Geist Christi belebt und geleitet. Kraft dieser belebenden und leitenden Wirksamkeit ist Christus das Haupt der Kirche und diese sein Leib. Als dem Haupt eignet Christus die einzige ursprüngliche, unabgeleitete Autorität in der Kirche. Er ist Grund und Ursache allen Lebens und jeder Ordnung in der Kirche. Die unsichtbare gnadenhafte Belebung und Leitung der Kirche durch Christus schließt die Tätigkeit menschlicher Organe nicht aus, kommt vielmehr gerade in ihnen zur Auswirkung."[1151]

4. Jurisdiktion als Stellvertretung

In einer eingehenden Untersuchung des inneren Wesens der Jurisdiktion kommt H. Heimerl zu dem Ergebnis, sie sei „die Vollmacht, Christus (mittelbar oder unmittelbar) sichtbar als Lenker menschlicher Handlungen zu vertreten, in Hinordnung auf die Gesamtkirche oder einen ihrer formellen Teile."[1152] Im Begriff der Stellvertretung findet er zwei wesentliche Punkte festgehalten, auf die es ankommt: Einmal die Abhängigkeit vom Auftraggebenden, eigentlich Handelnden, zum andern die Fähigkeit, selbst im Rahmen der Vollmacht zu handeln.[1153] Auch wenn unsere Rechtskategorien nicht adäquat hinreichen, die Wirklichkeit dieses Verhältnisses einzufangen, kann man doch diesen Begriff des Zivilrechtes anwenden, wenn man ihn gleichzeitig durch den alten jüdischen Begriff des Gesandten (Schaliach) beleuchtet.[1154] Einerseits muß klar die Stellung Christi als Haupt gewahrt sein. Er ist alles, was in der natürlichen Gesellschaft die Autorität ist, und noch weit mehr: „Mittelpunkt der Gemeinschaft und so Repräsentant der Einheit, er leitet sie zum gemeinsamen Ziel wirksam hin durch seine Gesetze, durch seine immer noch fortdauernde Führung. Er ist darüber hinaus der Ursprung seiner Kirche, der Stammvater des neuen Gottesvolkes, und das tiefste Ziel der Kirche auf dieser Welt, das letzte in jener."[1155] Er betont dabei sehr den Aspekt der Kirche als Heilsgemeinschaft (im Unterschied zur Heilsinstitution),[1156] insofern Jesus Christus als Haupt nicht nur über die Autoritätsträger einwirkt, sondern auch direkt auf die Kirchenglieder, denen das Gesetz Christi innerlich ist und die durch den Heiligen Geist zum Gehorsam bewegt werden. Insofern vertreten die Hirten Christus

---

[1151] *May*, Auctoritas 39; *Stickler*, Mysterium 616.

[1152] *Heimerl*, Kirche 65.

[1153] Vgl. *Heimerl*, Kirche 60.

[1154] Schon *K. Mörsdorf* (Entwicklung 2) hat mit Nachdruck auf die Bedeutung des christlichen apostolos als Übersetzung des aramäischen schalicha hingewiesen. Er verweist auf Joh 13, 16 und das rabbinische „Der schalicha eines Menschen ist wie dieser selbst".

[1155] *Heimerl*, Kirche 59 f.

[1156] Vgl. oben § 23 IV.

nur als Haupt der Kirche, nicht einfach schlechthin.[1157] Und die Jurisdiktion ist gewissermaßen die Form, die die Materie der Glieder und ihrer Tätigkeit prägt. Sowohl hinter der Ausübung der Jurisdiktion wie hinter dem Gehorsam der Glieder steht „der Gott und Vater aller, der über allen und durch alle und in allen wirkt" (Eph 4, 6)[1158]. Innerhalb der gegebenen Vollmacht bleibt den Stellvertretern, also hauptsächlich dem Papst für die Gesamtkirche und den Bischöfen für die Teilkirchen, ein großer Spielraum eigener Initiative. Wenn Christus dadurch auch bei vielen vielleicht weniger opportunen oder unklugen Gesetzen mitwirken mag, so wird man sagen: Dieses Risiko geht jeder ein, der sich einen Stellvertreter bestellt. Solange dieser im Rahmen seiner Vollmacht handelt, „bleibt er Stellvertreter".[1159] Damit ist ein sakramentalistisches Mißverständnis der Autorität vermieden.

Wir sehen also in all diesen neueren Darstellungen, wie sie gegenüber der früheren, apologetisch zugespitzten Begründung der Gewalt aus der Schrift, der Tradition und Lehre der Kirche nun das innere Wesen dieser Autorität, ihr Geheimnis und ihre Bindung an Jesus Christus als Haupt der Kirche betonen. Damit wird das Wirken der Träger von Autorität als Zeichen und Werkzeug (natürlich personal verstanden) der inneren Gnade deutlich. Die Kirche ist auch in Gesetzgebung und Rechtsprechung Ursakrament.

II. Die Einheit der Autorität und ihre Funktionen

Besonders K. Mörsdorf und seine Schüler haben in Konsequenz des sakramentalen Ansatzes die Einheit der Kirchengewalt betont und sehen erst in zweiter Linie eine Unterscheidung nach dem Formalobjekt.[1160]

1. Die Einheit der Autorität

Wegen des christologischen Ansatzpunktes sieht K. Mörsdorf die Gewalt als eine einheitliche Größe. Er geht von Christus als dem Stammvater des neuen Gottesvolkes und seinem tragenden Grund aus. Dieser hat vom Vater die Sendung erhalten, das Gottesreich aufzurichten, ein Reich, dessen letzte Vollendung in der Zukunft liegt, das aber doch schon in der Jetztzeit gegenwärtig

---

[1157] Vgl. *Heimerl*, Kirche 63 f.

[1158] Vgl. *Heimerl*, Kirche 68.

[1159] Vgl. *Heimerl*, Kirche 65. Auch *M. Kaiser* (vgl. Einheit 33. 143. 175 f.) streicht stark das Wesen der Kirchengewalt als Stellvertretung Christi heraus.

[1160] Früher veröffentlichte Gedanken hat *K. Mörsdorf* sehr klar in einem Rundfunkvortrag dargestellt, der im AkathKR abgedruckt ist, 134 (1965) 80–88: Einheit in der Zweiheit.

ist. Diese Sendung hat er der Kirche weitergegeben: „Wie mich der Vater gesandt hat, so sende ich euch" (Joh 20, 21). Kirche und Gottesreich fallen nicht in eins, aber die Kirche ist das Werkzeug in der Hand des Herrn, „um das Banner des Gottesreiches auf Erden zu entfalten".[1161] Dazu ist ihr Gewalt verliehen. Doch diese ist eben „nicht die Gewalt irgendeiner Gemeinschaft von Menschen, sondern die Gewalt des in der Kirche fortlebenden Herrn".[1162] In der Zusammenfassung seiner grundlegenden Untersuchung drückt M. Kaiser die von ihm erhobene Ansicht des Neuen Testamentes und der Apostolischen Väter so aus: „Entsprechend der rechtlichen Struktur des Gottesvolkes hat der Herr die Gewalt der Kirche in die rechtliche Form der Stellvertretung gekleidet. Wer als Stellvertreter gesandt ist, kann in verschiedenem Umfang mit der Vollmacht des Sendenden ausgestattet werden, ohne daß dessen Gewalt dadurch in ihrem Wesen und Charakter eine Veränderung erfährt. Während die Apostel der Gesamtkirche gegenüber in allem den Herrn repräsentieren, ist die Vollmacht der übrigen Sendungsträger örtlich und teilweise auch auf bestimmte Funktionen begrenzt. Wer in der Sendung des Herrn steht – durch unmittelbare Bevollmächtigung oder durch Vermittlung des Gottesgeistes in der sakramentalen Handauflegung –, hat Anteil an der einen Gewalt des Gottmenschen Jesus Christus."[1163] So spricht auch der CIC in der Einzahl von der sacra bzw. ecclesiastica hierarchia (cc. 108 § 3, 109). Entsprechend dieser Betonung der Einheit der Gewalt kann H. Heimerl dann sagen: „Durch lange Jahrhunderte sah man die Kirchengewalt als Einheit. Gegenüber einer zu sehr betonten Aufspaltung in Weihegewalt und ‚Rechtsgewalt' kehrt man heute wieder zu dieser ganzheitlichen Schau zurück."[1164]

2. Die formale Unterscheidung der Gewalten und ihre Funktionen

Trotz dieser primär betonten Einheit der Kirchengewalt sprechen die neueren Autoren von einer Unterscheidung der beiden Gewalten und sehen sie vor allem in einer formalen Hinsicht begründet, die schon in Christus ihre Wurzel hat: Er ist als tragender Grund des neuen Gottesvolkes „einerseits *das Leben spendende Prinzip,* aus dem heraus das Gottesvolk wächst und lebenstüchtig erhalten wird, anderseits *das ordnende Prinzip,* wodurch das Wachstum in der Kirche gelenkt und geleitet wird".[1165] Von hier aus sieht K. Mörsdorf die zwei-

---

[1161] *Mörsdorf* I, 27.

[1162] *Kaiser,* Einheit 5.

[1163] *Kaiser,* Einheit 202.

[1164] *Heimerl,* Kirche 33. Zur Geschichte der Unterscheidung von Weihe- und Hirtengewalt vgl. K. *Mörsdorf,* Entwicklung; Kirchengewalt, in: LThK 6, 219 (ganzer Art. 218–221).

[1165] *Mörsdorf* I, 25. Wir erkennen unschwer darin einen der Gegensätze R. *Guardinis:* Produktion und Disposition. Das konkret Lebendige schafft neues Leben und ordnet es zugleich.

fache Hierarchie begründet und die Entsprechung dazu in der Unterscheidung in Weihe- und Hirtengewalt, wie er die Jurisdiktionsgewalt lieber nennt. In dem Gleichnis vom Weinstock findet er beides enthalten: die innere Lebenskraft des Weinstocks und die äußere Pflege des Winzers.[1166] Diese Unterscheidung ist anscheinend noch kaum verschieden von der früheren: Ordo vermittelt durch Sakramentenspendung die Gnade, Jurisdiktion ordnet die menschliche Mitwirkung. Doch drängt diese frühere Unterscheidung so sehr auf eine Trennung der Objekte, daß schließlich die eine Gewalt als sakramentale Gewalt der göttlichen, die andere als rechtliche Gewalt der menschlichen Seite der Kirche zugeordnet wird.[1167] Dagegen wendet sich nun schon W. Bertrams, ohne ex professo über die Gewalten zu handeln. Er betont den engen Zusammenhang zwischen der äußeren Seite der Kirche und ihrem inneren Geheimnis, der Tätigkeit des Heiligen Geistes. Die gesamte Aktivität der Kirche ist von ihr beseelt. Sie hat allerdings eine doppelte Funktion: Sie aktuiert das übernatürliche Gemeingut nach seiner menschlichen Ausdrucksform, und sie ordnet die menschliche Tätigkeit zu seiner Aneignung. Doch ist, so sagt W. Bertrams ausdrücklich, dies eine formale Unterscheidung und steht beides in der konkreten sozialen Aktivität in engster Verbindung. Unter Bezugnahme auf diese Ausführungen unterstreicht auch H. Heimerl, es gehe nicht an, „die kirchliche Jurisdiktion als rein menschlich-gesellschaftliches Element anzusehen und das übernatürliche Element in die Weihegewalt, in die gnadenhafte Gegenwart des Heiligen Geistes, das ,Leben' oder in etwas anderes zu verlegen. Eben weil die Kirche eine Einheit ist, ist sie als Gesellschaft wesentlich übernatürlich, und ihr ganzes soziales Leben, auch ihre Jurisdiktionsgewalt, ist von der Aktivität des Heiligen Geistes durchformt und geheiligt".[1169]
K. Mörsdorf weist auf verschiedene Tatsachen hin, um die enge Verflechtung der beiden Gewalten zu zeigen: die gegenseitige Ergänzung der Weihe und der Übertragung von Hirtengewalt beim Bischof,[1170] die Wirkeinheit der beiden

---

Je einer der beiden Aspekte, oder wie *R. Guardini* (vgl. Gegensatz 59–67) sagen würde, eine der beiden Gegensatzseiten kann hervortreten, doch sind immer beide vorhanden.

[1166] Vgl. Kirchengewalt 220.

[1167] Vgl. *Kaiser*, Einheit 1. Er zitiert dort *J. Fuchs*, Vom Wesen der kirchlichen Lehrgewalt (Theol. Diss. Münster 1946 [noch nicht gedruckt]), S. 62. *J. Fuchs* sieht darin eine Parallele zu dem Problem um Amts- und Geistkirche.

[1168] Vgl. *Bertrams*, Subsidiaritas 29s.

[1169] *Heimerl*, Kirche 55.

[1170] Vgl. *Mörsdorf*, Kirchengewalt 219 f.: Im ersten Jahrtausend, wie heute noch in der Ostkirche (vgl. IOpers c. 396 § 2 n. 1), erfolgte die Weihe auf ein bestimmtes Amt, und zwar so, daß mit der Weihe auch das Amt verliehen wurde. In der Kirche des lateinischen Ritus gibt die Weihe als solche noch keine konkrete Hirtenstellung; erst die Übertragung von Hirtengewalt (vgl. c. 197 § 1) läßt ein Verhältnis der Über- und Unterordnung entstehen.

Gewalten im Bußsakrament,[1171] das Zusammenwirken von Weihe- und Jurisdiktionsgewalt bei der Firmung.[1172] So wird sichtbar, „daß beide Gewalten im innersten Kern nicht voneinander getrennt werden können"[1173]. K. Mörsdorf fügt dann noch einen Hinweis auf die Trias des Priester-, Lehr- und Hirtenamtes an, bei der die Unterscheidung der Aufgaben der Kirche gegenständlich ist. Im Gegensatz dazu zeigt sich die Einheit der bloß formal in ihren Funktionen unterschiedenen Gewalten[1174] darin, daß jede der beiden an den Aufgaben des Heiligens, Lehrens und Leitens beteiligt ist. „Dieses wechselseitige Ineinandergreifen beider Gewalten zeigt ihren *einheitlichen Ursprungsgrund*: Jesus Christus, den Stifter der Kirche, als das alle Glieder belebende und regierende Haupt des neuen Gottesvolkes."[1175]

Mit dieser letzten Feststellung spricht K. Mörsdorf erneut das Typische des Ursakramentes aus: göttliche Gnade, göttliches Wirken in menschlichen Zeichen und Worten. In der Ebene des äußeren Zeichens bestätigt sich unsere These: Der Akzent verlagert sich von der Gliederung auf den Zusammenhang der Gewalten bzw. die Einheit der Gewalt,[1176] also von der Seite der Form auf die der Fülle.

Kapitel 4

DIE VERFASSUNG DER KIRCHE

Im 4. Kapitel wollen wir versuchen, die Verfassung der Kirche in ihrem Zusammenhang mit dem jeweiligen Kirchenbild darzustellen. Noch mehr als in anderen Kapiteln wird es hier darauf ankommen, die verschiedenen Ausgangs-

---

[1171] *Mörsdorf*, Kirchengewalt 220 f.: Hier wirken priesterliche Weihegewalt und hoheitliche Hirtengewalt zusammen die sakramentale Lossprechung (DS 1686; D 903; c. 872).

[1172] Vgl. *Mörsdorf*, Kirchengewalt 221: Das gilt auch für die heiligen Weihen. Die Unterscheidung von ordentlichem und außerordentlichem Spender der Firmung und der Weihen läßt erkennen, daß ein ähnliches Zusammenwirken wie beim Bußsakrament stattfindet; vgl. *J. Neumann*, Das Zusammenspiel von Weihegewalt und Hirtengewalt bei der Firmung: AkathKR 130 (1961) 388–435; 131 (1962) 66–102.

[1173] *Mörsdorf*, Kirchengewalt 221.

[1174] Vgl. *Mörsdorf*, Entwicklung 16, zuerst wohl in: Der hoheitliche Charakter der sakramentalen Lossprechung: TThZ 57 (1948) 339.

[1175] *Mörsdorf* I, 257. Ähnlich *Stickler*, Mysterium 623.

[1176] Vgl. *Guardini*, Gegensatz 86 ff. Darüber hinaus kann man auch eine Akzentverlagerung von der Gegensatzseite der Disposition (Hirtengewalt) auf die Seite der Produktion (Weihegewalt) feststellen. Wie gesagt (Anm. 1165), hat *K. Mörsdorf* selbst schon diese Unterscheidung angewandt. Die Verlagerung sieht man z. B., wenn *W. Bertrams* (Relatio bes. p. 13) meint, das Hirtenamt werde mit der Weihe übertragen.

punkte der jeweiligen Autoren zu berücksichtigen, um nicht vorschnell die einen gegen die anderen auszuspielen. Wir wollen die Frage nach der Regierungsform der Kirche an den Anfang stellen; sie hängt eng mit dem societas-perfecta-Begriff zusammen (§ 34). Dann werden wir die Gliederung der Heilsinstitution Kirche in Hierarchie und Laien und diese beiden scharf voneinander abgehobenen Stände behandeln (§ 35). Im Rahmen des sakramentalen Kirchenbildes ergibt sich dann sowohl eine neue Sicht der *einen* christlichen Berufung als auch der verschiedenen Gruppen in der Kirche (§ 36).

§ 34 Die Kirche als societas perfecta – Kirche als monarchische Gesellschaft[1177]

Wenn man die Kirche vorwiegend als societas perfecta betrachtet, dann liegt die Frage nach ihrer Verfassungsform nahe. Man appliziert wegen der Analogie zum Staat einfach die möglichen Verfassungsformen einer societas auf die Kirche. Damit sieht man zunächst die Kirche als Ganzes. Im Laufe der Untersuchung erst orientiert man sich an den Daten der Offenbarung; sie werden zwar eingebaut, aber vom System her liegt eine typisch rechtliche Fragestellung vor.[1178] Der Versuch der Kanonisten, kirchliche Lebensformen mit politischen Kategorien zu benennen, ist sicher problematisch, wenn man bedenkt, daß die Kirche auch ein Glaubensgeheimnis ist. Doch darf der Versuch nicht ausgeschlossen sein, sie mit Begriffen zu erfassen, die freilich wohl mehr oder weniger analog aufzufassen sind.

1. Die Kirche als Monarchie

Allgemein werden erst einmal die demokratische und die aristokratische Regierungsform ausgeschlossen. Demokratische Konstitution besteht dann, wenn die Vollmacht (als ganze oder zum beträchtlichen Teil[1179]) primär beim Volke ruht. Christus hat aber nicht dem Volke, sondern Petrus direkt und unmittelbar die Gewalt übertragen.[1180] „Damit steht die Kirche in einem diametralen Ge-

---

[1177] Wir finden die diesbezügliche Literatur hauptsächlich im IPE unter dem eigenen Titel Forma regiminis Ecclesiae. Dazu vgl. die Abschnitte über Grundfragen in den Handbüchern.

[1178] Cf. *Ottaviani* I, 347 n. 208. Insofern handelt es sich innerhalb des Gegensatzes Form–Fülle um die Seite der Form.

[1179] *Bender* 145; er unterscheidet für die moderne Zeit Republik und Demokratie, da es heutzutage auch demokratische Monarchien gibt. *Herder* 6, Sp. 640 bezeichnet diese als parlamentarische Monarchien, so daß sich wie bei *A. Ottaviani* etc. Monarchie und Demokratie ausschließen.

[1180] Das wird gegen *Marsilius,* manche Protestanten, die Rationalisten, Liberalen, Modernisten und die Anhänger der Synode von Pistoía betont.

gensatz zu dem *demokratischen* Prinzip..."[1181] Eine Aristokratie besteht, wenn die Vollmacht bei einer Gruppe oder einem Kollegium von Optimaten, d. h. von hervorragenden Leuten, ruht. Auch das trifft auf die Kirche nicht zu, weil Christus die oberste ordentliche Gewalt dem einen Petrus, nicht den anderen Aposteln anvertraut hat.[1182] Darum ist zunächst einmal sicher, daß die Kirche eine Monarchie sein muß.[1183] Eine Monarchie ist gekennzeichnet durch die Einheit der Herrschaft im Haupte, die Universalität der Unterwerfung in den Gliedern und die Ungeteiltheit der obersten Gewalt in dem einen Haupte.[1184] Darin stimmen die meisten Autoren überein.

2. *Genauere Qualifizierung*

Sie sind sich nicht ganz einig darin, ob sie die Kirche als gemäßigte oder als absolute Monarchie bezeichnen sollen. Für die erste Einstufung spricht die Tatsache, daß auf Grund göttlichen Rechtes dem Papst die Bischöfe in der Regierung der Kirche als Hilfe beigegeben sind; sie sind ja eigentliche und ordentliche Hirten ihrer Diözesen. Außerdem sind sie Richter auf dem Allgemeinen Konzil.[1185] Schließlich ist die Gewalt des Papstes darum nicht absolut, weil auch er an das göttliche Recht und die Moral gebunden ist.[1186] Für die Bezeichnung der Kirche als absolute Monarchie spricht die andere Tatsache, daß der Papst die oberste als eine ordentliche, bischöfliche und unmittelbare Gewalt über alle Gläubigen und alle Hirten besitzt. Dazu kommt noch, daß die Bischöfe ihre Vollmacht nach höchstwahrscheinlicher Lehre direkt vom Papst empfangen.[1187] Es handelt sich mehr um eine terminologische als um eine sachliche Frage, da ja die angeführten Tatsachen von allen anerkannt sind, abge-

---

[1181] *Hagen,* Prinzipien 94; vgl. *H. Flatten,* Art. Klerus, in: LThK 6, 337; *Stickler,* Mysterium 610. Die Kirche ist kein „demokratischer Organismus". Wieviel differenzierter denkt man heute darüber!

[1182] Cf. *Cappello,* Summa 342 n. 362; dieser Satz richtet sich gegen die schismatischen Griechen, die Gallikaner und die Anglikaner.

[1183] *P. Garcia Berriuso,* Títulos legales para el ejercicio jurisdiccional, in: Potestad 350: „sociedad *monárquica* en su pleno y exacto sentido". Cf. et. *Ch. Lefèfvre,* Art. Lois ecclésiastiques in DDC VI, Sp. 641; *R. Naz – E. Fogliasso,* Art. Église, in DDC V, Sp. 160; *Bertola,* Costituzione 95; *M. G. Ruiz,* Organos jurisdiccionales del poder ecclesiástico, in: Potestad 330: „fuertemente monárquico"; *v. Kienitz,* Gestalt 84; Kirche 16; *Brys* I, 71 n. 131. *Jiménez-Fernández,* Instituciones 53; *Jombart,* Manuel 45.

[1184] Cf. *Sotillo* 147 n. 184.

[1185] Cf. *Sotillo* 148 n. 185; *Cavagnis* II, 123 n. 35.

[1186] Cf. *Bender* 145; *Bertola,* Costituzione 95.

[1187] Cf. *Sotillo* 148 n. 185. Er neigt zu dieser zweiten Auffassung, wie auch *F. M. Cappello* (Summa 342 n. 362) und *L. Bender* (145). Vgl. unten S. 225 f. A. Hagen. Cf. *L. Miguélez Dominguez – S. Alonso Moran – M. Cabreros de Anta,* Codigo de Der. Can. y legislacion complementaria, Madrid 1962, 87; *Ciprotti,* Lezioni 19.

sehen von der Theorie über den Ursprung der bischöflichen Gewalt. Darum möchte A. Ottaviani die Kirche als eine Monarchie völlig eigener Art qualifizieren.[1188] Sehr elegant löst L. R. Sotillo die Aufgabe, indem er zur konkreten Kirche hinführt: „Die Regierungsform der Kirche ist in dem Sinne der Väter des Vatikanischen Konzils monarchisch, wie man sie auch nennen will."[1189]

3. *Aristokratische und demokratische Elemente*

Nachdem dies unmißverständlich auf der Basis des Primats festgestellt ist, bemühen sich die Autoren zu zeigen, wie die monarchische Regierungsform nun durch die anderen Elemente ergänzt wird. Die Kirche hat in gewisser Weise den Charakter einer Aristokratie wegen der Stellung der Bischöfe als wahrer Hirten, denen Gregor der Große sagte: „Meine Ehre ist die feste Kraft meiner Brüder. Dann bin ich wirklich geehrt, wenn keinem einzigen von ihnen die geschuldete Ehre vorenthalten wird."[1190] Das Wertvolle der Aristokratie ist im übrigen der gewichtige Rat vieler; auch das ist in die Konstitution der Kirche eingegangen.[1191] Andererseits hat die Kirche eine große Nähe zu einer wahren und gesunden Demokratie. Entsprechend dem Beispiel Christi, der heilend und Wohltaten spendend umherging, sucht und sammelt sie das einfache Volk, belehrt es, kümmert sich besonders um die Einfachen und Armen, fördert sie und bringt sie zu Ehren. Sie hat die soziale Stellung dieser Menschen gehoben, die Würde des Menschen wiederhergestellt[1192] und damit zur Beseitigung der Schranken beigetragen, so daß jetzt jeder (Mann, d. Vf.), auch aus den untersten Schichten des Volkes, zu allen Ämtern aufsteigen kann, wenn er nur geeignet und würdig ist.[1193] Berechtigten „demokratischen" Gedanken wird auch dadurch Rechnung getragen – so meinen unsere Autoren –, daß der Papst den Bischöfen um so mehr Freiheit und Selbstbestimmungsrecht gibt, je deutlicher

---

[1188] Damit folgt er *L. Billot*, De Ecclesia, Romae 1927, 535: „Est enim haec monarchia omnino sui generis, cui non immerito applicares illud: *nec primam similem visa est, nec habere sequentem*" (Ottaviani I, 357 n. 212). *Bertola*, Costituzione 95: „Carattere speciale"; ähnlich *Montero*, Derecho comparado 13: „*monarquia . . . singularisima y sui generis*".

[1189] *Sotillo* 149 n. 186.

[1190] Epist. lib. VIII, 30 Ad Eulog. episc. Alex.: PL 77, 933 (*Ottaviani* I, 355 n. 211).

[1191] Cf. *Sotillo* 154 n. 191 nach *A. Sanderus*, De visibili monarchia Ecclesiae, Lovanii 1571, 26.

[1192] *Ottaviani* I, 352 n. 209, nota 12 zitiert *Laktanz*, Divin. instit., V, 15; PL 6, 598: „Deus qui homines generat, et inspirat, omnes aequos, id est pares esse voluit . . . nemo apud eum servus est, nemo dominus; si cunctis idem pater est, aequo iure omnes liberi sumus."

[1193] Cf. *Ottaviani* I, 352 n. 209, text. et nota 12 (Zu diesem Gesichtspunkt des gleichen Zugangs zu allen Ämtern cf. *Cappello*, Summa 352 n. 375, nota 11; *Bertola*, Costituzione 96). An die Frauen wird hier speziell niemals gedacht. Ähnlich wie Ottaviani auch *Pejška*, n. 192.

ihre Verantwortungsfreudigkeit und Treue zu Papst und Kirche ist.[1194] E. Jombart weist schließlich auf die Gewohnheitsbildung hin.[1195]

Auf dieser Linie der Analogie zum Staate geht L. Bender noch weiter. Er fragt, ob nicht in einem bestimmten Punkte staatliche und kirchliche Gesellschaft sich in bezug auf die Träger der Autorität gleichen. Er verweist in diesem Zusammenhang auf die Tatsache, daß in der Zeit der Sedisvakanz nach dem Tode eines Papstes ein beträchtlicher Teil der geistlichen Gewalt in der Kirche ausgeübt wird. Das betrifft sowohl die Regierungsgeschäfte wie auch die Bußdisziplin und die Rechtsprechung.[1196] Wie ist das möglich? Man wird sagen können, daß Christus die geistliche Vollmacht, die er dem Petrus und seinen Nachfolgern übertragen hat, in einem gewissen Sinne wurzelhaft der Kirche selbst als der Gesellschaft oder Gemeinschaft der Gläubigen gegeben hat.[1197] Dem Petrus und den übrigen Aposteln hat Christus die Gewalt als Leitern und Organen der Kirche in erster Linie gegeben. Die Kirche kann ja nicht Gesellschaft sein ohne höchste Leitungsgewalt. „Daher ruht diese Gewalt während der außerordentlichen und vorübergehenden Periode, in der eine gesetzmäßig bestimmte Einzelperson als Subjekt der höchsten Gewalt fehlt, bei der Kirche selbst als wurzelhaftem Subjekt, und sie wird in provisorischer Weise innegehabt und ausgeübt von jenen Personen, die diese Kirche selbst durch rechtmäßige Vorschriften bestimmt hat."[1198] So ist also in der Kirche in gewisser Hinsicht[1199] die kirchliche Gesellschaft selbst Subjekt der Gewalt und ihre Lei-

---

[1194] Vgl. v. Kienitz, Gestalt 192 (das ist zunächst bloß ein „aristokratischer Zug"!).

[1195] Cf. Manuel 45.

[1196] Zur Begründung dieser Tatsachen läßt sich nicht auf die Weitergeltung eines durch den eben verstorbenen Papst erlassenen Gesetzes verweisen. Denn auch dieses Gesetz kann nur kraft einer über die persönliche Autorität des Papstes hinausgreifenden Verpflichtungsmacht gelten.

[1197] Diese Antwort liegt nach L. Bender in der gleichen Linie wie bei den Fällen wie gutem Glauben und allgemeinem Irrtum, in denen „die Kirche die (fehlende) Jurisdiktion ersetzt" (c. 209): „Iurisdictionem supplet Ecclesia." L. Bender (cf. p. 149) gibt die Herkunft dieser Theorie und Praxis für den allgemeinen Irrtum an: Was im Römischen Recht bezüglich der Republik Rom und ihrer staatlichen Autorität Usus war, haben die Autoren in das kirchliche Leben eingeführt.

[1198] Bender 150: „Unde periodo extraordinaria et transitoria, in qua deest persona singularis legitime designata ut subiectum potestatis supremae, haec potestas est in ipsa Ecclesia tamquam in subiecto radicali et provisorio modo habetur et exercetur ab iis personis, quae ipsa haec Ecclesia legitimis statutis designavit." Für unser heutiges vom Konzil geprägtes Denken würde es näher liegen, das Bischofkollegium als subiectum radicale der Vollmacht zu betrachten.

[1199] anders als im Staate, wo das Volk in erster Linie und wesentlich Subjekt der Gewalt ist (Bender 146: „primo et per se").

218

ter oder Vorsteher handeln in der Person der Kirche;[1200] sie dürfen sich mit Stolz Diener Gottes oder Knechte der Kirche nennen.[1201]

Wir sehen in je verschiedener Weise, wie die Kirche analog zum Staate als Gesellschaft gesehen wird und von da Begriffe übertragen werden, wie jener der Konstitution und sogar jener der Gesellschaft als Subjekt der Gewalt, wenn auch jeweils stark modifiziert.

§ 35 Die Kirche als Heilsinstitution – Kirche als societas inaequalis[1202]

Vom Finis der Heiligung her wird die Kirche als societas hierarchica oder inaequalis gesehen. Das bedeutet, daß grundsätzlich die Verschiedenheit von Klerus und Laien terminus a quo ist (A). Innerhalb der Hierarchie gibt es wiederum eine Reihe von Verschiedenheiten, die zweifache Hierarchie und die Stufung jeder einzelnen (B). Schließlich wird jeweils nur kurz die untergeordnete Stellung der Laien dargestellt (C).

A Die Gliederung in Klerus und Laien

Das erste Wort ist immer die strenge Zweiteilung der Kirche in die beiden „Klassen"[1203] Klerus und Laien, in „Vorsteher und Untergebene, Führende und Gefolgschaft"[1204], diejenigen, die befehlen, und diejenigen, welche gehorchen,[1205] die, die lehren, und die, die hören,[1206] die Hirten und die Schafe.[1207] Die Sorge um den Finis der Kirche, die Sorge für die Heiligung der Seelen,

---

1200 L. Bender (p. 150, nota 1) verweist hier auf Augustinus Serm. 295: „solus Petrus totius Ecclesiae meruit gestare personam" (PL 38, 1349).

1201 Cf. Bender 150.

1202 Den Stoff hierfür finden wir hauptsächlich: a) im IPE passim, bes. bei den Ausführungen zur Qualifizierung der Kirche als societas inaequalis, zur auctoritas, zum subiectum potestatis und zur Regierungsform, sowie zur Frage der Wahl der Träger der Autorität; b) in den Kommentaren bes. zum Lib. II des CIC; c) in einigen Monographien: N. Hilling, Die Bedeutung des CIC für das kirchliche Verfassungsrecht, Mainz 1920; ders., Der CIC als legislatio libertatis: AkathKR 123 (1948/49) 261–267; P. Schmitz, Das kirchliche Laienrecht nach dem Codex Iuris Canonici (Münster. Beiträge zur Theologie Heft 12) Münster/W. 1927; E. Melichar, Über die rechtliche Stellung der Laien in der Kirche: ÖAKR 5 (1954) 62–78; d) in den Artikeln in den einschlägigen Lexika (Hierarchie, Papst, Bischof, Konzil, Kirche, Laie, Taufe).

1203 Capello, Summa 330 n. 345.

1204 Hagen, Prinzipien 95.

1205 ius regendi und officium oboediendi, Ottaviani I, 349 n. 209; durchgängig „Hierarchie" – heilige Herrschaft. So auch noch Mörsdorf I, 25. „Leitende und Gehorchende", Hagen, Prinzipien 95. „Che governano" „che sono governati", Bertola, Costituzione 95.

1206 ecclesia docens – ecclesia audiens; Ottaviani I, 349 n. 209.

1207 pastores – oves, Ottaviani I, 349 n. 209; „Hirten und Herde", Hagen, Prinzipien 95.

ist dem Klerus zugewiesen.[1208] Die Laien entbehren jeglicher Heiligungs-, Lehr- und Leitungsgewalt.[1209] Die Kirche ist also eine typische societas inaequalis[1210], eine Gesellschaft mit ungleichen Gliedern. Bei manchen Staatsformen ist dies die Folge einer Übertragung der Gewalt vom Volke, bei dem sie zuerst und eigentlich ruht, auf die Inhaber der Leitungsgewalt. Bei der Kirche ist das anders: Christus hat die Gewalt in der Kirche von vornherein dem Petrus und den übrigen Aposteln übertragen.[1211] Damit kommt der tiefste theologische Grund für die Gliederung der Kirche in Sicht: Sie ist die Hüterin einer geoffenbarten Wahrheit und Ausspenderin der Gnade in den Sakramenten, die aus der Erlösung durch Jesus Christus kommen. Und da, menschlich gesprochen, die Gesamtheit der Christen wohl nicht geeignet wäre, diese Aufgabe richtig zu erfüllen, hat Christus einen scharf umgrenzten Stand geschaffen und ihm die entsprechenden Vollmachten und Aufträge gegeben.[1212] Darin kommt also der Finis der Kirche als Heilsinstitution zur Auswirkung.[1213]

B Die Hierarchie

Die Heiligung erfolgt durch die heiligmachende Gnade, welche die Menschen nach Christi Willen durch die Spendung der Sakramente empfangen sollen, und durch ihre Mitwirkung mit der Gnade. Darum hat Christus in der Kirche zwei Gewalten bzw. Hierarchien eingesetzt, und zwar die Weihe- und die Jurisdiktionshierarchie.[1214] Die erste bezieht sich auf die Bereitung und Spendung der Sakramente und auf die Ausübung des öffentlichen Gottesdienstes. Die andere bezieht sich auf die Leitung der Glaubenden nach Verstand und Wille, und zwar in der gesamten Heilsökonomie, so daß auch die Spendung der Sa-

---

[1208] Cf. *Cappello*, Summa 330 n. 345. Hier klingt eine Passage aus der Enzyklika Vehementer *Pius' X.* vom 11. 2. 1906 (CICfontes III [1933] 664) an: „. . . ut in sola hierarchia ius atque autoritas resideat movendi ac dirigendi consociatos ad propositum societati finem."

[1209] Cf. *Ottaviani* I, 349 n. 209: destituuntur, nach dem Schema propositum des Vaticanum I, Cap. X: *Mansi* 51, 543.

[1210] *Ottaviani* I, 348 n. 209. Diese Ungleichheit besteht „iure divino" (ib.).

[1211] Cf. *Bender* 147s.

[1212] Vgl. *Hagen*, Prinzipien 98.

[1213] B. *Löbmann* (Die Bedeutung des II. Vatikanischen Konzils für die Reform des Kirchenrechts, in: Ius sacrum 87) ist der Ansicht, „die bisherige Konzeption der Kirche als einer *societas inaequalis*" sei „dem monarchischen System der Gesellschaftsstruktur entlehnt". Dazu ist zu sagen, daß auch Oligarchie und Aristokratie unter den Begriff der societas inaequalis fallen, andererseits aber die Autoren ihre Auffassung biblisch mit den historischen Fakten der Gründung durch Jesus Christus belegen, natürlich, wie im Text gesagt, als Antwort auf eine typisch verfassungsrechtliche Fragestellung.

[1214] F. *Claeys-Bouuaert* bemerkt, daß zur Jurisdiktionshierarchie im weiten Sinne alle gehören, die in der Kirche einen Platz haben, der ihnen bestimmte Rechte und Pflichten zuweist, also alle Getauften (DDC V, 1128).

kramente von dieser Gewalt geregelt wird.[1215] Für diese hierarchische Struktur der Kirche wird gelegentlich das Bild der Pyramide angewandt.[1216] Im Rahmen des gesellschaftlichen Kirchenbildes wird die Jurisdiktionshierarchie stärker betont.

Besonders bei den Kanonisten ist sie im Vordergrund des Interesses. Entsprechend wollen wir hier die Daten der Weihehierarchie nur kurz anführen.

I. Die Weihehierarchie

Die Weihegewalt wird nach der Anordnung Christi ein für allemal unter Einprägung des sakramentalen Charakters mitgeteilt. Nach göttlichem Recht gibt es in der Kirche die drei Stufen der Bischöfe, Priester und Diakone.[1217] Auf Grund kirchlicher Einsetzung gibt es noch die vier niederen Weihen und die Subdiakonatsweihe; die so Geweihten gehören aber nicht zur Hierarchie im eigentlichen Sinn. Der Bischof hat Weihegewalt zur Spendung aller Sakramente, der Priester ist Helfer des Bischofs in der Sakramentenspendung außer Firmung und Weihe und der Verkünder des Wortes Gottes, der Diakon ist durch seinen Ordo zur Spendung der Taufe und der Eucharistie sowie zur Verkündigung des Wortes Gottes befähigt.[1218]

II. Die Jurisdiktionshierarchie

Es wird im gesellschaftlichen Kirchenbild vom Ganzen her bzw. von oben her gedacht. Im allgemeinen, besonders im Ius Publicum, finden wir eine starke Hervorhebung des Papsttums und des Primats. Das ist eine Konsequenz aus der Betonung der Jurisdiktionshierarchie, denn Papst und Bischöfe unterscheiden sich ja nur nach der Jurisdiktion. Gelegentlich gibt es aber auch eine stärkere Betonung des Episkopats (A. Hagen). Wir möchten uns hier nahezu auf dieses Verhältnis von Primat und Episkopat beschränken.

1215 *Cappello*, Summa 330 n. 346. Vgl. auch obige Ausführungen zur potestas.
1216 Vgl. *N. Hilling*, Die Bedeutung des CIC für das kirchliche Verfassungsrecht, Mainz 1920, 34. Er zitiert dort *Justus Möser*, Sämtliche Werke, Berlin II, 249. Nach *Heimerl*, Kirche 22 geht das Bild schon auf *Dionysios Areopagites* zurück, den *Thomas von Aquin* zitiert: S. th. I q. 108 a. 2c; Suppl. q. 37 a. 2.
1217 Cf. c. 108 § 3; DS 1776; D 966.
1218 Cf. *Cappello*, Summa 333s n. 352.

1. Stärkere Betonung des Primats

a) Der Primat

An der Spitze der Hierarchie steht der Papst. „Christus wollte, daß der Römische Bischof auf Erden sein Stellvertreter sei und das Fundament sowie Haupt der ganzen Kirche; darum hat er ihn auch sowohl als Mittelpunkt der Einheit – so daß nur jene, die mit ihm verbunden sind, in der Kirche sind – als auch als Fürsten der ganzen Kirche, der die volle und universale Gewalt hat, eingesetzt. Diese volle und universale Gewalt heißt Primat."[1219] Der Papst besitzt die Gabe der Unfehlbarkeit, um den Verstand der Gläubigen in Sachen des Glaubens und der Sitten mit voller und absoluter Sicherheit zu führen. Die entscheidende Grundlegung des Primats wird in vier Sätzen entfaltet:

(1) „Christus hat direkt und unmittelbar dem heiligen Petrus den Jurisdiktionsprimat über die gesamte Kirche übertragen."[1220]

(2) „Die höchste Gewalt des Primats, die Petrus übertragen worden ist, sollte nicht mit seinem Tode aufhören, sondern auf Nachfolger übertragen werden."[1221]

(3) „Der Nachfolger Petri im Primat ist der römische Papst."[1222]

(4) „Der römische Papst hat die volle und höchste Jurisdiktionsgewalt über die gesamte Kirche in Dingen des Glaubens, der Sitten und der Disziplin."[1223]

So kann man zusammenfassend vom Papste sagen: Er ist 1. Richter des Glaubens und der Sitten; er hat den Auftrag, das geoffenbarte Glaubensgut treu zu bewahren und lehramtlich vorzulegen. 2. Er ist unfehlbarer Lehrer in Glaubens- und Sittenfragen. 3. Er hat freie und unabhängige Gesetzgebungs-, Straf- und Zwangsgewalt in weltlicher und geistlicher Hinsicht. 4. Er hat das höchste Recht über alle Güter der Kirche, geistliche wie materielle.

Zum Sinn dieser hohen Stellung des römischen Pontifex und zu den Beziehungen der Bischöfe zum Nachfolger Petri zitiert A. Ottaviani einen Text aus der Enzyklika Leos XIII. über die Einsetzung und Einheit der Kirche (Satis cogni-

---

[1219] *Cappello*, Summa 332 n. 351.

[1220] *Cappello*, Summa 338 n. 358: „Christus directe ac immediate contulit B. Petro primatum iurisdictionis in universam Ecclesiam."

[1221] *Cappello*, Summa 339 n. 359: „Potestas suprema primatus Petro collata non debebat cessare morte Petri, sed erat transferenda in successores."

[1222] *Cappello*, Summa 339 n. 360: „Successor B. Petri in primatu est R. Pontifex." *Eichmann* I, 38: „Fortlebender Petrus"; *Mörsdorf* I, 354: Das Papsttum ist das Primäre, nach geltendem Recht: Der Papst ist auch Bischof von Rom, und nicht umgekehrt.

[1223] *Cappello*, Summa 340 n. 361: „R. Pontifex habet plenam et supremam potestatem iurisdictionis in universam Ecclesiam in rebus fidei, morum ac disciplinae."

tum vom 29. Juni 1896): Die erste dieser Beziehungen „besteht in der klaren und unzweifelhaften Pflicht der Bischöfe, in Gemeinschaft zu stehen mit dem Nachfolger Petri. Ist dieses Band zerrissen, so löst sich das christliche Volk selbst auf und zerstreut sich, so daß es in keiner Weise einen Leib und eine Herde bilden kann. ‚Das Heil der Kirche ist mit der Würde dieses Hohenpriesters verknüpft. Besitzt dieser nicht eine außerordentliche und alle überragende Gewalt, so werden in der Kirche ebenso viele Spaltungen entstehen, als Priester da sind.‘ (Hieronymus, Dial. contra Luciferianos n. 9, PL 23, 165)“.[1224] Darin zeigt sich das Verständnis der Kirche als Heilsinstitution, zu der notwendig die Einheit gehört.[1225]

b) Der Episkopat

Drei Dinge werden von den Bischöfen ausgesagt:

(1) Zunächst wird ihre Aufgabe darin gesehen, dem Papst einen Teil seiner Sorge um die ganze Kirche abzunehmen, die er nicht allein tragen kann. Da ferner diese Helfer fähig sein sollen, die Gläubigen vollkommen zu regieren, ist die bischöfliche Jurisdiktion vollständig, d. h. sie erstreckt sich auf alle Teile der Regierung, im inneren wie im äußeren Bereich, und zwar in der nötigen Ausdehnung, um den Finis zu erreichen.

(2) Sodann wird betont, daß die Bischöfe diese Gewalt in Abhängigkeit vom Papst besitzen. Er weist ihnen ein bestimmtes Territorium zu und hat auch die Möglichkeit, die Gewalt zu begrenzen oder zu suspendieren; notfalls auch, sie zu entziehen.

(3) In Konsequenz dessen fließt die Jurisdiktion des einzelnen Bischofs aus der rechtmäßigen Sendung durch den Papst, nicht schon aus der Weihe, welche bloß die Gewalt zur Sakramentenspendung verleiht und eine Eignung, die Herde Christi zu leiten, d. h. Jurisdiktionsgewalt zu empfangen.[1226] Dabei wird immer wieder betont, daß der Episkopat göttlichen Rechtes ist,[1227] da er in den Aposteln von Jesus Christus selbst eingesetzt worden ist.[1228]

[1224] *Ottaviani* I, 354 n. 210; Übersetzung nach *Rohrbasser* 654.

[1225] Interessant ist, daß *Leo XIII.* in dieser Enzyklika ganz deutlich von Christus als dem unsichtbaren Haupte spricht; solche Stellen wurden von den Kanonisten dieser Gruppe kaum aufgegriffen, weil sie meinten, sich auf das Juridische beschränken zu sollen.

[1226] *Cappello*, Summa 333 n. 352.

[1227] Cf. *Ottaviani* I, 368 n. 219.

[1228] Cf. *Ottaviani* I, 354 n. 210.

c) Territoriale und personale Organisation

Ganz konsequent wird im gesellschaftlichen Kirchenbild die territoriale Organisation so gesehen, daß die Kirche zwar aus kleinen Gemeinschaften gebildet ist (organische Gesellschaft). Von der zivilen Gesellschaft unterscheidet sich die Kirche aber gerade dadurch, daß der organische Aufbau bei ihr durch Analyse (Teilung) entsteht. Ein Mensch wird also zuerst Glied der Gesamtkirche, dann erst der einen oder anderen Teilkirche (Bistum) zugesellt. Entsprechend wird die Aufgliederung der Kirche in Diözesen so gesehen, daß dem Papst die Sorge um die Gesamtkirche anvertraut ist und er sich zur Bewältigung dieser Aufgabe Helfer heranziehen muß.[1229]

Innerhalb der personalen Organisation bleibt diese Sicht: Die Patriarchen und Primaten haben ihre Gewalt durch Delegation von Rom, nicht auf Grund göttlichen Rechtes.[1230] Die Synoden und sogar die ökumenischen Konzile werden im allgemeinen sehr kurz behandelt. Sie sind kein wesentliches Element der Kirchenverfassung; „einem gänzlichen Verschwinden würde nichts im Wege stehen".[1231] Praktisch ist im übrigen das Kardinalskollegium in der Rolle des heutigen Bischofskollegiums vorgestellt.[1232] Immer wieder sehen wir die Richtung auf die Ganzheit, auf das Ganze, dem die Teile untergeordnet werden.

2. Stärkere Betonung des Episkopats

A. Hagen steht im Übergang der beiden Kirchenbilder. Einerseits zitierten wir eben die doch recht abwertende Stelle über die Konzilien, andererseits vertritt er die These, die Bischöfe erhielten ihre Gewalt unmittelbar von Jesus Christus, womit er in Gegensatz zur herrschenden Meinung tritt, die A. Ottaviani als omnino certa bezeichnet.[1233] Das Verhältnis zwischen dem Papst und den Bischöfen stellt A. Hagen[1234] unter stärkerer Betonung des göttlichen Rechtes der Bischöfe dar. Die innere Sinngebung ist weniger im Begriff der souveränen Gesellschaft als in dem Gedanken der Heilsinstitution verwurzelt. Beim Pri-

---

[1229] Beachte wieder die Ausgangsposition: Der Papst ist gewissermaßen die Quelle. Alles andere, auch das Amt der Bischöfe, wird praktisch, trotz der Betonung des göttlichen Rechts der Bischöfe, von ihm abgeleitet.

[1230] Cf. *Ottaviani* I, 373 n. 225: „tamquam participationem primatus S. Petri"; genauso *Hagen*, Prinzipien 118; *Mörsdorf* I, 385.

[1231] *Hagen*, Prinzipien 135.

[1232] *Ottaviani* I, 372 n. 223.

[1233] Cf. *Ottaviani* I, 368 n. 219, adnn. 62s. *F. Claeys-Bouuaert* teilt auch diese Ansicht, weist aber darauf hin, daß „bons auteurs" die gegenteilige vertreten (²TrDC I, 439).

[1234] Wir ordnen *A. Hagens* Konzeption hier ein, da sie in diesem Punkte praktisch im Rahmen der gesellschaftlichen Sicht bleibt.

mat geht es z. B. um die Bewahrung der kirchlichen Einheit zunächst im rechtlichen Bereich, um damit der seelischen Einheit zu dienen, um die Christus gebetet hat, und damit dem Heile.[1235] Zunächst unterstreicht A. Hagen mit aller Deutlichkeit und allen Konsequenzen den Primat, um dann mit gleicher Vehemenz die göttliche Rechtsstellung des Episkopats herauszuheben. Für das Kirchenbewußtsein sind besonders die Ausführungen über das Schisma kennzeichnend. Während in der Literatur sonst häufig Schisma einfachhin Trennung vom Papst bedeutet, zeigt er sehr klar die zweite, auch im CIC genannte Form des Schismas auf (c. 1325 § 2). Die dort genannten Glieder, die dem Papst unterworfen sind, sind in erster Linie die Bischöfe. Da zur Einheit der Kirche nicht nur die Einheit mit dem Haupte gehört, sondern auch jene der Glieder untereinander, die aus der ersten folgt, bedeutet auch die Weigerung eines Bischofs, mit einem anderen kirchliche Gemeinschaft zu halten, Schisma (vgl. Röm 12, 5).[1235a] Das gleiche gilt für den Gehorsam der Laien oder des Klerus gegenüber dem Bischof. Wer mit dem Bischof als Mittelpunkt der Teilkirche in Gemeinschaft steht, steht mit allen, auch gerade mit dem Papst in Gemeinschaft; so ist eine Trennung vom Bischof durch Ungehorsam eine Trennung von der Gemeinschaft der Kirche, „denn die Gemeinschaft der Gläubigen zueinander wird nach ihrer Verbindung mit dem Bischof bemessen".[1236]

Die hohe Wertung des Bischofsamtes zeigt sich sodann, wie gesagt, in der ausführlichen Darstellung der Kontroverse, ob die Leitungsgewalt des einzelnen Bischofs direkt von Gott stammt oder ob sie vom Papst verliehen wird. Als Gründe für die papalistische Theorie führt A. Hagen den Unterschied der Bischöfe gegenüber den Aposteln und die monarchische Verfassung der Kirche an; sodann könnte die bischöfliche Gewalt nicht vom Papst entzogen werden, wenn sie unmittelbar von Gott stammte; weiter das geltende Recht mit den beauftragenden Formeln der päpstlichen Bullen und die Schwierigkeit, die bischöfliche Sukzession historisch nachzuweisen, während es für den Bischof von Rom kein Problem ist; die Verbindung zum Papst aber ist für den einzelnen Bischof leicht nachweisbar. Dagegen führt er nun eine Überzahl von Gründen an, so daß man leicht seine Sympathie für die Gegenmeinung erkennt: Erstens sind die Bischöfe Nachfolger der Apostel (c. 329 § 1), wie der Papst Nachfolger des heiligen Petrus ist. Die Apostel haben ihre Gewalt aber direkt vom Herrn empfangen. Sollen nun die Bischöfe wahre Nachfolger sein,

---

1235 Vgl. *Hagen*, Prinzipien 119 f.
1235a Vgl. *Hagen*, Mitgliedschaft 54.
1236 *Hagen*, Mitgliedschaft 55. Hier wirkt *Cyprian* (ep. 69, VIII [nicht 66]; PL 4, 419) sehr stark nach: „Unde scire debes episcopum in Ecclesia esse et Ecclesiam in episcopo". *A. Hagen* zitiert die Stelle nach *J. A. Möhler*, Die Einheit der Kirche, Mainz 1925.

„so ist es unerläßlich, daß die Bischöfe ihre Gewalt direkt von Christus erhalten".[1237]

Die monarchische Verfassung verbietet nicht ein zweites göttliches Recht in der Kirche.

Ein entscheidendes Argument ist natürlich das geschichtliche. Im Altertum, noch im Mittelalter, haben die Besetzungen der Bischofstühle weithin ohne Mitwirkung des Papstes stattgefunden. Man kann darum die heutige Beteiligung des Papstes als Bezeichnung der Person, als Anerkennung der Rechtmäßigkeit, als Erlaubnis zur Ausübung der Gewalt und als Anweisung des Sprengels für die Wirksamkeit auffassen.

Auch die Ausdrucksweise, die Gewalt des Bischofs beruhe auf göttlichem Recht, deutet darauf hin, daß nicht nur seine Weihegewalt, sondern auch seine Leitungsgewalt von den beteiligten Menschen (Konsekrator bzw. Papst) nur ministeriell vermittelt ist.[1238] So formuliert A. Bertola dementsprechend im Anschluß an c. 329: „Damit ist behauptet, daß die Gewalt des Bischofs direkt von Gott fließt, wenn sie natürlich auch unter der Autorität des Papstes ausgeübt werden muß."[1239]

Im geltenden Recht gibt es einige Hinweise auf die Mitverantwortung der Bischöfe für die gesamte Kirche. Der Papst hört gelegentlich die Bischöfe, so wie sie auch an der Abfassung des CIC mitgewirkt haben.[1240] Auch in der Person vieler Kardinäle ist der Episkopat an der Regierung der Gesamtkirche beteiligt. Der Bischof kann in fremden Diözesen die Firmung schon mit der präsumierten Erlaubnis des Ordinarius spenden. Der Bischof kann in fremden Diözesen firmen, predigen, absolvieren; er kann auch Fremde in der eigenen Diözese trauen und ihnen die anderen Sakramente spenden (c. 881 § 1, 1095 § 1. 2).[1241] Der Hinweis auf die Geschichte erklärt manches, denn die Ausbildung der Diözesen ist erst sekundär.

Damit beschließen wir die Darstellung der Verfassung der Kirche als Heilsinstitution. Man sieht hier einen weiten Spielraum in der Akzentverteilung.

[1237] *Hagen*, Prinzipien 126 f.; zum ganzen Fragekomplex vgl. *Hagen*, Prinzipien 126 ff. In dieser Frage neigt das Vaticanum II zur gleichen Antwort; cf. LG 27.

[1238] In diesem Zusammenhang wendet sich *A. Hagen* klar gegen *Wernz-Vidal* II, 614, der überhaupt keine eigene bischöfliche Gewalt mehr kennt. Er betrachtet sie praktisch nur als Ausfluß und eine Teilnahme an der päpstlichen Gewalt (*Hagen*, Prinzipien 127, Anm. 4).

[1239] *Bertola*, Costituzione 342: „È affirmato così che la potestà del vescovo deriva direttamente da Dio, pur dovendo essere esercitata sotto l'autorità del Pontefice"; cf. et p. 96.

[1240] *Hagen*, Prinzipien 133, zitiert *U. Stutz*, Der Geist des CIC, Stuttgart 1918, 14 ff.

[1241] *Hagen*, Prinzipien 133: Angehörige der eigenen Diözese kann er außerhalb derselben ohne Erlaubnis des anderen Ordinarius firmen, Fremde schon mit präsumierter Erlaubnis (c. 783 § 2); der Erzbischof bedarf anläßlich der Visitation keiner Erlaubnis zur Predigt. Der Bischof kann Bistumsangehörige außerhalb der Diözese absolvieren (c. 881 § 1).

Den Eigencharakter der Kirche hebt denn auch A. M. Koeniger im Rahmen der Frage nach der Konstitution hervor: Die Kirche „ist weder absolute Monarchie trotz der Stellung des Papstes, noch konstitutionelle Monarchie trotz des Einflusses der Synoden, noch Oligarchie oder Aristokratie trotz der gewissen Selbständigkeit episkopaler Gewalt, noch Demokratie trotz der theoretischen Tauglichkeit eines jeden Kirchenangehörigen zu jedem, auch dem höchsten Amte. Die Kirche ist eben ein Reich nicht von dieser Welt (Joh 18, 36)“.[1242] Dies ergibt andererseits eine sehr harmonische Organisation: „Die Kirche gibt uns ein unerreichtes Beispiel der Anpassung an alle neuen Verhältnisse und der Dynamik der Organisation, die oft durchaus gegensätzliche Elemente zu verarbeiten und in ihren Organismus einzugliedern weiß.“[1243] Es bleibt noch näherhin nach der Stellung der Laien im gesellschaftlichen Kirchenbild zu fragen.

C Die Laien

Der Laie ist im gesellschaftlichen Kirchenbild vorwiegend als persona, d. h. Träger von Rechten und Pflichten charakterisiert. Darum möchten wir nach einigen z. T. wiederholenden Bemerkungen zur Worterklärung und zu den grundlegenden Begriffen persona und character die „positive“ Seite (Taufe als Begründung von Rechten – I) und die „negative“ Seite (Taufe als Begründung eines Unterwerfungs- bzw. Pflichtenverhältnisses – II) beleuchten.

[1242] *Koeniger* 112. Bemerkenswert ist, daß überhaupt einmal ein Kanonist an die Synoden denkt. Eine Reflexion auf die Gegensätze von *R. Guardini* läßt uns hier an den Gegensatz Verwandtschaft–Besonderung denken. Kirche und weltliche Gesellschaft sind einander ähnlich und auch wieder je besonders. *A. M. Koeniger* betont stärker die Besonderung, während die anderen Autoren meist stärker die Verwandtschaft in den Vordergrund treten lassen. Ähnlich wie *A. M. Koeniger Sägmüller* 46: „eigenartige(n) Verfassung der Kirche…“ Im sakramentalen Kirchenbild wird dieses Überwiegen der Besonderung noch stärker, vgl. *Jiménez-Urresti*, Binomio 49s: Die Kirche ist „ein einzigartiges Phänomen in der Geschichte“ („es un fenómeno único en la historia“). Damit nähern sich die Kanonisten der Lehre der Päpste, die immer wieder auf die positiven Gründungstatsachen und damit auf die Einzigartigkeit der Kirche hinweisen, vgl. *Leo XIII*. Satis cognitum, DS 3302; D 1954, zit. bei *Jiménez-Urresti*, Binomio 50. Die Päpste sprechen auch nach *T. I. Jiménez-Urresti* (Binomio 49) bis auf seltenste Ausnahmen nie von der Kirche als Monarchie.

[1243] *Pejška* n. 192; er zitiert dort *V. Bušek*, Učebnice dějin práva církevního, Bratislavě (Lehrbuch der Geschichte des Kirchenrechts, Preßburg) 1929, 2.

I. „Laie", „persona" durch „character"

1. Worterklärung

Der Rückgriff auf die ursprüngliche Bedeutung des Wortes Laie – Glied des heiligen Volkes Gottes – ist selten,[1244] meist geben die Kanonisten gleich die Bedeutung im heutigen Sprachgebrauch (c. 107): laikos bezeichnet „die Masse derer, die nicht speziell dem Dienste Gottes geweiht sind",[1245] die „übrigen Getauften als das Volk"[1246], „die (Gesamtheit) der gläubigen Herde, ‚das christliche Volk'".[1247] Hier ist also die Unterscheidung und Abgrenzung vom Klerus bzw. von der Hierarchie sofort im Vordergrund. Die Kirche wird eben vorwiegend als Institution gesehen, in welcher das Heil durch den Dienst der Kleriker vermittelt wird, als Heilsinstitution.[1248] Die Laien sind Schafe, Herde, Gehorchende, Hörende gegenüber den Priestern.[1249] Ein noch engerer Gebrauch liegt vor, wenn man Klerus, Ordensleute und Laien unterscheidet.[1250]

2. Personalität und Taufcharakter

Die Taufe macht zur Person in der Kirche (c. 87). Die biblische Formulierung von der Wiedergeburt begegnet uns häufig.[1251] Der wiedergeborene Mensch ist zu einem „Lebensstandard" erhoben, der über dem liegt, den seine Natur fordert.[1252] Damit ist er Person in der Kirche, d. h. Träger von Rechten und Pflichten.[1253] Die Grundlage wird durch den character indelebilis gelegt. „Der Taufcharakter ist eine ontologische Konsekration des Menschen zum Gliede des Leibes und zum Bürger des Reiches Christi." Damit wird der Getaufte für immer der Kirche verpflichtet und ihrer Gewalt unterworfen.[1254]

[1244] E. g. *Bertola*, Costituzione 247, adn. 1.

[1245] *Naz*, art. Laïques, in: DDC VI, 328; vgl. *Schmitz*, Laienrecht 1.

[1246] *Blat*, Romae ²1921, II, 52 n. 38: „*laicis* seu ceteris baptizatis tamquam populo".

[1247] *Eichmann* I, 110. Sipos 84: „communia Ecclesiae membra".

[1248] Vgl. *Rösser*, Laien 6 f.

[1249] Vgl. oben § 35 A.

[1250] *Bertola*, Costituzione 247 verweist auf CIC lib. II pars III.

[1251] *Schmitz*, Laienrecht 14. *Torquebiau*, art. baptême en occident, in: DDC II, 110; *Eichmann* I, 6.

[1252] *Naz* ²TrDC I, 14.

[1253] Vgl. auch oben § 30 I. 2.

[1254] *Wernz-Vidal* II, 2 n. 1: „character baptismalis ontologica consecratio hominis in membrum Corporis et in civem regni Jesu-Christi." Vgl. auch § 30 I. 3. Damit ist auch die soziale Beziehung in die Relation zu Christus einbezogen und in biblischen Termini erfaßt, allerdings nicht gerade häufig.

II. Der Stand der Laien – ihre Rechte und Pflichten

Durch die Taufe als feierlichen Rechtsakt werden die Menschen einem Stand eingegliedert; sie bilden in der Öffentlichkeit eine soziologisch abgehobene Gruppe, und dieser Stand bleibt im Wechsel der Mitglieder.[1255]

1. Die Rechte der Laien – ihre Freiheit

Da im CIC nur zwei canones sich ausdrücklich mit den Rechten der Laien befassen, wurde verschiedentlich der Vorwurf erhoben, er biete ein klerikales Recht.[1256] Eine ganze Reihe von Untersuchungen haben inzwischen versucht, den Beweis zu erbringen, daß dieser erste Blick auf das kirchliche Gesetzbuch und die üblichen Kommentare täuscht. Solche liegen besonders im deutschen Sprachraum vor. Die ausführlichste Zusammenstellung gibt wohl P. Schmitz. Wir ergänzen gegebenenfalls von den anderen Darstellungen her, wie etwa N. Hilling, der wie folgt ganz universal ansetzt:

a) Die Freiheit der Laien

Die individuellen Rechte und Freiheiten der Menschen haben ihr stärkstes Fundament im christlichen Naturrecht, das vom kanonischen Recht seit altersher anerkannt worden ist. Als Geschenk des Schöpfers besitzen wir Menschen Leben, Gesundheit, persönliche Freiheit, Werte, die von keiner menschlichen Autorität ohne Grund angetastet werden dürfen. Auf geistigem Gebiet gehören dazu die Gewissensfreiheit und die freie Wahl des Berufsstandes. N. Hilling verweist deswegen besonders auf cc. 1351 und 752 § 1, die die Freiheit beim Eintritt in die Kirche wahren (auch c. 750 § 2).[1257]
Sodann gibt P. Schmitz einen wichtigen, grundlegenden Hinweis: „Der ganze Apparat der Hierarchie ist doch nur deshalb eingesetzt, um bei Klerus und Laien, und bei diesen vorzüglich, der Erreichung dieses Zieles", des Seelenheiles, dienlich zu sein. Darum nennt sich der Papst mit Recht Diener der Diener Gottes.[1258] Und die Laien sind in vielen Dingen einfachhin frei, ohne daß etwas im Kirchenrecht geregelt zu sein braucht: Sie haben die Freiheit der Wahl des Wohnsitzes, sie haben im sozialen und wirtschaftlichen Leben wie auch im privaten größte Bewegungsfreiheit.[1259] Sie sind keineswegs bloße Herr-

---

[1255] Vgl. *Schmitz*, Laienrecht 14 f.

[1256] *U. Stutz*, Der Geist des CIC, Stuttgart 1918, 83 u. a.

[1257] Vgl. *Hilling*, Libertas 261 f.: Der CIC setzt Strafen auf Zwang zum Eintritt in die geistlichen oder Ordensstand (c. 2352); erzwungene Profeß ist ungültig (c. 572 § 1 n. 4), wie auch die Verhinderung des Eintritts schwere Schuld ist (c. 971); cc. 1087 § 1, 1034 und 2353 sichern die verantwortliche Freiheit bei der Eheschließung.

[1258] *Schmitz*, Laienrecht 7 (f.).

[1259] Vgl. *Schmitz*, Laienrecht 8.

schaftsobjekte.[1260] Es gibt eine ganze Reihe von Dingen, die im Kirchenrecht nur geraten sind, so daß die Gläubigen volle Freiheit behalten.[1261]

b) Die allgemeinen Rechte der Laien

Das eigentliche Grundrecht, in einem Generalkanon formuliert, lautet bekanntlich: „Die Laien haben das Recht, entsprechend der kirchlichen Disziplin vom Klerus geistliche Güter und besonders solche, die zum Heile notwendig sind, zu empfangen." (c. 682) Hierin zeigt sich der Charakter der Kirche als *Heils*institution. Darauf weist natürlich jeder Kanonist hin. Es wird dann mehr oder weniger ausführlich erläutert und konkretisiert. P. Schmitz nennt zunächst einige allgemeine Ansprüche der Laien aus der Seelsorge: Residenzpflicht des Pfarrers (c. 465 § 1), strenge Vorschriften bezüglich der Weihekandidaten zum Priestertum (cc. 974. 979).

In dieser Richtung läßt sich noch mehr sagen: Es gibt zwar keine Volkssouveränität in der Kirche, doch haben die Laien fast ein gewisses Mitbestimmungsrecht bei der Auswahl der Priesteramtskandidaten; denn die Namen der Ordinanden sind in der Pfarrkirche zu verkünden (c. 998); außerdem sind eine Reihe von Irregularitäten mit Rücksicht auf das Volksempfinden eingeführt; schließlich spielt bei der Abberufung eines Pfarrers das odium plebis eine große Rolle (c. 2147 § 2).[1261a]

Die einzelnen Rechte lassen sich nun mit P. Schmitz und anderen[1262] nach den von ihnen angenommenen drei Ämtern gliedern; man kann darin auch einen Anklang an R. Bellarmins Kirchendefinition mit ihren drei Bestandteilen finden. Was das Lehramt angeht, so schärft c. 336 § 2 den Bischöfen Wachsamkeit und Sorge bezüglich der gesunden Lehre ein, c. 467 § 1 die Glaubensunterweisung, wie auch cc. 1332ss bis hin zur Erwachsenenkatechese. Die Ansprüche der Laien aus dem Priesteramt der geweihten Priester beziehen sich hauptsächlich auf die Sakramente und Sakramentalien. Sie sind ja die wichtigsten Hilfsmittel, die „Vehikel" der Gnade Gottes. Die Laien haben das Recht auf Teilnahme am Gottesdienste, auf die Fürbitten, Gnaden und Ablässe der Kirche.[1263]

Gegenüber dem Hirtenamt bestehen ebenfalls Ansprüche. C. 1391 erwähnt z. B. den Wächterdienst der Hirten gegen Verfälschung der biblischen Funda-

[1260] Vgl. *Eichmann* I, 320.
[1261] Vgl. *Hilling*, Libertas 264: Man denke an die evgl. Räte (vgl. c. 487), die häufige und tägliche Kommunion (c. 863), die Verehrung der Heiligen, der heiligen Bilder und Reliquien (vgl. c. 1276).
[1261a] Vgl. *Schmitz*, Laienrecht 27.
[1262] E. g. *Sipos* 349.
[1263] Vgl. *Eichmann* I, 320.

mente.[1264] Ganz global möge hier noch ein wichtiges Recht genannt sein, das überall erwähnt ist: das Recht auf kirchliche Vereinsbildung.[1265]

c) Das Verhältnis der Laien zur kirchlichen Jurisdiktionsgewalt

Über das Gesagte hinaus wird die Frage erörtert, wie weit die Laien nun selbst an den Ämtern der Kirche teilnehmen, wieweit sie eventuell Jurisdiktion erhalten können. Zunächst bleibt natürlich der Grundsatz, daß die Kirchenämter mit Jurisdiktion im eigentlichen Sinne nur von Klerikern besetzt werden können. Doch sagt E. Eichmann dann: „In beschränktem Umfang können Laien auch zur Ausübung kirchlicher Jurisdiktion zugelassen werden, z. B. in Schule, Gericht, Vermögensverwaltung, Besetzung von Kirchenämtern (Patronats-, Nominations-, Wahlrechte)."[1266] P. Schmitz formuliert vorsichtiger, wenn er von verhältnismäßig großem Einfluß spricht, der den Laien gewährt werden kann, und sofort das Aufsichtsrecht der kirchlichen Behörden beifügt.[1267] Wir werden diese Frage noch einmal im Kontext des sakramentalen Kirchenbildes wiederfinden. Hier sei auf die subtilen Untersuchungen G. Ragazzinis verwiesen, der besonders die Gewalt der Ordensoberen präzisiert.[1268] Weiter führt er die Rechte der Laien vor dem kirchlichen Gericht aus und ihre Stellung als Amtspersonen.[1269]

Auch in der Gesetzgebung sind die Laien nicht unbeteiligt, obwohl sie nicht Träger der Gewalt sind. Sie können entsprechend dem alten Recht zu den Plenar- oder Provinzialkonzilien eingeladen werden, ohne daß sie ein Recht darauf haben.

Bei den Diözesansynoden sollen sie allerdings nur aus den wichtigsten Gründen dabei sein. Die Kodifizierung von 1917 jedoch ist nicht ohne wissenschaftliche Mitarbeit von Laien erfolgt, wofür sich Benedikt XV. bedankt.[1270]

Auch bei der Bildung des Gewohnheitsrechtes wirken die Laien mit, allerdings können hier endgültige Lösungen nie gegen den Willen des Gesetzgebers getroffen werden, anders als beim Staat.[1271] Daß der Einfluß der Laien nicht

---

[1264] Es seien noch erwähnt cc. 1934s über Anzeigerecht und -pflicht, um dem einzelnen Rechtsschutz zu gewährleisten und die Gemeinschaft zu sichern (*Schmitz*, Laienrecht 41), sowie das Recht auf freien Verkehr mit den Hirten der Kirche (*Eichmann* I, 320; *Wernz-Vidal* II, 70 n. 51).

[1265] *Eichmann* I, 321.

[1266] *Eichmann* I, 320.

[1267] Vgl. *Schmitz*, Laienrecht 53 (er weist auf cc. 1183 § 1, 1184, 1520 § 1, 3).

[1268] Cf. S. *Ragazzini*, La Potestà nella Chiesa, Roma 1963, 243–304.

[1269] Vgl. *Schmitz*, Laienrecht 53–59.

[1270] Vgl. *U. Stutz*, Der Geist des CIC, Stuttgart 1918, 20 (zit. nach *Schmitz*, Laienrecht 61).

[1271] Vgl. *Schmitz*, Laienrecht 62.

(im demokratischen Sinne) stärker ist, liegt am Anstaltscharakter der Kirche, also an der Weisung Jesu Christi, ihres Stifters.[1272]

F. X. Wernz – P.Vidal erwähnen übrigens, daß der Laie durch seine Taufe Spender der Taufe und der Ehe wird und den Vorteil des paulinischen Privilegs erhält.[1273]

2. Die Pflichten der Laien – ihr Gehorsam

a) Die Laien sind Untergebene[1274]

„Die Laien haben weder Jurisdiktions- noch Weihegewalt."[1275] Das ist bei allen älteren Kanonisten der Tenor. So haben die Laien die Pflicht zu gehorchen, die ihnen von Christus bedeutet ist.[1276] Sie ist so eminent schwerwiegend, daß eine Weigerung, die Lehre der Kirche zu bekennen oder ihre Gesetze zu befolgen, die ewige Verdammnis nach sich zieht (Mt 18, 17).[1277] Wir zitierten oben schon G. Michiels und M. Conte a Coronata, die von den Laien als Untergebenen und ihrer totalen Unterworfenheit unter die Kirche sprechen,[1278] so daß wir die Kirche als societas perfecta inaequalis klar erkennen.

b) Die Pflichten der Laien

Nun könnte man die verschiedenen Listen der Autoren zusammentragen, in welchen sie die Pflichten der Laien im einzelnen aufführen. G. J. Ebers z. B. nennt außer dem schon erwähnten Gehorsam gegenüber den lehramtlichen Entscheidungen der Kirche und ihren Gesetzen und Vorschriften das öffentliche Bekenntnis des Glaubens, die Teilnahme am Gottesdienst und den Empfang der Sakramente, die katholische Kindererziehung, das Erscheinen als Partei oder Zeuge vor Gericht, die Beitragspflicht und die Ehrerbietung gegenüber dem Klerus. Alles gipfelt nach ihm in der allgemeinen Pflicht, „ein *christliches*

[1272] Vgl. *Schmitz*, Laienrecht 12.

[1273] Cf. II, 70 n. 51.

[1274] Vgl. oben § 30 I. 5.

[1275] *Ottaviani* I, 349 n. 209: „*laicis* nulla potestas est, neque ordinis neque iurisdictionis." *Sipos* 84: „nullatenus"; *Cappello*, Summa 342 n. 362: „non constat de ullo iure populo sive fidelibus concesso."

[1276] Cf. *Ottaviani* I, 349 n. 209.

[1277] Cf. *Cappello*, Summa 80 n. 85: „Quare adeo gravissima obligatione tenentur christifideles erga Ecclesiam, ut renuentes profiteri eius doctrinam et leges servare, in aeternam incidant damnationem".

[1278] *Michiels* I, 1, 346–352 passim: subditus, subiectio; *Conte a Coronata* 92 n. 75: „notandum est hominem subdi Ecclesiae, qua hominem integrum, anima et corpore constantem, tota nempe sua activitate".

Leben zu führen, für die christlichen Grundsätze im öffentlichen Leben einzutreten und notfalls die Rechte Gottes und der Kirche zu verteidigen".[1279] St. Sipos ordnet die Pflichten wieder nach den drei Ämtern. Unter den Pflichten in bezug auf das Hirtenamt nennt er auch mit Nachdruck die Information über den Charakter eines Filmes („Filmdienst") und das Meiden schlechter Filme; auch die Unterstützung von Kirchbauten.[1280]

Wie man sieht, finden wir im Rahmen des gesellschaftlichen Kirchenbildes wieder die Merkmale einer Terminologie, die sich eng an die der staatlichen Gesellschaft anlehnt. Man wird dennoch nicht sagen können, es sei eine rein juristische Sicht, da doch die biblische Grundlage immer klar im Blickfeld bleibt, nämlich die Verleihung der Gewalten durch Jesus Christus an die Apostel bzw. ihre Nachfolger und die Unterscheidung von pastores und oves (Joh 21). Es fehlen auch nicht ganz Hinweise auf die grundsätzliche Gleichheit der Glieder der Kirche. So zitiert A. Blat etwa Gal 3, 27 f.: „Ihr habt Christus angezogen . . ., denn ihr alle seid eins in Christus Jesus."[1281] P. Schmitz verweist auf die beiden Standessakramente, die in je verschiedener Weise den Empfänger sich selbst transzendieren lassen, und auf die grundsätzliche Gleichheit aller Christen vor dem Strafrecht; eher werden Kleriker schärfer bestraft.[1282] Im ganzen steht jedoch die Unterscheidung stärker im Vordergrund.[1283]

§ 36 *Die Verfassung der Kirche im sakramentalen Kirchenbild*[1284]

A *Das Prinzip der Einheit von Haupt und Gliedern*

Während im früheren Kirchenbild als erstes Wort die scharfe Unterscheidung von Klerus und Laien steht, finden wir im sakramentalen Kirchenbild in einer

---

[1279] *Ebers* 258.

[1280] Cf. *Sipos* 349s.

[1281] II, 6.

[1282] Vgl. *Schmitz*, Laienrecht 9–12.

[1283] Wir erkennen hier einen Gegensatz: Gliederung und Zusammenhang. In jedem lebendig Konkreten überwiegt eine Gegensatzseite, ohne daß die andere fehlen kann (vgl. *Guardini*, Gegensatz 86 ff.).

[1284] Die wichtigsten, hier besonders berücksichtigten Titel der reichen Literatur zu diesem Thema sind folgende: *v. Kienitz*, Gestalt; *Mörsdorf*, Lehrbuch, Art. Bischof, Art. Kirchenverfassung und Art. Laie im LThK; *ders.*, Der Träger der eucharistischen Feier, in: Pro mundi vita (Festschr. zum Eucharistischen Weltkongreß 1960) München–Paderborn–Wien 1960, 223–237; *Heimerl*, Kirche; *G. May*, Auctoritas; *ders.*, Das Verhältnis von Papst und Bischöfen auf dem Allgemeinen Konzil nach dem CIC: TThZ 70 (1961) 212–232; *ders.*, Ehre; *Lesage*, Nature; *Stickler*, Mysterium; *W. Bertrams*, De principio subsidiaritatis in iure canonico: PerRMCL 46 (1957) 3–65; *ders.*, De relatione inter officium episcopale et primatiale: PerRMCL 51 (1962) 3–29; *T. I. Jiménez-Urresti*, El binomio Primado-Episco-

gewissen Hinsicht den „Fortfall des stufenförmigen Denkschemas"[1285], dafür als oberstes Strukturprinzip das Prinzip der Einheit von Haupt und Gliedern[1286], von Hirt und Herde.[1287] „In der Eucharistiefeier, deren Träger die in hierarchischer Einheit aus dem priesterlichen Haupt und den mitopfernden Gläubigen bestehende Tischgemeinschaft ist, wird das Strukturprinzip der Kirche greifbar. Hirt und Herde sind durch das Prinzip der Haupt-Leibes-Einheit zu heiliger Einheit verbunden. In dieser Verbundenheit ist die Kirche Mittlerin des Heils. Die Stellung des Hauptes ist wesentlich Dienst für die anderen; in allen Fragen des persönlichen Heiles stehen Haupt und Glieder auf einer Ebene. Hauptstellung heißt Stellvertretung des unsichtbaren Herrn und ist gebunden an die in der apostolischen Sukzession verbürgte Sendung durch den Herrn, die in der kirchlichen Hierarchie ihren sichtbaren Ausdruck findet."[1288]

Dieser gefüllte Text K. Mörsdorfs weist uns zunächst, vielleicht überraschend, auf den Zusammenhang von Kirche und Eucharistie. Der Münchener Kanonist geht davon aus, daß die Kirche in der Eucharistiefeier ihr Wesen zur sichtbaren Darstellung bringen will.[1289] Damit werden augustinische, letztlich paulinische Gedanken wieder aufgegriffen.[1290] Für Augustinus sind Brot und Wein Symbole des in der Eucharistie gegenwärtigen historischen wie auch des mystischen Leibes Christi (Sermo 179). Der Zusammenhang besteht auch darin, daß sowohl die Kirche (Weihepriester und Träger des allgemeinen Priestertums in je eigener Weise) die Eucharistie wirkt, wie auch die Eucharistie die Kirche wirkt: „Sie gliedert in Christus ein und verbindet die Glieder der Kirche untereinander; sie bezeichnet die Einheit der Kirche und bewirkt sie."[1291] In der Eucharistiefeier also finden wir Priester und mitopfernde Gläubige in hier-

---

pado, Bilbao 1962; *M. Useros Carretero*, Aspectos eclesiológicos-canónicos del problema del laicado cristiano: REDC 10 (1955) 606–646; *ders.*, Statuta AnGr (zum Abschnitt C dieses Paragraphen siehe eigene Literaturzusammenstellung dort zu Beginn).

[1285] *Heimerl*, Kirche 26.

[1286] Vgl. *Mörsdorf*, Art. Laie, in: LThK 6, 740; *May*, Auctoritas 53: „die hierarchische Verfassung der Kirche als einer Einheit von Haupt und Gliedern".

[1287] *K. Mörsdorf* spricht gerne von Hirtenschaft und Gefolgschaft (z. B. I, 25).

[1288] *K. Mörsdorf*, Art. Kirchenverfassung, in: LThK 6, 275. Vgl. auch *K. Mörsdorf*, Träger 235; vgl. *L. Hofmann*, Die Rechte der Laien in der Kirche, Trier 1955, 10, der an die Gleichheit von Klerus und Laien zuerst erinnert, die im Bild der rettenden Arche sichtbar ist.

[1289] *Mörsdorf*, Träger 232. Vgl. *May*, Ehre passim (7 etc.).

[1290] *Mörsdorf* (Träger 224 f.) zitiert *Schmaus*, Katholische Dogmatik III, 1, 307 ff. und betont die Wende, die Mystici Corporis mit der Wiederaufnahme dieser Zusammenhänge brachte.

[1291] *H. de Lubac*, Betrachtung über die Kirche, Graz–Wien–Köln 1954, 90 nennt das „reziproke Kausalität" (zit. bei *May*, Ehre 11). Leider können wir hier dieses sehr fruchtbare Thema nicht weiter verfolgen, obwohl gerade *G. May* (Ehre bes. 10–14) sehr ausführlich darüber schreibt.

archischer Einheit, die geradezu eine Bedingung der Heilsvermittlung darstellt (äußeres Zeichen des Ursakramentes); diese Einheit wird am tiefsten in der Kommunion vollzogen.[1292] Innerhalb dieser Einheit besteht eine wesentliche Gleichheit zwischen allen Gliedern, Klerus wie Laien.[1293] Sie gilt für alle Fragen des persönlichen Heils (K. Mörsdorf, s. o.), aber auch recht verstanden für die Seelsorgeaufgabe.[1294] In anderer Hinsicht gibt es jedoch eine Unterscheidung, wodurch einige Glieder in der Stellung des Hauptes stehen. Sie vertreten das unsichtbare Haupt, Christus.[1295] Wir finden auch die Kategorie des Werkzeugs.[1296] Wir spüren dahinter die sakramentstheologischen Begriffe des Anzeigens und Bewirkens. Hier ist unmißverständlich die apostolische Sukzession als Bürgschaft für die Effektivität der Hierarchie genannt. Darin wirkt sich die Sendung durch den Herrn aus. Und „der Priester handelt nur deshalb an Stelle des Volkes, weil er die Person unseres Herrn Jesus Christus vertritt, insofern dieser das Haupt aller Glieder ist und sich selbst für sie opfert".[1297] Auf diesem Grunde darf man dann sagen, daß die Stellung des Hauptes wesentlich Dienst für die anderen ist.[1298] Schon die Bezeichnung des hier dargestellten Prinzips als Prinzip der Haupt-Leibes-Einheit wie die sachliche Behandlung und schließlich die Quellen (Literaturangaben) stellen es eindeutig in den Rahmen der Leib-Christi-Theologie, die in Mystici Corporis ihren Höhepunkt fand. Die Konkretisation in der Eucharistiefeier zeigt die Aufnahme der altkirchlichen Auffassungen, die im orthodoxen Raum stark vorherrschen.[1299] Nachdem also primär immer die Einheit und Gleichheit aller Glieder der Kirche[1300] betont worden ist, wird das Bild der Hirtenschaft genauer gezeichnet. Einige Kanonisten betonen mehr das Papsttum (I), einige

---

[1292] Vgl. *May*, Ehre 13: Kommunion ist Ausdruck und Bewirkung der Einheit mit Christus und der Gläubigen untereinander.

[1293] *Heimerl*, Kirche 32: „Man kann die Glieder als Glieder betrachten, dann ist ihre Stellung im Leibe Christi einheitlich gleich."

[1294] Vgl. *Heimerl*, Kirche 28, folgend *K. Schelkle*, Der Apostel als Priester: ThQ 136 (1956) 275 ff.

[1295] Zum Begriff der Stellvertretung vgl. oben § 33 I. 4.

[1296] U. a. *Heimerl*, Kirche 23.

[1297] *Mörsdorf*, Träger 227 zitiert hier die Enzyklika Mediator Dei vom 20. 11. 1947: AAS 39 (1947) 553; *Rohrbasser* 280; DS 3850; D 2300: „sacerdotem nempe idcirco tantum populi vices agere, quia personam gerit Dni. n. Jesu Christi, quatenus membrorum omnium Caput est, pro iisdem semet ipsum offert . . ."

[1298] Vgl. auch *Heimerl*, Kirche 32.

[1299] Vgl. die Literaturangaben bei *K. Mörsdorf*, Art. Kirchenverfassung, in: LThK 6, 276: *M.-J. Le Guillou*, Église et communion. Essai d'ecclésiologie comparée: Istina 6 (1959) 33–82; *G. Dejaifve*, „Sobornost" ou primauté: NRTh 76 (1952) 335–371.

[1300] Vgl. LG 7: „vera aequalitas".

sehen Primat und Episkopat relativ ausgeglichen (II), während W. Bertrams vom Episkopat ausgeht und die Rolle des Primats in der Koordination sieht (III).

B *Die Hirtenschaft*[1301], *besonders das Verhältnis von Episkopat und Primat*

I. Stärkere Betonung des Papsttums

1. *Systematische Sicht (G. Lesage)*

Wir haben schon G. Lesage als einen Vertreter des sakramentalen Kirchenbildes kennengelernt, der besonders dem Bilde vom mystischen Leibe Christi verpflichtet ist. Die soziale Gemeinschaft der Kirche, ihre Hierarchie und ihre Jurisdiktion sind für ihn die ausschließlichen Instrumente des Willens, der Wahrheit und der Gnade Gottes.[1302] Die Hierarchie hat als Zusammenfassung der wichtigsten Glieder der Kirche[1303] besonderen Anteil an der Rolle der Kirche, die durch einen Vergleich mit der Menschheit Christi deutlicher wird: Wie diese damals ein Instrument der Vervollkommnung, der Heiligung der Menschen war, so wollte Christus den Menschen in der Kirche ein ähnliches Instrument geben, das genauso gegenwärtig, verfügbar und wirksam sein sollte, wie seine eigene Menschheit.[1304] So ist „die Regierung der Kirche kein statisches Element in einer unbeweglichen Institution, sondern ein dynamisches Prinzip in einer lebendigen Realität. Sie ist ständig wachsamer Geist und der ständig aktive Wille, die darüber wachen, daß eine ständig wirksame Organisation den Kindern Gottes die Richtung, die Wahrheit und das Leben Gottes mitteile".[1305]

Es gibt immer wieder die Bestrebung, unter Umgehung der Hierarchie eine direkte Kommunikation mit Gott zu erreichen. Doch ist das eine Illusion, weil man schwer die eigenen Träume von der Stimme Gottes unterscheiden kann. „Die übernatürliche Inspiration, die authentisch vom Heiligen Geist ausgeht, akzeptiert es gerne, durch die kirchlichen Vorgesetzten kontrolliert, diszipli

---

[1301] *Mörsdorf* I, 254.
[1302] Cf. *Lesage*, Nature 64.
[1303] Cf. *Lesage*, Nature 23.
[1304] Cf. *Lesage*, Nature 67. Vgl. oben § 18 II. 3.
[1305] *Lesage*, Nature 36: „Le gouvernement de l'Église n'est pas un élément statique dans une institution immobile, mais un principe dynamique dans une réalité vivante. Il est esprit toujours alerte et la volonté toujours active qui veillent à ce qu'une organisation toujours efficace communique aux enfants de Dieu la direction, la verité et la vie divines."

niert und ausgerichtet zu werden."[1306] Hier ist also entschieden damit ernst gemacht, die Tätigkeit der Träger der kirchlichen Gewalt ganz übernatürlich zu sehen. Es handelt sich z. B. nicht um eine einmalige Beauftragung Petri durch Christus, so daß er ihn ersetzen könnte; vielmehr steht er ihm unsichtbar und lebenig bei, „er umhüllt ihn ständig mit seiner Kraft, den er als sichtbares Haupt seiner Kirche eingesetzt hat".[1307]

So wird die Unterwerfung der Gläubigen unter den Papst (durch das Gesetz) zum Zeichen der geheimnisvollen Realität der ekklesialen Gemeinschaft, die Christus in der Gnade geeint ist.[1308] Wir erkennen nach der Kategorie der Instrumentalität die Kategorie der Einheit. Das sakramentale Verständnis bleibt hier nicht bei einer individuellen Sicht des Papstes stehen, sondern bringt ähnlich wie beim sakramentalen Ehebund die Beziehung zwischen Getauften ins Spiel, eben die Einheit zwischen Haupt und Gliedern, Papst und Gläubigen. Im allgemeinen jedoch bleibt es bei der individuellen Sicht, d. h. auch M. Useros bezeichnet die Vermittlung der Hierarchie als Zeichen und Ursache, also als Sakrament der Vermittlung Jesu.[1309] Damit tritt neben die Instrumentalität (Ursache) schon die Repräsentation (Zeichen): Das eigentliche Haupt ist Christus, aber er wird hier auf Erden durch die Hierarchie sichtbar repräsentiert[1310], durch den Papst als Vorsteher aller dem Gottesvolk als ganzem, wie durch die Bischöfe den einzelnen Teilgemeinschaften.[1311] „Das der Kirchenverfassung eigene Strukturprinzip der Haupt-Leibes-Einheit fordert, daß jede Bischofskirche nur *einen* Bischof hat, der als sichtbares Haupt der ihm anvertrauten Gläubigen die Vielen zur Einheit verbindet."[1312]

Diese Funktion wird schließlich als die des Dolmetschers dargestellt: Der Erlöser setzt die Leitung der Kirche mit Hilfe der Übersetzung, durch die Interpretation der sichtbaren Hierarchie fort, die den Seelen die Fülle seiner Gnade, seiner Lehre und seiner Weisungen übermittelt.[1313]

G. Lesage hat im ganzen fünf Kapitel über den Papst, seinen Primat und seine Funktion als höchster Gesetzgeber geschrieben. Die Bischöfe werden kaum

---

[1306] *Lesage,* Nature 26: „L'inspiration surnaturelle qui procède authentiquement de l'Esprit Saint accepte volontiers d'être controlée, disciplinée et rectifiée par les chefs ecclésiastiques."

[1307] *Lesage,* Nature 64: „. . . il couvre toujours de sa puissance celui qu'il a établi comme chef visible de son Église."

[1308] Cf. *Useros,* Statuta 68.

[1309] *Useros,* Aspectos 631: „esta mediación jerárquica es signo y causa . . . sacramento de la mediación de Jesús."

[1310] Cf. *Lesage,* Nature 48.

[1311] Vgl. *Mörsdorf* I, 27.

[1312] *Mörsdorf,* Bischof 498.

[1313] Cf. *Lesage,* Nature 50.

erwähnt, genausowenig die Konzilien. Selbst bei der Bildung der Gewohnheiten spielt der Papst fast die einzige Rolle.[1314] Andererseits wird aber die juridische Betrachtungsweise wieder dadurch gefüllt, daß die Einsetzung Petri in sein Stellvertreteramt nicht nur auf die Einsetzungsworte, sondern wesentlich auch auf die Führung Petri durch den Heiligen Geist seit Pfingsten zurückgeführt wird, der ihm seine Leitungsstellung bewußt macht.[1315]

2. Geschichtliche Sicht (A. M. Stickler)

A. M. Stickler hat, wie wir oben festgestellt haben, immer wieder die spannungsreiche Beziehung von Göttlichem und Menschlichem in der Kirche dargestellt. Das gelingt ihm besonders durch Heranziehung der Geschichte. Primat und Episkopat gehören zur Rechtssubstanz göttlichen Rechtes. Darin äußert sich also das Ewige im Zeitlichen. Es erscheint aber in jeder Zeit anders, oft fast entgegengesetzt. Interessant ist in dieser Darstellung, daß Primat und Episkopat keineswegs als Rivalen gezeichnet werden. Vielmehr hat nach der Phase der Verfolgungszeit, in der von einer zentralistischen Regierung der Gesamtkirche überhaupt keine Rede sein konnte, der Episkopat selber die Entwicklung dahingehend gefördert, daß bei dem Neuauftreten vieler Probleme durch die starke Ausbreitung der Kirche, besonders dann unter den germanischen Völkern, die Ausübung des Primats intensiviert wurde. Erst später, in der gregorianischen Reformzeit, war es das Papsttum selbst, das im Interesse der Reform immer mehr Befugnisse an sich zog. Tatsächlich lag gleichzeitig die bischöfliche Gewalt brach, auch die Metropolitanverfassung hatte ihre Bedeutung fast ganz verloren, so daß ein Eingreifen Roms notwendig wurde. Andererseits ist erst nach der Festigung dieser Zentralgewalt auch in der Verwaltung durch viele Bestimmungen des Trienter Konzils auch die zentrale Gewalt des Bischofs gestärkt worden, allerdings in der Weise, daß die Bischöfe

---

[1314] Cf. *Lesage*, Nature Kapitel 6–10. Auch *E. R. v. Kienitz*, der das Bild vom mystischen Leib obenanstellt, hebt den Papst als souverän (Gestalt 80) und autoritär regierenden Monarchen (vgl. Gestalt 25) heraus und vergleicht sein Verhältnis zu den Bischöfen mit dem Verhältnis des Bischofs zu seinem Generalvikar und Offizial, „wenn das Bischofamt auch keine Stellvertretung des Papstes ist" (Gestalt 29). Interessant ist noch die Prophezeiung *J. Beyers* (Le Souverain Pontife, centre vital et unité de l'Église: Ut regnet. Sondernummer von Bulletin Mensuel des Dirigentes de la Croisade eucharistique, Nov 55, p. 38, zit. nach *O. Rousseau*, Der wahre Wert des Bischofsamtes in der Kirche nach wichtigen Dokumenten von 1875, in: Das Bischofsamt und die Weltkirche, hrsg. v. *Y. M.-J. Congar*, Stuttgart 1964, S. 746 f., Anm. 20). *J. Beyer* nimmt an, daß die Bistümer in einer universalen Welt ihre Souveränität verlieren werden und Petrus und seinen Nachfolgern die Gesamtleitung der katholischen Bewegung, jeder katholischen Aktion und jedes Apostolates überlassen werden, um in der internationalen Gesellschaft wirksam sein zu können.
[1315] Cf. *Lesage*, Nature 67.

als Delegierte des römischen Stuhles erschienen. A. M. Stickler sieht die Entwicklung des Primats bis heute in einem immer positiveren Sinn. Beim Episkopat spricht er sich nicht so deutlich aus, wertet aber eben diese Zentralgewalt des Bischofs sehr hoch und setzt die monarchische Natur des Episkopats voraus.

Auf Grund der Einsicht in die geschichtliche Wandlungsfähigkeit der menschlichen Formung göttlicher Rechtsinstitute sieht er auch offene Wege für die Einigung mit den getrennten Brüdern in den orthodoxen Kirchen; bei aufrichtiger Zusammenarbeit und echtem Vertrauen könnte Rom „bisher der Zentralgewalt reservierte Aufgaben und Aufgabenkreise dem Episkopat überlassen".[1316]

II. Wachsendes Verständnis für den Episkopat

1. *Christus im Bischof (E. R. v. Kienitz)*

Wie G. Lesage vergleicht G. May die Amtsträger mit Werkzeugen Christi. Als solche sind sie seine Stellvertreter, wobei der Papst das in einem spezifischen Sinn ist.[1317] Christus ist zwar der eigentliche Autoritätsträger, das Haupt der Kirche. Doch schließt die belebende und leitende Wirksamkeit Christi und seines Geistes die Tätigkeit menschlicher Organe nicht aus, sondern kommt gerade in ihnen und durch sie zur Auswirkung.[1318] Wir möchten hier besonders E. R. v. Kienitz nennen, der zwar den Primat sehr stark hervorhebt, andererseits aber eben auch den Episkopat kräftig unterstreicht, und, das scheint uns das Wesentliche, im Christusgeheimnis verankert. Anknüpfend an die frühkirchliche Geschichte des Episkopats begründet er die Ehrfurcht vor den Bischöfen nicht aus der Tatsache, daß sie vielleicht von Apostelschülern noch eingesetzt waren, sondern auf ihrer inneren Beziehung zu Christus. Die Worte von Christus als dem Haupt der Kirche, als dem Abbild und Gesandten des himmlischen Vaters und den Aposteln als tragenden Säulen des Baues, der Christus als Fundament und Eckstein hat, waren noch lebendig; darum war die Übertragung dessen auf den Bischof und die Priester natürlich, da ja die

---

[1316] *Stickler*, Mysterium 642. So ist die Entwicklung nach dem Konzil auch wirklich verlaufen, vgl. das Motuproprio *Pauls VI.* „De Episcoporum Muneribus" (über die Dispensvollmachten für die Diözesanbischöfe) vom 15. Juni 1966, L'Osservatore Romano n. 139, 1966 (AkathKR 135 [1966] 244–248). Vgl. zum 1. Absatz unserer Darstellung der Ansichten *A. M. Sticklers* noch *Stickler*, Mysterium 596 f., zum 2. Absatz die Seiten 597 ff., zum 3. Absatz die Seiten 541 ff.

[1317] Vgl. *May*, Auctoritas 39.

[1318] Vgl. ebd.

Einzelkirche als Zelle der großen Kirche galt. So kam es, daß man im Bischof Christus, in den Priestern die Apostel sah und gehorsam verehrte.[1319] „Mit einer unerhörten Treffsicherheit hat die geisterleuchtete Kirche der Frühzeit erkannt, daß sich Christus, der Hohepriester und König, im Bischof, dem Priester und Hirten Seiner Herde, geheimnisvoll und doch höchst wirksam verkörpert und darstellt."[1320]

Dabei wird durch die Amtsgnade die persönliche Prägung des einzelnen Bischofs nicht ausgelöscht, „sondern nach dem Maß der speziellen Anlagen und Gaben, die Gott einem jeden verlieh, leuchtet diese oder jene Seite der Universalität Christi in einem Bischof besonders auf ... Verschieden ist das spezielle Persönlichkeitscharisma, das Gott jedem Bischof gab, aber jeder katholische Bischof ist irgendwie in seinem Amt ein sichtbares Bild Christi, ‚des Bischofs unserer Seelen'."[1321] Die alte Kirche hat in Korrelation dazu die Kirche, hier die Ortskirche, als Braut Christi gesehen, der der Bischof als Darsteller Christi geistlich vermählt wird. Diese Vorstellung ist bis heute in Ost und West lebendig; das Verbot der Versetzung von Bischöfen ist zwar gefallen, doch bleibt diese immer noch eine Ausnahme. Stirbt ein Bischof, spricht man von einer „ecclesia viduata".[1322] Von dieser Realität her läßt sich auch der Aufwand an Prunk für den Träger des Bischofsamtes verstehen. „Die treibende Kraft ... ist die dankbare, überquellende Freude des Gläubigen an seiner Kirche, an ihrer überwältigenden Einheit, an dem im Bischof gleichsam personhaft gewordenen Ja zur Gemeinschaft der Brüder, zu dem einen Leib Christi."[1323] In diesem gläubigen Bewußtsein vertritt E. R. v. Kienitz die Auffassung, daß die Bischofsgewalt mit allen wesentlichen Rechten nicht vom Statthalter Christi, sondern von Christus selber stammt. Nur die spezielle Sendung in eine bestimmte Diözese gibt der Papst.[1324] Das Zusammenwirken der Primatialgewalt mit der bischöflichen vergleicht er in einem architektonischen Bild: Es gibt mittelalterliche Räume, wie den Remter der Marienburg, deren Sterngewölbe in der Mitte auf einer einzigen Säule aufruht, während außen an der Wand viele einzelne Säulen die Streben tragen. Man kann das Papst-

[1319] v. Kienitz, Gestalt 177 f.

[1320] v. Kienitz, Gestalt 178. Er zitiert ausführlich die Ignatiusbriefe.

[1321] v. Kienitz, Gestalt 202.

[1322] Vgl. Mörsdorf, Bischof 498.

[1323] Mathis, Kirchenrecht 125; er zitiert hier K. Adam, Das Wesen des Katholizismus, Düsseldorf 1934, 55.

[1324] v. Kienitz, Gestalt 182 f. K. Mörsdorf (Art. Kirchenverf., in: LThK 6, 276) meint auch, die Jurisdiktion des Bischofs komme nicht vom Papst; er leitet sie aber positiv aus dem Amt ab. Hierzu ausführlich E. Corecco, L'origine del potere di giurisdizione episcopale. Aspetti storico-giuridici e metodologici-sistematici della questione: Scuela cattolica 96 (1968) 3–42; 107–141 (nach ThRv 64 [1968] 465).

tum mit der Mittelsäule vergleichen; ohne es würde das ganze Gewölbe ein-
stürzen. Der Episkopat ist wie die Außensäulen; es könnte wohl die eine oder
andere fehlen, insgesamt sind sie aber genauso notwendig, um den Bau zu
halten. So nimmt es nicht wunder, daß E. R. v. Kienitz wie übrigens schon
E. Jombart und L. R. Sotillo vom Kollegium der Apostel und der Körperschaft
der Bischöfe sprechen, die jenem nachfolgt bzw. es andauern läßt. So ist es der
Gesamtepiskopat, der wie das Apostelkollegium die oberste Regierungs- und
Lehrgewalt in der Kirche hat und sie vornehmlich (!) auf dem allgemeinen
Konzil ausübt.[1326]

2. Die Einheit der Bischöfe um den Papst (G. May)

Von diesem sakramentalen Verständnis her mögen einige Ausführungen erhellt sein, die sich mit der juridischen Seite des Verhältnisses von Papst und
Bischöfen befassen[1327], und zwar so, wie es sich beim Allgemeinen Konzil darstellt. Abgesehen von den canones des geltenden Rechtes, die G. May selbstverständlich heranzieht und erschöpfend kommentiert, weist er auf einige wichtige Punkte hin und versucht im übrigen, einem tieferen Verständnis zu
dienen.

Bei der Bestimmung der Teilnehmer des Konzils sind dem Papst Schranken positiv göttlichen Rechts gesetzt. Zum Konzil als der Repräsentation der gesamten
katholischen Kirche muß er mindestens alle residierenden Bischöfe einladen.[1328]

1325 Vgl. v. *Kienitz*, Gestalt 184 f. Hier wie auch oben (S. 239) kommt das Bild vom Hause
Gottes zum Leuchten.

1326 Vgl. v. *Kienitz*, Gestalt 184; *Sotillo* 151 n. 187; *Jombart*, Manuel 127: „Le corps des
evêques perpétue le corps des Apôtres." Weder die Kanonisten des gesellschaftlichen noch
die des sakramentalen Kirchenbildes haben viel Stoff zum Thema Kollegialität. Lediglich
die eben zitierten Bemerkungen deuten etwas an; *K. Mörsdorf* (Art. Kirchenverfassung,
in LThK 6, 275) hat einen weiterführenden Hinweis: „Es ist eine charakteristische Eigenart der Kirchenverfassung, daß der Papst und die Oberbischöfe (Patriarch, Metropolit) als
Teilhaber an der obersten Hirtengewalt zugleich regierende Bischöfe eines Bistums sind,
mit dem die oberbischöfliche Stellung verbunden ist. Dies weist ein bischöflich-kollegiales
Verfassungselement hin, das in den Synoden voll zum Durchbruch kommt (s. Konzil)".
E. R. v. Kienitz (Gestalt 263) hat andererseits den eigenartigen Passus, die Konzilien der
Zukunft würden wohl ihre Bedeutung darin haben, daß sie in eindrucksvoller Weise päpst-
liche Lehrentscheidungen unterstützen könnten.

1327 Vgl. *May*, Verhältnis (Anm. 1284).

1328 Zur Frage der Repräsentation der Kirche auf dem Konzil sagt *G. May* (Verhältnis 215):
„Die Kirche stellt sich wesentlich allein in den residierenden Bischöfen mit dem Bischof
von Rom an der Spitze dar." Damit ist nach *H. Schauf* (De conciliis oecumenicis, Romae–
Friburgi/Br.–Barcinone 1961, 48) an die Kirche gedacht, die im Lehramt für gegenwärtig
gehalten wird. „Die Bischöfe werden also nicht, wenigstens nicht in erster Linie, als
‚Repräsentanten' ihrer Teilkirchen genommen, die sie gegenwärtig machen sollten, indem sie
ihren Glauben bezeugen. Die Bischöfe selbst zu einem Kollegium versammelt, sind unmittelbar Lehrer des Glaubens und nicht Delegierte oder Vertreter ihrer Teilkirchen oder

Kräftiger noch als A. Hagen[1329] betont G. May die über die eigene Diözese hinausgehende Verantwortung des einzelnen Bischofs für die Gesamtkirche. Er folgt K. Rahner[1330], der erklärt, daß jeder Bischof eine Mitverantwortung für die Gesamtkirche hat, „indem er sich für die Verfügung der Gesamtkirche so offenhält, daß alles, was in seiner Diözese geschieht, in ‚Kommunion' mit der Gesamtkirche bleibt und auf die Gesamtkirche wirken kann".[1331] Darum kann man auch sagen, daß die Bischöfe die Befugnis, die Herde Gottes auf dem ganzen Erdkreis zu weiden, als Mitglieder des Kollegiums der Bischöfe haben,[1332] das im Papst seine Spitze hat.

Sicher ist, daß die Bischöfe auf dem Konzil eine ordentliche, nicht eine delegierte Gewalt ausüben.[1333] Offen bleibt, ob sie diese Gewalt als solche vom Papst empfangen[1334] oder direkt von Christus.[1335] Zur Synthese der beiden Aussagen, der Papst habe die höchste Gewalt in der Kirche und auch das Konzil habe diese, gibt G. May klare Hinweise: Zunächst ist die Frage falsch gestellt, wenn man fragt, ob das Konzil dem Papst oder der Papst dem Konzil übergeordnet sei. Denn wenn der Papst zum Konzil gehört, kann es keinen Widerstreit zwischen dem Papst ohne den zum Allgemeinen Konzil versam-

---

der ganzen Kirche." Darum ist diese Redeweise von der Repräsentation in der 22. Sitzung der leitenden Kommission des I. Vaticanum als unglücklich bezeichnet worden (*Mansi* 49, 516; nach *Schauf*, ib.).

[1329] Vgl. oben S. 226.

[1330] *K. Rahner*, Primat und Episkopat. Einige Überlegungen über Verfassungsprinzipien der Kirche: StdZ 161 (1957/58) 321–336; auch in *K. Rahner–J. Ratzinger*, Episkopat und Primat (Quaestiones disputatae 11), Freiburg/Br. 1961, 33. Bei *Rahner*, Primat 334 f. heißt es übrigens „... für die Verfügung der Gesamtkirche und (darüber hinaus) *Gottes* so offen hält, daß, was in seiner Diözese wird, in ‚Kommunion' mit der Gesamtkirche bleibt, aber auch so wird, daß es der Ausgangspunkt für den *Impuls Gottes* in die Gesamtkirche hinein werden kann." (Hervorhebung vom Vf.)

[1331] *May*, Verhältnis 224, Anm. 60.

[1332] Vgl. *May*, Verhältnis 224.

[1333] Vgl. *May*, Verhältnis 224, Anm. 61.

[1334] So DDC III, 1284.

[1335] *May*, Verhältnis 225, Anm. 61: für die unmittelbare Ableitung von Christus *J. B. Ladvocat*, Tractatus de conciliis in genere, Parisiis 1769, 406ss, Man kann *J. B. Ladvocat* aber auch dahin verstehen, daß er nur eine ordentliche Gewalt der Bischöfe auf dem Konzil behauptet, ohne über den Ursprung etwas auszusagen. Eine Klärung könnte wohl hier gewonnen werden, wenn man nicht festgelegt wäre auf ein individuelles Quellensubjekt der Gewalt, sondern berücksichtigte, daß gerade in der Einheit der Kirche sakramentale Wirkungen hervorgebracht werden. So dürfte man wohl die Autorität der Eltern letztlich weder im Vater noch in der Mutter suchen, sondern in Christus, der aber gerade in ihrer sakramentalen Einheit wirksam werden will. So ist Christus sowohl im Papst wie auch in den Bischöfen, aber der ganze Christus wird erst sichtbar, je stärker die Einheit zwischen den Genannten ist. Das schließt nicht aus, daß im konkreten Fall auch der Papst allein die volle Gewalt hat und ausüben kann, weil die Einheit mit Christus und durch ihn mit dem Vater weiter besteht.

melten Episkopat und dem Papst mit dem zum Konzil versammelten Episkopat geben.[1336] Der Nachfolger Petri kann auch nicht über dem Konzil stehen, weil er an seiner Spitze steht. Eine Berufung vom Papst an ein Allgemeines Konzil ist daher sinnlos (c. 228 § 2). Wohl hat es Sinn zu sagen, und dies ist wesentlich, daß der Papst jedem einzelnen Bischof und auch der Gesamtheit der zum Konzil versammelten Bischöfe übergeordnet ist (cc. 329 § 1. 2; 330; 222). Er behält seine höchste Gewalt über die ganze Kirche auch während des Konzils. G. May vergleicht schließlich die höchste Gewalt des Papstes und die höchste Gewalt der Bischöfe auf dem Konzil mit einer Kugel, die je nach dem Druck, der in ihr herrscht, einen größeren oder geringeren Durchmesser hat. Die Gewalt ist jeweils die gleiche, aber die Repräsentation der Kirche ist verschieden. „Der Papst repräsentiert mehr die Einheit, das Allgemeine Konzil mehr die Fülle der Kirche."[1337] Das Wesen der Kirche wird deutlicher sichtbar. Die Konzilien sind zwar nicht wesensnotwendig, aber doch bisher sehr segensreich gewesen.[1338]

In ähnlicher Weise zeigt T. I. Jiménez-Urresti, daß der Papst und die übrigen Bischöfe ganz allgemein zu einer Einheit gerufen sind, in welcher alle mit dem Nachfolger Petri übereinstimmen müssen. Der Papst ist sowohl für die Erkenntnis wie für den Willen das letzte objektive Kriterium. Das ergibt keinen circulus vitiosus, denn der Papst „weiß, woher er kommt" (Joh 8, 13–16), nämlich von der Einsetzung durch Jesus Christus her.

Darum ist es Irrtum, die Bischöfe als ein „Gegengewicht" gegen den Papst aufzufassen, als dezentralisierende Kraft oder Spannung gegenüber der zentralisierenden Kraft des Papstes. Gerade ihre eigene Natur bringt sie dazu, sich um den Papst zu zentralisieren. Denn alle Bischöfe gegenüber dem Papst sind nichts, zählen nichts, sind nicht die Kirche, bilden nicht die Kirche.[1339]

[1336] Vgl. *May*, Verhältnis 225.

[1337] *May, Verhältnis* 226 f., Anm. 67.

[1338] In dieser Unterscheidung von Einheit und Fülle wird der Gegensatz Form–Fülle sichtbar. Damit ist gleichzeitig erkannt, daß wesenhaft kein Widerspruch zwischen diesen beiden Linien oder Seiten auftreten darf, soll das Leben nicht Schaden leiden. In Christus findet beides seinen Platz bzw. findet sich im anderen aufgehoben. Damit wird auch sichtbar, warum diese Doppelheit jeder einseitig juridischen Sicht unerklärlich bleiben wird. Fülle oder deutlichere Sichtbarkeit sind ja keine juridischen Daten. Im Recht geht es nur um die scharfe Form und klare Rechtlichkeit. Dafür genügt aber der Primat. So war ja auch nach der Definition des ersten Vatikanischen Konzils bekanntlich von manchen vermutet worden, Konzilien seien fortan überflüssig (vgl. Anm. 1326). Die Einberufung des II. Vaticanum zeigt den Prozeß innerhalb der Kirche an, durch den die Spannungseinheit innerhalb des Gegensatzes von Form und Fülle hin zur Fülle schwingt.

[1339] Er zitiert die Relation von *B. d'Avanco* auf dem Vaticanum I: „Apostolatus ergo, et in ipso episcopatus, immediate et iure divino est ex Christi institutione, non ad imponendum limitem, sed ad cooperandum supremae ac plenae potestati Petri in aedificationem Ecclesiae" (ColLac VII, 323a). Cf. *Jiménez-Urresti*, Binomio 54s.

III. Die Gemeinschaft des Episkopats und die Koordination
durch den Primat (W. Bertrams)

Im Gegensatz zu früheren Darstellungen, die vom Primat ausgehen und dann als zweiten Fixpunkt göttlichen Rechts den Episkopat einordnen, geht W. Bertrams vom Episkopat aus und betont die communio und versteht den Primat von der Funktion der Koordination her. Selbstverständlich setzt er dabei die dogmatischen Lehren über den Primat voraus, genauso die geltenden canones.[1340] Die geläufige Darstellung weist der Bischofskonsekration die Übertragung der Weihegewalt zu, während dann die päpstliche Sendung die Leitungsgewalt verleiht. Nach W. Bertrams kann man sagen, daß mit der Konsekration dem Bischof auch schon das Ius regendi, also ein grundlegendes Recht auf die Leitung übertragen wird.[1341] Durch die kanonische Sendung seitens des Papstes geschieht eine Koordination der Rechte aller geweihten Bischöfe in bezug auf Territorium und eventuell auch Umfang ihrer Vollmachten. Die Weihe bringt schon eine innere Struktur hervor, da sie eine Handlung ist, bei der die Konsekratoren Christus vertreten. Christus aber geht der Kirche als konkreter menschlicher Gemeinschaft voraus.[1342] Der Papst gibt dann durch seine Koordination (kanonische Sendung) die äußere Struktur, die notwendig zur menschlichen Gesellschaft als einer leibhaftigen und äußeren gehört. Auf Grund der Bischofsweihe als solcher sind jedoch schon alle wesentlichen konstitutiven Elemente des Bischofsamtes vorhanden.[1343]

Mit dieser Auffassung läßt sich die altkirchliche Praxis erklären: An den Bischofswahlen waren lange Zeit hindurch die Päpste nicht beteiligt. Auch dem heutigen Recht geschieht genüge. Schließlich ist auch verständlich, warum die Titularbischöfe, die ja keine Jurisdiktion besitzen, dennoch auf dem Allgemeinen Konzil beschließendes Stimmrecht haben: Sie haben eben schon durch ihre Weihe ein grundlegendes Recht auf Leitung der Kirche und üben dieses bei dieser Gelegenheit unspezifiziert gegenüber der gesamten Kirche aus. Die universelle Gewalt des Papstes läßt sich also in dieser Sicht von ihrem inner-

---

[1340] Cf. *Bertrams*, Relatio 3.

[1341] Früher sprach man nur von einer Eignung zum Empfang von Jurisdiktionsgewalt (vgl. oben S. 223).

[1342] Cf. *Bertrams*, Relatio 14s. Zu dieser Unterscheidung von innerer und äußerer Struktur, die für *W. Bertrams* typisch ist, vgl. auch seine Artikel De influxu Ecclesiae in iura baptizatorum: PerRMCL 49 (1960) 417ss und Subsidiaritas 25–30. 45. Er unterscheidet hier wie üblich eine potestas vicaria, die bei der Weihe, und eine potestas propria, die bei der Verleihung der Jurisdiktion ausgeübt wird. *K. Mörsdorf* (I, 317) hält diese Unterscheidung sprachlich nicht für glücklich, denn er meint, es gäbe keine Gewalt der Kirche, die von der Sendung durch Christus ablösbar wäre.

[1343] Cf. *Bertrams*, Relatio 14.

sten Sinn her als eine wahrhaft bischöfliche Gewalt zur Koordination der Bischöfe auffassen. Ihre Zielrichtung geht auf die communio der Bischöfe untereinander (und zwar hier speziell in Hinsicht der Leitung). Der Papst bewirkt die Koordination

1. durch Zuweisung eines bestimmten Bistums;
2. durch Verpflichtung des Bischofs auf das gemeine Recht, das im Interesse des Gemeinwohles besteht. Damit ist dem einzelnen Bischof die Anerkennung erteilt. Diese Koordination muß im übrigen immer weiter hergestellt und bewahrt werden. Sie geschieht praktisch auf dem gleichen Wege: Indem der Bischof seine Leitungsrechte mit den übergeordneten und letztlich den primatialen Leitungsrechten abstimmt, versichert er sich über den Papst der communio mit seinen Mitbischöfen (im Hinblick auf die Leitung).[1344]

Die gleiche Konzeption finden wir, wenn auf das Verhältnis von Primat und Episkopat das Subsidiaritätsprinzip angewandt wird: Was der einzelne Bischof tun kann (und wegen des Gemeinwohles seiner Diözese auch – gegebenenfalls mit eigener Färbung – tun muß), das soll eine übergeordnete Instanz ihm nicht abnehmen, sondern positiv ihn, soweit notwendig, dabei unterstützen.[1345] Hand in Hand geht damit eine vertiefte Sicht der Orts(Bischofs-)kirche. Sie ist nicht bloß Teil der Gesamtkirche, sondern nimmt ganz am Wesen der Kirche teil.[1346] Wir haben gesehen, wie auch im sakramentalen Kirchenbild durchaus beide Akzente vorhanden sind. Doch geht im Ganzen die Entwicklung dahin, daß man mehr gleichsam von unten ausgeht, von der einzelnen Teilkirche, die von einem Nachfolger der Apostel, dem Christus repräsentierenden Bischof, geleitet wird. Es kommt stärker die sakramentale Basis des Episkopats, die Weihe, zum Zuge. Darum tritt der Papst mehr als koordinierender Einheitspunkt hervor, das Bischofskollegium und das Konzil werden bedeutsamer, und die Ortskirche kommt mehr in den Blick als Darstellung der Gesamtkirche.

[1344] Cf. *Bertrams*, Relatio 18. Er gebraucht hier zweimal das Wort ultimatim; recognitio „saltem ultimatim a Romano Pontifice procedere debet"; „saltem ultimatim semper ius regiminis Episcopi est coordinandum cum iure regiminis primatialis". Damit berücksichtigt er die geschichtliche Tatsache, daß lange Zeit der übergeordnete Mittelpunkt für den Einzelbischof nicht unmittelbar der Papst war, sondern etwa der Metropolit oder der Patriarch. T. I. *Jiménez-Urresti* (Binomio) hat im Technischen eine ähnliche Auffassung; man vermißt dabei die Verankerung im Gesamt des Ursakramentes.

[1345] Cf. *W. Bertrams*, Subsidiaritas 59–63; Das Subsidiaritätsprinzip in der Kirche: StdZ 160 (1956/57) 264–267.

[1346] Cf. *J.-F. Noubel*, L'Église diocésaine – sa construction juridique actuelle: L'année canonique 1 (1952) 144.

C Streiflichter zur Sicht der Laien

Im Vergleich zur Beachtung, die die Laien im gesellschaftlichen Kirchenbild der Kanonisten finden, schwillt bei den neueren Autoren der Stoff bedeutend an.[1347] Die Fragen sind außerordentlich vielfältig und verwickelt, da sie im Grunde die ganze Ekklesiologie mitschwingen lassen.[1348] So mag es gestattet sein, auch in diesem Bereich auszuwählen und lediglich einige Streiflichter aufleuchten zu lassen, die, wie wir meinen, das Typische des zweiten Kirchenbildes in seiner Vielfalt zu erkennen geben. Wir haben z. B. den Themenkreis Katholische Aktion praktisch ausgeklammert, ebenso die Reflexion auf die Religiosen, die ja in einem gewissen Sinn auch Laien sein können.

Wir werden zunächst zeigen, wie die drei großen Ideen das Laienbild prägen: Leib Christi, Volk Gottes und Ursakrament (I. 1, I. 2 und I. 3). Dann folgen einige Gedanken zur Funktion der Laien, wobei die Relation zum Klerus näher bestimmt wird: die Teilnahme am dreifachen Amt Christi (II. 1), die Frage der Jurisdiktion (II. 2), die Freiheit der Laien und der Dienst des Klerus (II. 3) und ihr Verhältnis zur Welt (II. 4). Einige erste Vorschläge zur Verbesserung ihrer rechtlichen Stellung (III) gehen dem abschließenden Rückblick voraus.

I. Die Prägung des Bildes der Laien in den großen Bildern bzw. Sachbegriffen für die Kirche

Das erste, was im sakramentalen Kirchenbild auffällt, ist die ganzheitliche Sicht der Kirche. Als Ganzes ist sie mystischer Leib Christi, neues Gottesvolk und Ursakrament. Vor aller Differenzierung läßt sich vieles von diesem Gan-

---

[1347] 1957 erschien in Mailand eine 2229 Nummern umfassende Bibliographie L'apostolato dei Laici. Bibliografia sistematica (nach *Panzram*, Teilhabe 65). Dieser Hinweis allein zeigt, daß die folgende Auswahl nicht im entferntesten Anspruch auf Vollständigkeit erheben kann. Primärliteratur: 1. die Kommentare, bes. der von *K. Mörsdorf*; 2. grundlegende Monographien und Artikel: *Rösser*, Laien; *L. Hofmann*, Die Rechte der Laien in der Kirche: TThZ 64 (1955) 341–362, auch als Sonderdruck Trier 1955, wonach hier zitiert wird; *M. Useros Carretero*, Aspectos eclesiológicos-canónicos del problema del laicado cristiano: REDC 10 (1955) 606–646; *B. Panzram*, Die Spannungsfelder des Laienapostolates im Gesichtswinkel des Kanonisten: Oberrh. Pastoralbl. 58 (1957) 31–38; *W. Bertrams*, Die personale Struktur des Kirchenrechts: StdZ 164 (1958/59) 121–136; *ders.*, Influxus; *A. Szentirmai*, Jurisdiktion für Laien? ThQ 140 (1960) 410–426; *B. Panzram*, Die Teilhabe der Laien am Priesteramt, Lehramt und Hirtenamt im Rahmen des geltenden Kirchenrechts: Oberrh. Pastoralbl. 62 (1961) 65–72; *K. Mörsdorf*, Art. Laie, kirchenrechtlich, in: LThK 6, 740 f.; *Heimerl*, Kirche; *ders.*, Laien; *May*, Auctoritas; 3. Passagen in größeren Werken wie *Hagen*, Prinzipien 93–109: Klerus und Laien; *Lesage*, Nature; *May*, Ehre; *v. Kienitz*, Gestalt, Die Quellen unserer Autoren s. im Text.

[1348] So hat man Y. M.-J. *Congars* großes Werk, Der Laie, eine ganze Ekklesiologie genannt.

zen und damit in bestimmter Hinsicht von jedem Teil aussagen. So wird das Bild des Laien eigentlich zunächst als Bild des Christen, des Gläubigen schlechthin gezeichnet. Natürlich sprechen die Texte vom Laien, aber das ist hier ein gewandelter, ganz gefüllter Begriff.

1. Der Laie als Glied im mystischen Leibe Christi

Durch die Taufe eint Gott den Menschen Christus, gestaltet ihn seinem Sohne gleich und gliedert ihn Christus ein.[1349] Der Getaufte empfängt den Heiligen Geist, Christus als belebendes Haupt läßt ihn lebendiges Glied an seinem mystischen Leibe sein.[1350] Dieses „Glied-Christi-Sein" macht „die übernatürliche Erfüllung" des Menschen aus.[1351]

Die Taufe als Einfügung eines neuen Gliedes in den geheimnisvollen Leib Christi begründet sodann eine Einordnung zwischen andere Glieder; dieser Erkenntnis soll der Getaufte doppelt entsprechen:

(1) durch vorbildlichen Gehorsam, indem er den ihm zugewiesenen Dienst, sein Maß an Arbeit, im Bewußtsein dieser Einordnung leistet. Da Klerus und Laien den einen Leib Christi bilden, ist es möglich, im Blick auf den Gehorsam Christi (Mt 20, 28; Joh 4, 34; Phil 2, 8) auftretende Spannungen in Christus zu lösen (Mt 20, 25–28).[1352]

(2) Ferner begründet die Eingliederung in den Leib Christi die Verpflichtung, „in Liebe ganz und gar in den hineinzuwachsen, der das Haupt ist: Christus'". Diese Liebe und das aus ihr entspringende Apostolat sieht B. Panzram sehr universal und total. Er erinnert an das erste Gebot, das den Menschen zu Höchstleistungen fordert, und an das zweite, das dem ersten gleich ist. Er erinnert an Mt 25, 31–46, wo Christus sagt, daß er „jede Liebe und jede Lieblosigkeit gegenüber den Mitmenschen so vergelten" will, „als wären sie ihm selbst zuteil geworden. So wird das Eingeordnetsein des Christen in eine Lebensgemeinschaft zu der Chance seines Lebens, die ihm einen unmittelbaren Weg zu Christus und zu Gott eröffnet."[1353]

Dies läßt sich nun noch ausdrücklicher im Blick auf die Wirksamkeit der Laien formulieren. M. Useros wagt die Formulierung (mit Pius XII.), daß Christus die Glieder brauche, um die Welt mit seinem Einfluß zu erfüllen.[1354] Und so

1349 vgl. *Mörsdorf* I, 183: Verähnlichung mit Christus. Cf. *Bertrams,* Influxus 426, 429; *May,* Ehre 16.

1350 Vgl. *Rösser,* Laien 8 (Röm 12, 5).

1351 *Bertrams,* Struktur 129.

1352 Vgl. *Panzram,* Spannungsfelder 34. 37; vgl. Teilhabe 69; er denkt hier insbesondere an jene Glieder Christi, die im Laienapostolat tätig sind.

1353 *Panzram,* Spannungsfelder 34.

1354 Cf. *Useros,* Aspectos 634.

haben sie schon durch die Taufe, vollendet durch die Firmung, teil an seinem dreifachen Amt.[1355]

Vor aller Ausgliederung in diese einzelnen Funktionen kann man sagen, daß die Glieder Christi eben durch die Taufe zusammengehören und aneinander weitergeben, was sie erhalten (1 Kor 12, 20. 27). „Das Leben der Kirche tritt ja in Erscheinung als ‚ein Austausch von Kraft und Leben zwischen *allen* Gliedern des mystischen Leibes Christi auf Erden‘.“[1356] Insofern ist der Laie als Glied wirksames Prinzip der Kirche; er wirkt mit, um die eigentümliche Form der Kirche zu erstellen, „die soziale Einheit des mystischen Leibes“. In ihm und durch ihn erzeugen die Gnade Gottes, das Gesetz des Erlösers, die Sakramente, die Dogmen und das kanonische Recht die dreifache Einheit der Kirche.[1357] Dann sind die Glieder Christi lebendige „Glied(er) des ewigen Priesters“[1358], wenn sie das Feuer priesterlichen Geistes und die Glut apostolisch-missionarischen Eifers in sich tragen.[1359] Und nach G. May sind es gerade die Laien, die in der Randzone des Leibes Christi die Berufung haben, zu jenem Teil der Menschheit, der noch nicht Leib Christi ist, es aber werden soll, zu vermitteln.[1360] Ganz abgesehen von den vielen Einzelfragen, die hier nur gestreift wurden, zeigt sich, wie stark das Bild vom Leibe Christi alles formt.

2. *Der Laie als Mitglied des Gottesvolkes*

Das neue Gottesvolk ist eine übernatürliche Gemeinschaft, deren sakramentaler Quellgrund die Taufe ist. Person in der Kirche, Träger von Rechten und Pflichten, ist man also nicht schon durch die natürliche Geburt von christlichen Eltern; auch macht man sich nicht selbst dazu, sondern der Mensch „wird durch die Neugeburt, die Gott in sakramentaler Weise an ihm vollzieht, in die Kirche Christi als Person hineingeschaffen“[1361]. Dabei wird der Taufcharakter eingeprägt. Dieser wird von K. Mörsdorf in einen deutlichen Bezug zum neuen Gottesvolk gestellt: Der Taufcharakter macht den Getauften Christus, dem Stammvater und obersten Hirten des neuen Gottesvolkes ähnlich (signum configurativum), unterscheidet ihn von allen, die nicht zum Gottesvolk gehören

---

[1355] Vgl. *Panzram*, Teilhabe 66–69; s. unten II. 1.

[1356] *Panzram*, Teilhabe 71; er zit. *Pius XII.*, Weihnachtsansprache 1945: AAS 38 (1946) 18; *Rohrbasser* 707. Dies ist hier auf die Internationalität und Übernationalität der Kirche bezogen.

[1357] *Lesage*, Nature 51.

[1358] *Mathis* 310; er zit. *Beda*, Erklärung der Geheimen Offenbarung 1, 1: PL 93, 135 A (vgl. Anm. 1390).

[1359] vgl. *Rösser*, Laien 12.

[1360] Vgl. *May*, Auctoritas 41.

[1361] *Mörsdorf* I, 185. Der Personbegriff (vgl. § 30 I. 1 und 2) fügt sich hier gut in diesen Zusammenhang ein, zumal ja nach *K. Mörsdorf* „neues Gottesvolk“ ein Sachbegriff ist.

(signum distinctivum), verpflichtet ihn zum Dienst im Gottesreich (signum obligativum) und gibt ihm die Anwartschaft auf das Heil.[1362] Die Glieder der Kirche, die nicht zur Hirtenschaft gehören, nennt K. Mörsdorf gerne die „Gefolgschaft".[1363] Für diese sind die Jurisdiktionsinhaber da, ist Christus doch „um des neuen Bundesvolkes willen" gekommen.[1364] Die Verpflichtung zum Dienst im Gottesreich hat einen neuen Titel, den die Firmung als Sakrament der Mündigkeit verleiht. Zu einem speziellen Dienst werden die Eltern durch das Ehesakrament geheiligt.[1365] J.-F. Noubel betont, daß das christliche Leben nicht mit den Kategorien von Verwalter und Empfänger zu fassen sei. Es sei göttliches Leben in den Christen, das auf die Fülle ziele im Sohn-Gottes-Sein, im Arbeiter-des-Reiches-Gottes-Sein.[1366]

3. Die Laien als „Pleroma" des Ursakramentes

a) Die Kirche ist ein wunderbares Sakrament.

Wie wir schon oben zeigten, sieht M. Useros die Kirche als Ursakrament, ohne die Fülle der biblischen Namen auszuschließen. Er betrachtet die Kirche in ihrem vollen Sinn als Volk Gottes, Braut und Leib Christi[1367], sie ist für ihn wie für Leo und Augustinus der „fortgesetzte Christus", der „ausgedehnte und vermittelte Christus".[1368] Wie von Christus kann man von Seiner Kirche sagen: „ein großes Mysterium und wunderbares Geheimnis".[1369] Der äußere Apparat der Kirche ist einzig das sichtbare Zeichen der unsichtbaren Wirklichkeit der Gemeinschaft der Kinder Gottes. Wir möchten hier nicht wiederholen, was wir oben über die beiden Aspekte der Heilsinstitution und Heilsgemeinschaft referierten, er sieht jedenfalls die Kirche sowohl als convocatio wie als congregatio, als Struktur (Christus ist das unsichtbare Haupt der Kirche[1370]) wie als Leben (alles, was von ihren Gliedern kommt und was sie als Gemeinschaft realisieren, um ihr Ziel zu erreichen – Christus ist auch darin verborgen das Leben der Kirche[1371]). Da es nun keine Gemeinschaft der Heiligen gibt ohne

---

1362 Vgl. *Mörsdorf* I, 186.
1363 *Mörsdorf* I, 25. 314.
1364 *Heimerl*, Kirche 68; vgl. Mörsdorf I, 314.
1365 Vgl. *Mörsdorf* I, 555.
1366 Cf. *J.-F. Noubel*, Los laicos en la Iglesia católica: REDC 11 (1956) 32.
1367 *Useros*, Aspectos 610. 614.
1368 *Useros*, Aspectos 615. Er zitiert *Leo*, Sermo V, 3 (PL 54, 154); *Augustinus*, De doctr. chr. III, 31, 45 (PL 34, 82).
1369 *Useros*, Aspectos 615; er zitiert die römische Weihnachtsliturgie. *Heimerl*, Laien 18 f.: „Die ganze Kirche ist Werkzeug der Herrschermacht, Wahrheit und schenkenden Liebe des sich offenbarenden Gottes."
1370 Cf. *Useros*, Aspectos 643s.
1371 Cf. ib.

eine Vermittlung der heiligen Sachen und umgekehrt keinen sozialen Körper ohne die Gemeinschaft, durch welche und in welcher er sich realisiert und zur Fülle kommt, darum kommt ganz logisch die Unterscheidung von Personenkategorien im Inneren der kirchlichen Gesellschaft.[1372]

b) Die Laien gehören zum „Pleroma"

Damit ist das Stichwort „Fülle" schon aufgetaucht.[1373] Die Kirche existiert und strukturiert sich hierarchisch, aber sie kommt darin allein nicht zur Fülle, sie führt ihre apostolische Sendung nur in und durch die ganze christliche Gemeinschaft vollständig aus.[1374] Neben Ez 36, 26 ff. (neues Herz), Röm 10, 12; 9, 24 und 1 Petr 2, 9 f verweist M. Useros besonders auf Röm 12, 6–8. Dort ist nicht von hierarchischen Graden die Rede, sondern von Charismen. Und diese charismatische Ordnung umfaßt die ganze ekklesiale Gemeinschaft ohne irgendeine Unterscheidung in dem Sinn von Paulus, daß jeder Gläubige seinen Platz in der Kirche hat.[1375] Die Hierarchie ist sowenig von den Gläubigen getrennt, daß man von einer „innigen Verschmelzung und gegenseitigen Durchdringung aller Glieder der Kirche"[1376] sprechen kann.

Die Hauptaspekte beim Aufbau der Kirche durch die Laien sind die priesterliche Darbringung, die Entwicklung des Verständnisses der Geheimnisse und das Apostolat. Und dies hat wirklich Bedeutung für die Rettung, für das Heil also, das zu wirken Hierarchie und Laien gemeinsam aufgetragen ist: „„Ein wahrhaft schaudererregendes Mysterium, ... daß ... das Heil vieler abhängig ist von den Gebeten und freiwilligen Bußübungen der Glieder des geheimnisvollen Leibes ... und von der Mitwirkung, welche die Hirten und Gläubigen ... zu leisten haben.""[1377] So sagt Chrysostomos völlig zu Recht: „Die Laien sind die priesterliche Fülle des Bischofs."[1378] M. Useros verdeutlicht das dann an einigen Beispielen. Die eucharistische Konsekration ist natürlich gültig ohne Mitwirkung und Zustimmung der Laien (Struktur), doch sich einen Kult, eine Feier der Agape vorstellen ohne die Mitwirkung der Gläubigen, heißt verken-

---

[1372] Cf. *Useros*, Aspectos 621.

[1373] *Johannes Chrysostomos*, De prophetiarum obscuritate 2, 10 (PG 56, 192): „La Iglesia es el pleroma del Obispo", zit. bei *Useros*, Aspectos 620 (nicht wie dort „De prophetiae...."). *Chrysostomos* spricht vom „sōma tēs Ekklēsías" und möchte „metà tou plērōmatos toú tou" in das Himmelreich eingehen.

[1374] Cf. *Useros*, Aspectos 612.

[1375] Cf. *Useros*, Aspectos 633.

[1376] *Useros*, Aspectos 634.

[1377] Mystici Corporis 213; *Rohrbasser* 788; zit. bei *Useros*, Aspectos 634.

[1378] „plērōma hieratikón": In ep. ad Phil. c. I hom. 3, 4 (PG 62, 204), zit. bei *Useros*, Aspectos 617 (vgl. Anm. 392b).

nen, daß sie priesterliches Pleroma des Priestertums selbst sind (Leben). Die Mitwirkung des ganzen Körpers ausschließen bedeutete, den Gliedern das Recht zu negieren, das sie auf das Mitbauen des Tempels Gottes haben.[1379] In der Kirche können sie darum in der Dimension des Fortschrittes, der Reform, der Initiativen, der Organisation, der Kritik und Approbation (von Gesetzen), der Erneuerung der Kirche ihre Aktivität entfalten.[1380] Im Bezug zur Welt haben sie durch ihren christlichen Einfluß zur „Christofinalisation aller irdischen Wirklichkeiten"[1381] beizutragen. „Durch sie ist die Kirche das Lebensprinzip der menschlichen Gesellschaft."[1382]

II. Die Funktion der Laien

I. *Die Teilnahme der Laien am dreifachen Amt Christi*

„Jeder Getaufte, ... also auch der Laie, der ein lebendiges Glied an dem mystischen Leibe Christi ist, nimmt in geheimnisvoller Weise teil an der prophetischen, königlichen und priesterlichen Würde des unsichtbaren Hauptes der Kirche und ist damit – wiederum lediglich auf Grund des Christseins – mitbetraut mit den Aufgaben des dreifachen Amtes Christi und seiner Kirche, des Lehr-, Hirten- und Priesteramtes."[1383] Den gleichen Grundgedanken baut B. Panzram aus, um die Rechte und Pflichten der Laien im einzelnen darzustellen. Zum Beispiel verweist er auf das Recht, am heiligen Meßopfer und damit auch am Priesteramt teilzunehmen und sieht es in der Mitgliedschaft am corpus Christi Mysticum begründet.[1384] Hier folgen nun viele Rechte, die das ergänzen, etwa die Berechtigung der Laien, heilige Messen nach ihrer Meinung darbringen zu lassen,[1385] das Anrecht auf Zuwendung der Früchte der Bischofsmessen[1386] und der Pfarrmessen[1387], das Recht, in Notfällen die Taufe zu spen-

---

[1379] Cf. *Congar*, Jalons 356, zit. bei *Useros*, Aspectos 642.

[1380] Cf. *Useros*, Aspectos 636.

[1381] *Useros*, Aspectos 634.

[1382] *Pius XII.*, Ansprache an das Kardinalskollegium vom 20. 2. 1946, AAS 38 (1946) 149, *Utz-Groner* 4106; zit. bei *Useros*, Aspectos 627. Ähnlich klingt dann LG 1, wo die Kirche als Sakrament bezeichnet wird, als Zeichen und Werkzeug also für die innigste Vereinigung der Menschen mit Gott sowie für die Einheit der ganzen Menschheit. Das Zitat von *Pius XII.* lautet: „Per loro la Chiesa è il principio vitale della società umana."

[1383] *Rösser*, Laien 12. Zum Zusammenhang von Firmung und Prophetenamt *Heimerl*, Laien 24. Vgl. auch *Hagen*, Prinzipien 106.

[1384] Vgl. *Panzram*, Teilhabe 66. Er stellt durchgängig den Zusammenhang zwischen den Leistungspflichten der Kleriker und den Forderungsrechten der Laien heraus.

[1385] Cc. 824ss.

[1386] C. 339.

[1387] C. 466.

den[1388] u. a. H. Heimerl stellt die Mitwirkung der Laien im Dienst der Verkündigung dar.[1389] Hierher gehört auch die Bemerkung von B. Mathis über den Firmcharakter, der den nicht-beamteten Priester schafft, „da niemand des Priestertums entbehrt, der ein Glied des ewigen Priesters ist".[1390] Die Leib-Christi-Theologie eröffnet bei all diesen Kanonisten den Zugang zu dieser hohen Wertung der Laien, die durch das Konzil dann übernommen und vertieft worden ist.[1391]

2. Jurisdiktion für Laien?

Zu dieser Frage finden wir Äußerungen bei K. Mörsdorf und H. Heimerl.

a) Während K. Mörsdorf seinem Vorgänger E. Eichmann folgt und meint, daß die Laien in beschränktem Umfange zur Ausübung kirchlicher Hirtengewalt zugelassen werden können,[1392] zählt er gewisse Einzelaufgaben auf: Erteilung von Religionsunterricht,[1392a] Verwaltung des Ortskirchenvermögens (z. B. Kirchenvorstand, Kirchenverwaltung[1392b]), Besetzung kirchlicher Ämter durch Wahl-, Präsentations- und Nominationsrechte[1392c]. Kraft gesetzlicher Delegation üben die höchsten Oberen und selbst die Oberinnen laikaler klösterlicher Verbände hoheitliche Gewalt bei der Entlassung von Religiosen aus[1392d] [1393].

b) H. Heimerl dagegen kommt nach eingehender Untersuchung der kanonistischen Tatbestände zu dem Ergebnis, daß Laien niemals Jurisdiktion im eigentlichen Sinne innehaben und man deshalb hiermit gerade ein Unterscheidungsmerkmal zu den Klerikern habe. „Alle angeblichen Beispiele für juristische Vollmachten von Laien erweisen sich als unrichtig; es handelt sich immer um Vollmachten besonderer Art, die man nicht als abgestufte Jurisdiktion bezeichnen kann. Es ist besser, diese Vollmachten, so wie sie sind, in ihrer jeweiligen Eigenart zu sehen, als sie der Jurisdiktion zu subsumieren. Alles, was als Zwischengruppe zwischen Klerus und Laien erscheinen könnte, ist

---

[1388] C. 742.
[1389] Laien.
[1390] *Beda*, Erklärung der Geheimen Offenbarung 1, 1 (PL 93, 134s), zitiert bei *Mathis* 310; vgl. v. *Kienitz*, Gestalt 72. *Beda* sagt: „nemo sanctorum est qui spiritualiter / sacerdotii officio careat cum sit membrum aeterni sacerdotis."
[1391] Cf. LG 10, 1. 34—36; AA 2.
[1392] Vgl. *Mörsdorf* I, 554.
[1392a] Vgl. c. 1333 § 1.
[1392b] Vgl. c. 1521 § 2.
[1392c] Vgl. cc. 1455 n. 1; 1452.
[1392d] Cc. 647 § 1; 650 § 1, 2 n. 2.
[1393] Vgl. *Mörsdorf* I, 262.

in Wirklichkeit keine solche, sondern eine eigene Funktion mit besonderer Organstellung innerhalb der Kirche."[1394]

3. *Die Freiheit der Laien und der Dienst des Klerus*

Besonders im Zusammenhang mit den Rechten der Laien kommen verschiedene Kanonisten auf die Freiheit zu sprechen. Wohl keiner hat wie W. Bertrams betont, daß der Mensch als Person im Mittelpunkt des sozialen Lebens steht und daß auch das Kirchenrecht personalen Charakter hat. Den Solidarismus G. Gundlachs voraussetzend, sieht er ja auch das Subsidiaritätsprinzip als in der Kirche anwendbar an.[1395] Der personale Charakter der kirchlichen Rechtsordnung deutet sie als Ordnung der Freiheit mehr als irgendeine andere Rechtsordnung, weil sie dazu dient, die Freiheit schlechthin, die Freiheit der Kinder Gottes (Röm. 8, 21), zu schützen und zu fördern.[1396] Diese Freiheit ist ja nicht die Möglichkeit der Wahl oder das Fehlen von äußerem Zwang, sondern die Möglichkeit, „nach dem Wesensbild" zu leben, „das Gott von jedem Menschen in Seinen ewigen Gedanken gedacht hat und als wirkende Gestaltungsgesetzlichkeit jedem Geistwesen eingepflanzt hat. Soviel nun der Mensch in jene Form hineinwächst, ... so viel reift er zur Freiheit."[1397] Die Kirche als Heilsinstitution gibt dem Menschen Kraft für Erkenntnis und Wille; darum ist ein Mensch „in dem Maße wahrhaft frei, als er nach dem Gesetz der Freiheit lebt, das ihm die Kirche gibt, mit anderen Worten: er ist soweit frei, als er wahrhaft katholisch ist."[1398] Und von der Hierarchie abhängig sein besagt keine Einengung, sondern Belebung, Licht und Führung.[1399] W. Bertrams meint nun allerdings, daß die Lebensgestaltung in diesem Sinn – als Kind Gottes und Träger des Heiligen Geistes – eine Sphäre der Wahlfreiheit fordere. Er erinnert an viele Rechte der Laien (Ehe, Standeswahl, subjektive Rechte).[1400] G. May verweist darüber hinaus auf die Gewissensfreiheit, die kraft des Prinzips der kanonischen Billigkeit in begründeten Fällen Freiheit sogar vom gesatzten Recht wahrt. Dem entspricht es, wenn der Mainzer Kanonist betont, daß die in der Grundgliedschaft stehenden Gläubigen der Hierarchie erst ihre Daseinsberechtigung geben. Sie ist ja verpflichtet, ihr Amt als einen – freilich verbindlichen – Dienst an den Laien zu verstehen und aus-

---

[1394] *Heimerl,* Kirche 124, auch schon von S. 68 an; vgl. *Hofmann,* Rechte 23 f.
[1395] Vgl. *Bertrams,* Subsidiaritas; *ders.,* Subsidiaritätsprinzip.
[1396] Vgl. *Bertrams,* Struktur 127; vgl. *Hagen,* Prinzipien 79–92.
[1397] *v. Kienitz,* Gestalt 14; vgl. oben § 25 IV.
[1398] *v. Kienitz,* Gestalt 16.
[1399] Vgl. *Heimerl,* Laien 145.
[1400] Vgl. *Bertrams,* Struktur 128.

zuführen.[1401] Sehr schön sagt E. Rösser, man könnte den Laien sogar eine gewisse Vorrangstellung vor den Geistlichen zuerkennen, ... „im Geiste des Evangeliums, ... nach welchem jener größer ist, der zu Tische sitzt und sich bedienen läßt, als der, der ihn bedient (vgl. Lc 22, 24)“.[1402]

4. Das Verhältnis der Laien zur Welt

Wenn von den Laien die Rede ist, steht die Frage nach ihrem Verhältnis zur Welt auf; die Frage, ob sie im Vergleich zum Klerus ein anderes Weltverhältnis haben oder nicht und wie das aussehen müßte.

a) Die Welt, Aufgabe der Laien

M. Useros Carretero folgt der Auffassung Y.-M.-J. Congars, die mit Modifikationen auch diejenige von K. Rahner ist.[1403] Er meint, daß die Laien im Unterschied zum Klerus ein besonderes Verhältnis zur irdischen Wirklichkeit haben. Ihr Leben spielt sich in einem viel engeren Kontakt mit der irdischen Realität ab. So ist ihre Berufung die einer „Christofinalisation“ der Welt. M. Useros bestimmt die Rolle der Hierarchie dahin, daß sie zwischen Christus und den Gläubigen zu vermitteln habe, um ein Volk von Getauften zu schaffen; die Vermittlung der Gläubigen richte sich dagegen darauf, eine Welt von heiligen Sachen zu konstruieren.[1404]

b) Die Welt, Standort des ganzen Christus

Dagegen steht nun die Auffassung H. Heimerls, der das Weltverhältnis als Unterscheidungskriterium für Klerus und Laien ablehnt. Auf die einzelnen Argumente eingehend, zeigt er jeweils die Übereinstimmung beider Stände der Kirche auf. Zuvor macht er auf die psychologische Wurzel der Bestrebungen Y. M.-J. Congars, K. Rahners, V. Schurrs und B. Härings[1405] aufmerksam, dem Laien mit dem „Weltamt“ eine eigene positive Aufgabe übertragen zu wollen: Nach seiner Meinung sucht man nach der geschichtlichen Entwicklung, in welcher sich die weltlichen Bereiche von der Kirche losgelöst haben, das Fehlen der Jurisdiktionsfunktion durch andere „laieneigene“ Aufgaben zu kompensieren.[1406]

[1401] Vgl. *May*, Auctoritas 41; vgl. auch *K. Mörsdorf*, Art. Kirchenverfassung, in: LThK 6, 275. Die Tätigkeit des Papstes als Dienst deutet sein Titel „Servus servorum Dei“ (*Panzram*, Teilhabe 70).

[1402] *Rösser*, Laien 14.

[1403] Vgl. Anm. 1405.

[1404] Cf. *Useros Carretero*, Aspectos 634.

[1405] Er zit. in Kirche S. 133 *Rahner*, Schriften II, 343 f.; *Congar*, Jalons 29ss.; *V. Schurr* und *B. Häring* in den Übersetzeranmerkungen zu *G. Philips*, Der Laie in der Kirche, Salzburg 1955 (Anm. 5).

[1406] Für dies und das Folgende vgl. *Heimerl*, Kirche 135–141.

(1) Die Weltkonsekration ist nicht eine ausschließliche Aufgabe der Laien. Mindestens die Benediktiner mit ihrem Ora et labora und ihren zivilisatorischen Leistungen zeigen das genauso wie die Säkularinstitute. Umgekehrt hat jeder Christ eine kirchliche Aufgabe als Glied des Laos Theou, des Gottesvolkes; er soll nämlich Gott verherrlichen, und zwar unmittelbar und ausdrücklich.[1407]

(2) Nicht nur der Laie nimmt die Zweitursachen ernst. Der Hauptakzent muß ja sowieso immer bei allen auf Gott liegen.

(3) Man kann auch nicht sagen, der eine verlasse grundsätzlich seinen Weltstandort, der andere behalte ihn bei. Auch der Laie („Weltchrist") ist in einem gewissen Sinne aus der Welt ausgeheimatet. Für die Verheirateten sagt Paulus das 1 Kor 7, 29. Kirche ist eben „Ekklesia", Gemeinde der aus der Welt Herausgerufenen (Phil 3, 20).

(4) Der weltliche oder geistliche Beruf ist ebenfalls kein Kriterium. Es gibt ebenso Laien mit kirchlichem Beruf wie Kleriker mit weltlichem. Die Bedeutung des Berufes wird nach Ansicht H. Heimerls überschätzt. Es gibt eine Gefahr der Verabsolutierung der Arbeit. Der Beruf ist nur ein Modus, der die Verwirklichung des Christseins mitbestimmt, nicht mehr. Es gibt christliche Situationen, in denen der Beruf irrelevant ist. Ein Klemens von Rom auf der Krim, ein Priester oder Laie in unheilbarer Krankheit bezeugen das.

(5) In der sozialen Erscheinung, das räumt H. Heimerl ein, wird die recht verstandene Weltaufgabe direkter von denen ausgeübt, die Laien sind. Man darf aber nicht die Laien damit, daß man daraus einen Grundsatz macht, hinterrücks wieder aus der Kirche hinausdrängen. Und sein Fazit ist im Rahmen des Bildes vom geheimnisvollen Leibe Christi ausgedrückt: Haupt und Glieder wirken organisch verbunden zusammen.[1408] „Und dieser ganze Christus steht in der Welt, ohne von der Welt zu sein, um die Welt zu Gott zu führen."[1409]

[1407] So auch H. Schauf, der Aachener Kanonist, in einem Referat auf der Aachener Diözesankonferenz am 27. 10. 1958 (hrsg. v. Bischöflichen Generalvikariat Aachen, Aachen 1958, 8–31, nach dem zusammenfassenden Bericht in: HerKorr 18 (1958/59) 222 ff.

[1408] In dieser Position H. Heimerls überwiegt die Gegensatzseite Verwandtschaft, in der anderen die Seite Besonderung.

[1409] Heimerl, Kirche 142.

III. *Vorschläge zur Verbesserung der Rechtslage der Laien*[1410]

1. *M. Useros Carretero*

M. Useros betont eindeutig, daß Jurisdiktion für Laien oder Demokratisierung und die Feststellung bestimmter Laienrechte zwei völlig verschiedene Dinge sind. Unter der Voraussetzung also, daß die Jurisdiktion auf seiten der Hierarchie liegt, erinnert er an drei kanonische Tatbestände, die er lebendiger sehen möchte, ohne jedoch schon konkrete Vorschläge zu machen.[1411] Als erstes nennt er die Mitwirkung von Laien bei der Bischofswahl und Ämterbesetzung. Hier könnte das wieder lebendiger werden, was Cyprian berichtet: Es sei usus, daß Bischöfe eingesetzt werden auf Grund von vier Elementen, des Urteils Gottes, des Zeugnisses der Kleriker, der Wahl des Volkes (suffragium) und der Zustimmung der anderen Bischöfe.[1412]

Zum anderen zeigt es sich auf den Konzilien, daß die konkrete Leitung der Kirche in der Tradition durch gemeinsame Beratung ausgeübt wird, nicht durch einsame persönliche Entscheidung. Die Laien haben dabei eine Mission der Information und Beratung, der Zustimmung und der Kommunikation. Noch einmal weist er darauf hin, daß hier nicht die Gültigkeit der Entscheidungen der Hierarchie in Frage gestellt wird, sondern mit der Beteiligung der Laien die Fülle der Kirche und die Authentizität ihrer Bewegungen erstrebt wird.

Schließlich haben die Laien viel Einfluß auf das Recht, indem sie nach dem Willen Gottes, den sie in ihrem Gewissen erkennen, das Eigenleben ihrer Gemeinschaften gestalten. Durch Bildung von Gewohnheiten können sie positiv Gesetze einführen und bestehende abschaffen, sofern dies die Zustimmung des Gesetzgebers findet.[1413] All das bedeutet eine Integration der Laien in die Fülle des Ursakramentes.

2. *B. Panzram*

B. Panzram dachte 1961 an eine Wiederbelebung der niederen Weihen, eventuell auch nur für solche, die einem Säkularinstitut sich angeschlossen haben. Daneben gewinnt das alte Institut der „Lizentiaten"[1414] Ungarns an Aktualität. Diese waren Laien, die taufen, beerdigen, trauen und z. T. predigen durften.

[1410] Wenig ergiebig ist der Sammelband Estudios de Deusto 9 (1961) über die Anpassung des CIC.

[1411] Er folgt hier Y. M.-J. Congar, vgl. Laie 386–413.

[1412] Ep. 52: PL 4, 345s; Text PL 3, 768. 770s (dort als Ep. ad Anton.). Vgl. auch Concil. IV. Carth. sub Cypr.: PL 3, 1025s.

[1413] Cf. *Useros*, Aspectos 638–640.

[1414] Vgl. LThK ¹1934, Bd. 6, 620 f.

Vom Ende des 16. bis zur Mitte des 18. Jahrhunderts haben sie ganze Gemeinden der katholischen Kirche gerettet.[1415] Darin zeigte sich eine lebendige Gliedschaft am mystischen Leibe Christi.

Wie kaum auf einem anderen Gebiet zeigt sich die Gestaltungskraft und Fruchtbarkeit der großen Bilder und Leitbegriffe für die Sicht der Laien. In immer neuen Wendungen tritt ihre Würde ins Licht. Als priesterliche, königliche, prophetische Glieder des mystischen Leibes Christi, als christusförmig geprägte Mitglieder des neuen Gottesvolkes, als Fülle der ursakramentalen Kirche stehen sie in der Welt, um sie zu heiligen. Sie sind mit allen Getauften Christen, Gläubige auf gleicher Ebene, was die Fragen des persönlichen Heiles angeht. Im Rahmen des Wirkens gibt es dann die Unterscheidung zum Klerus. Ihm gegenüber haben sie mannigfache Rechte. Diesem ist der bevollmächtigte Dienst am Heil und damit an der Freiheit der Gläubigen aufgetragen. Im Vergleich zu der doch recht einseitigen Sicht der Laien als Untergebene bzw. als Träger von Rechten und Pflichten im Kirchenbild der societas perfecta inaequalis, die natürlich auch durch eine stärkere Arbeitsteilung der Disziplinen bedingt war, treten hier die Aspekte der Einheit mit Christus und der entsprechenden Instrumentalität hervor. Die lebendige Spannung innerhalb der Gegensatzreihe verlagert sich auf die Seite der Fülle.

Es bestätigt sich zunächst, vielleicht etwas unerwartet, daß auch in der Verfassungsfrage beide Kirchenbilder theologisch und juridisch zugleich sind. Während die Beziehung zu Christus etwa im älteren Kirchenbild auf seinen Gründungsakten der Hierarchie beruht, sieht das neuere Kirchenbild ihn stärker als lebendiges Haupt und Erstursache des Heilshandelns der ganzen Kirche.

Sodann finden wir sowohl gelegentlich im gesellschaftlichen Bild die Bischöfe hervorgehoben, wie im sakramentalen den Papst, wenn es auch in der Regel umgekehrt ist. Im Verhältnis zu den Laien wird im societas-perfecta-Bild die gesellschaftliche und jurisdiktionelle Position (Vorgesetzte und Untergebene) betont, im komplexen Bild das sakramentale Zusammenwirken, die Einheit, speziell in der Eucharistie. Hier kommt deutlich die sakramentale Funktion dieser Einheit heraus: Zeichen und Ursache. Im gesellschaftlichen Bild überwiegt die Gegensatzseite der Form, wie man an der präzisen Frage nach der Konstitution der Kirche und an ihrer starken Gliederung erkennt. Im ursakramentalen Bild dominiert die Seite der Fülle, wie z. B. das neue Verständnis des Konzils bei G. May und die Auffassung der Laien als „priesterliche Fülle" der Kirche bei M. Useros andeuten.

[1415] Vgl. *Panzram,* Teilhabe 8.

HAUPTTEIL III

BLICK AUF DAS KONZIL

Wir möchten nun in einer kursorischen Weise die Grenze unseres Themas überschreiten und einen Blick auf das Konzil versuchen. Dabei fragen wir natürlich nach dem weiteren Verlauf der schon bekannten Linien; zuvor aber soll dem unverengten Blick das Neue des Konzils sichtbar werden. Die fast unübersehbare Konzilsliteratur kann hier nur aphoristisch zu Worte kommen.

Kapitel 1

DAS NEUE DES KONZILS

§ 37 *Eine neue Sicht von Kirche und Welt*

I. Drei Aspekte

Tatsächlich steht die Kirche im Mittelpunkt des gläubigen Bedenkens, aber die Kirche, insofern sie von Christus herkommt, in ihm besteht und auf ihn als ihr letztes Ziel hingeht. In der Kirche beginnen Dinge, Menschen und Gesellschaft das zu sein, was sie nach Gottes Plan sein sollen. Von diesem Mittelpunkt her bekommen alle geschaffenen Dinge, Personen und Gesellschaften eine neue Wertung. Ohne daß sie in ihrer Eigenart verändert würden, wird ihr tiefstes Wesen neu bewußt, und sie treten in eine neue Beziehung zu Gott. Ihre Herkunft von ihm tritt ins Licht, ihr Sein, das als Teilhabe am Sein Gottes Liebe ist und ihre Bestimmung zum Reich Gottes. So können wir drei Aspekte nennen, in welchen das Konzil ein Umdenken zeigt:

1. *Der kosmologische Aspekt*[1416]
Die Welt, die irdischen Sachbereiche, die Geschichte etc. treten in ihrer Positivität hervor. Sie sind zunächst, vor und trotz aller Störung durch Schuld personaler Wesen gut und Ausdruck der Liebe Gottes (Pastoralkonstitution passim), sogar die Feinde (GS 44, 3).

[1416] Vgl. zu den drei Aspekten K. *Hemmerle*, Offene Weltformel. Dimensionen christlicher Bewußtseinsbildung, München 1970 (Hinweis im Theologischen Bulletin Sept. 1971).

2. Der anthropologische Aspekt

Die menschliche Person, d. h. jeder Mensch, ist Bild Gottes, Bruder Christi und berufen, Tempel des Heiligen Geistes, Glied Christi und des neuen Gottesvolkes zu werden. Von da aus ergibt sich eine offene und positive Haltung gegenüber allen Menschen, Christen und Nichtchristen, Katholiken und Nichtkatholiken, Armen und Reichen, Weißen und Schwarzen, Gesunden und Kranken, Heiligen und Sündern. In Christus erhält das Geheimnis und Rätsel des Menschen seine Klarheit (GS 22).

3. Der soziologische Aspekt

Von Christus her bekommt auch jede menschliche Gesellschaft neues Licht und neue Kraft (AG 8). Es wird von der realisierten neuen Menschheit, der Kirche, her deutlich, wozu alle menschlichen Gemeinschaften berufen sind. Das hohe Ziel ist die Zusammenfassung des Alls in Christus und die neue Stadt, in welcher Gott und das Lamm inmitten der Stadt alles sind (GS 45).

Es ist weitgehend Schuld der Menschen, aber darum auch in der Passion Christi angenommen, daß dieser Plan Gottes und die Möglichkeiten der Welt noch so unvollkommen realisiert sind (GS 13; 22).

II. Beispiele

Von diesen wenigen Worten her lassen sich viele Einzelheiten des Konzils aufschließen, die neu sind und doch nicht nie dagewesen, sondern in einem neuen Licht, in einem neuen Zusammenhang erscheinen.

1. Vom kosmologischen Aspekt her wird klar, wie die Eigengesetzlichkeit der weltlichen Sachbereiche ihre Begründung erhält. Sie haben ja als Schöpfung ihre Unmittelbarkeit zu Gott. Von daher versteht man neu, warum die Kirche und auch die Theologen immer weltliche Wirklichkeiten in die Kirche hineingenommen haben bzw. zur Erklärung der geistlichen Wirklichkeit verwendet haben. Man versteht auch besser, wieso Christus in seine doch geistliche Gemeinschaft solche weltliche Wirklichkeiten hineinnehmen konnte (und mußte), wie z. B. das Recht, das Rechtssymbol, die Strafe, das Wort, die Jurisdiktion etc. Alle von Gott geschaffenen Dinge sind ja gut und Ausdruck seiner Liebe. So sind sie fähig, auch den Gliedern der Kirche zu dienen, wobei sie freilich neugestaltet werden (vgl. besonders das Missionsdekret, etwa Art. 9, 2; auch LG 17). R. Sohm mit seiner Entgegensetzung von geistlich und weltlich mutet einen darum etwas manichäisch an.

2. Die positive Erfahrung und Sicht von Christus her auf alle und jeden Menschen äußert sich in unserem Gebiet z. B. in einer neuen positiven Wertung aller Nichtkatholiken. Ob sie nun schuldhaft oder nicht außerhalb der Grenzen der katholischen Kirche stehen, man kann und soll immer Christus in ihnen sehen (OT 8; GS 93; AA 4) und darum das Positive in ihnen, die Spuren der katholischen Fülle, die Gott ihnen schenken möchte. Von hier aus versteht man die vehemente Kraft, mit welcher man die Würde der Laien neu entdeckt hat. Es ist ihre Würde als Glieder Christi, als Söhne und Töchter Gottes, die von der Mitte, von Christus her, als realisierte Form des anthropologischen Aspektes neu aufleuchtet.

3. Die positive Sicht auf jede Gemeinschaft, jedes gesellschaftliche Gebilde wirkt sich besonders in zwei Richtungen aus. Einmal wird jede Form von Einheit unter den Menschen als solche positiv bewertet (GS 42). Zum anderen erkennt man in der Kirche die realisierte Form des göttlichen Planes, nach welchem er die Menschen mit sich und untereinander verbinden will (LG 9, 2; GS 32; 42). Die Konsequenzen für die kanonistische Sicht sind folgende: Die Heilsnotwendigkeit der Kirche, ihre Sonderstellung bleibt, weil gerade in ihr die Einheit der Heiligsten Dreifaltigkeit schon weitgehend zum prägenden Faktor geworden ist (LG 4; 14). Der Finis tritt aus einer gewissen Individualisierung des geistlichen Aspektes in eine soziale Dimension, während die vorher weltlich gesehene soziale Dimension in die Einheit in Christus redintegriert wird. Die Betonung der Gemeinschaft im Vergleich zur Gesellschaft findet hier ihre Erklärung, da ja die Gemeinschaft als Verbindung personaler Art von vornherein dem Modell der Heiligsten Dreifaltigkeit entspricht. Ebenso ist die Heranziehung des Begriffes der Körperschaft von da motiviert, daß darin die Verbindung von Menschen deutlich ausgesprochen wird. Als Folge der christlichen Form der Einheit („laß alle eins sein, wie wir eins sind", Joh 17, 22; Ökumenismusdekret, LG 28 etc.) geht ein Impuls aus auf das Ganze hin. Jede Gesellschaftsform wird offen zum Ganzen. Hier kann keine Klassen-, Rassen-, Nationalitätsschranke oder religiöse Diskriminierung bleiben, denn darin liegt immer eine Partikularisierung. Wenn bei allen die Bereitschaft zur Einheit mit allen da ist, kann die Autorität ihre wahre Rolle spielen. Sie wird den Menschen, die sich als Leib, als Volk, als Einheit spüren, weil sie in Christus hineingestorben und -getauft sind, die rechte Form geben können, weil diese Menschen formbar sind. Sie wird nicht als Gegengewicht zur Kommunität aufgefaßt werden, sondern wirklich als der notwendige Mittelpunkt, an dem sich alle orientieren können. Christus nimmt so Einfluß nicht nur durch die Autorität, sondern indem er sein Leben in alle Glieder einfließen läßt.

Kapitel 2

DAS KIRCHENBILD DES KONZILS UND DAS THEMA DIESER ARBEIT

Wenn wir nun direkt fragen, welches der beiden von uns bisher festgestellten Kirchenbilder das Konzil hat, können wir sagen, daß in ihm beide enthalten sind. Das sakramentale hat eine gewisse offizielle Bestätigung enthalten, doch übt das gesellschaftliche weiterhin seinen Einfluß aus. In der Gesamtschau ist das sakramentale stark in den Vordergrund getreten. Was am Konzil oft auffällt, sind sogenannte Kompromisse. Darum hat man es Konzil des Übergangs genannt. Natürlich ist jede geschichtliche Stufe auch überbietbar. Doch wird oft das Entscheidende dabei übersehen. Es ist erstaunlich, wie die Gegensätze bzw. Polaritäten im Konzil zusammengehalten werden, Gegensätze, die rational nun einmal nicht aufeinander zurückgeführt und darum nicht auf eine glatte Formel gebracht werden können. Das sei nun an einigen Momenten aufgezeigt, die wir schon im zweiten Abschnitt des zweiten Hauptteiles als typische Kennzeichen des neueren Kirchenbildes dargestellt hatten.

§ 38 *Das Gesamtbild der Kirche*

I. Die Beziehung zu Jesus Christus bzw. zur Heiligsten Dreifaltigkeit

Die eine der beiden Kirchenkonstitutionen, welche die Kirche mehr in ihrem Wesen und in ihrem inneren Geheimnis darstellt, beginnt mit den Worten Lumen gentium, Das Licht der Völker. Papst Johannes XXIII. hatte damit verschiedentlich die Konzilsidee zusammengefaßt, so besonders in der Radioansprache vom 11. 9. 1962, lumen Ecclesiae, lumen gentium. Das Licht, das Christus ist, ist auch das Licht der Kirche. In Christus ist die Kirche das Licht der Völker. So schließt der Papst seine Rede: „Dieses Licht leuchtet und wird leuchten durch die Jahrhunderte, ja das Licht Christi, die Kirche Christi, das Licht der Völker.“[1417] Später bekam der Ausdruck durch die Apposition „cum sit Christus“ die unmittelbare Christus-Bedeutung. So beginnt also dieses wichtige Dokument mit einem Bekenntnis zu Christus, dessen Herrlichkeit auf dem

---

[1417] *Johannes XXIII.* Nuntius Radiophonicus, Acta et Documenta Concilio Oecumenico Vaticano II Apparando, Ser. II, vol. I 350 und 355. Zit. nach dem Kommentar von *A. Grillmeier* in LThK Vat I, 156. Vgl. auch De Ecclesia I, 154.

Antlitz der Kirche widerscheint (Art. 1). In Art. 3 wurde in der dritten Konzilsperiode die Bedeutung Christi für die Kirche noch stärker herausgearbeitet, wobei die Anregung Papst Pauls VI. bei der Eröffnungsrede der zweiten Session und die Wünsche vieler Väter berücksichtigt wurden.[1418] Wir zitieren diese wichtige Rede ausführlich: „Christus ist unser Ausgangspunkt. Christus ist unser Führer und unser Weg. Christus ist unsere Hoffnung und unser Ziel.

Möge dieses Ökumenische Konzil diese eine und zugleich vielfältige, feste und doch dynamische, geheimnisvolle und doch klare, zwingende und zugleich beglückende Bindung, durch die wir Jesus Christus zugehören, ganz und gar erkennen. Durch dieses Band wird diese lebendige und heilige Kirche, das heißt wir, an Christus gebunden, von dem wir ausgehen, von dem wir leben und nach dem wir streben. Möge diese Versammlung hier durch kein anderes Licht erleuchtet werden als durch Christus, das Licht der Welt. Suchen wir keine andere Wahrheit als das Wort des Herrn, unseres einzigen Lehrers! Suchen wir nichts anderes, als seinen Gesetzen treu zu gehorchen. Kein anderes Vertrauen soll uns aufrechterhalten, außer das Vertrauen zu seinem Herrenwort, das unsere klägliche Schwachheit stärkt: ‚Seht, ich bin bei euch alle Tage bis ans Ende der Welt' (Mt 28, 20)."[1419]

H. de Lubac hat darauf hingewiesen, daß diese Überzeugung sich beim Konzil selbst in der täglichen Inthronisierung des Evangelienbuches ausgedrückt habe.[1420] Prägnant und souverän faßt O. González Hernández die theologische Bewegung bis zum Konzil zusammen, wenn er auf die christozentrische Dimension der Konstitution hinweist: „Die Kirche existiert von Christus her und in Christus. Die Christozentrik der Konstitution ist der Gipfelpunkt einer ekklesiologischen Bewegung, die von der Tübinger Schule ausging, bei den Theologen des Collegium Romanum und auf dem I. Vatikanischen Konzil erschien, ihren ersten lehramtlichen Ausdruck wenigstens teilweise in der Enzyklika

---

[1418] Vgl. *O. Müller*, Vaticanum II, III, 2, Leipzig 1966, 264.

[1419] Ansprache *Pauls VI.* bei Eröffnung der 2. Session am 29. 9. 1963, AAS 55 (1963) 846: „Christum ... principium nostrum esse, Christum ducem et viam esse nostram, Christum esse spem nostram nostrumque finem.

Utinam hoc Concilium Oecumenicum vinculum illud plane perspectum habeat, unum et multiplex, firmum et incitans, arcanum et manifestum, arctum et suavissimum, quo nos cum Jesu Christo coniungimur, quo haec vivens ac sancta Ecclesia, hoc est nos, copulatur cum Christo, a quo procedimus, per quem vivimus, et ad quem tendimus. Non alio lumine praesens hic consessus noster fulgeat, nisi Christo, qui est lux mundi; non aliam veritatem querant animi nostri, nisi verba Domini, qui unus est magister noster; nihil aliud studeamus nisi Eius praeceptis prorsus fideli obsequio / obtemperare; non alia fiducia nos suffulciat, nisi ea quae flebilem roborat infirmitatem nostram, cum Ipsius verbis innitatur *‚Et ecce ego vobiscum sum omnibus diebus usque ad consummationem saeculi'.*" O. Müller, Vaticanum II, II, Leipzig 1965, 63.

[1420] Vgl. *H. de Lubac*, Zur Einführung, in: De Ecclesia I, 20.

‚Mystici Corporis' fand, und von Papst Paul VI. in seiner Eröffnungsansprache der zweiten Sitzungsperiode endgültig in das Zweite Vaticanum eingeführt wurde. Die Kirche ist danach nicht nur das Ergebnis eines längst vergangenen Stiftungsaktes Christi, sondern ‚seine ebenso irdische wie geheimnisvolle Ausströmung und Fortführung'. Er ist nicht nur Gründer, sondern wirkliches, wenn auch unsichtbares Haupt der Kirche, die damit der von diesem Haupt beseelte Leib ist; von ihm empfängt sie Leben und Wirkkraft."[1421] Die Christozentrik ist des weiteren aber nur Teil einer geheimnisvollen Einheit mit der Heiligsten Dreifaltigkeit. Alle Lehren des Konzils über das Geheimnis der Kirche sind vom „Siegel der Dreifaltigkeit" geprägt. Damit ging ein Wunsch Kardinal Wyszynskis in Erfüllung, der am 15. 10. 1963 in der Aula sagte: „Daß man doch diesem Gottesvolk, dessen Existenz sich unter für die Kirche anormalen Umständen abspielt, daß man ihm doch eindringlich die innere Beziehung zwischen der Kirche und der Heiligsten Dreifaltigkeit darstelle."[1422] Das Wesen der Kirche findet in diesem Geheimnis seinen Ursprung, sein Modell und sein letztes Ziel. Diese Verbindung läßt sich durchgehend in der Kirchenkonstitution aufzeigen, ob nun das Volk Gottes, die Hierarchie oder die Laien betrachtet werden oder ob man über die Berufung zur Heiligkeit, den eschatologischen Charakter oder Maria, das Urbild der Kirche, nachdenkt. Es sei hier besonders auf die Artikel zwei bis vier und ihren zusammenfassenden Schlußsatz hingewiesen, in welchem mit den Worten Cyprians festgestellt ist: „So erscheint die ganze Kirche als ‚das von der Einheit des Vaters und des Sohnes und des Heiligen Geistes her geeinte Volk'."[1423] Darüber hinaus genüge die Anführung einiger Artikelnummern, um diese Lehre ins Licht zu stellen: 7, 9, 11, 17, 19, 27 f., 32, 34, 35, 39, 41, 44, 50 f., 53, 69. M. Philipon hat das Verdienst, diesen Reichtum mit all den Wurzeln in der Heiligen Schrift und den Auswirkungen besonders im liturgischen Leben des Konzils dargestellt zu haben.[1424] A. Laminski hat die Entdeckung der pneumatologischen Dimension gezeigt.[1424a]

Mit ähnlicher Deutlichkeit ist das sakramentale Kirchenbild in der Liturgiekonstitution ausgeprägt, während die Pastoralkonstitution besonders wegen der Zeitknappheit bei ihrer Erarbeitung ein „Gemisch wurde von an sich recht-

---

[1421] *O. Gonzáles Hernández,* Das neue Selbstverständnis der Kirche und seine geschichtlichen und theologischen Voraussetzungen, in: De Ecclesia 155–185, Zitat 168.

[1422] Zit. nach *M. Philipon* (Anm. 1424) in: De Ecclesia I, 274 f.

[1423] De Orat. Dom. 23; PL 4, 553.

[1424] Vgl. Die Heiligste Dreifaltigkeit und die Kirche, in: De Ecclesia I, 252–275.

[1424a] Die Entdeckung der pneumatologischen Dimension der Kirche durch das Konzil und ihre Bedeutung, in: Sapienter ordinare (Festgabe für E. Kleineidam; EThSt 24), Leipzig 1969, 392–405.

mäßigen Forderungen hinsichtlich einer juridisch-gesellschaftsmäßigen Ekklesiologie (Autonomie des christlichen Einsatzes in der Geschichte, frei von den Fesseln einer überwundenen und veralteten Kirchentheorie) und von Zaghaftigkeit gegenüber einer entschlossenen und radikalen Erneuerung der Lehre über die Kirche und, allgemeiner, des theologischen Denkens"[1425]. Das „geistliche Bewußtwerden", das noch wichtiger war als das rein lehrmäßige, war also noch nicht so weit fortgeschritten. So zeigt sich das ältere Kirchenbild noch darin, daß das Wort Kirche überwiegend die Autorität, das Lehramt meint. Daran erkennt man eine gewisse Anthropozentrik.[1426]

II. Einzelne Aspekte

1. Die Neuentdeckung des Geheimnischarakters der Kirche (vgl. § 17) findet ihre Bestätigung in der Überschrift des ersten Kapitels der Kirchenkonstitution und im Text. So finden wir auch keine förmliche Definition der Kirche; ihr Geheimnis wird vielmehr in vielen Bildern immer neu umkreist und zur Sprache gebracht (vgl. § 18). Dabei spielt die Bezeichnung Volk Gottes eine hervorragende Rolle; das zweite Kapitel steht unter diesem Gedanken. Daneben finden wir die Bilder vom Schafstall, von der Pflanzung, dem Bauwerk und der Familie Gottes; die Kirche wird als heiliger Tempel, Braut des Lammes und schließlich ausführlich als Leib Christi dargestellt (Art. 6 f.). So „setzt der Text bei seinem Versuch, Kirche zu beschreiben, nicht bei soziologischen Modellen an, sondern bei der Heiligen Schrift, die keine Definition von Kirche gibt und stattdessen in immer neuen Bildern ihr Geheimnis umkreist".[1427]

2. Nichtsdestoweniger spielt die Analogie zum Sakrament in Lumen gentium eine große Rolle. Schon im ersten Artikel steht unübersehbar dieses Motiv: „Die Kirche ist ja in Christus gleichsam das Sakrament, das heißt Zeichen und Werkzeug für die innigste Vereinigung mit Gott wie für die Einheit der ganzen Menschheit." Damit geschieht noch einmal eine Relativierung der Kirche auf Christus hin. Diese Sicht kehrt häufig wieder: SC 26; AG 1; 5; LG 8: „Wie nämlich die angenommene Natur dem göttlichen Wort als lebendiges, ihm unlöslich geeintes Heilsorgan dient, so dient auf eine ganz ähnliche Weise das soziale Gefüge der Kirche dem Geist Christi, der es belebt, zum Wachstum

---

[1425] *G. Alberigo*, Die Konstitution in Beziehung zur gesamten Lehre des Konzils, in: *G. Baraúna*, Die Kirche in der Welt von heute. Untersuchungen zur Pastoralkonstitution Gaudium et Spes des II. Vat. Konzils, Salzburg 1967, 49–76; Zitat S. 63.

[1426] Vgl. oben § 14 I; *Alberigo*, Konstitution 69. 72, Anm. 18 (s. Anm. 1425).

[1427] *J. Ratzinger*, Einleitung zur Konstitution über die Kirche in der Ausgabe des Aschendorff-Verlages, Münster 3–41965, 9.

seines Leibes (vgl. Eph 4, 16)." LG 9 (vgl. 33): „instrumentum redemptionis", LG 48 (zit. in GS 48): „allumfassendes Heilssakrament" (universale salutis sacramentum); LG 9: „allen und jedem das sichtbare Sakrament dieser heilbringenden Einheit".

Neben dem Werkzeugcharakter finden wir auch den Zeichencharakter hervorgehoben: „Im Leben (sc. der Heiligen) zeigt Gott dem Menschen in lebendiger Weise seine Gegenwart und sein Antlitz" (Art. 50; vgl. AG 15, 2); „damit das Zeichen Christi auf dem Antlitz der Kirche klarer erstrahle" (Art. 15). In Artikel 13 spricht die Konstitution von der „katholischen Einheit des Gottesvolkes, die den allumfassenden Frieden bezeichnet und fördert." Die Kirche wird von der Kraft des auferstandenen Herrn gestärkt, „sein Mysterium, wenn auch schattenhaft, so doch getreu der Welt zu enthüllen" (Art. 8; AG 20; 21, 1; 21, 5). Die Kirche ist ein „Zeichen, das aufgerichtet ist unter den Völkern" (Jes 11, 12; SC 2). Damit wird der Blick auf die ganze Menschheit gerichtet. Die Kirche hat ihre Stellung eindeutig bestimmt: Sie „anerkennt weiterhin, was an Gutem in der heutigen gesellschaftlichen Dynamik vorhanden ist, besonders die Entwicklung hin zur Einheit, den Prozeß einer gesunden Sozialisation und Vergesellschaftung im bürgerlichen und wirtschaftlichen Bereich. Förderung von Einheit hängt ja mit der letzten Sendung der Kirche zusammen, da sie ,in Christus gleichsam das Sakrament, das heißt Zeichen und Werkzeug für die innigste Vereinigung mit Gott wie für die Einheit der ganzen Menschheit' ist. So zeigt sie der Welt, daß die wahre Einheit in der äußeren gesellschaftlichen Sphäre aus einer Einheit der Gesinnungen und Herzen erwächst, aus jenem Glauben und jener Liebe nämlich, auf denen im Heiligen Geist ihre unauflösliche Einheit beruht" (GS 42 zitierend LG 1).[1428]

3. Realitas complexa

Im Überblick zum Abschnitt 2 des zweiten Teiles sagten wir schon, man könnte das sakramentale Kirchenbild auch als komplexes bezeichnen. Das Konzil spricht ausdrücklich von der komplexen Wirklichkeit Kirche, „die aus menschlichem und göttlichem Element zusammenwächst" (LG 8). Dabei ist an verschiedene Aspekte gedacht: „Die mit hierarchischen Organen ausgestattete Gesellschaft und der geheimnisvolle Leib Christi, die sichtbare Versammlung und die geistliche Gemeinschaft, die irdische Kirche und die mit himmlischen Gaben beschenkte Kirche", und davon wird es gesagt, daß sie nicht als zwei verschiedene Größen zu betrachten sind, sondern eine einzige komplexe Wirklich-

---

[1428] Zu 2 vgl. besonders P. *Smulders,* Die Kirche als Sakrament des Heils, in: De Ecclesia I, 289–312 und J. L. *Witte,* Die Kirche, „sacramentum unitatis" für die ganze Welt, in: De Ecclesia I, 420–452.

keit bilden. Der gleiche Gedanke klingt schon in der Konstitution über die heilige Liturgie auf: Der Kirche ist es eigen, „zugleich göttlich und menschlich zu sein, sichtbar und mit unsichtbaren Gütern ausgestattet, voll Eifer der Tätigkeit hingegeben und doch frei für die Beschauung, in der Welt zugegen und doch unterwegs" (Art. 2). Hier wird aber noch eine wichtige Aussage über die Beziehung beider Seiten gemacht: Dieses Miteinander ist so, „daß dabei das Menschliche auf das Göttliche hingeordnet und ihm untergeordnet ist, das Sichtbare auf das Unsichtbare, die Tätigkeit auf die Beschauung, das Gegenwärtige auf die künftige Stadt, die wir suchen". In diesen Gegenüberstellungen ist die vielfältige Spannung innerhalb der Kirche genannt, doch liegt die Zielrichtung hauptsächlich bei der einen Spannung von Göttlichem und Menschlichem in der Kirche,[1429] bei dem also, wovon unser § 19 handelt.

4. Kirche als Gemeinschaft

Wir hatten in § 22 drei Beobachtungen referiert, die wir bei den Kanonisten des sakramentalen Kirchenbildes machen konnten, erstens sehen sie die Kirche sowohl als Gesellschaft wie als Gemeinschaft; zweitens überwiegt der Gebrauch des Begriffes Gemeinschaft im Gegensatz zum sogenannten gesellschaftlichen Kirchenbild, und drittens finden wir häufig für die Beziehungen zwischen den Menschen in der Kirche wie auch der Menschen zu Christus diesen Begriff angewandt.

Das Konzil (wir möchten uns hier nahezu auf die Kirchenkonstitution beschränken) vertritt die gleichen Ansichten und Akzente, die Verwendung des Begriffes Gemeinschaft (communio) nimmt einen sehr breiten Raum ein.

Zum ersten möchten wir auf die schon zitierte Stelle der Kirchenkonstitution hinweisen (Art. 8). Dort wird die Kirche zuerst „communitas fidei, spei et caritatis" – „Gemeinschaft des Glaubens, der Hoffnung und der Liebe" genannt; sodann wird erklärt, daß „die mit hierarchischen Organen ausgestattete Gesellschaft (societas) und der geheimnisvolle Leib Christi, die sichtbare Versammlung und die geistliche Gemeinschaft (communitas)" eine komplexe Realität bilden. Kurz darauf ist noch wie oben von dem sichtbaren, so hier von dem gesellschaftlichen Gefüge (socialis compago) die Rede und festgestellt, daß die Kirche „in dieser Welt als Gesellschaft verfaßt und geordnet" ist (ut societas constituta et ordinata). Wo von der vollständigen Eingliederung in das sichtbare Gefüge die Rede ist, wird wieder der Begriff societas gebraucht (Art. 14). Deutlich ist erkennbar, daß die beiden Begriffe einerseits dem inneren, gnadenhaften oder personalen Aspekt, andererseits dem äußeren, rechtlichen oder sachhaften Aspekt zugeordnet werden, ohne daß sie genauer definiert sind.

[1429] Vgl. *A. Grillmeier* zu Art. 8 in: LThK Vat I, 170 ff.

Es ist im übrigen immer wieder sehr breit die Bezeichnung Gemeinschaft verwendet, sicher überwiegend. Dies geht Hand in Hand mit einer familiären Betrachtungsweise der Kirche; Gemeinschaft ist das natürlich Gewachsene dieser personalen Beziehungen (z. B. Art. 7; 27; 28; 36; 51). Die „kirchliche Gemeinschaft" (Art. 13) ist eine „priesterliche" (Art. 11) und eine „Gemeinschaft des Glaubens, der Hoffnung und der Liebe" (Art. 8); und eine „Gemeinschaft des Lebens, der Liebe und der Wahrheit" (Art. 9[1429a]). Es ist die „Gemeinschaft der Auserwählten" (Art. 65). Demgegenüber wird meist von der „menschlichen Gesellschaft" gesprochen, wenn das bürgerliche dem kirchlichen Sozialgebilde gegenübergestellt wird oder gemeint ist (Art. 11; 36; 41; 46). Die Höchstschätzung der Gemeinschaft als Gemeinschaft von Personen gegenüber der zunächst nur durch den technischen Fortschritt bedingten Vergesellschaftung drückt Artikel 23 von GS aus.

Überraschend vielfältig wird schließlich von Gemeinschaft im Sinne einer Relation in Lumen Gentium gesprochen (communio bzw. communicare). „Alle Glieder (sc. der Weltkirche) stehen mit den übrigen im Heiligen Geiste in Gemeinschaft (communicant-Art. 13), sie haben Gemeinschaft mit den Heiligen und Verstorbenen, die noch gereinigt werden, in der gleichen Gottes- und Nächstenliebe (Art. 49; vgl. 50). Das bezieht sich im einzelnen besonders auf die Priester untereinander, die in Gemeinschaft der Arbeit, des Lebens und der Liebe stehen (Art. 28; vgl. Art. 41), der Bischöfe untereinander, mit den Priestern und Diakonen und mit dem Fundament dieser Gemeinschaft, dem Heiligen Vater (Art. 18; 21; 22; 25; 29). Auch im Dekret über den Ökumenismus finden wir leicht sehr schöne Stellen, die besonders die geheimnisvollen Beziehungen zu den göttlichen Personen beleuchten: „Der Heilige Geist, der in den Gläubigen wohnt und die ganze Kirche leitet und regiert, schafft diese wunderbare Gemeinschaft der Gläubigen und verbindet sie in Christus so innig, daß er das Prinzip der Einheit der Kirche ist." Christus „vollendet ihre Gemeinschaft in der Einheit: im Bekenntnis des einen Glaubens, in der gemeinsamen Feier der göttlichen Liturgie und in der brüderlichen Eintracht der Familie Gottes" (UR 2). Leider ist diese kirchliche Gemeinschaft noch nicht unter allen Christen eine völlige und volle katholische (perfecta, plena catholica, Art. 4). Aber „je inniger die Gemeinschaft ist, die sie mit dem Vater, dem Wort und dem Geist vereint, um so inniger und leichter werden sie imstande sein, in der gegenseitigen Brüderlichkeit zu wachsen" (Art. 8). In diesem letzten Text kommt großartig die Verschränkung der communio mit Gott und mit den Brüdern zum Ausdruck.[1429b]

1429a Vgl. Art. 13: „Liebesgemeinschaft".
1429b Vgl. auch LG 51.

5. Die Finalität der Kirche

In diesem Punkte stellen wir unschwer eine Verlagerung des Akzentes zu der sozialen – man könnte auch sagen kosmischen – Weite der kirchlichen Aufgabe fest. Zwar sind die traditionellen Zwecke der Kirche hin und wieder erwähnt, die Christus seiner Kirche gegeben hat: Er gießt „durch sie Gnade und Wahrheit auf alle aus" (LG 8). Die Kirche soll Christus nachfolgen, „um die Heilsfrucht den Menschen mitzuteilen" (ebd.). Man findet oft die Wendung vom „Heil der Seelen", das Maßstab für den Hirtendienst der Bischöfe sein muß.[1429c] Alles Tun der Kirche zielt auf die „Heiligung der Menschen und die Verherrlichung Gottes"[1429d]. Häufig wird einfach von der „Heilssendung" der Kirche gesprochen (z. B. LG 43), da die Sendung der Kirche auf das Heil der Menschen geht[1429e]. In diesem Punkte kann man deutlich eine stark personale Auffassung des Heilsfinis der Kirche beobachten, die sich in drei Aspekten zeigt, dem anthropologischen, soziologischen und kosmischen Aspekt. Zusammenfassend finden wir diese Sicht im Missionsdekret (Art. 1, 2): Die „Kirche ist gerufen, dem Heil und der Erneuerung aller Kreatur zu dienen, damit alles in Christus zusammengefaßt werde und in Ihm die Menschen eine einzige Familie und ein einziges Gottesvolk bilden". Hier sehen wir eine personale Sicht, insofern eine neue Beziehung zu Christus entstehen soll. Der soziologische Aspekt ist die Zielrichtung auf eine einzige Familie bzw. ein einziges Volk. Die Vereinigung mit Gott bedeutet auch die Einheit der Menschen untereinander.[1429f] Der kosmologische Aspekt zeigt uns, daß alle Kreatur erneuert werden soll und „alles" (ta panta) in Christus zusammengefaßt werden wird. Zum anthropologischen Aspekt, der hier noch undeutlich bleibt, sagt uns LG 65 etwas Wesentliches, wenn dort in der Typologie Maria-Kirche als Finis angegeben wird, „daß Er (Christus) durch die Kirche auch in den Herzen der Gläubigen geboren werde und wachse"; das bedeutet wiederum eine Wiedergeburt dieser Menschen, worin sich die apostolische Sendung der Kirche erfüllt.[1430] So ist auch der Gegensatz von Individuum und Gesellschaft ausgehalten.

In wunderbar kraftvoller, biblischer Sprache kehren diese Motive immer wieder. „So aber betet und arbeitet die Kirche zugleich, daß die Fülle der ganzen Welt in das Volk Gottes eingehe, in den Leib des Herrn und den Tempel des Heiligen Geistes, und daß in Christus, dem Haupte aller, jegliche Ehre und Herrlichkeit dem Schöpfer und Vater des Alls gegeben werde."[1430a] So „besteht

---

[1429c] CD 25; 26; 31, 2; 32; 39.
[1429d] SC 10; vgl. LG 24.
[1429e] Vgl. AA 6.
[1429f] Vgl. LG 1.
[1430] Vgl. zu diesem Abschnitt oben §§ 28 II und 29 II.
[1430a] LG 17; vgl. auch LG 5; 13; 35; 36; AG 1, 2.

die Sendung der Kirche nicht nur darin, die Botschaft und Gnade Christi den Menschen nahezubringen, sondern auch darin, die zeitliche Ordnung mit dem Geist des Evangeliums zu durchdringen und zu vervollkommnen" (AA 5). Bezeichnenderweise steht dieser Satz in dem Dekret, das die Würde und Sendung der Laien besonders zum Thema hat. Wir sehen wieder, wie der Finis der Kirche kosmologische und soziologische Perspektiven eröffnet.

§ 39 Einzelfragen des Kirchenbildes

I. Wer gehört zur Kirche?[1431]

Zu dieser Frage sagen uns die Kirchenkonstitution (Art. 14–16) und das Dekret über den Ökumenismus (Art. 3) die entscheidenden Punkte.[1432] Lumen Gentium knüpft an die gestufte Zugehörigkeit zur Kirche an.[1433] Auf der Grundlage der Lehre von der Heilsnotwendigkeit der katholischen Kirche sagt das Konzil: „Jene werden der Gemeinschaft der Kirche voll eingegliedert, die, im Besitze des Geistes Christi, ihre ganze Ordnung und alle in ihr eingerichteten Heilsmittel annehmen und in ihrem sichtbaren Verband mit Christus, der sie durch den Papst und die Bischöfe leitet, verbunden sind, und dies durch die Bande des Glaubensbekenntnisses, der Sakramente und der kirchlichen Leitung und Gemeinschaft. Nicht gerettet wird aber, wer, obwohl der Kirche eingegliedert, in der Liebe nicht verharrt und im Schoße der Kirche zwar ‚dem Leibe‘, nicht aber ‚dem Herzen‘ nach verbleibt" (Art. 14). Hier ist zunächst als Sinn der Eingliederung der Besitz des Geistes Christi genannt. Dann wird allgemein die Ebene der sichtbaren Zugehörigkeit erwähnt: Annahme der ganzen Ordnung der Kirche und aller in ihr eingerichteten Heilsmittel sowie der Gemeinschaft mit dem sichtbaren, personal-sozialen Verband der Kirche durch Annahme der Leitung durch Papst und Bischöfe. Dann erst folgen die drei bekannten Punkte. Im folgenden Artikel werden die Gründe dargelegt, warum die Kirche mit den „getrennten Brüdern" verbunden ist (coniuncta).

Nun folgen sehr positive Bemerkungen über diejenigen, die nicht zur katholischen Kirche gehören. Darin zeigt sich die Auswirkung der Konzentration auf Christus im anthropologischen Aspekt: Man sieht Christus und die Geschenke

---

[1431] Vgl. M. *Kaiser*, Aussagen des 2. Vatikanischen Konzils über die Kirchengliedschaft, in: Ecclesia et Ius 121–135; auch ThJb, Leipzig 1970, 221–233.

[1432] Wir können uns besonders auf den Kommentar von A. *Grillmeier* im LThK stützen: LThK Vat I, 194–207.

[1433] Vgl. oben § 31 II.

seiner Liebe in den Menschen. Mit den anderen Christen haben wir Folgendes gemeinsam: die Ehrfurcht vor der Schrift, den religiösen Eifer, den Glauben an Gott und an Christus, die Taufe als Verbindung mit Christus. Vielfach finden sich bei ihnen noch andere Sakramente, der Episkopat, die Eucharistie, die Marienverehrung. Uns verbindet eine Gemeinschaft im Gebet und in geistlichen Gütern, der Heilige Geist und bisweilen das Martyrium. All dies sind einzelne Konstitutivelemente der Kirche Christi, die in der katholischen Kirche ihre konkrete Wirklichkeit hat (LG 14). Darum kann nach der Kirchenkonstitution dort, „.. . wo irgendeine Gemeinsamkeit mit der Kirche Christi gegeben ist, überall dort, . . . das Heil erreicht werden."[1433a]

Im Artikel 16 spricht das Konzil von der Hinordnung der Nichtchristen auf das Gottesvolk (ad Populum Dei ordinantur). Bei den Juden ist sie durch den Bund, die Verheißungen und die leibliche Verwandtschaft mit Christus gegeben, die Muslim verbindet mit uns der Glaube an den Gott Abrahams als Schöpfer und Richter, die Angehörigen anderer Religionen ihr Gottsuchen und die Gnade Gottes, die ihr Gewissen und ihr Tun bewegt.

Im Ökumenismus-Dekret wird noch einmal darauf hingewiesen (Art. 3), daß „wer an Christus glaubt und in der rechten Weise die Taufe empfangen hat, . . . dadurch in einer gewissen, wenn auch nicht vollkommenen Gemeinschaft mit der katholischen Kirche" steht („in quadam cum Ecclesia catholica communione, etsi non perfecta, constituuntur"). Dann folgt im zweiten Abschnitt des Artikels wieder ein Hinweis auf „Elemente oder Güter (elementa seu bona), aus denen insgesamt die Kirche erbaut wird und ihr Leben gewinnt", die außerhalb der katholischen Kirche vorkommen und zu Christus hinführen.[1433b] Die vielleicht stärkste Stelle sagt, daß jene Genannten „durch den Glauben in der Taufe gerechtfertigt und dem Leibe Christi eingegliedert sind" (UR 3, 1). Eine sehr wichtige Aussage wird dann im vierten Abschnitt gemacht, wenn den getrennten Kirchen oder Gemeinschaften Heilsbedeutung zugeschrieben wird. Damit geht das Konzil über die bisherige Betrachtungsweise hinaus, die immer nur den einzelnen Nichtkatholiken ins Auge genommen hatte. Das berührt sich mit den früheren Thesen T. I. Jiménez-Urrestis.[1434] Es ist eine Folge der ver-

---

[1433a] *O. Müller*, Inwieweit gibt es nach der Kirchenkonstitution des 2. Vatikanischen Konzils außerhalb der Kirche Christentum und inwieweit Heil? in: Wahrheit und Verkündigung (Festschr. für M. Schmaus), München–Paderborn–Wien 1967, 71.

[1433b] Vgl. oben LG 15.

[1434] § 31 II.

O. Müller macht in seinem eben (Anm. 1433a) zitierten Artikel (vgl. S. 80) darauf aufmerksam, daß die Konstitution LG verschiedentlich die Bedeutsamkeit der sozialen Verflochtenheit der Menschen und ihrer Leiblichkeit berücksichtigt.

tieften Verbindung zur Heiligsten Dreifaltigkeit (soziologischer Aspekt). Auch hier ist in erstaunlicher Weise sowohl die einzigartige Besonderheit der Kirche gewahrt, wie auch alles Verwandte außerhalb ihrer positiv gesehen.

II. Grundlegung der Autorität

Das Gesetz schlechthin im Volke Gottes ist „das neue Gebot (vgl. Joh 13, 34), zu lieben, wie Christus uns geliebt hat" (LG 9). Lumen Gentium spricht im übrigen wesentlich von der Autorität der Bischöfe, während die des Papstes mehr als Wiederholung des Vaticanum I auftaucht. „Die Bischöfe leiten die ihnen zugewiesenen Teilkirchen als Stellvertreter und Gesandte Christi durch Rat, Zuspruch, Beispiel, aber auch in Autorität und heiliger Vollmacht, die sie indes allein zum Aufbau ihrer Herde in Wahrheit und Heiligkeit gebrauchen, eingedenk, daß der Größere werden soll wie der Geringere und der Vorsteher wie der Diener (vgl. Lk 22, 26 f.). . . . Kraft dieser Gewalt haben die Bischöfe das heilige Recht und vor dem Herrn die Pflicht, Gesetze für ihre Untergebenen zu erlassen . . ." (Art. 27, 1).

Es gibt wohl keine Stelle in den Konzilstexten, wo die Autorität in der Kirche einfach aus ihrem gesellschaftlichen Charakter begründet wird, wie im Modell der societas perfecta. Sie ist „mit den geeigneten Mitteln sichtbarer und gesellschaftlicher Einheit ausgerüstet", aber von Christus (LG 9; GS 40). So finden wir vielfach die Elemente der Kirche als Heilsinstitution, die Stiftungsdaten Mt 16; Mt 28; Joh 21; Mk 16 etc.

Die Sendung, die Christus zuerst den Aposteln übertragen hat und die dann in ununterbrochener Sukzession weitergegeben wurde, um das Evangelium treu überliefern zu können, wird ausführlich in Artikel 19 und 20 beschrieben.[1434a]

Im übrigen finden wir sehr stark die weiteren Elemente des sakramentalen Kirchenbildes: Die Stellvertretung, die Grundlegung der Autorität im Kreuzestod und in der Sendung des Heiligen Geistes (LG 19). Die Apostel sind in ihrer Sendung durch die Herabkunft des Heiligen Geistes bekräftigt worden (vgl. auch Art. 24). Diesen hat Christus ausgegossen, nachdem er für die Menschen den Kreuzestod erlitten hatte und auferstanden war; denn dann ist er „als der Herr, der Gesalbte und als der zum Priester auf immerdar Bestellte erschienen (vgl. Apg 2, 36; Hebr 5, 6; 7, 17–21)". Von daher empfängt die Kirche ihre Sendung (vgl. Art. 5). Diese Verbindung zum Kreuzestod Christi und zu seinem Geist hat ihre Konsequenzen: „Jenes Amt aber, das der Herr

---

[1434a] Vgl. auch Art. 24 und CD 2.

den Hirten Seines Volkes übergeben hat, ist ein wahres Dienen, weshalb es in der Heiligen Schrift bezeichnenderweise mit dem Wort ‚Diakonia', d. h. Dienst, benannt wird" (Art. 24, 1). Hier tauchen Schlüsselbegriffe auf (munus, ministerium, servitium, diakonia), die neben dem älteren officium (im gleichen Art. 24, 2) und potestas (bes. Art. 27) die Autorität neu sehen lassen. Schon in der Ouvertüre zum ganzen Kapitel 3 klingt dieses Thema auf: Da sind Dienstämter (ministeria), aber „die Amtsträger, die mit heiliger Vollmacht (sacra potestas) ausgestattet sind, stehen im Dienste ihrer Brüder (fratribus suis inserviunt) . . ." (Art. 19).[1435]

In diesem Sinne wird dann häufig von einer Stellvertretung gesprochen, wie beim Papst so auch bei den Bischöfen (Stellvertreter Christi: Art. 22, 2; 27, 1; 37, 1; 37, 2; Stellvertreter Gottes: 20, 3). Darum muß man sagen: „Wer sie hört, der hört Christus, und wer sie verachtet, der verachtet Christus und ihn, der Christus gesandt hat (vgl. Lk 10, 16)" (Art. 20), und die großartige Konsequenz ziehen: „In den Bischöfen, denen die Priester zur Seite stehen, ist also inmitten der Gläubigen der Herr Jesus Christus, der Hohepriester, anwesend" (Art. 21). So finden wir wieder die Kategorie der Repräsentation, die im Geheimnis des mystischen Leibes Christi und der Geistmitteilung in der sakramentalen Bischofsweihe grundgelegt ist.[1436]

Abschließend sei zu diesem Punkt noch auf das Verhältnis von Weihe- und Jurisdiktionsgewalt hingewiesen. Hier hat das Konzil vorab durch die Lehre von der Kollegialität (vgl. LG 22 f. und CD 3–6) und die Lehre von der Sakramentalität der Bischofsweihe (LG 21) stark den Akzent vom Juridischen zum Sakramentalen verschoben. CD 4 legt als rechtliche Konsequenz etwa fest, „daß allen Bischöfen, die Glieder des Bischofskollegiums sind, das Recht zusteht, am Ökumenischen Konzil teilzunehmen". Die Weihe allein gibt nun allerdings zwar „einen unverlierbaren Grundbestand an heiliger Gewalt, nicht jedoch ohne weiteres auch eine ausübbare Vollmacht im Bereich der potestas iurisdictionis; diese kommt dem Konsekrierten vielmehr erst zu, wenn er durch die missio canonica eine determinatio entweder zu einem bestimmten Bischofsamt oder eine Sendung für bestimmte besondere Aufgaben erhalten hat. Die bischöfliche Weihegewalt wird somit zur ausübbaren bischöflichen Vollgewalt erst, wenn zur Konsekration die Übertragung eines bischöflichen Amtes oder einer diesem zugeordneten Aufgabe getreten ist, durch welche die sakramental-

---

[1435] Zur verschiedenartigen Verwendung der einzelnen Begriffe munus, potestas etc. vgl. *J. Neumann*, Weihe und Amt in der Lehre von der Kirchenverfassung des 2. Vatikanischen Konzils: AkathKR 135 (1966) 3–18; spez. 3 f.

[1436] Siehe dazu die tiefen Ausführungen von *J. Lécuyer*, Die Bischofsweihe als Sakrament, in: De Ecclesia II, 24–43, spez. 24–26.

seinshafte Fähigkeit zur bevollmächtigten und zum Handeln ermächtigenden Befähigung wird."[1437] Das ist nicht etwa eine Überfremdung des Konzilstextes durch die nota praevia zum dritten Kapitel, sondern die klare Aussage des konziliaren Textes selber: „Die kanonische Sendung der Bischöfe kann geschehen durch rechtmäßige, von der höchsten und universalen Kirchengewalt nicht widerrufene Gewohnheiten, durch von der nämlichen Autorität erlassene oder anerkannte Gesetze oder unmittelbar durch den Nachfolger Petri selbst. Falls er Einspruch erhebt oder die apostolische Gemeinschaft verweigert, können die Bischöfe nicht zur Amtsausübung zugelassen werden" (LG 24). Hier ist nicht eine neue Auseinanderreißung von Weihe- und Jurisdiktionsgewalt gegeben, sondern darin liegt die Konsequenz der Kollegialität. Diese Einheit der Bischöfe untereinander, einschließlich ihres Hauptes, ist von Natur aus eine nicht begrenzbare. So wird immer die Hinordnung auf das Ganze, die hierarchische Gemeinschaft (Art. 21), zu beachten sein (Totalisierung), für die im Artikel 24 drei verschiedene Formen angegeben sind. Auch in dieser von Christus gesetzten Einheit des Kollegiums ist der soziologische Aspekt realisiert. Gerade weil es die eine Sendung und Autorität Christi ist, die das gesamte Bischofskollegium besitzt, muß ihre Einheit durch den Bezug zum Ganzen, vermittelt durch das Haupt, gewahrt werden.

III. Die Verfassung der Kirche

1. Christus als Mitte der Kirche

Wenn es auch eine Wiederholung ist, so muß doch noch einmal betont werden, daß das Konzil als überall vorauszusetzende Grundverfassung der Kirche ihre Verbindung mit Jesus Christus hervorhebt. „Christus ist das Licht der Völker ... Die Kirche ist ... in Christus gleichsam das Sakrament ..." (LG 1). Christus „trägt sie unablässig" (Art. 8). In immer neuen Formulierungen wird Christus als Subjekt der Kirche bezeichnet, so z. B. in Artikel 21: „Zur Rechten des Vaters sitzend, ist er nicht fern von der Versammlung seiner Bischöfe, sondern vorzüglich durch ihren erhabenen Dienst verkündet er allen Völkern Gottes Wort und spendet den Glaubenden immerfort die Sakramente des Glaubens." Er läßt das Leben in die Kirche einströmen (AG 5, 1). Er fügt ein, er lenkt und ordnet. Oder vergleiche Artikel 34 (LG): Christus macht die Laien „durch seinen Geist lebendig und treibt sie unaufhörlich an zu jedem guten und vollkommenen Werk." Die Laien „werden vom Herrn selbst mit dem Apostolat betraut" (AA 3). Die Fruchtbarkeit des Apostolates hängt von der „lebendigen Vereinigung mit Christus ab" (Art. 4). Christus bleibt auch

z. B. bei den Ehegatten (GS 48) usw. Vor jeder Frage nach Einheit, Verschiedenheit, Gleichheit innerhalb der Kirche steht also das Bewußtsein, jedenfalls auf weite Strecken der Konzilstexte, daß Christus ganz real das Subjekt, der primär Handelnde in der Kirche und in allen ihren Gliedern ist. Ähnliches läßt sich vom Heiligen Geist und vom Vater sagen, deren Wirksamkeit Christus uns vermittelt.[1437a] Das Grundgesetz der Kirche ist darum das Gesetz der gegenseitigen Liebe[1437b], die durch den Geist Christi ermöglicht wird (AG 4; 12). Auf dieser Basis ist das Folgende verständlich.

2. Die wahre Gleichheit im Volke Gottes

Das Konzil hat in der Kirchenkonstitution vor die Kapitel über die Hierarchie und über die Laien das Kapitel über das Volk Gottes gesetzt. Damit hat es zum Ausdruck gebracht, daß es bei allen Gliedern der Kirche zunächst das Gemeinsame betrachtet, denn „wenn auch einige nach Gottes Willen als Lehrer, Ausspender der Geheimnisse Gottes und Hirten für die anderen bestimmt sind, so waltet doch unter allen eine wahre Gleichheit (vera aequalitas) in der allen Gläubigen gemeinsamen Würde und Tätigkeit zum Aufbau des Leibes Christi".[1438] Die wesentlichen Dinge des Kapitels 2 sind kurz vorher noch einmal zusammengefaßt: „Eines ist also das auserwählte Volk Gottes: ‚Ein Herr, ein Glaube, eine Taufe' (Eph 4, 5); gemeinsam die Würde der Glieder aus ihrer Wiedergeburt in Christus, gemeinsam die Gnade der Kindschaft, gemeinsam die Berufung zur Vollkommenheit, eines ist das Heil, eine die Hoffnung und ungeteilt die Liebe" (LG 32). So ist im Gesamtbild die Autorität keineswegs an erster Stelle betont,[1439] sondern die gemeinsame Berufung zum königlichen Priestertum, auf Grund derer alle Gläubigen bei der Teilnahme am eucharistischen Opfer Christus und sich selbst mit ihm Gott darbringen[1440]. Innerhalb dieser Berufung gibt es keine Ungleichheit auf Grund von Rasse, Volk, sozialer Stellung oder Geschlecht. Auf dieser gemeinsamen Basis gibt es dann verschiedene Dienste. Der Text von Lumen Gentium spricht denn auch in Artikel 32 „‚von den Hirten und den anderen Gläubigen‘, um auszudrücken, daß die Hirten nicht mehr den Gläubigen gegenüberstehen, sondern auch Gläu-

---

[1437] *Neumann,* Weihe 17 f. (vgl. Anm. 1435).
[1437a] Vgl. oben § 38 I.
[1437b] Vgl. LG 9; 32; 42 u. ö.
[1438] Es ist interessant, daß es in einem früheren Schema noch hieß: „als Hirten über die anderen"; vgl. *F. Klostermann,* Kommentar zum 4. Kapitel der Konstitution über die Kirche: LThK Vat I, 267.
[1439] Societas inaequalis, vgl. § 35.
[1440] Vgl. LG Art. 11, 1; 34. Vgl. auch oben § 36 A (S. 233 f.).

bige sind und zum Gottesvolke gehören".[1441] Der Unterschied schließt eine Verbundenheit ein (Art. 32; vgl. Art. 13).

3. Der Unterschied von Hirten und übrigen Gläubigen

Der Unterschied wird nicht einfach durch irgendeinen Dienst begründet, sondern durch die heilige Weihe. Das ist für die Bischöfe klar gesagt in Artikel 21, 2 und 26, 1; für die Priester immer wieder, z. B. Artikel 11; 28; 37: "geweihte Hirten", OT 8; PO 2, 3; 5; 7; 8; 12. Diese Auffassungsweise entspricht dem sakramentalen Kirchenbild, einmal wegen der starken Betonung der Gleichheit in vielen Bereichen und Hinsichten, dann wegen der Begründung der Unterscheidung in einem Sakrament, also einem Handeln Christi. Sehr schön verbindet PO 3 beides: "Die Priester des Neuen Testamentes werden zwar auf Grund ihrer Berufung und Weihe innerhalb der Gemeinde des Gottesvolkes in bestimmter Hinsicht abgesondert, aber nicht, um von dieser, auch nicht von irgendeinem Menschen, getrennt zu werden, sondern zur gänzlichen Weihe an das Werk, zu dem sie Gott erwählt hat." Dabei ist es wichtig, daß das Konzil bei der Darstellung des Weihepriestertums vom Bischof ausgeht (LG 20; 28), der mit der Fülle des Weihesakramentes ausgezeichnet ist (LG 26). Der Priester macht in gewisser Weise den Bischof in seiner Gemeinde gegenwärtig (LG 28), denn er nimmt am Amt des Bischofs teil (PO 7, 2) und wird durch das Weihesakrament in einer besonderen Weise Christus ähnlich. "Dieses zeichnet die Priester durch die Salbung des Heiligen Geistes mit einem besonderen Prägemal und macht sie auf diese Weise dem Priester Christus gleichförmig, so daß sie in der Person Christi des Hauptes handeln können" (PO 2, 3). So bilden sie kraft der heiligen Gewalt das priesterliche Volk heran und leiten es; sie vollziehen in der Person Christi das eucharistische Opfer und bringen es im Namen des ganzen Volkes Gott dar (LG 10). Die Priester sind mit den Bischöfen "in der priesterlichen Würde verbunden und kraft des Weihesakramentes nach dem Bilde Christi, des höchsten und ewigen Priesters (Hebr 5, 1–10; 7, 24; 9, 11–28), zur Verkündigung der Frohbotschaft, zum Hirtendienst an den Gläubigen und zur Feier des Gottesdienstes geweiht und so wirkliche Priester des neuen Bundes" (LG 28). "Sie sollten in der Gemeinde der Gläubigen heilige Weihevollmacht besitzen zur Darbringung des Opfers und zur Nachlassung der Sünden und das priesterliche Amt öffentlich vor den Menschen in Christi Namen verwalten" (PO 2, 2).

Das Bild der Kirche als Heilsinstitution ist mit in dieses sakramentale Bild

---

[1441] *B. Löbmann*, Die Bedeutung des 2. Vatikanischen Konzils für die Reform des Kirchenrechts: Ius sacrum 88.

eingebracht, indem die Stiftungsdaten, die Vollmachtsübertragungen auf die Apostel, herangezogen werden. Das Konzil lehrt ausdrücklich, daß die Bischöfe auf Grund göttlicher Einsetzung an die Stelle der Apostel als Hirten der Kirche getreten sind (LG 20). Wie die Apostel mit einer besonderen Ausgießung des Heiligen Geistes von Christus beschenkt worden sind, so haben sie durch die Auflegung der Hände die geistliche Gabe in der Bischofsweihe weitergegeben (LG 21).

Die alten Kategorien von lehrender und hörender Kirche, von Vorgesetzten und Untergebenen, von Hirten und Schafen sind wenig verwendet.[1441a] Die Bezeichnung der Geweihten als Hirten hat meistens wieder den alten biblischen Klang, wie schon die beigefügten Tätigkeiten zeigen: „kennen" und „heimholen" (PO 4; CD 16); „weiden" (LG 21); „tägliche Sorge für die Schafe" (LG 27, 2); „versammeln ... und führen ... zum Vater" (PO 5); „Kraft auf das geistliche Wachstum des Leibes Christi verwenden" (PO 6); den Abgefallenen „nachgehen" (PO 9). Das wird gekrönt durch einen Hinweis, wie das Hirtenamt die Priester heiligen soll: „Als Lenker und Hirten des Volkes Gottes werden sie von der Liebe des Guten Hirten angetrieben, ihr Leben für ihre Schafe hinzugeben, auch zum höchsten und letzten Opfer bereit nach dem Beispiel jener Priester, die auch in unserer Zeit nicht gezögert haben, ihr Leben zu opfern" (PO 14, 4; LG 27, 3).

Die Verbindung von Gleichheit und Verschiedenheit, Miteinander und Gegenüber ist wohl am besten in LG 33, 4 gezeichnet: „Wie die Laien aus Gottes Herablassung Christus zum Bruder haben, der, obwohl aller Herr, doch gekommen ist, nicht um sich bedienen zu lassen, sondern um zu dienen (vgl. Mt 20, 28), so haben sie auch die geweihten Amtsträger zu Brüdern, die in Christi Autorität die Familie Gottes durch Lehre, Heiligung und Leitung so weiden, daß das neue Gebot der Liebe von allen erfüllt wird. Daher sagt der heilige Augustinus sehr schön: ‚Wo mich erschreckt, was ich für euch bin, da tröstet mich, was ich mit euch bin. Für euch bin ich Bischof, mit euch bin ich Christ. Jenes bezeichnet das Amt, dieses die Gnade, jenes die Gefahr, dieses das Heil.'"

4. *Papst und Bischöfe*[1442]

Das Konzil hat dem Bau der Kirche keinen neuen Stein eingefügt, sondern einen alten, aber etwas bemoosten Stein freigelegt, nämlich den Episkopat, genauer gesagt dessen kollegiale Struktur. Kein Kanonist hatte vor dem Konzil

---

[1441a] Vgl. aber z. B. LG 37: „christlicher Gehorsam"; „Vorgesetzte".

[1442] Vgl. K. *Mörsdorf*, Die hierarchische Verfassung der Kirche, insbesondere der Episkopat: AkathKR 134 (1965) 88–97; W. *Onclin*, Die Kollegialität der Bischöfe und ihre Struktur:

diese Lehre ernstlich beachtet. Diese Idee ist ja überhaupt relativ schnell in der Theologie wiederaufgegriffen und für das Konzil fruchtbar gemacht worden.[1443]

Als Nachfolger der Apostel bilden die Bischöfe ein Kollegium, das an die Stelle des Apostelkollegiums getreten ist. Der Papst ist als Nachfolger des heiligen Petrus sein Haupt. In dieses Kollegium, das auch Ordnung oder Körperschaft genannt wird, wird der einzelne Bischof kraft der sakramentalen Bischofsweihe und durch die hierarchische Gemeinschaft mit dem Haupt und den Gliedern des Kollegiums eingegliedert (LG 25–27; CD 4). Kollegium ist hier nicht in streng juristischem Sinne zu verstehen (Personenkreis Gleichrangiger, dessen Haupt erster unter Gleichen ist und seine Gewalt von den Gliedern erhält), sondern im Sinne eines beständigen Personenkreises, dessen Aufbau und Autorität aus der Offenbarung abzuleiten sind.[1444]

Der Papst hat als oberster Hirt volle, höchste und universale Gewalt über die Kirche. In gleicher Weise ist das Kollegium der Bischöfe – mit seinem Haupt und niemals ohne dieses Haupt – Träger der höchsten und vollen Gewalt über die Kirche. So gibt es also zwei Träger der höchsten Autorität in der Kirche, die aber dadurch miteinander verbunden sind, daß der Papst das Haupt des Kollegiums ist.[1445] Er ist eben kein Außenstehender, sondern das die Einheit der Körperschaft der Hirten gewährleistende Prinzip. Hier ist die Kontroverse, von wem der einzelne Bischof seine Gewalt empfängt, vom Papst oder direkt von Christus, dahin akzentuiert, daß beides komplex gesehen ist in der primären Eingliederung in das Kollegium. Die oberste Leitung der Kirche kann dabei auch indirekt beteiligt sein (LG 24, 2). Es ist auch nicht mehr wie im älteren Kirchenbild der Bischof als Beauftragter des Papstes und die Gesetzgebung stark zentralistisch gesehen; ganz klar sagt CD 8, daß den Bischöfen von selbst jede ordentliche, eigenständige und unmittelbare Gewalt zusteht, die zur Ausübung ihres Hirtenamtes erforderlich ist. Sie erhalten durch den

---

Conc 1 (1965) 664–669; *K. Mörsdorf*, Über die Zuordnung des Kollegialitätsprinzips zu dem Prinzip der Einheit von Haupt und Leib in der hierarchischen Struktur der Kirchenverfassung, in: Wahrheit und Verkündigung (Festschr. für M. Schmaus), München–Paderborn–Wien 1967, 1435–1445; *J. Ratzinger*, Die pastoralen Implikationen der Lehre von der Kollegialität der Bischöfe, in: Conc 1 (1965) 16–29; viele Beiträge in De Ecclesia II.

[1443] *B. Botte*, Der kollegiale Charakter des Priestertums und des Episkopats: Conc 1 (1965) 345–348.

[1444] Vgl. die Nota explicativa praevia zum Kapitel 3 von Lumen Gentium, in: LThK Vat I, 350 f.

[1445] Vgl. *Mörsdorf*, Verfassung 90 (vgl. Anm. 1442); *W. Bertrams*, Papst und Bischöfe als Träger der kirchlichen Hirtengewalt, München–Paderborn–Wien 1965, 52 ff.; anders *W. Aymans* in seinem Artikel gleichen Titels zu *W. Bertrams* Schrift AkathKR 135 (1966) 136 bis 147. Dort auch die weiteren Schriften *W. Bertrams'* zu dieser Frage.

gleichen Artikel auch die Dispensvollmacht von allgemeinen Kirchengesetzen in besonderen Fällen, und die gesetzgeberische Vollmacht wird ausgeweitet (z. B. SC 22), wobei die Bischofskonferenz als neues Organ auftritt. Die Wirksamkeit des Kollegialitätsprinzips reicht nun weit über diese rechtlichen Grenzen hinaus, es fordert eine vielfältige Zusammenarbeit: „Deshalb sind die einzelnen Bischöfe gehalten, soweit die Verwaltung ihres eigenen Amtes es zuläßt, in Arbeitsgemeinschaft zu treten untereinander und mit dem Nachfolger Petri" (LG 23). Hier ist besonders auf die Verwirklichung in der Bischofssynode[1446] und in den erheblich ausgebauten Bischofskonferenzen[1447] hinzuweisen.

J. Ratzinger versucht den Sinn des Kollegialitätsprinzips noch umfassender zu sehen, nämlich „in der Einheit der einen Kirche die Vielheit der Teilkirchen in ihrer unersetzlichen Eigenbedeutung zur Geltung zu bringen". Hier ist vom Konzil der Sprachgebrauch der Schrift und der Väter aufgegriffen, die sehr häufig mit Kirche die Ortskirche bezeichnen. Darin kommt zum Ausdruck, daß die Ortskirche nicht Verwaltungsbezirk der Gesamtkirche, sondern „Anwesendwerden der einen Kirche Gottes..., mit der sie durch Glaube und Kommunion verbunden lebt"[1448] (vgl. LG 23; 28), ist. Auch hier zeigt sich wieder, wie in Christus die Gegensätze, hier die klare Form im Primat über die Gesamtkirche und die Fülle in der Vielfalt des Episkopats und der Teilkirchen, in die lebendige Mitte kommen.

5. Die Laien[1449]

Wie schon im vorigen Abschnitt können wir auch hier nur eine kleine Andeutung wagen. Es seien drei Punkte herausgegriffen, der methodische Hinweis des Artikels 30 von Lumen Gentium, die Würde der Laien und ihr Beitrag zum

---

[1446] Cf. Litterae Apostolicae *Pauls VI.* vom 15. 9. 1965: AAS 57 (1965) 775–780; AkathKR 134 (1965) 473–477. Dazu vgl. *K. Mörsdorf*, Synodus Episcoporum: AkathKR 135 (1966) 131 bis 136; *J. Neumann*, Die Bischofssynode: ThQ 147 (1967) 1–27; dies auch ThJb, Leipzig 1969, 226–244.

[1447] Vgl. LG 23; *M. Bonet Muixi*, Die Bischofskonferenz: Conc 1 (1965) 646–649; *Ch. Munier*, Die Bischofskonferenzen: Conc 3 (1967) 645–648.

[1448] *J. Ratzinger*, Einleitung zur Kirchenkonst. in der Ausgabe des Verlages Aschendorff, Münster ³⁻⁴1965, 14; *B. Neunheuser*, Gesamtkirche und Einzelkirche, in: De Ecclesia I, 547 bis 573. Vgl. auch *J. Ratzinger*, Die bischöfliche Kollegialität. Theologische Entfaltung, in: De Ecclesia II, 44–70.

[1449] Vgl. *E. Schillebeeckx*, Die typologische Definition des christlichen Laien, in: De Ecclesia II, 269–288; *M.-D. Chenu*, Die Laien und die „consecratio mundi", in: De Ecclesia II, 289 bis 307; *H. Heimerl*, Laienbegriffe in der Kirchenkonstitution des II. Vatikanischen Konzils: Conc 2 (1966) 219–225; dies auch im ThJb, Leipzig 1969, 245–254; *K. Mörsdorf*, Das eine Volk Gottes und die Teilhabe der Laien an der Sendung der Kirche, in: Ecclesia et Ius 99–119.

Aufbau des Leibes Christi bzw. ihr Wirken in der Welt, das sich in rechtlichen Formen vollziehen kann.

a) Die Laien gehören zum Ganzen des Volkes Gottes

„Gewiß richtet sich alles, was über das Volk Gottes gesagt wurde, in gleicher Weise (aequaliter) an Laien, Ordensleute und Kleriker (LG 30). Damit ist ein ungemein wichtiger Hinweis für die positive Füllung des Laienbegriffes gegeben. Das ganze Kapitel II der Konstitution gilt also wesentlich allen Gliedern der Kirche: Sie sind gemacht zu „„einem auserwählten Geschlecht, einem königlichen Priestertum, . . . einem heiligen Stamm, einem Volk der Erwerbung . . . Die einst Nicht-Volk waren, sind jetzt Gottes Volk' (1 Petr 2, 9 f.)" (Art. 9).

b) *Die Würde der Laien*[1450]

Die Laien sind im vierten Kapitel von Lumen Gentium diejenigen Nicht-Kleriker und Nicht-Ordensleute, also „die Christgläubigen, die, durch die Taufe Christus einverleibt, zum Volk Gottes gemacht und des priesterlichen, prophetischen und königlichen Amtes Christi auf ihre Weise teilhaftig, zu ihrem Teil die Sendung des ganzen christlichen Volkes in der Kirche und in der Welt ausüben" (LG 31). Die schon zitierten Worte des Artikels 32 sprechen davon, daß allen gemeinsam ist die Würde „der Glieder aus ihrer Wiedergeburt in Christus, gemeinsam die Gnade der Kindschaft, gemeinsam die Berufung zur Vollkommenheit . . ." Die Laien haben Anteil am Amt des Hohenpriesters Christus, sie sind „Christus geweiht und mit dem Heiligen Geist gesalbt" (Art. 34). Christus ist der große Prophet, an dessen Amt die Laien teilhaben. Sie sind als Zeugen mit dem Glaubenssinn, der Gnade des Wortes und mit vielfältigen Charismen ausgerüstet (vgl. Art. 35 und 12). Christus ist alles unterworfen, bis er selbst sich und alles Geschaffene dem Vater unterwirft, damit Gott alles in allem sei (vgl. 1 Kor 15, 27). „Diese Gewalt teilte er seinen Jüngern mit, damit auch sie in königlicher Freiheit stehen, um durch Selbstverleugnung und ein heiliges Leben das Reich der Sünde in sich selbst zu beseitigen (vgl. Röm 6, 12)" (Art. 36).

c) *Der Beitrag der Laien zum Aufbau des Leibes Christi und ihr Wirken in der Welt*[1451]

„Die geweihten Hirten wissen sehr gut, wieviel die Laien zum Wohl der ganzen Kirche beitragen" (Art. 30). „Die im Volk Gottes versammelten und dem

---

[1450] Vgl. oben § 36 C I.
[1451] Vgl. oben § 36 C II. 1.

einen Leibe Christi unter dem einen Haupte eingefügten Laien sind, wer auch immer sie sein mögen, berufen, als lebendige Glieder alle ihre Kräfte, die sie durch das Geschenk des Schöpfers und die Gnade des Erlösers empfangen haben, zum Wachstum und zur ständigen Heiligung der Kirche beizutragen. Der Apostolat der Laien ist Teilnahme an der Heilssendung der Kirche selbst" (Art. 33). Das Konzil legt auf Grund seiner pastoralen Zielsetzung einen besonderen Akzent auf den Welt-Aspekt der Laien[1452]: „Den Laien ist der Weltcharakter in besonderer Weise eigen . . . Sache der Laien ist es, kraft der ihnen eigenen Berufung in der Verwaltung und gottgemäßen Regelung der zeitlichen Dinge das Reich Gottes zu suchen. Sie leben in der Welt, d. h. in all den einzelnen irdischen Aufgaben und Werken und den normalen Verhältnissen des Familien- und Gesellschaftslebens, aus denen ihre Existenz gleichsam zusammengewoben ist" (Art. 31; vgl. AG 15, 7). Hier scheint ein mehr existentieller Begriff vom Laien verwendet zu werden, nicht ein essentieller, bei dem der Laie wesentlich durch die Beziehung zu den Hirten charakterisiert ist.[1453]

Die Würde der Teilnahme an den drei Ämtern Christi soll sich im Tun auswirken und im Leiden (Art. 34 bis 36). Aus diesen kurzen Andeutungen ersieht man schon klar, daß im Konzil auch hinsichtlich der Laien das sakramentale Kirchenbild im Vordergrund steht. Das Wirken Christi durch die Laien ist in immer neuen Wendungen ausgesprochen (vgl. bes. AA 33) und ein fast unbegrenztes Gebiet des Wirkens in eigener Verantwortung gewiesen (vgl. das ganze Dekret über das Laienapostolat, dazu AG 21). In Artikel 37 sind sodann einige Grundlinien für das gegenseitige Verhältnis von Hirten und Laien ausgezogen, wodurch auch Licht auf die rechtliche Stellung der Laien fällt. Zuerst wird von der Meinungsäußerung gesprochen, dann wird den Hirten gesagt, sie sollten „die Würde und Verantwortung der Laien in der Kirche anerkennen und fördern. Sie sollen gerne deren klugen Rat benutzen, ihnen vertrauensvoll Aufgaben im Dienst der Kirche übertragen und ihnen Freiheit und Raum im Handeln lassen, ihnen auch Mut machen, aus eigener Initiative Werke in Angriff zu nehmen."

Das Konzil hat an gewissen Punkten Anregungen oder Vorschriften gegeben, wo diese Mitarbeit der Laien in kirchlichen Institutionen[1454] ausgeweitet werden soll, so schon durch die Berufung von Laienauditoren zum Konzil selbst, dann z. B. bezüglich des Seelsorgsrates der Diözese (vgl. CD 27), der römischen Kurie (CD 10), der Liturgischen Kommissionen (SC 44) usw. Die nachkonziliare Praxis hat auf diesem Gebiet schon eine Reihe weiterer Schritte

---

[1452] Vgl. oben § 36 C II. 4.
[1453] Vgl. *Heimerl*, Laienbegriffe (s. Anm. 1449) 221 bzw. 248 f.
[1454] Vgl. oben § 36 C III.

besonders auf dem Feld der Diözesansynoden (z. B. Wien, Hildesheim, Meißen) und mit der Errichtung von Pfarrgemeinderäten bzw. Pfarrausschüssen[1455] gebracht. Manche Domkapitel haben vor der Benennung von Kandidaten für das vakante Bischofsamt die Gläubigen der Diözese gebeten, ihre Wünsche zu äußern (z. B. s'Hertogenbosch nach dem Tode von Bischof Bekkers).

„So mag die ganze Kirche, durch alle ihre Glieder gestärkt, ihre Sendung für das Leben der Welt wirksamer erfüllen" (LG 37).

§ 40 *Ergebnisse*

Wir möchten nun abschließend die Ergebnisse in sieben Thesen zusammenfassen.

These 1: Bei den Kanonisten vom Codex bis zum Konzil gibt es zwei verschiedene Kirchenbilder.

Sie sind beide biblisch und theologisch begründet, beide auch juridisch strukturiert. Beide sind katholisch, sie setzen die gesamte Offenbarung voraus und folgen der Tradition der Kirche, geführt vom Lehramt. Beide arbeiten, das will beachtet sein, auf Grund einer fast gleichbleibenden Rechtslage, nämlich im wesentlichen des CIC. Doch ist das neuere Kirchenbild theologisch reicher und bringt besonders auf dem Gebiet des Laienrechtes dynamische Impulse zur Umformung des geltenden Rechtes.

These 2:

a) Vorwiegend die älteren Kanonisten betrachten die Kirche als übernatürliche societas perfecta, die von Jesus Christus gestiftet ist, also als Gesellschaft, die zugleich Heilsinstitution ist.

Es handelt sich um die Verfasser des Ius Publicum (A. Ottaviani, L. Bender etc.), um die Kommentatoren der exegetischen Schule (M. Conte a Coronata, G. Michiels, R. Naz etc.) und der historischen Schule (A. Vermeersch, F. X. Wernz, N. Hilling, E. Eichmann usw.) und um die Vermittler (St. Sipos etc.). Neben den italienischen Laienkanonisten (P. Fedele, P. Ciprotti etc.) sind noch als eigengeprägte Gruppe die Kanonisten zu nennen, die schon von der Leib-Christi-Theologie berührt sind (F. M. Cappello, P. Gasparri, J. Creusen etc.).

[1455] Vgl. etwa den Beschluß der Deutschen Bischofskonferenz vom Frühjahr 1967 über Grundsätze für die Struktur der Laienarbeit: AkathKR 136 (1967) 523–525; Mustersatzungen des Zentralkomitees der deutschen Katholiken für die Räte des Laienapostolats (Herbst 1967): AkathKR 136 (1967) 525–532.

b) Etwa seit Ende der dreißiger Jahre kommt die Strömung der theologischen Erneuerung zum Zuge, so daß das sakramentale Wesen der Kirche als ganzer wieder entdeckt wird.

Nach einem organologisch-mystischen Verständnis der Leib-Christi-Lehre (A. Hagen, E. R. v. Kienitz, B. Panzram usw.) kommt man zu einem sakramental-ekklesiologischen (V. Del Giudice, W. Bertrams, A. Lesage, A. M. Stickler). Die Kirche wird als neues Volk Gottes erkannt (K. Mörsdorf und seine Schule) und schließlich ausdrücklich als Ursakrament gedeutet (K. Mörsdorf, G. May, M. Useros Carretero, H. Heimerl usw.).

These 3: Im societas-perfecta-Bild stellt man apologetisch die Kirche dem Staat als eigenständige societas perfecta gegenüber, um ihre Gewalt zu begründen. Die Kirche wird hier als juridische, in ihrer Ordnung unabhängige und höchste, dem Rechte nach vollkommene Gesellschaft von Ungleichen gefaßt. Das alles wird aus der Stiftung durch Jesus Christus belegt, der seine Kirche gegründet hat, um allen Menschen die Gnade und ewiges Leben zu vermitteln (Heilsinstitution). Im Vordergrund stehen dabei die juridischen Fakten, die Gesetzgebungs-, Gerichts- und Exekutivgewalt der Kirche. Die Beziehung zu Gott bzw. Jesus Christus ist fast ausschließlich in den historischen Fakten der Kirchengründung lokalisiert. Sachhafte Kategorien prägen das Bild: die Vollmachten, der Finis, der von der Person Christi abgelöste weiterwirkende Stifterwille etc.

These 4: Viele Kanonisten betrachten die Kirche als Ursakrament, d. h. als Zeichen und Werkzeug der Gnadenvermittlung, bei welcher Christus der hauptsächlich Wirkende ist. In dieser Auffassung wird die Schau der Heiligen Schrift, Kirche als Leib Christi, Volk Gottes und Braut Christi, aufgenommen. Hier tritt also die Einheit Christi mit seiner Kirche in den Vordergrund. Die Kategorien der Instrumentalität, der Repräsentation und der Gegenwart dienen dazu, die geheimnisvolle Nähe des dreifaltigen Gottes in der Kirche und seine Wirksamkeit durch die Menschen auszusagen. So werden personale Kategorien betont.

These 5: Man kann den Unterschied der beiden Kirchenbilder in „horizontaler" Hinsicht (was die Verhältnisse unter den Menschen angeht) als Akzentverschiebung im Rahmen einer Polarität oder Gegensätzlichkeit sehen. Im älteren Kirchenbild ist die Form bzw. das Formale mehr betont, im neueren mehr die lebendige Fülle.

Wir fanden im ersten mehr den anstaltsbegründenden Stifterwillen hervorgehoben (Transzendenz), im zweiten daneben auch die Mitwirkung der

Gläubigen und die verantwortliche Mitgestaltung des Lebens der Kirche (Immanenz). Dem entsprechen etwa die Begriffe Heilsinstitution und Heilsgemeinschaft. Nachdem früher die Ausrichtung auf das bonum commune (Richtung auf die Gesamtheit) im Vordergrund gestanden hatte und daneben das Seelenheil eingebaut war, tritt nun ganz stark die Einzelperson als Mittelpunkt des sozialen Lebens und damit zugleich das Subsidiaritätsprinzip in den Vordergrund (Richtung auf die Einzelheit).

Im gesellschaftlichen Kirchenbild war der Primat recht isoliert hervorgehoben worden (Form); nun besinnt man sich stärker auf das Bischofskollegium und damit auf die Rolle des Konzils (Fülle). Ähnlich fragte man früher mehr nach der Jurisdiktion als nach dem Leben und hatte damit den Klerus bzw. die Hierarchie einseitig akzentuiert (Struktur = Form; Gültigkeit der Sakramente usw.); nun kommen die Laien in Sicht, die das Pleroma des Bischofs sind (Leben = Fülle; Integration). Gleichzeitig bedeutet die ältere scharfe Unterscheidung von Klerus und Laien die Mehrbetonung der Gliederung bzw. der Besonderheit, hingegen die Einheit von Haupt und Gliedern im sakramentalen Kirchenbild die Mehrbetonung des Zusammenhangs bzw. der Verwandtschaft. Der Finis ist im gesellschaftlichen Bild der Kirche mehr Zweck, man will z. B. mit der Strafe etwas erreichen (Transzendenz); im neueren Kirchenbild ist der Finis dagegen mehr Sinn, die heilige Kirche vollzieht sich selbst (Immanenz).

Die Gewalten wurden früher stärker voneinander getrennt und betont, daß sie auch unabhängig voneinander existieren können (Gliederung); später bezog man sie stärker aufeinander und untersuchte ihr Zusammenwirken (Zusammenhang). Man erkennt ihre Verschiedenheit gerade in dem Gegensatz von Produktion und Disposition. Bei der Bischofsweihe sprach man früher nur von der Übertragung der Fähigkeit zum Empfang von Jurisdiktion; dann wollte man lieber sagen, es werde auch schon das Hirtenamt übertragen, nur noch nicht die genaue Umschreibung des Sprengels vorgenommen. Das bedeutet eine wachsende Bedeutung der produktiven Seite im Vergleich zur dispositiven. Das Hervorheben der Möglichkeit, daß die Laien auf Grund ihrer Gewissensentscheidung neues Gewohnheitsrecht schaffen, und der kanonischen Billigkeit bringt stärker die Ursprünglichkeit heraus, während man früher mehr die Regel sah. Das gleiche läßt sich am Phänomen des Entstehens der Säkularinstitute beobachten, wo die Ursprünglichkeit des Geistes Gottes Neues wirkt.

Unabhängig von einer bestimmten (etwa R. Guardinis) Gegensatzlehre scheint uns die Erkenntnis der Verschiebung innerhalb einer gewissen Polarität sehr wichtig. Man sieht dann, daß manche Dinge nicht gegeneinander ausgespielt werden dürfen, weil sie am Lebendigen zusammengehören.

These 6: Der Ausblick auf das Konzil hat uns das Paradox gezeigt, wie die neuen Akzente des sakramentalen Kirchenbildes verstärkt auftreten, daneben aber alle Positiva des früheren Kirchenbildes eingebracht werden, vielleicht abgesehen von der durchsichtigen Systematik; dazu ist die Sprache und der Inhalt des Konzils zu mannigfaltig. Dieses Miteinander wird durch eine größere Tiefe und ein „geistliches Bewußtwerden" der Rückbindung an Jesus Christus möglich.

These 7: Als wichtigstes Gesamtergebnis möchten wir die vertiefte Überzeugung bezeichnen, daß der ständige Bezug aller Wirklichkeiten in der Kirche auf Christus in den Spannungen der Gegensätze die rechte Mitte finden läßt.
Diese Feststellung konnten wir im Verlauf unserer Untersuchung immer wieder machen. So mag es erlaubt sein, hier noch einmal die prophetischen Worte Pauls VI. zu zitieren, die wir an den Anfang gestellt haben. Vielleicht sind sie für den engagierten Leser schon in gewissem Maße verifiziert: „Wenn wir diesen stärkenden Sinn der Kirche in uns selbst und durch kluge und behutsame Anleitung auch in den Gläubigen zu wecken wissen, dann werden viele Gegensätze, die heute die Arbeit der Ekklesiologie erschweren, praktisch überwunden sein; z. B. die Fragen, wie die Kirche zugleich sichtbar und geistig, zugleich frei und doch Gesetzen unterworfen, wie sie gemeinschaftsförmig und hierarchisch, wie sie bereits heilig und immer noch auf dem Wege zur Heiligung sein kann und so fort. Diese Fragen werden im Lichte der Glaubenslehre durch die Erfahrung der lebendigen Wirklichkeit der Kirche gelöst."[1456]

[1456] ES 38 (vgl. oben S. 8).

PERSONENREGISTER

Adam, K. 22, 24, 240
Aguirre, Ph. 39
Alberigo, G. 266
Alger von Lüttich 202
Alonso Moran S. 216
Ambrosius 168
Anta, M. Cabreros, de s. u. Cabreros de
  Anta
Antiocheia, Ignatius v. siehe Ignatius
Aristoteles 18, 94, 113, 153
Arnold, F. X. 110, 114 f.
Aschbach, I. 83
Athanasios 79
Augustinus 22, 52, 126, 167 f., 170, 219,
  249
Avack, P. d 44 f., 175
Avanzo, d 243
Aymans, W. 279
Ayrinhac, H. A. X, 39, 182
Baccari, R. 7 f.
Baczkowicz, F. 43
Balthasar, H. U. v. 65
Barauna, G. XIII, 8, 266
Barcia, Martin, L. 180
Baron, F. 43
Barthel, J. K. 72
Bartmann, B. 47, 88
Bäumer, R. 46
Bea, A. 31
Becker, W. 8, 50, 54
Beda 248, 252
Bekkers 283
Bellarmin, R. 2, 9, 29, 43, 47, 80–83, 88 f.,
  156, 196 f.
Bender, L. X, 10, 32, 37, 74 f., 77 f., 86 f.,
  95 f., 99, 103, 108, 175, 182 f., 188, 197,
  206, 216, 218 ff., 283
Benedikt XV. 17
Benoit, P. 169
Bergh, Ae. 40
Bernards, M. 24, 133
Bernhard, J. X, 126, 188, 197 f.
Bertkau, F. 47
Bertola, A. X, 18, 44, 81, 216 f., 219, 226,
  228
Bertrams, W. X, 10, 21 f., 24, 29, 52–57,
  62, 64, 68 f., 76, 87, 92 f., 120, 123, 125 f.,
  129 f., 134 ff., 138, 150, 153, 162, 165, 167,
  173, 177 f., 195, 197, 204, 209, 213 f.,
  233, 236, 244 ff., 253, 279, 284

Beste, U. X, 43, 198
Beumer, J. XIII, 188, 197
Beyer, J. X, 28, 62, 64 f., 133, 146, 179,
  238
Bidagor, R. X, 53, 55 f., 68, 88, 178
Billot, L. 217
Binding, K. 20
Blat, A. X, 36, 228, 233
Böckle, F. XIV
Böhmer, J. H. 16
Boethius 189
Bohr, N. 5
Bonet Muixi, M. 280
Botte, B. 279
Bride 182
Brownson, O. A. 47
Brugger, W. XIII, 85 f., 146, 149
Brys, J. X, 43, 80, 194
Buchberger, M. 83
Bultmann, R. 24
Busek, V. 227
Cabreros de Anta 27, 33, 148, 216
Calvin, J. 76
Cappello, F. M. X, 10, 31, 36, 46 f., 72–78,
  81 f., 84–88, 96, 99, 100–104, 107, 113,
  119, 121, 129, 174, 182, 185, 193 f., 198,
  206, 216 f., 219–223, 232, 283
Caratteri 177
Carpzov, B. 16
Casper, B. 3
Castillo Lara, R. 69
Cattin, P. XIV
Cavagnis, F. XIII, 2, 18 f., 31, 67, 73 f., 83,
  86 f., 96, 99, 102 ff., 108, 119, 183, 216
Cerfaux, L. 23
Chenu, M.-D. 280
Chrysostomos, Johannes siehe Johannes
Ciprotti, P. X, 44 f., 78, 86, 102, 173, 176,
  179, 216, 283
Claeys-Bouaert, F. 36, 38, 208, 220, 224
Clercq, C. de 36 f.
Coechi, G. X, 43, 99
Cölestin V. 182, 208
Congar, Y. M.-J. XIII, 14, 22–25, 65, 109,
  112, 127, 238, 246, 251, 254, 256
Conte a Coronata, M. X, 32, 35 f., 42, 77,
  83, 86 f., 96, 182, 193, 197, 206 f., 232,
  283
Conus, H. Th. XIV
Corecco, E. 35, 240

Das Register erarbeiteten B. Jurgons und M. Zorr

ERFURTER THEOLOGISCHE STUDIEN

Herausgegeben von Wilhelm Ernst und Konrad Feiereis

1. Benno Löbmann, *Der kanonische Infamiebegriff in seiner geschichtlichen Entwicklung* unter besonderer Berücksichtigung der Infamielehre des Franz Suarez
Format 15,5 × 23 cm, 144 Seiten, Broschur, 10,– M

2. Georg May, *Die geistliche Gerichtsbarkeit des Erzbischofs von Mainz im Thüringen des späten Mittelalters* · Das Generalgericht zu Erfurt
Format 15,5 × 23 cm, XXIV/340 Seiten, Broschur, 20,– M

3. Alfred Bengsch, *Heilsgeschichte und Heilswissen* · Eine Untersuchung zur Struktur und Entfaltung des theologischen Denkens im Werk „Adversus haereses" des hl. Irenäus von Lyon
Format 15,5 × 23 cm, XXIV/244 Seiten, Broschur, 18,– M

4. Paul Nordhues, *Der Kirchenbegriff des Louis de Thomassin** in seinen dogmatischen Zusammenhängen und seiner lebensmäßigen Bedeutung
Format 15,5 × 23 cm, XVIII/250 Seiten, Broschur, 19,– M

5. Leo Scheffczyk, *Das Mariengeheimnis in Frömmigkeit und Lehre der Karolingerzeit*
Format 15,5 × 23 cm, XXIV/530 Seiten, Broschur, 30,– M

6. Fritz Hoffmann, *Die Schriften des Oxforder Kanzlers Johann Lutterell* · Texte zur Theologie des vierzehnten Jahrhunderts
Format 15,5 × 23 cm, X/248 Seiten, Broschur, 22,– M

7. Wolfgang Trilling, *Das wahre Israel* · Studien zur Theologie des Matthäusevangeliums (3. Aufl.)
Format 16,5 × 23 cm, 250 Seiten, Broschur, 21,50 M

8. Georg May, *Die kirchliche Ehre* als Voraussetzung der Teilnahme an dem eucharistischen Mahle
Format 16,5 × 23 cm, XVIII/132 Seiten, Broschur, 11,– M

9. Joseph Klapper †, *Der Erfurter Kartäuser Johannes Hagen* Ein Reformtheologe des 15. Jahrhunderts
I. Teil: Leben und Werk
Format 16,5 × 23 cm, X/136 Seiten, Broschur, 9,– M

10. Joseph Klapper †, *Der Erfurter Kartäuser Johannes Hagen* Ein Reformtheologe des 15. Jahrhunderts
II. Teil: Texte
Format 16,5 × 23 cm, VIII/192 Seiten, Broschur, 10,25 M

11. Hans Lubsczyk, *Der Auszug Israels aus Ägypten** · Seine theologische Bedeutung in prophetischer und priesterlicher Überlieferung
Format 16,5 × 23 cm, XII/192 Seiten, Broschur, 23,– M

12. Erich Kleineidam / Heinz Schürmann, *Miscellanea Erfordiana*
Format 16,5 × 23 cm, 316 Seiten, Broschur, 11,25 M, Ganzleinen*, 12,85 M

13. Franz Peter Sonntag, *Das Kollegiatstift St. Marien zu Erfurt von 1117–1400* · Ein Beitrag zur Geschichte seiner Verfassung, seiner Mitglieder und seines Wirkens
Format 16,5 × 23 cm, XX/336 Seiten, Broschur, 22,50 M

14. Erich Kleineidam, *Universitas Studii Erffordensis* · Überblick über die Geschichte der Universität Erfurt im Mittelalter 1392–1521
Teil I: 1392–1460
Format 16,5 × 23 cm, XXVI/402 Seiten, Broschur, 24,50 M

* Beim Verlag vergriffen

15. Wilhelm Ernst, *Die Tugendlehre des Franz Suarez* · Mit einer Edition seiner römischen Vorlesungen „De Habitibus in communi"
Format 16,5 × 23 cm, XVI/280 Seiten, Broschur, 21,– M

16. Franz Schrader, *Die ehemalige Zisterzienserinnenabtei Marienstuhl vor Egeln* · Ein Beitrag zur Geschichte der Zisterzienserinnen und der nachreformatorischen Restbestände des Katholizismus im ehemaligen Herzogtum Magdeburg
Format 16,5 × 23 cm, XX/204 Seiten, Broschur, 19,50 M

17. Joseph Klapper †, *Johann von Neumarkt, Bischof und Hofkanzler* · Religiöse Frührenaissance in Böhmen zur Zeit Kaiser Karls IV.
Format 16,5 × 23 cm, XIII/180 Seiten, Broschur, 12,– M

18. Konrad Feiereis, *Die Umprägung der natürlichen Theologie in Religionsphilosophie* · Ein Beitrag zur deutschen Geistesgeschichte des 18. Jahrhunderts
Format 16,5 × 23 cm, XX/256 Seiten, Broschur, 18,– M

19. Josef Mann, *John Henry Newman als Kerygmatiker* · Der Beitrag seiner anglikanischen Zeit zur Glaubensverkündigung und Unterweisung
Format 16,5 × 23 cm, XVI/200 Seiten, Broschur, 13,– M

20. Lothar Ullrich, *Fragen der Schöpfungslehre nach Jakob von Metz OP* · Eine vergleichende Untersuchung zu Sentenzenkommentaren aus der Dominikanerschule um 1300
Format 16,5 × 23 cm, XVI/384 Seiten, Broschur, 31,50 M

21. Johannes Bernard, *Die apologetische Methode bei Klemens von Alexandrien* · Apologetik als Entfaltung der Theologie
Format 16,5 × 23 cm, XXII/406 Seiten, Broschur, 21,– M

22. Erich Kleineidam, *Universitas Studii Erffordensis* · Überblick über die Geschichte der Universität Erfurt im Mittelalter 1392–1521
Teil II: 1400–1521
Format 16,5 × 23 cm, XVIII/400 Seiten, Broschur, 24,50 M

23. Adolf Laminski, *Der Heilige Geist als Geist Christi und Geist der Gläubigen* · Der Beitrag des Athanasios von Alexandrien zur Formulierung des trinitarischen Dogmas im vierten Jahrhundert
Format 16,5 × 23 cm, XVI/200 Seiten, Broschur, 21,– M

24. Fritz Hoffmann / Leo Scheffczyk / Konrad Feiereis, *Sapienter ordinare – Festgabe für Erich Kleineidam*
Format 16,5 × 23 cm, 500 Seiten
Broschur, 28,– M; Sonderpreis für die DDR 15,– M
Ganzleinen, 32,– M; Sonderpreis für die DDR 18,50 M

25. Joseph Reindl, *Das Angesicht Gottes im Sprachgebrauch des Alten Testaments*
Format 16,5 × 23 cm, XXVI/358 Seiten, Broschur, 20,– M

26. Joachim Meisner, *Nachreformatorische katholische Frömmigkeitsformen in Erfurt*
Format 16,5 × 23 cm, XXXV/362 Seiten, und 14seitiger Bildanhang, Broschur, 24,– M

27. Wolfgang Trilling, *Untersuchungen zum zweiten Thessalonicherbrief*
Format 16,5 × 23 cm, 176 Seiten, Broschur, 19,50 M

28. Wilhelm Ernst, *Gott und Mensch am Vorabend der Reformation* · Eine Untersuchung zur Moralphilosophie und -theologie bei Gabriel Biel
Format 16,5 × 23 cm, XXII/432 Seiten, Broschur, 30,– M

29. Franz Georg Friemel, *Johann Michael Sailer und das Problem der Konfession*
Format 16,5 × 23 cm, XVIII/366 Seiten, Broschur, 28,– M

30. Heribert Rücker, *Die Begründungen der Weisungen Jahwes im Pentateuch*
Format 16,5 × 23 cm, XXXII/168 Seiten, Broschur, 19,10 M

31. Joachim Wanke, *Die Emmauserzählung*
Format 16,5 × 23 cm, XVIII/196 Seiten, Broschur, 20,60 M

32. Wilhelm Ernst / Konrad Feiereis, *Einheit in Vielfalt* – Festgabe für Hugo Aufderbeck
Format 16,5 × 23 cm, 256 Seiten, Broschur, 21,– M

33. Georg Hentschel, *Die Eliaerzählungen.* Zum Verhältnis von historischem Geschehen und geschichtlicher Erfahrung
Format 16,5 × 23 cm, XXVIII/372 Seiten, Broschur, 28,– M

34. Karl-Heinz Ducke, *Handeln zum Heil*
Format 16,5 × 23 cm, XX/332 Seiten, Broschur, 24,50 M

35. Dietmar Hintner †, *Die Ungarn und das byzantinische Christentum der Bulgaren im Spiegel der Register Papst Innozenz' III.*
Format 16,5 × 23 cm, XX/238 Seiten, Broschur, 21,50 M

36. Nicolaus Timpe, *Das kanonistische Kirchenbild vom Codex Iuris Canonici bis zum Beginn des Vaticanum Secundum.* Eine historisch-systematische Untersuchung
Format 16,5 × 23 cm, XIV/294 Seiten, Broschur, 23,50 M

37. Wilhelm Ernst / Konrad Feiereis, *Dienst der Vermittlung* Festschrift zum 25jährigen Bestehen des Phil.-Theol. Studiums Erfurt
Format 16,5 × 23 cm, 692 Seiten, Broschur, 33,85 M
Ganzleinen mit Schutzumschlag, 36,15 M

38. Rudolf Schnackenburg / Josef Ernst / Joachim Wanke, *Die Kirche des Anfangs* · Festschrift für Heinz Schürmann
Format 16,5 × 23 cm, 672 Seiten, Broschur, 28,80 M
Ganzleinen mit Schutzumschlag, 30,40 M

39. Ulrich Werbs, *Die Bedeutung des Hörers für die Verkündigung*
(In Vorbereitung)

ERFURTER THEOLOGISCHE SCHRIFTEN
Herausgegeben von Wilhelm Ernst und Konrad Feiereis

1. Erich Kleineidam, *Wissen, Wissenschaft, Theologie bei Bernhard von Clairvaux**
Format 13,5 × 20,5 cm, 66 Seiten, Broschur, 2,– M

2. Joseph Klapper †, *Die Kirche zum heiligen Brunnen in Erfurt*
Format 13,5 × 20,5 cm, 136 Seiten, Broschur, 6,– M

3. Lorenz Drehmann, *Der Weihbischof Nikolaus Elgard* Eine Gestalt der Gegenreformation
Format 13,5 × 20,5 cm, XVI/112 Seiten, Broschur, 7,– M

4. Walter Gerblich, *Johann Leisentrit** und die Administratur des Bistums Meißen in den Lausitzen
Format 13,5 × 20,5 cm, 116 Seiten, Broschur, 6,– M

5. Heinrich Schipperges, *Das Menschenbild Hildegards von Bingen** · Die anthropologische Bedeutung von „Opus" in ihrem Weltbild
Format 12,5 × 20 cm, 44 Seiten, Broschur, 2,60 M

6. Joachim Meisner, *Das Auditorium Coelicum am Dom zu Erfurt* · Ein Beitrag zur Universitätsgeschichte Erfurts
Format 12,5 × 20 cm, 108 Seiten, Broschur, 6,– M

7. Heinrich Schipperges, *Die Benediktiner in der Medizin des frühen Mittelalters*
Format 12,5 × 20 cm, 64 Seiten, Broschur, 5,– M

8. Joachim Wanke, *Beobachtungen zum Eucharistieverständnis des Lukas auf Grund der lukanischen Mahlberichte*
Format 14,7 × 21,5 cm, 80 Seiten, Broschur, 10,50 M

9. Walter Kaliner, *Julius Pflugs Verhältnis zur „Christlichen Lehre" des Johann von Maltitz*
Format 14,7 × 21,5 cm, 84 Seiten, Broschur, 10,50 M

10. Karl-Heinz Ducke, *Das Verständnis von Amt und Theologie im Briefwechsel zwischen Hadrian VI. und Erasmus von Rotterdam*
Format 14,7 × 21,5 cm, 88 Seiten, Broschur, 10,50 M

11. Claus-Peter März, *Das Wort Gottes bei Lukas*
Format 14,7 × 21,5 cm, 112 Seiten, Broschur, 12,75 M

12. Paul Christian, *Jesus und seine geringsten Brüder*
Format 14,7 × 21,5 cm, XXX/108 Seiten, Broschur, 12,75 M

13. Eckehard Peters / Eberhard Kirsch, *Religionskritik bei Heinrich Heine*
Format 14,7 × 21,5 cm, 144 Seiten, Broschur, 10,80 M

14. Hans-Andreas Egenolf, *Die katholische Weihnachtspredigt nach 1945*
Format 14,7 × 21,5 cm, XX/124 Seiten, Broschur, 10,80 M

* Beim Verlag vergriffen

1. Auflage 1978
Lizenznummer 480–105–78
LSV 6021
Printed in the German Democratic Republic
Gesamtherstellung: VOB Druckerei Bad Blankenburg – V-14-8
Einbandgestaltung: Paul Zimmermann, Leipzig
DDR 23,50 M